TRUDI CANAVAN

GILDIA MAGÓW

KSIĘGA PIERWSZA TRYLOGII CZARNEGO MAGA

Przełożyła Agnieszka Fulińska

GALERIA KSIĄŻKI · KRAKÓW 2007

Tytuł oryginału: *The Magicians' Guild. The Black Magician Trilogy: Book One*

Autor ilustracji: STEVE STONE/ARTIST PARTNERS LTD.

Opracowanie graficzne okładki na podstawie oryginału: PATRYK LUBAS

Projekt układu typograficznego i skład: ROBERT OLEŚ / DESIGN PLUS

Opracowanie graficzne mapek i przygotowanie do druku okładki:
ELŻBIETA TOTOŃ / DESIGN PLUS

Redakcja i korekta:
MAŁGORZATA SOKALSKA

Korekta:
MARIANNA CIELECKA/DESIGN PLUS
MAŁGORZATA PASZ/DESIGN PLUS
MAŁGORZATA POŹDZIK/DESIGN PLUS

Wydanie I

ISBN: 978-83-925796-0-1

Wydawca: GALERIA KSIĄŻKI
www.galeriaksiazki.pl
biuro@galeriaksiazki.pl

Książkę tę dedykuję mojemu ojcu,
Denisowi Canavanowi.
To on rozniecił we mnie dwa płomienie:
ciekawości i twórczej pasji.

PODZIĘKOWANIA

Podczas pisania tej trylogii wielu ludzi wspierało mnie słowami zachęty i konstruktywnej krytyki. Oto ci, którym należą się podziękowania:

Mama i Tato – za wiarę w to, że mogę zostać tym, kim chcę; Yvonne Hardingham – za to, że była jak starsza siostra, której nie miałam; Paul Marshall – za niewyczerpaną gotowość do czytania; Steven Pemberton – za hektolitry herbaty i kilka bardzo zabawnych sugestii; Anthony Mauriks – za rozmowy o szermierce i pokazy sztuk walki; Mike Hughes, który jak wariat upierał się, by zostać jednym z bohaterów; Julia Taylor – za jej hojność i Dirk Strasser – za zielone światło.

A także Jack Dann za utwierdzanie mnie w pisaniu, kiedy najbardziej tego potrzebowałam; Jane Williams, Victoria Hammond i zwłaszcza Gail Bell, którzy sprawili, że poczułam się jak w domu wśród głównonurtowych pisarzy w Varuna Writers' Centre; oraz Carol Boothman – za jej mądrość.

Nie mogę również zapomnieć o podziękowaniach dla następujących osób: Ann Jeffree, Paul Potiki, Donna Johansen, Sarah Endacott, Anthony Oakman, David i Michelle LeBlanc i Les Peterson.

Ciepłe słowa powinien również przyjąć Peter Bishop i zespół z Varuny. Pomogliście mi na tyle sposobów, że nie zdołam ich wyliczyć.

Na koniec bardzo specjalne podziękowanie dla Fran Bryson, mojej agentki, której bardzo dużo zawdzięczam – za to, że utorowała drogę moim książkom, oraz dla Lindy Funnell, która powiedziała „oczywiście!"

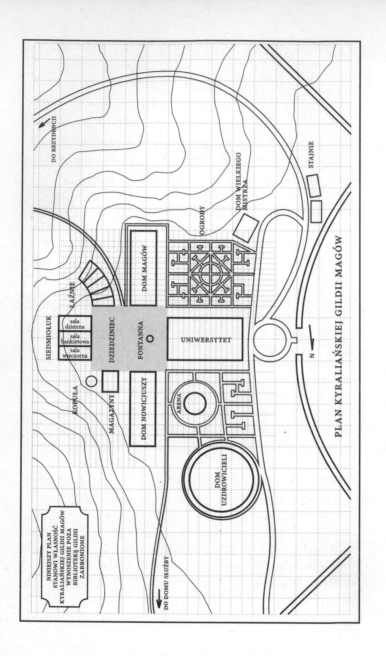

PLAN KYRALIAŃSKIEJ GILDII MAGÓW

DO REZYDENCJI

STAJNIE

DOM WIELKIEGO MISTRZA

OGRODY

DOM MAGÓW

ŁAŹNIE

SIEDMIOŁUK

sala dzienna

sala bankietowa

sala wieczorna

DZIEDZINIEC

FONTANNA

UNIWERSYTET

N

KOPUŁA

MAGAZYNY

DOM NOWICJUSZY

ARENA

DOM UZDROWICIELI

NINIEJSZY PLAN STANOWI WŁASNOŚĆ KYRALIAŃSKIEJ GILDII MAGÓW WYNOSZENIE POZA BIBLIOTEKĘ GILDII ZABRONIONE

DO DOMU SŁUŻBY

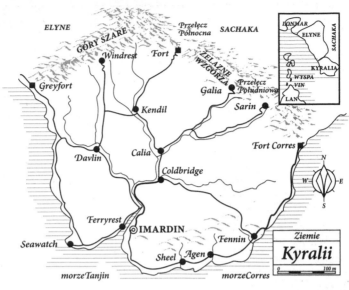

ELYNE

GÓRY SZARE

Windrest

Fort

Przełęcz
Północna

SACHAKA

ŻELAZNE
WZGÓRZA

Greyfort

Kendil

Galia

Przełęcz
Południowa

Sarin

Fort Corres

Davlin

Calia

Coldbridge

N

W   E

S

Ferryrest

IMARDIN

Fennin

Ziemie

Seawatch

Sheel

Agen

Kyralii

morze Tanjin

morze Corres

0   100 m

IONMAR

ELYNE

SACHAKA

KYRALIA

WYSPA

VIN

LAN

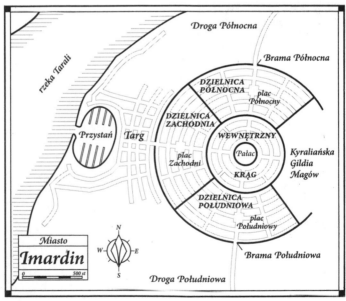

Droga Północna

rzeka Tarali

Brama Północna

DZIELNICA
PÓŁNOCNA

plac
Północny

DZIELNICA
ZACHODNIA

WEWNĘTRZNY

Przystań   Targ

Pałac

Kyraliańska
Gildia
Magów

plac
Zachodni

KRĄG

DZIELNICA
POŁUDNIOWA

plac
Południowy

N

W   E

S

Miasto

Imardin

Brama Południowa

0   500 st

Droga Południowa

CZĘŚĆ PIERWSZA

ROZDZIAŁ 1

CZYSTKA

Mawiają w Imardinie, że wiatr ma duszę i jęczy w ciasnych zaułkach miasta, ponieważ smuci go ich widok. W dniu Czystki wiatr przemykał ze świstem wśród masztów kołyszących się w Przystani, wpadł przez Bramę Zachodnią i zawył między domami. A następnie, jakby przeraziwszy się zamieszkujących je udręczonych dusz, przeszedł w cichy skowyt.

Tak w każdym razie odczuwała to Sonea. Kiedy uderzył w nią kolejny podmuch zimnego wichru, skuliła się i owinęła mocniej starym płaszczem. Zerknąwszy w dół, skrzywiła się na widok śniegowego błota rozpryskującego się pod jej stopami przy każdym kroku. Szmaty, którymi wypchała za duże buty, dawno zamokły, i mróz szczypał ją w palce.

Jej uwagę przyciągnęło nagłe poruszenie po prawej; ustąpiła drogi mężczyźnie o potarganych siwych włosach, który chwiejnie wytoczył się z zaułka i upadł na kolana. Sonea przystanęła i podała mu rękę, ale starzec zdawał się jej nie widzieć. Wstał i dołączył do zgarbionych postaci sunących ulicą.

Sonea westchnęła i wyjrzała spod kaptura. U wylotu zaułka kulił się gwardzista. Usta miał zaciśnięte w pogardliwy grymas, wzrokiem przebiegał od postaci do postaci. Sonea zmrużyła oczy, by mu się przyjrzeć, ale kiedy zwrócił głowę w jej stronę, szybko odwróciła wzrok.

Przeklęci gwardziści, pomyślała. *Niech ich buty będą pełne jadowitych farenów*. Sumienie podpowiedziało jej imiona kilku przyzwoitych strażników, ale nie miała nastroju do robienia wyjątków.

Dołączywszy do otaczających ją postaci, powlokła się wraz z nimi ulicą ku szerszej alei. Po jej obu stronach wznosiły się dwu- i trzypiętrowe kamienice. W oknach wyższych pięter tłoczyły się twarze. W jednym z okien zamożnie ubrany mężczyzna trzymał w ramionach małego chłopca, pokazując mu tłum na dole. Twarz mężczyzny wykrzywiła się w pogardliwy grymas, a kiedy wskazał palcem w dół, chłopiec również zrobił minę, jakby skosztował czegoś paskudnego.

Sonea obrzuciła ich spojrzeniem. *Nie czuliby się tak pewnie, gdybym rzuciła czymś w ich okno*. Rozejrzała się wokół z niejaką nadzieją, ale jeśli nawet gdzieś w pobliżu były kamienie, to obecnie skrywała je śniegowa maź.

Nieco dalej zauważyła przed sobą dwóch gwardzistów stojących u wejścia do kolejnej uliczki. Odziani w płaszcze z wyprawianej na sztywno skóry i żelazne hełmy, sprawiali wrażenie dwa razy większych niż pilnowani przez nich żebracy. Do ich uzbrojenia należały drewniane tarcze i przypięte do pasów *kebiny* – żelazne pręty używane jako pałki, z tą różnicą, że tuż nad uchwytem miały jeszcze hak, służący do wyrywania napastnikom noży. Sonea spuściła wzrok, mijając tych dwóch mężczyzn.

– ...odetnij im drogę, zanim dojdą do placu – mówił jeden z gwardzistów. – Jest ich może dwudziestu. Przywódca jest wysoki, ma bliznę na szyi i...

Serce Sonei zadrżało. *Czy to możliwe?*

Kilka kroków dalej zauważyła ukryte w niszy drzwi. Wsunąwszy się w zagłębienie, odwróciła głowę, by przyjrzeć się strażnikom, i podskoczyła na widok pary ciemnych oczu spoglądających na nią z bramy.

Była to kobieta o oczach szeroko otwartych ze zdumienia. Sonea cofnęła się o krok. Nieznajoma zrobiła to samo, po czym uśmiechnęła się, słysząc śmiech.

Zwierciadło! Sonea wyciągnęła rękę i dotknęła zawieszonego na ścianie kwadratu z wypolerowanego metalu. Na jego powierzchni wyryto jakieś słowa, ale zbyt słabo znała litery, żeby je zrozumieć.

Przyjrzała się dokładnie swojemu odbiciu. Pociągła twarz o zapadniętych policzkach. Krótkie, ciemne włosy. Nikt nigdy nie nazwał jej ładną. Gdyby chciała, mogłaby nadal uchodzić za chłopaka. Ciotka zwykła mówić, że bardziej przypomina dawno zmarłą matkę niż ojca, ale Sonea podejrzewała, że Jonna po prostu nie chce zauważać żadnego podobieństwa do szwagra, który postanowił zniknąć z ich życia.

Sonea przysunęła twarz do odbicia. Matka była piękna. *Może gdybym zapuściła włosy*, pomyślała, *i założyła jakieś kobiece ubranie...*

...daj spokój. Parsknęła pogardliwie i odwróciła się, zła, że dała się porównać takim fantazjom.

– ...jakieś dwadzieścia minut temu – usłyszała w pobliżu. Zamarła, przypomniawszy sobie, dlaczego schowała się w tej niszy.

– A gdzie zastawili pułapkę?

– Nie wiem, Mol.

– Chciałbym tam być. Widziałem, co te dranie zrobiły w zeszłym roku Porlenowi. Przez kilka tygodni nie mógł się pozbyć wysypki i przez wiele dni nie widział dobrze. Ciekawe, czy mogę się wydostać z… Ej! Nie tędy, chłopcze!

Sonea zignorowała to wezwanie, wiedząc, że żołnierze nie opuszczą posterunku u wylotu zaułka, ponieważ wtedy ludzie sunący ulicą mogliby wykorzystać ich nieuwagę i rozpierzchnąć się. Ruszyła biegiem, przemykając wśród gęstniejącego tłumu. Od czasu do czasu zatrzymywała się, żeby poszukać znajomych twarzy.

Nie miała wątpliwości, o jakiej bandzie mówili strażnicy. Powtarzane w nieskończoność opowieści o wyczynach chłopaków Harrina podczas ostatniej Czystki były główną atrakcją ostatniej mroźnej zimy. Cieszyło ją, że dawni kumple są wciąż zdolni do psot, aczkolwiek zgodziła się z ciotką, że sama powinna trzymać się z dala od kłopotów. Wyglądało na to, że strażnicy zamierzają wziąć dziś odwet.

Co tylko potwierdza, że Jonna miała rację. Sonea uśmiechnęła się ponuro. *Zbiłaby mnie, gdyby wiedziała, co zamierzam teraz zrobić, ale muszę ostrzec Harrina. Raz jeszcze* przebiegła wzrokiem po tłumie. *Nie zamierzam wracać do bandy. Muszę tylko znaleźć czujkę – jest!*

W cieniu bramy czaił się chłopak, omiatając ulicę wrogim spojrzeniem. Mimo że sprawiał wrażenie biernego, przeskakiwał wzrokiem między jednym zaułkiem a drugim. Kiedy ich spojrzenia się spotkały, Sonea podniosła rękę, żeby poprawić kaptur, i wykonała gest, który większość ludzi uznałaby za nieporadny znak. Chłopak zmrużył oczy i odpowiedział ruchem ręki.

Pewna już, że to czujka, przecisnęła się przez tłum i zatrzymała kilka kroków przed bramą, udając, że tym razem poprawia rzemyki buta.

– Z kim jesteś? – spytał chłopak, nie patrząc na nią.

– Z nikim.

– Użyłaś starego znaku.

– Znikłam na jakiś czas.

Milczał przez chwilę.

– Czego chcesz?

– Podsłuchałam strażników – odpowiedziała. – Chcą kogoś dorwać.

Czujka żachnął się.

– Czemu miałbym ci wierzyć?

– Znałam Harrina – odpowiedziała, prostując się.

Chłopak rozważał przez chwilę te słowa, po czym wysunął się z niszy i chwycił ją za rękę.

– Zobaczmy więc, czy on cię pamięta.

Serce Sonei zamarło, gdy chłopak wciągnął ją w tłum. Błoto było śliskie i wiedziała, że wyląduje w nim, jeśli spróbuje zaprzeć się nogami. Zaklęła pod nosem.

– Nie musisz mnie do niego zabierać – powiedziała. – Wystarczy, że podasz mu moje imię. Będzie wiedział, że nie chcę go wrobić.

Chłopak nie słuchał. Strażnicy przyglądali im się podejrzliwie. Sonea pociągnęła rękę, ale chłopak trzymał mocno. Wciągnął ją w boczną uliczkę.

– Słuchaj – powiedziała. – Mam na imię Sonea. Harrin mnie zna. Cery też.

– W takim razie nie powinnaś mieć nic przeciwko spotkaniu z nimi – rzucił chłopak przez ramię.

Uliczka była zatłoczona, ludzie jakby się gdzieś spieszyli. Sonea chwyciła się latarni i przyciągnęła chłopaka do siebie.

– Nie mogę z tobą iść. Muszę się zobaczyć z ciotką. Puść mnie…

Tłum minął ich, zmierzając dalej ulicą. Sonea spojrzała w górę i jęknęła.

– Jonna mnie zabije.

W poprzek uliczki ustawili się gwardziści, trzymając wysoko tarcze. Przed nimi skakało kilkoro dzieci, wykrzykując obraźliwe i szydercze słowa. Na oczach Sonei jedno z nich rzuciło w gwardzistów jakimś małym przedmiotem. Pocisk trafił w tarczę i rozprysnął się w chmurę czerwonego pyłu. Dzieciaki wybuchnęły śmiechem, kiedy żołnierze cofnęli się o kilka kroków.

Niedaleko dzieciaków dostrzegła dwie znajome postacie. Jeden z chłopaków, podparty pod boki, był wyższy i nieco tęższy, niż zapamiętała. Przez te dwa lata Harrin wyrósł z chłopięcej sylwetki, ale sądząc po postawie, niewiele więcej się zmieniło. Zawsze był niekwestionowanym przywódcą bandy, gotowym przemówić każdemu do rozsądku za pomocą pięści.

Obok stał chłopak niemal o połowę od niego niższy. Sonea nie potrafiła powstrzymać się od uśmiechu: ten nic nie urósł od czasu, kiedy ostatni raz go widziała, i zdawała sobie sprawę z tego, jak bardzo musi go to złościć. Pomimo niskiego wzrostu, Cery zawsze miał posłuch wśród członków bandy, ponieważ jego ojciec pracował dla Złodziei.

Kiedy czujka pociągnął ją bliżej, zobaczyła, że Cery ślini palec, unosi go do góry, po czym kiwa głową. Harrin krzyknął. Dzieciaki wyciągnęły spod koszul małe pakuneczki i rzuciły nimi w gwardzistów. Wokół tarcz uniosła się chmura czerwieni, a na usta Sonei wypłynął uśmiech, gdy usłyszała przekleństwa i krzyki bólu.

W tej chwili w uliczce za plecami gwardii pojawiła się samotna postać. Sonea spojrzała w tamtym kierunku i poczuła, że serce jej zamiera.

– Mag! – krzyknęła.

Stojący obok chłopak również wstrzymał oddech na widok mężczyzny w długiej szacie.

– Eja! Mag! – krzyknął. Zarówno dzieciaki, jak i gwardziści wyprostowali się i odwrócili w kierunku nowo przybyłego.

A następnie wszyscy zachwiali się pod podmuchem gorącego wiatru. Nozdrza Sonei wypełnił nieprzyjemny zapach, a oczy zaczęły ją szczypać, kiedy czerwony pył uderzył ją w twarz. Wiatr ucichł nagle i zapanowała absolutna cisza.

Sonea mrugała, ocierając łzy i rozglądając się po ziemi w poszukiwaniu czystego śniegu, którym mogłaby przetrzeć piekące oczy. Ale wokół było tylko błoto, gładkie i niepodeptane. To nie mogło być prawdą. Kiedy wzrok się jej nieco wyostrzył, dostrzegła rozchodzące się spod stóp Maga drobne fale na śniegu.

– Uciekać! – ryknął Harrin. Dzieciaki natychmiast zerwały się spod nóg gwardzistów i przemknęły obok Sonei. Czujka krzyknął i pociągnął ją za nimi.

Zrobiło jej się słabo, kiedy na przeciwnym końcu uliczki dostrzegła kolejny szereg gwardii. A więc to jest ta pułapka! *A ja dałam się w nią wciągnąć razem z nimi!*

Czujka ciągnął ją za sobą, biegnąc za bandą Harrina i dzieciakami pędzącymi wprost na gwardzistów. Kiedy zbliżyli się do nich, żołnierze podnieśli tarcze w gotowości. Kilka kroków przed nimi dzieciaki skręciły w zaułek. Pędząc za nimi, Sonea dostrzegła dwóch umundurowanych mężczyzn leżących bezwładnie u wylotu zaułka.

– Kryć się! – zawołał znajomy głos.

Jakaś ręka chwyciła ją i pociągnęła w dół. Sonea skrzywiła się, uderzając kolanami w pokryty śnieżnym błotem bruk. Usłyszała za sobą krzyki, spojrzała w tył i zobaczyła masę ramion i tarcz wypełniającą wąskie przejście między budynkami i unoszącą się nad nimi czerwoną chmurę.

– *Sonea?*

Głos był znajomy i pełen zaskoczenia. Spojrzawszy w górę, uśmiechnęła się na widok przykucniętego tuż obok Cery'ego.

– Powiedziała mi, że gwardziści planują zasadzkę – powiedział czujka.

Cery potaknął.

– Wiedzieliśmy o tym. – Na jego twarzy pojawił się uśmiech, ale potem spojrzenie powędrowało znów ku żołnierzom i Cery spoważniał. – Chodźcie. Czas uciekać!

Chwycił Soneę za rękę, pomógł jej wstać i poprowadził pomiędzy chłopaków strzelających w gwardzistów. W tej samej chwili uliczkę wypełnił rozbłysk oślepiającej bieli.

– Co to było? – jęknęła Sonea, usiłując otrząsnąć się z powidoku.

– Mag – syknął Cery.

– Uciekać! – dobiegł z pobliża krzyk Harrina. Oślepiona, Sonea brnęła przed siebie. Ktoś z tyłu wpadł na nią i potknęła się. Cery chwycił ją, postawił z powrotem na nogi i poprowadził dalej.

Wyskoczyli z zaułka i znaleźli się z powrotem na głównej ulicy. Chłopcy zwolnili i naciągnęli kaptury, wtapiając się w tłum. Sonea zrobiła podobnie i przez chwilę szli z Cerym bez słowa. Po chwili dołączył do nich wysoki chłopak i zerknął na Soneę spod kaptura.

– Eja! Kogóż my tu mamy! – oczy Harrina omal nie wyskoczyły z orbit. – Sonea! Co ty tu porabiasz?

Uśmiechnęła się.

– Znowu daję się złapać przez twoje zabawy, Harrin.

– Podsłuchała, że gwardziści planują zasadzkę, i odszukała nas – wyjaśnił Cery.

Harrin machnął lekceważąco ręką.

– Wiedzieliśmy, że coś szykują, więc wybraliśmy miejsce z drogą ucieczki.

Przypomniawszy sobie leżących w wejściu do zaułka gwardzistów, Sonea skinęła głową.

– Powinnam była się domyślić, że wiesz.

– Gdzie bywałaś? To… już kilka lat.

– Dwa lata. Mieszkałam w Północnej Dzielnicy. Wuj Ranel znalazł nam pokój w gościńcu.

– Słyszałem, że strasznie zdzierają w tych gościńcach i wszystko kosztuje podwójnie tylko dlatego, że mieszkasz w obrębie murów miejskich.

– Owszem, ale jakoś sobie poradziliśmy.

– Co robiliście? – spytał Cery.

– Naprawialiśmy buty i ubrania.

Harrin skinął głową.

– Dlatego tak dawno cię nie widzieliśmy.

Sonea uśmiechnęła się.

Owszem, ale też dlatego, że Jonna nie chciała, żebym zadawała się z twoją bandą. Ciotka nie akceptowała Harrina i jego paczki. Bynajmniej…

– Jak dla mnie, nie brzmi to zbyt zachęcająco – mruknął Cery.

Przyglądając się mu, Sonea dostrzegła, że wprawdzie Cery nie urósł przez ostatnie kilka lat, ale jego twarz straciła chłopięce rysy. Miał na sobie nowy płaszcz z nitkami wyłażącymi w miejscach, w których został przycięty, a w jego połach zapewne kryła się kolekcja wytrychów, noży, błyskotek i słodyczy, poupychanych po kieszeniach i pod podszewką. Sonea zawsze zastanawiała się, co Cery będzie robił, kiedy wyrośnie z kieszonkarstwa i włamań.

– Ale jest bezpieczniejsze niż zadawanie się z wami – odpowiedziała.

Cery zmrużył oczy.

– Gadasz jak Jonna.

Kiedyś by ją to zabolało. Teraz uśmiechnęła się w odpowiedzi.

– Gadanina Jonny wyciągnęła nas z nędzy.

– A zatem – przerwał im Harrin – skoro masz pokój w gościńcu, co robisz tutaj?

Sonea skrzywiła się i spochmurniała.

– Król wygania ludzi z gościńców – powiedziała. – Twierdzi, że tyle osób nie powinno mieszkać w jednym budynku – że to niehigieniczne. Dziś rano przyszli strażnicy i wykopali nas stamtąd.

Harrin zmarszczył brwi i wymamrotał jakieś przekleństwo. Sonea rzuciła okiem na Cery'ego: kpiarski wyraz twarzy zniknął. Odwróciła wzrok, wdzięczna za zrozumienie, ale nie pocieszona.

Wystarczyło jedno słowo z Pałacu, aby wszystko, na co ona, ciotka i wuj zapracowali, znikło. Nie było czasu na zastanawianie się nad konsekwencjami, kiedy zbierali w pośpiechu dobytek, zanim wyrzucono ich na ulicę.

– Gdzie są Jonna i Ranel? – spytał Harrin.

– Wysłali mnie tu, żebym się rozejrzała za pokojem w naszej dawnej okolicy.

Cery spojrzał jej prosto w oczy.

– Jeśli nic nie znajdziesz, przyjdź do mnie.

Skinęła głową.

– Dzięki.

Tłum powoli wylewał się z ulicy na szeroki brukowany skwer. Był to plac Północny, gdzie raz w tygodniu odbywał się niewielki targ. Miejsce regularnych wizyt Sonei i jej ciotki – w każdym razie *w przeszłości*.

Na placu zgromadziło się kilkaset osób. Wielu ludzi przeszło już dalej przez Bramę Północną, ale inni czekali jeszcze, w nadziei, że spotkają bliskich, zanim pochłoną ich slumsy. Niektórzy zaś należeli do tych, którzy nie ruszą się, jeśli się ich nie popchnie.

Cery i Harrin zatrzymali się koło stojącej na środku placu sadzawki. Z wody wyrastał posąg Króla Kalpola. Dawno zmarły monarcha dobiegał czterdziestki, kiedy rozprawił się z górskimi rozbójnikami, tu jednak został przedstawiony jako młodzieniec, prawą ręką wymachujący kopią swego słynnego nabijanego klejnotami miecza, w lewej zaś dzierżący równie ozdobny puchar.

Niegdyś stał tu inny posąg, ale został zniszczony trzydzieści lat temu. Mimo że przez lata wzniesiono wiele pomników króla Terrela, wszystkie, z wyjątkiem jednego, zostały rozbite, a istniała pogłoska, że nawet ten ocalały, znajdujący się za murami Pałacu, był nadtłuczony. Pomimo wszystkich innych osiągnięć, mieszkańcy Imardinu zapamiętali Terrela przede wszystkim jako tego władcę, który zapoczątkował coroczne Czystki.

Wuj wielokrotnie opowiadał Sonei tę historię. Trzydzieści lat temu, kiedy wpływowi przedstawiciele Domów uskarżali się na brak bezpieczeństwa na ulicach, Król rozkazał gwardii wyrzucić z miasta wszystkich żebraków, bezdomnych, włóczęgów i podejrzanych o działalność przestępczą. Rozzłościło to najpotężniejszych z wyrzuconych, zebrali się więc i zaopatrzeni w broń przez zamożniejszych przemytników i złodziei, stanęli do walki. W obliczu walk ulicznych i zamieszek Król zwrócił się o pomoc do Gildii Magów.

Rebelianci nie mieli broni przeciw magii. Zostali schwytani i zawleczeni do slumsów. Króla tak ucieszyły uczty, wydane przez Domy dla uczczenia tej okazji, że rozkazał oczyszczać miasto z włóczęgów każdej zimy.

Kiedy stary Król zmarł pięć lat później, wielu liczyło na to, że Czystki się skończą, ale syn Terrela, król Merin, nie zerwał z tym zwyczajem. Sonea rozglądała się wokół, usiłując wyobrazić sobie zagrożenie, jakie mogliby stanowić otaczający ją słabi, schorowani ludzie. Po chwili zauważyła, że wokół Harrina gromadzą się dzieciaki, wpatrując się w przywódcę wyczekująco. Poczuła ucisk w żołądku, znak nagłego strachu.

– Muszę już iść – powiedziała.

– Nie, nie idź – zaprotestował Cery. – Dopiero co się odnaleźliśmy.

Potrząsnęła głową.

– Za długo mnie nie było. Jonna i Ranel mogą już być w slumsach.

– W takim razie już masz kłopoty – wzruszył ramionami Cery. – Ciągle boisz się bury, co?

Spojrzała na niego z naganą. Nie wzruszyło go to – tylko się uśmiechnął.

– Masz. – Wcisnął jej coś do ręki. Było to niewielkie papierowe zawiniątko.

– Tym rzucaliście w gwardzistów?

Cery potaknął.

– Mielona papea – powiedział. – Pieką od tego oczy i robi się wysypka.

– Ale nie działa na magów.

24

Twarz Cery'ego rozjaśnił złośliwy uśmiech.

– Jednego kiedyś dorwałem. Nie zauważył mnie.

Sonea wyciągnęła rękę, żeby zwrócić mu paczuszkę, ale Cery odsunął jej dłoń.

– To dla ciebie – powiedział. – Tu się nie przyda. Magowie zawsze wznoszą barierę.

Potrząsnęła głową.

– Dlatego rzucacie kamieniami? Po co w ogóle się męczyć?

– Poprawia samopoczucie. – Cery spojrzał na drogę, oczy miał zimne jak stal. – Gdybyśmy tego nie robili, to tak, jakby Czystka nas nie obchodziła. Nie mogą ot tak wyrzucać nas z miasta, nie?

Wzruszyła ramionami i spojrzała na dzieciaki przebierające nogami z niecierpliwości. Sonea zawsze uważała, że rzucanie czymkolwiek w magów jest głupotą.

– Ty i Harrin i tak rzadko pokazujecie się w mieście – zauważyła.

– Owszem, ale chcemy móc to robić, kiedy mamy ochotę – wyszczerzył się Cery. – A to jedyna okazja, żeby trochę narozrabiać bez wtrącania się Złodziei.

Sonea przewróciła oczami.

– A więc o to chodzi.

– Hej! Idziemy! – ryknął Harrin nad głowami tłumu.

Dzieciaki krzyknęły radośnie i zaczęły się rozbiegać. Cery spojrzał na Soneę z nadzieją.

– Chodź – ponaglił. – Będzie ubaw.

Potrząsnęła głową.

– Nie musisz się dołączać. Wystarczy, że popatrzysz – powiedział. – Potem pójdę z tobą i rozejrzymy się za jakimś mieszkaniem.

– Ale…

– Patrz – wyciągnął rękę i rozwiązał jej chustkę. Złożył materiał w trójkąt, zarzucił jej na głowę i zawiązał pod szyją. – Teraz wyglądasz bardziej jak dziewczyna. Nawet gdyby gwardziści chcieli nas gonić, czego nigdy nie robią, nie wezmą cię za rozrabiakę. No – pogłaskał ją po policzku – od razu wyglądasz lepiej. Chodź. Nie pozwolę ci więcej zniknąć.

Westchnęła.

– Niech będzie.

Tłum zgęstniał, więc banda musiała przeciskać się między ludźmi. Ku zaskoczeniu Sonei nikt nie złościł się na nich za rozpychanie się łokciami. Przeciwnie: mijani przez nią mężczyźni i kobiety wkładali jej do rąk kamienie i przejrzałe owoce, szepcząc przy tym słowa zachęty. Przesuwając się za Cerym między podnieconymi twarzami, poczuła dreszczyk emocji. Rozsądni ludzie, tacy jak jej wuj i ciotka, opuścili już plac Północny. Pozostali ci, którzy chcieli obejrzeć pokaz oporu – jakkolwiek byłby on bezcelowy.

Na obrzeżach tłum był rzadszy. Po jednej stronie wzrok Sonei napotkał ludzi napływających wciąż na plac z bocznej ulicy, po drugiej nad zgromadzonymi wznosiły się odległe bramy. Z przodu…

Sonea stanęła, czując, jak opuszcza ją pewność siebie. Cery brnął naprzód, ale ona cofnęła się o parę kroków i skryła się za starszą kobietą. Niecałe dwadzieścia kroków przed nimi stał szereg magów.

Wciągnęła głęboko powietrze i wypuściła je powoli. Wiedziała, że nie ruszą się z miejsca. Nie zwrócą uwagi na tłum, dopóki nie będą gotowi wypędzić ludzi z placu. Nie było czego się bać.

Przełknęła ślinę i zmusiła się do odszukania wzrokiem dzieciaków. Harrin, Cery i reszta sunęli do przodu, przeciskając się przez rzednący strumień spóźnialskich, ustawiających się na brzegach placu.

Sonea podniosła znów wzrok ku magom i zadrżała. Nigdy nie była tak blisko, nigdy nie miała okazji dobrze się im przyjrzeć.

Nosili rodzaj mundurów: szaty o szerokich rękawach, zebrane w pasie szeroką wstęgą. Wuj Ranel twierdził, że takie stroje były w modzie setki lat temu. Teraz jednak zwykli ludzie, którzy ubraliby się na modłę magów, popełniliby przestępstwo.

Sami mężczyźni. Ze swego miejsca potrafiła naliczyć dziewięciu; stali samotnie lub w parach, tworząc szereg, który, jak przypuszczała, miał otoczyć cały plac. Niektórzy nie mogli mieć więcej niż dwadzieścia lat, inni wyglądali bardzo staro. Jeden z tych, co stali najbliżej, jasnowłosy mężczyzna koło trzydziestki, był przystojny w bezbłędny, pedantyczny sposób. Pozostali wyglądali zaskakująco zwyczajnie.

Kątem oka dostrzegła nagłe poruszenie i odwróciła się, by zobaczyć, jak Harrin macha ręką. Ku magom poszybował kamień. Mimo że wiedziała, co nastąpi, wstrzymała oddech.

Kamień uderzył w coś twardego i niewidocznego i spadł na ziemię. Sonea wypuściła powietrze, a kolejne dzieciaki zaczęły ciskać kamienie. Kilku spośród mężczyzn w długich szatach podniosło wzrok, by przyjrzeć się pociskom odbijającym się od powietrza tuż przed nimi. Inni zaszczycili dzieciaki przelotnym spojrzeniem, po czym wrócili do przerwanych rozmów.

Wpatrywała się w miejsce, w którym zawisła magiczna bariera. Nic nie widziała. Przesunęła się bliżej, wyjęła z kieszeni jeden z kamyków, zamachnęła się i cisnęła nim z całej siły. Roztrzaskał się, uderzając w niewidoczną ścianę i przez chwilę w powietrzu widać było spłaszczony z jednej strony obłok pyłu.

Usłyszała za sobą stłumiony chichot i odwróciwszy się, zobaczyła uśmiechniętą do niej starszą kobietę.

– Dobry strzał – zagdakała kobieta. – Pokaż im. No dalej!

Sonea wsunęła dłoń do kieszeni i zacisnęła palce na nieco większym kamieniu. Podeszła jeszcze parę kroków ku magom i uśmiechnęła się. Na niektórych twarzach dostrzegała irytację. Najwyraźniej nie lubili, żeby się im przeciwstawiać, ale coś powstrzymywało ich od konfrontacji z dzieciakami.

Spoza mgiełki pyłu dochodziły stłumione głosy. Elegancki mag podniósł wzrok, po czym zwrócił się z powrotem ku swojemu towarzyszowi, starszemu mężczyźnie o siwiejących włosach.

– Żałosne robactwo – prychnął pogardliwie. – Kiedy wreszcie się ich pozbędziemy?

Sonea poczuła ucisk w żołądku i chwyciła mocniej kamień. Podrzuciła go na dłoni, oceniając ciężar. Ciężki. Zwróciwszy się ku magom, poczuła, jak wzbiera w niej gniew na myśl, że wyrzucono ją z domu, jak łączy się on z wpojoną nienawiścią do magów, i cisnęła kamieniem w mówiącego. Śledziła pocisk wzrokiem, a kiedy zbliżył się do magicznej bariery, wyobraziła sobie, jak dobrze by było, gdyby ją pokonał i dotarł do celu.

Powietrze rozbłysło niebieskim światłem, a kamień z głuchym trzaskiem uderzył maga w skroń. Mężczyzna stał przez chwilę bez ruchu, patrząc przed siebie, po czym ugięły się pod nim kolana, a ten drugi zrobił krok do przodu, by go podtrzymać.

Sonea patrzyła z otwartymi ustami, jak starszy z magów kładzie towarzysza na ziemi. Szyderstwa dzieciaków ucichły. Milczenie ogarnęło tłum niczym fala dymu.

Następnie rozległy się krzyki, gdy dwóch następnych magów podskoczyło, by przykucnąć przy leżącym na ziemi. Kompani Harrina i wielu spośród tłumu zaczęli wiwatować. Plac ożył głosami, kiedy ludzie szeptem i krzykiem powtarzali sobie, co się właśnie stało.

Sonea spojrzała na swoje dłonie. *Zadziałało. Złamałam barierę, ale to jest niemożliwe, chyba że...*

Chyba że użyłam magii.

Przebiegł ją dreszcz na wspomnienie tego, jak zbierała swój gniew i nienawiść, wtłaczając je w kamień, jak podążała wzrokiem i myślą za pociskiem, jak pragnęła, by przebił się przez barierę. Poczuła jakieś drżenie, jakby coś wyrywało się w niej, by powtórzyć to wszystko.

Podniósłszy wzrok, ujrzała, że wokół leżącego na ziemi maga zgromadziło się kilku innych. Niektórzy nachylali się nad nim, ale większość odwróciła się ku zgromadzonemu na placu tłumowi i wpatrywała się weń przenikliwie. *Szukają mnie*, przyszło jej nagle do głowy. Jeden z nich jakby usłyszał jej myśl, zwrócił bowiem spojrzenie w jej stronę. Zamarła przerażona, ale jego wzrok tylko się po niej prześlizgnął i powędrował dalej.

Nie wiedzą, kto to zrobił. Odetchnęła z ulgą. Rozejrzała się wokół i zauważyła, że tłum stoi kilka kroków za nią. Dzieciaki wycofywały się. Ruszyła za nimi z bijącym sercem.

W tej chwili podniósł się najstarszy z magów. W przeciwieństwie do pozostałych natychmiast utkwił w niej wzrok.

Wskazał na nią, a spojrzenia pozostałych podążyły za jego gestem. Kiedy unieśli ręce, poczuła paniczny strach. Obróciła się na pięcie i popędziła w stronę tłumu. Kątem oka widziała uciekające dzieciaki. Zakręciło jej się w głowie, kiedy kilka rozbłysków oświetliło znajdujące się przed nią twarze; krzyki rozdarły powietrze. Poczuła falę gorąca i dysząc upadła na kolana.

– STAĆ!

Nie czuła bólu. Spojrzała w dół i odetchnęła z ulgą na widok swojego ciała w jednym kawałku. Podniosła wzrok: ludzie wciąż uciekali, niepomni na dziwnie głośny rozkaz, który jeszcze odbijał się echem po placu.

Sonea poczuła smród spalenizny. Odwróciła się i dostrzegła raptem kilka kroków od niej kogoś leżącego twarzą w dół na chodniku. Mimo że płomienie pożerały łapczywie jego ubranie, człowiek ten leżał nieruchomo. Potem zobaczyła poczerniałą miazgę, która niegdyś była ręką, i zrobiło się jej niedobrze.

– NIE ROBIĆ JEJ KRZYWDY!

Podniosła się na drżące nogi i odsunęła od ciała. Wokół siebie widziała kształty uciekających dzieciaków. Z wielkim wysiłkiem zmusiła się do niezdarnego biegu.

Zrównała się z tłumem przy Bramie Północnej i wcisnęła się między ludzi. Przepychała się do przodu, odtrącając tych, którzy stanęli jej na drodze, aż znalazła się w samym środku tłumu. Kamienie wciąż obciążały jej kieszenie, więc je wyrzuciła. Coś szarpnęło ją za nogi i przewróciło na ziemię, ale podniosła się, by biec dalej.

Mocne ręce chwyciły ją od tyłu. Walczyła i usiłowała krzyczeć, ale ręce obróciły ją i ujrzała przed sobą dobrze znane niebieskie oczy Harrina.

ROZDZIAŁ 2

NARADA MAGÓW

Mimo że wielokrotnie przekraczał podwoje Rady Gildii od czasu, kiedy ukończył tu naukę trzydzieści lat temu, Mistrz Rothen rzadko słyszał w tym gmachu echo tak wielu głosów.

Obrzucił wzrokiem otaczające go morze mężczyzn i kobiet, w którym tworzyły się już kółka, odpowiadające klikom i frakcjom. Niektórzy przemieszczali się od grupki do grupki, dołączając do coraz to innych kół. Gesty rąk podkreślały wagę słów, a od czasu do czasu ponad ogólny szmer wznosił się pojedynczy okrzyk bądź protest.

Posiedzenia cechowały się zazwyczaj godnością i porządkiem, tym niemniej dopóki nie pojawił się Administrator, by ten porządek zaprowadzić, uczestnicy tłoczyli się, rozmawiając w środku sali. Podchodząc bliżej zgromadzonych, Rothen pochwycił urywki rozmów, które zdawały się dochodzić spod sufitu. Aula Gildii wzmacniała dźwięki w dziwaczny, niespodziewany sposób, zwłaszcza w przypadku podniesionych głosów.

Nie była to magiczna sztuczka, jak zazwyczaj wydawało się gościom, ale niezamierzony wynik przebudowy zwykłego pomieszczenia w wielką salę. Dawna siedziba Gildii mieściła w sobie niegdyś zarówno komnaty magów i ich uczniów, jak sale lekcyjne i bankietowe. Cztery stulecia później, ze względu na gwałtowny wzrost liczby członków, Gildia zbudowała kilka nowych budynków. Nie chciano jednak niszczyć historycznego gmachu, toteż wyburzono w nim ściany wewnętrzne, wstawiono krzesła i odtąd wszystkie Posiedzenia, Ceremonie Przyjęcia i Promocje, a także Przesłuchania, odbywały się właśnie tu.

Wysoka postać w fioletowej szacie opuściła zebranych i skierowała się ku Rothenowi, który uśmiechnął się na widok tego pełnego zapału młodzieńca. Dannyl niejeden raz uskarżał się, że w Gildii nie dzieje się nic szczególnie interesującego.

– Witaj, stary druhu. Jak poszło? – spytał Dannyl.

Rothen założył ręce.

– Dam ja ci „stary druhu"!

– A zatem: starcze duchem – odpowiedział beztrosko Dannyl. – Co powiedział Administrator?

– Nic. Chciał tylko, żebym opowiedział, co zaszło. Wygląda na to, że tylko ja ją widziałem.

– Miała szczęście – odrzekł Dannyl. – Dlaczego pozostali usiłowali ją zabić?

Rothen potrząsnął głową.

– Nie sądzę, żeby to było ich zamiarem.

Przez szum głosów przebił się dźwięk gongu, po czym spotęgowany głos Administratora Gildii wypełnił salę.

– Proszę wszystkich o zajęcie miejsc.

Rzuciwszy okiem za siebie, Rothen zauważył, że wielkie drzwi z tyłu auli zamykają się. Tłum na środku sali rzedł, w miarę jak magowie zajmowali miejsca po obu jej stronach. Dannyl skinął głową ku przodowi sali.

– Mamy dziś nietypowe towarzystwo.

Rothen spojrzał we wskazanym kierunku: starszyzna właśnie zasiadała na swoich miejscach. Dla podkreślenia ich pozycji i autorytetu w Gildii ich krzesła ustawiono na pięciu stopniach na samym przodzie sali. Ku podwyższeniom prowadziły dwa wąskie rzędy schodów. Na samym środku najwyższego stopnia stał wielki tron ozdobiony złotem i haftowanym *inkalem* Króla – stylizowanym ptakiem nocnym. Tron był pusty, ale w dwóch krzesłach po jego obu stronach siedzieli już magowie, których szaty przepasane były złotymi wstęgami.

– Doradcy Króla – mruknął Rothen. – Interesujące.

– Właśnie – powiedział Dannyl. – Zastanawiałem się, czy Jego Wysokość Merin uzna to Posiedzenie za dość ważne, by wziąć w nim udział.

– Najwyraźniej nie dość ważne, by przybyć osobiście.

– Oczywiście, że nie – Dannyl uśmiechnął się. – I dobrze, bo musielibyśmy się dobrze zachowywać.

Rothen wzruszył ramionami.

– Nie ma żadnej różnicy, Dannyl. Nawet gdyby nie było tu doradców, nikt z nas nie powiedziałby niczego, czego by nie powiedział w obecności Króla. Nie, oni są tu po to, żeby mieć pewność, że nie ograniczymy się do *rozmów* o tej dziewczynie.

Doszli do swoich krzeseł i usiedli. Dannyl rozparł się i obrzucił wzrokiem salę.

– Wszystko przez jakiegoś brudnego bachora z ulicy.

Rothen chrząknął.

– Narobiła niezłego zamieszania, nieprawdaż?

– Fergun nie przyszedł – Dannyl zmrużył oczy, przemykając wzrokiem po rzędach po drugiej stronie sali – ale jego poplecznicy stawili się w komplecie.

Mimo że Rothen nie pochwalał publicznego wyrażania niepochlebnych opinii o innych magach, jak miał to w zwyczaju jego przyjaciel, nie potrafił powstrzymać się od uśmiechu. Temperament Ferguna nie przysparzał mu popularności.

– O ile pamiętam raport Uzdrowiciela, uderzenie spowodowało spory wstrząs. Uznał za właściwe przepisanie Fergunowi środków uspokajających.

Dannyl niemal zagwizdał z radości.

– Fergun *uśpiony*! Będzie wściekły, kiedy dowie się, że ominęło go to Posiedzenie!

Ponownie rozległ się dźwięk gongu i szum głosów przycichł.

– W dodatku, jak się zapewne domyślasz, Administrator Lorlen był *niezmiernie* zawiedziony, że Mistrz Fergun nie będzie mógł przedstawić swojej wersji zdarzeń – dodał szeptem Rothen.

Dannyl zdusił chichot. Spoglądając ku miejscom starszyzny, Rothen zauważył, że wszyscy usiedli. Stał już tylko Administrator Lorlen z gongiem w jednej i pałeczką w drugiej ręce.

Wyraz twarzy Lorlena był niespotykanie poważny. Rothen uświadomił sobie, że jest to pierwsza tak trudna sytuacja, z którą temu magowi przyjdzie się zmierzyć, odkąd został wybrany na swoje obecne stanowisko. Lorlen pokazał już, że świetnie radzi sobie z codziennymi sprawami Gildii, ale zapewne wielu spośród magów zadawało sobie pytanie, jak stawi czoła tego rodzaju wyzwaniu.

– Zwołałem to Posiedzenie w celu omówienia wydarzeń, które dziś rano miały miejsce na placu Północnym – zaczął Lorlen. – Musimy zająć się dwiema sprawami najwyższej wagi: zabójstwem niewinnego oraz istnieniem maga działającego poza naszą kontrolą. Zacznijmy od pierwszej sprawy jako poważniejszej. Wzywam na świadka Mistrza Rothena.

Dannyl spojrzał na Rothena ze zdziwieniem, po czym roześmiał się.

– Hej, chyba od wieków nie stałeś na mównicy. Powodzenia.

Podnosząc się z miejsca, Rothen rzucił przyjacielowi miażdżące spojrzenie.

– Dzięki za przypomnienie. Jakoś sobie poradzę.

Wszystkie twarze zwróciły się ku niemu, kiedy przechodził przez salę ku krzesłom Starszych. Skinął głową Administratorowi, a Lorlen odpowiedział mu takim samym gestem.

– Powiedz nam, czego byłeś świadkiem, Mistrzu Rothenie.

Rothen przez chwilę zastanawiał się nad doborem słów. Od przemawiającego do zgromadzenia Gildii oczekiwano zwięzłości i prostoty.

– Kiedy dziś rano przybyłem na plac Północny, Mistrz Fergun już tam był – zaczął. – Zająłem miejsce obok niego i wzmocniłem tarczę moją mocą. Młodzi włóczędzy zaczęli rzucać w nas kamieniami, ale ignorowaliśmy ich, jak jest w naszym zwyczaju. – Spojrzał ku Starszym, którzy wpatrywali się w niego z uwagą. Stłumił nerwowy dreszcz. Rzeczywiście, *dawno* nie przemawiał w Gildii. – Następnie kątem oka dostrzegłem błękitny rozbłysk i poczułem zakłócenie w tarczy. Zobaczyłem lecący w naszą stronę przedmiot, ale zanim zdążyłem zareagować, przedmiot ten uderzył Mistrza Ferguna w skroń, pozbawiając go przytomności. Podtrzymałem go, gdy upadał, położyłem na ziemi i upewniłem się, że nie odniósł poważnych obrażeń.

Następnie, ponieważ pojawili się z pomocą inni, rozejrzałem się za tym, kto rzucił kamień. – Rothen uśmiechnął się krzywo na to wspomnienie. – Dostrzegłem, że podczas gdy większość wyrostków wyglądała na zmieszanych i zaskoczonych, jedna dziewczyna spoglądała ze zdumieniem na swoje dłonie. Straciłem ją z oczu, kiedy przybyli moi towarzysze, ale gdy okazało się, że nie potrafią zidentyfikować rzucającego, poprosili mnie o pomoc. – Potrząsnął głową. – Kiedy to zrobiłem, omyłkowo uznali, że wskazałem chłopaka stojącego tuż obok niej i... uderzyli.

Lorlen gestem nakazał mu przerwać przemowę. Spojrzał ku rzędowi krzeseł tuż poniżej, wpijając wzrok w Arcymistrza Balkana, przełożonego wojowników.

– Mistrzu Balkanie, czego dowiedziałeś się podczas przesłuchania tych, którzy uderzyli w tego młodzieńca?

Odziany w czerwoną szatę mag wstał.

– Wszystkich dziewiętnastu magów, którzy brali w tym udział, było przekonanych, że zaatakował ich chłopak z tłumu, ponieważ uznali za nieprawdopodobne, żeby dziewczyna została wyszkolona na dzikiego maga. Wszyscy zamierzali jedynie ogłuszyć chłopaka, nie robiąc mu krzywdy. Opis uderzeń, podany przez świadków, przekonuje mnie, że tak właśnie było. Uznałem również, analizując te raporty, że część uderzeń ogłuszających połączyła się w rozproszone uderzenie ogniowe. To właśnie zabiło chłopaka.

Wspomnienie zwęglonej postaci stanęło przed oczami Rothena. Wbił wzrok w podłogę, czując mdłości. Nawet gdyby uderzenia nie połączyły się, ciało chłopaka mogło nie wytrzymać bombardowania dziewiętnastoma ogłuszającymi. Nie był w stanie otrząsnąć się z poczucia odpowiedzialności. Gdyby tylko coś zrobił, zanim oni zareagowali...

– Stawia nas to w kłopotliwej sytuacji – powiedział Lorlen. – Ludzie raczej nie uwierzą, gdy powiemy, że po prostu zaszło nieporozumienie. Przeprosiny tu nie wystarczą. Musimy zaproponować jakieś zadośćuczynienie. Czy wynagrodzimy rodzinę tego chłopaka?

Kilku spośród Starszych potaknęło, Rothen usłyszał również pomruk aprobaty z sali.

– Jeśli tylko uda się ich odnaleźć – zauważył jeden ze Starszych.

– Obawiam się jednak, że rekompensata nie pomoże nam w naprawieniu nadwątlonej reputacji – zmarszczył brwi Lorlen. – W jaki sposób moglibyśmy odzyskać szacunek i zaufanie ludzi?

Zrobił się szum, ponad który wybił się jeden głos:

– Rekompensata wystarczy!

– Dajcie im trochę czasu, a zapomną – dodał ktoś inny.

– Zrobiliśmy wszystko, co było w naszej mocy.

I jakiś cichy głos po prawej stronie Rothena:

– ...tylko chłopak ze slumsów. Kogo to obchodzi?

Rothen westchnął. Mimo że te słowa go nie zaskoczyły, wzbudziły w nim znany od dawna gniew. Gildia została powołana po to, żeby chronić innych – jej prawa nie czyniły różnicy między bogatymi a biednymi. Wiedział jednak o magach, którzy utrzymywali, że wszyscy mieszkańcy slumsów to złodzieje, niezasługujący na opiekę Gildii.

– Niewiele więcej możemy zrobić – mówił Mistrz Balkan. – Klasy wyższe przyjmą do wiadomości, że śmierć chłopaka była wypadkiem. Biedni jej nie zaakceptują i nie zmieni tego nic, cokolwiek byśmy zrobili lub powiedzieli.

Administrator Lorlen spojrzał na wszystkich Starszych po kolei. Wszyscy przytaknęli.

– Niech tak będzie – powiedział. – Wrócimy do tej sprawy podczas następnego Posiedzenia, kiedy już przycichnie echo tej tragedii. – Wziął głęboki oddech, wyprostował się i omiótł salę wzrokiem. – A teraz sprawa druga: dziki mag. Czy ktokolwiek oprócz Mistrza Rothena widział tę dziewczynę albo może zaświadczyć, że rzuciła kamień?

Zapadło milczenie. Lorlen zmarszczył czoło, wyraźnie rozczarowany. W większości debat podczas Posiedzeń Gildii dominowali przełożeni dyscyplin: Arcymistrzyni Vinara, Arcymistrz Balkan i Arcymistrz Sarrin. Vinara, przełożona uzdrowicieli, była kobietą praktyczną, surową, ale i zdolną do ogromnego współczucia. Krzepki Mistrz Balkan był niezwykle spostrzegawczy i miał zwyczaj dokładnie badać każdą sprawę, przy tym nie wahał się przed podejmowaniem trudnych i niespodziewanych decyzji. Najstarszy z tej trójki, Mistrz Sarrin, bywał surowy w sądach, zawsze jednak liczył się ze zdaniem innych.

Na tych troje starszych liczył teraz Lorlen.

– Musimy rozpocząć od zbadania faktów, które są jasne i potwierdzone przez świadków. Nie ma wątpliwości, jakkolwiek nieprawdopodobne by się to wydawało, że zwykły kamień zdołał przedrzeć się przez magiczną tarczę. Mistrzu Balkanie, jak to było możliwe?

Wojownik wzruszył ramionami.

– Tarcza, której używamy do obrony przed kamieniami podczas Czystek, jest słaba: wystarcza, by powstrzymać pociski, ale nie magię. Błękitny rozbłysk, a także zakłócenia opisane przez tych, którzy podtrzymywali barierę, świadczą o tym, że posłużono się magią. Niemniej jednak magia, która ma przebić się przez tarczę, musi być odpowiednio ukształtowana. Sądzę, że napastnik dodał do kamienia zwykłe uderzenie.

– Po co zatem w ogóle używać kamienia? – spytała Mistrzyni Vinara. – Czemu nie uderzyć po prostu magią?

– Żeby zamaskować uderzenie? – podsunął Mistrz Sarrin. – Gdyby magowie dostrzegli zbliżający się pocisk magiczny, mogliby zdążyć wzmocnić tarczę.

– To możliwe – powiedział Balkan – ale moc uderzenia została użyta wyłącznie do przebicia się przez barierę. Gdyby napastnik miał złe zamiary, Mistrz Fergun odniósłby znacznie dotkliwsze obrażenia niż siniak na czole.

Vinara zmarszczyła brwi.

– A zatem napastnik nie zamierzał wyrządzić wielkiej krzywdy? Po co więc atakował?

– Żeby pokazać swoją moc? Żeby rzucić nam wyzwanie? – zapytał Balkan.

Na pomarszczonej twarzy Sarrina pojawił się niechętny grymas. Rothen potrząsnął głową. Balkan najwyraźniej dostrzegł ten gest, pochylił się bowiem z uśmiechem.

– Nie zgadzasz się z tym, Mistrzu Rothenie?

– Ona niczego się nie spodziewała – odpowiedział Rothen. – Sądząc z wyrazu jej twarzy, była zaskoczona i wstrząśnięta tym, co zrobiła. Myślę, że jest nieszkolona.

– Niemożliwe. – Sarrin potrząsnął głową. – *Ktoś* musiał uwolnić jej moc.

– I nauczyć ją, jak się tą mocą posługiwać, miejmy nadzieję – dodała Vinara. – Jeśli nie, to mamy poważny problem zupełnie innego rodzaju.

Sala natychmiast wypełniła się szmerem głosów. Lorlen podniósł rękę i wszyscy umilkli.

– Kiedy Mistrz Rothen powiedział mi, czego był świadkiem, wezwałem do mojego pokoju Mistrza Solenda, żeby zapytać go, czy w swoich studiach nad historią Gildii natknął się na przypadek maga, którego zdolności rozwinęłyby się bez pomocy – mówił Lorlen z powagą. – Wygląda na to, że myliliśmy się, zakładając, iż moc magiczna może zostać wyzwolona wyłącznie przez innego maga.

Istnieją przekazy mówiące, że w pierwszych stuleciach istnienia Gildii przybywali tu po naukę tacy, którzy już wcześniej posługiwali się magią. Ich moce rozwijały się naturalnie, w miarę dorastania fizycznego. Ponieważ przyjmujemy nowicjuszy i poddajemy ich inicjacji w bardzo młodym wieku, nie zdarza się już naturalny rozwój. – Lorlen wskazał ręką ku krzesłom po jednej stronie sali. – Poprosiłem Mistrza Solenda, by zebrał całą wiedzę na temat tego zjawiska, i teraz wzywam go, aby przedstawił nam wszystkim swoje odkrycia.

Spośród rzędów kobiet i mężczyzn w długich szatach podniósł się starzec i zaczął schodzić po stopniach. Wszyscy czekali w milczeniu, gdy leciwy historyk niepewnym krokiem podchodził do mównicy, aby stanąć obok Rothena. Solend ukłonił się sztywno Starszym.

– Jeszcze pięćset lat temu – zaczął chrapliwym głosem – mężczyźni i kobiety pragnący nauczyć się magii prosili magów o przyjęcie ich do terminu. Byli poddawani testom i przyjmowani na naukę w zależności od swojego talentu, a także możliwości finansowych. Wielu uczniów rozpoczynało naukę w dojrzałym wieku, ponieważ aby opłacić studia, potrzebne były albo lata pracy, albo pokaźny spadek.

Zdarzało się jednak i tak, że pojawiał się młody mężczyzna lub kobieta, których moce zostały już „uwolnione", jak wówczas mówiono. Takim ludziom, zwanym „naturalnymi talentami", nigdy nie odmawiano szkolenia. Z dwóch powodów. Po pierwsze, ich moc była zawsze ogromna. Po drugie, trzeba było nauczyć ich kontroli. – Starzec przerwał, a gdy znów przemówił, jego głos podniósł się nieco. – Wiemy doskonale, co się dzieje, kiedy nowicjusze nie potrafią opanować swojej mocy. Jeśli ta dziewczyna jest „naturalnym talentem", to możemy się spodziewać, że będzie potężniejsza niż nasi studenci, być może nawet potężniejsza niż przeciętny mag. Jeśli jej nie odnajdziemy i nie nauczymy kontroli, stanie się poważnym zagrożeniem dla miasta.

Na chwilę zapanowała cisza, którą wkrótce przerwał trwożny gwar.

– Oczywiście, *zakładając*, że jej moce rzeczywiście same się wyzwoliły – zauważył Balkan.

Starzec potaknął.

– Istnieje, rzecz jasna, możliwość, że była przez kogoś uczona.

– W takim wypadku tym bardziej musimy ją odnaleźć… ją *i tych*, którzy ją uczyli – rzucił ktoś z sali.

Salę wypełniły głosy, ale wzniósł się ponad nie głos Lorlena.

– Jeśli to dzika, to prawo nakazuje nam zaprowadzić ją i jej nauczycieli przed oblicze Króla. Jeśli jest naturalna, musimy nauczyć ją kontroli. W obu przypadkach przede wszystkim musimy ją znaleźć.

– Jak? – spytał ktoś.

Lorlen rozejrzał się po sali.

– Mistrzu Balkanie?

– Trzeba dokładnie przeszukać slumsy – odpowiedział Wojownik. Następnie zwrócił się ku doradcom Króla. – Będziemy potrzebowali pomocy.

Lorlen uniósł brwi, zwracając się w stronę, w którą powędrowało spojrzenie Wojownika.

– Gildia zwraca się oficjalnie o pomoc Gwardii Miejskiej.

Doradcy wymienili spojrzenia i skinęli głowami.

– Pomoc przyznana – odpowiedział jeden z nich.

– Powinniśmy zacząć jak najszybciej – oznajmił Balkan. – Najlepiej dziś wieczorem.

– Jeśli chcemy wsparcia Gwardii, zajmie to nieco czasu. Sugerowałbym jutro rano – odrzekł Lorlen.

– Co z wykładami? – spytał ktoś z sali.

Lorlen spojrzał na siedzącego obok niego maga.

– Myślę, że dodatkowy dzień indywidualnego studium nie zaszkodzi nowicjuszom.

– Jeden dzień nie zrobi wielkiej różnicy. – Jerrik, zgorzkniały rektor Uniwersytetu, wzruszył ramionami. – Ale czy uda nam się ją znaleźć w ciągu jednego dnia?

Lorlen zacisnął usta.

– Jeśli się nie uda, zbierzemy się tu jutro wieczorem, by postanowić, kto będzie brał udział w dalszych poszukiwaniach.

– Czy mogę coś zasugerować, Mistrzu Administratorze?

Dźwięk tego głosu zaskoczył Rothena. Odwróciwszy się, zobaczył Dannyla stojącego wśród wpatrzonych w niego magów.

– Co takiego, Mistrzu Dannylu? – zwrócił się doń Lorlen.

– Mieszkańcy slumsów będą nam utrudniać działania, a dziewczyna będzie się przed nami ukrywać. Możemy mieć większe szanse powodzenia, jeśli wkroczymy do slumsów w przebraniu.

Lorlen zmarszczył brwi.

– Jakie przebranie masz na myśli?

Dannyl wzruszył ramionami.

– Im mniej będziemy się rzucać w oczy, tym większe szanse powodzenia. Proponuję, żeby przynajmniej część z nas ubrała się tak jak oni. Zapewne będą w stanie odróżnić nas po tym, jak mówimy, ale…

– Sprzeciw – warknął Balkan. – Jak by to wyglądało, gdyby któryś z nas przebrał się za nędzarza? Stalibyśmy się pośmiewiskiem w całych Ziemiach Sprzymierzonych.

Kilka głosów potaknęło mu gorliwie.

Lorlen skinął powoli głową.

– Zgadzam się. Jako magowie mamy prawo wejść do każdego domu w tym mieście. Nasze poszukiwania zostaną utrudnione, jeśli *nie* będziemy nosić szat.

– A skąd będziemy wiedzieć, kogo szukamy? – spytała Vinara.

Lorlen spojrzał na Rothena.

– Pamiętasz, jak ona wygląda?

Rothen przytaknął. Cofnął się o kilka kroków, zamknął oczy i przywołał z pamięci niską, szczupłą dziewczynę o wychudzonej, dziecinnej twarzy. Zaczerpnął mocy, otworzył oczy i nakierował wolę. Powietrze przed nim zamigotało, po czym przybrało kształt półprzezroczystej twarzy. W miarę jak pamięć maga wypełniała resztę obrazu, pojawiło się nędzne ubranie: szara chustka wokół twarzy, gruba koszula z kapturem, spodnie. Skończywszy tworzenie iluzji, Rothen spojrzał ku starszym.

– *To* nas zaatakowało? – mruknął Balkan. – Przecież to jeszcze dzieciak.

– Mała paczuszka z wielką niespodzianką w środku? – zadrwił Sarrin.

– A jeśli to nie ona była napastnikiem? – spytał Jerrik. – Jeśli Mistrz Rothen się pomylił?

Lorlen spojrzał na Rothena i uśmiechnął się nieznacznie.

– Na razie musimy założyć, że się nie pomylił. Będziemy wiedzieli więcej, jeśli posłuchamy pogłosek w mieście, poza tym wśród ludzi mogą znaleźć się świadkowie. – Skinął głową w kierunku iluzji. – Wystarczy, Mistrzu Rothenie.

Rothen machnął ręką i iluzja znikła. Kiedy podniósł znów wzrok, napotkał oceniające spojrzenie Mistrza Sarrina.

– Co z nią zrobimy, jak już ją znajdziemy? – spytała Vinara.

– Jeśli to dzika, będziemy musieli postąpić zgodnie z prawem – odpowiedział Lorlen. – Jeśli nie, nauczymy ją, jak kontrolować jej moc.

– Oczywiście, ale chodziło mi o to, co dalej. Co z nią zrobimy?

– Myślę, że Mistrzyni Vinarze chodzi o to, czy uczynimy ją jedną z nas? – zasugerował Balkan.

Na sali natychmiast zawrzało.

– Nie! To z pewnością złodziejka!

– Zaatakowała jednego z nas! Zasłużyła na karę, a nie nagrodę!

Rothen potrząsnął głową z westchnieniem, słuchając tych protestów. Nie istniał wprawdzie przepis zabraniający sprawdzania talentów dzieci z niższych warstw, ale Gildia i tak szukała magicznych zdolności wyłącznie wśród dzieci z najważniejszych rodów.

– Od stuleci Gildia nie przyjęła nowicjusza spoza Domów – powiedział spokojnie Balkan.

– Jeśli jednak Solend się nie myli, ona może być potężną magiczką – przypomniała mu Vinara.

Rothen powstrzymał się od uśmiechu. Większość magiczek zostawała Uzdrowicielkami, a wiedział, że Mistrzyni

Vinara chętnie przymknie oczy na pochodzenie dziewczyny, jeśli zdobędzie w ten sposób kolejną potężną pomocnicę.

– „Moc nic nie znaczy, jeśli mag ma przegniłe serce" – zacytował Sarrin. – To może być złodziejka, a może nawet nierządnica. Ktoś taki miałby fatalny wpływ na pozostałych nowicjuszy. Skąd wiemy, że zdoła uszanować nasze powołanie?

Vinara uniosła brwi.

– Potrafilibyście pokazać jej, do czego jest zdolna, a następnie związać jej moc i zepchnąć z powrotem w nędzę?

Sarrin potaknął. Vinara zwróciła się do Balkana, który wzruszył ramionami. Rothen zacisnął zęby i zmusił się do milczenia. Ze swojego wzniesienia Lorlen przyglądał się trójce magów w milczeniu, z beznamiętnym wyrazem twarzy.

– Powinniśmy przynajmniej dać jej szansę – powiedziała Vinara. – Jeśli okaże się, że jest zdolna podporządkować się naszym zasadom i stać się odpowiedzialną kobietą, powinniśmy dać jej szansę.

– Im bardziej rozwinie się jej moc, tym trudniej będzie ją spętać – przypomniał jej Sarrin.

– Wiem. – Vinara nachyliła się do niego. – Ale nie będzie to niemożliwe. Pomyśl, ile zyskamy, jeśli ją przyjmiemy. Odrobina hojności i litości znacznie lepiej wpłynie na nasz obraz, który tak popsuliśmy dziś rano, niż zablokowanie jej mocy i odesłanie do slumsów.

Balkan uniósł brwi.

– To prawda, a poza tym jeśli rozgłosimy, że chcemy ją przyjąć w nasze szeregi, może nam to ułatwić poszukiwania. Kiedy dowie się, że może zostać magiem –

i uzyskać odpowiednią pozycję i bogactwo – sama do nas przyjdzie.

– A utrata tego bogactwa może stać się wystarczającym straszakiem na wypadek, gdyby zamierzała powrócić do swoich nieprzystojnych zachowań – dodał Sarrin.

Mistrzyni Vinara przytaknęła. Rozejrzała się po sali, po czym jej wzrok spoczął na Rothenie i zmrużyła oczy.

– A co ty o tym sądzisz, Mistrzu Rothenie?

Rothen skrzywił się.

– Zastanawiam się, czy po tym, co się dziś zdarzyło, ona w cokolwiek nam uwierzy.

Balkan spochmurniał.

– Hmm, wątpię. Zapewne będziemy musieli najpierw ją schwytać, a dopiero potem tłumaczyć dobre intencje.

– W takim razie nie ma sensu czekać, aż się do nas zgłosi – zawyrokował Lorlen. – Zaczniemy poszukiwania jutro rano, zgodnie z planem. – Zacisnął usta i odwrócił się ku znajdującemu się na podwyższeniu krzesłu.

Rothen uniósł wzrok. Między miejscem Administratora a królewskim tronem znajdowało się jeszcze jedno, zarezerwowane dla przywódcy Gildii, Wielkiego Mistrza Akkarina. Ubrany w czarną szatę mag nie zabierał głosu od początku Posiedzenia, ale nie było w tym nic nadzwyczajnego. Akkarin słynął z tego, że potrafił odwrócić bieg narady kilkoma spokojnymi słowami, niemniej jednak najczęściej zachowywał milczenie.

– Wielki Mistrzu, czy masz powody do przypuszczeń, że w slumsach działa dzika magiczka? – spytał Lorlen.

– Nie. W slumsach nie ma dzikich – odpowiedział Akkarin.

Rothen stał na tyle blisko, by pochwycić szybką wymianę spojrzeń między Balkanem a Vinarą. Powstrzymał się od uśmiechu. O szczególnie wyostrzonych zmysłach Wielkiego Mistrza krążyły legendy i niemal wszyscy magowie nieco się go lękali. Lorlen skinął głową i odwrócił się ponownie ku zgromadzeniu. Uderzył w gong, którego dźwięk rozszedł się po całej sali, uciszając gwar głosów.

– Decyzja co do tego, czy będziemy uczyć tę dziewczynę, zostaje odłożona do czasu, kiedy ją znajdziemy i ocenimy jej charakter. Na razie naszym zadaniem jest odnalezienie jej. Poszukiwania rozpoczną się jutro o godzinie czwartej. Ci z was, którzy uważają, że ważne powody zmuszają ich do pozostania na terenie Gildii, powinni przedłożyć stosowne oświadczenia mojemu asystentowi dziś wieczorem. Uznaję Posiedzenie za zamknięte.

Salę wypełnił szelest szat i stukot butów. Rothen odsunął się, gdy pierwszy ze starszych wstał z krzesła i ruszył ku drzwiom. Odwróciwszy się, zobaczył Dannyla pospiesznie przeciskającego się ku niemu między innymi magami.

– Słyszałeś Mistrza Kerrina? – spytał Dannyl. – Chce ukarać dziewczynę za zamach na jego ukochanego przyjaciela, Ferguna. Osobiście uważam, że mała nie mogła wybrać lepszego celu.

– Dannyl, daj spokój… – zaczął Rothen.

– … a teraz każą nam babrać się w śmieciach – rozległ się głos tuż za nimi.

– Nie wiem, co jest gorsze: że zabili tego chłopaka czy że nie trafili dziewczyny – odpowiedział mu inny.

Rothen obrócił się z oburzeniem i spostrzegł starego Alchemika, który był zbyt zajęty wpatrywaniem się w podłogę, by zwrócić na niego uwagę. Kiedy starzec odkuśtykał dalej, Rothen pokręcił głową.

– Zamierzałem właśnie palnąć ci kazanie na temat braku miłosierdzia, Dannyl, ale chyba nie ma to sensu, prawda?

– Aha – odpowiedział Dannyl, odsuwając się, by przepuścić Administratora i Wielkiego Mistrza.

– Co będzie, jeśli jej nie znajdziemy? – pytał Administrator.

Wielki Mistrz roześmiał się cicho.

– Ależ znajdziecie, w taki czy inny sposób – aczkolwiek podejrzewam, że jutro wieczorem większość będzie głosować za środkami bardziej spektakularnymi, a mniej delikatnymi.

Gdy dwóch starszych oddaliło się, Rothen pokręcił znów głową.

– Czy tylko mnie obchodzi, co stanie się z tą nieszczęsną dziewczyną?

Poczuł na ramieniu dłoń Dannyla.

– Oczywiście, że nie, ale mam nadzieję, że *jemu* nie zamierzasz prawić kazań, stary druhu.

ROZDZIAŁ 3

STARZY DRUHOWIE

– Ona jest ogonem.

Głos był męski, młody i nieznany. *Gdzie ja jestem?* – pomyślała Sonea. Zaczęła od tego, że leżała na czymś miękkim. Łóżko? *Nie pamiętam, żebym kładła się do łóżka...*

– Nie ma mowy.

Ten głos należał do Harrina. Zrozumiała, że jej broni, po czym dotarło do niej znaczenie tego, co wcześniej powiedział nieznajomy, i poczuła spóźnioną ulgę. Ogon to w gwarze slumsów szpieg. Gdyby Harrin przyznał nieznajomemu rację, miałaby kłopoty... Ale czyim szpiegiem?

– Czym innym może być? – upierał się pierwszy z głosów. – Zna magię. Magów szkoli się latami. Co ona tu robi? *Magię?* Wspomnienia napłynęły falą: plac, magowie...

– Magia czy nie magia, znam ją równie długo jak Cery'ego – odpowiedział Harrin. – Zawsze stała po właściwej stronie.

Sonea ledwie go słyszała. Widziała siebie, jak rzuca kamieniem, widziała, jak kamień przebija się przez barierę, jak uderza maga. *Ja to zrobiłam*, pomyślała. *Ale to niemożliwe...*

– Sam mówiłeś, że nie było jej przez parę lat. Kto wie, z kim się wtedy zadawała?

Przypomniała sobie, jak zaczerpnęła czegoś z głębi siebie – czegoś, czego nie powinna posiadać…

– Mieszkała ze swoją rodziną, Burril – odpowiedział Harrin. – Ja jej wierzę, Cery jej ufa – to wystarczy.

…*Gildia wie, że to zrobiłam!* Stary mag ją zauważył, wskazał innym. Przeszedł ją dreszcz na wspomnienie dymiącego ciała.

– Pamiętaj, że cię ostrzegałem. – Burril nie sprawiał wrażenia przekonanego, ale najwyraźniej się poddał. – Jeśli ona cię zmątwi, nie zapomnij, kto cię os…

– Chyba się obudziła – wyszeptał kolejny znajomy głos. Cery. Był gdzieś w pobliżu.

Harrin westchnął.

– Wynoś się, Burril.

Sonea usłyszała oddalające się kroki, a następnie trzaśnięcie drzwiami.

– Możesz już przestać udawać, że śpisz, Sonea – mruknął Cery.

Poczuła dotyk ręki na twarzy; otworzyła oczy. Cery pochylał się nad nią z uśmiechem.

Uniosła się na łokciach. Leżała na starym łóżku w nieznanym pokoju. Gdy opuściła nogi na podłogę, Cery przyjrzał się jej badawczo.

– Wyglądasz lepiej – powiedział.

– Czuję się dobrze – odpowiedziała. – Co się stało? – Podniosła wzrok, gdy Harrin podszedł do łóżka. – Gdzie jestem? Ile czasu minęło?

Cery roześmiał się.

– Wszystko z nią w porządku.

– Nie pamiętasz? – Harrin przykucnął, by spojrzeć jej w oczy.

Potrząsnęła głową.

– Pamiętam, że idę przez slumsy, ale… – rozłożyła bezradnie ręce. – Nie jak tu przychodzę.

– Harrin cię tu przyniósł – odezwał się żeński głos. – Mówił, że zasnęłaś, idąc.

Sonea odwróciła się i zobaczyła siedzącą na krześle za nią młodą kobietę. Jej twarz była znajoma.

– Donia?

Dziewczyna uśmiechnęła się.

– To ja. – Postukała stopą w podłogę. – Jesteś w spylunce mojego ojca. Pozwolił nam tu cię umieścić. Przespałaś całą noc.

Sonea rozejrzała się ponownie po pomieszczeniu, po czym uśmiechnęła się na wspomnienie tego, jak Harrin i jego chłopcy przekupywali Donię, żeby wykradała dla nich kubki spylu. Piwo było mocne, kręciło im się po nim w głowach.

Spylunka Gellina znajdowała się w pobliżu Muru Zewnętrznego, pomiędzy nieco porządniejszymi zabudowaniami slumsów w ich części zwanej Stroną Północną. Tutejsi mieszkańcy nazywali slumsy Zewnętrznym Kręgiem, odmawiając przyjęcia perspektywy dzielnic wewnętrznych, nieuznających slumsów za część miasta.

Sonea domyślała się, że jest w jednym z pokoi, które Gellin wynajmował gościom. W maleńkim wnętrzu było miejsce na łóżko, zniszczone krzesło, na którym siedziała Donia, i stoliczek. Okna zasłonięto starym wyblakłym papierem. Po bladym świetle przedostającym się do pokoju można było się domyślić, że jest wczesny ranek.

Harrin skinął na Donię. Gdy dziewczyna podniosła się z krzesła, objął ją w talii ramieniem i przyciągnął do siebie. Uśmiechnęła się do niego czule.

– Zdobędziesz coś do jedzenia? – spytał.

– Zobaczę, co się da zrobić. – Przemknęła ku drzwiom i wyszła z pokoju.

Sonea posłała Cery'emu pytające spojrzenie i w odpowiedzi dostała pełen zadowolenia uśmiech. Harrin usiadł na krześle i spojrzał na nią spod zmarszczonych brwi.

– Jesteś pewna, że lepiej się czujesz? W nocy całkiem leciałaś przez ręce.

Wzruszyła ramionami.

– Właściwie czuję się całkiem nieźle. Jakbym się naprawdę dobrze wyspała.

– Bo się *wyspałaś*. Prawie cały dzień. – Wzruszył ramionami, po czym znów przyjrzał się jej badawczo. – Co się stało, Sonea? To ty rzuciłaś ten kamień, prawda?

Sonea przełknęła ślinę, czując, jak zasycha jej nagle w gardle. Zastanawiała się przez chwilę, czy jej uwierzy, jeśli wszystkiemu zaprzeczy.

Cery położył jej dłoń na ramieniu i ścisnął lekko.

– Nie martw się, Sonea. Nikomu nie powiemy, jeśli sama nie będziesz chciała.

Skinęła głową.

– Tak, to ja, ale… nie wiem, co się stało.

– Użyłaś magii? – spytał z nieskrywanym podnieceniem Cery.

Sonea odwróciła wzrok.

– Nie wiem. Po prostu bardzo chciałam, żeby ten kamień przeleciał – i przeleciał.

– Przebiłaś się przez tarczę magów – powiedział Harrin. – To wymaga magii, prawda? Kamieniom zazwyczaj się to nie udaje.

– No i jeszcze ten rozbłysk – dodał Cery.

Harrin przytaknął.

– Poza tym magowie ewidentnie się wściekli.

Cery nachylił się ku niej.

– Myślisz, że potrafiłabyś to powtórzyć?

– Powtórzyć? – Spojrzała na niego ze zdziwieniem.

– Oczywiście nie chodzi o dokładnie to samo. Nie chcieli-byśmy, żebyś rzucała w magów kamieniami – chyba za tym nie przepadają. Ale coś innego. Jeśli zadziała, będziesz wiedziała, że umiesz posługiwać się magią.

Wzruszyła ramionami.

– Nie jestem pewna, czy chcę to wiedzieć.

Cery roześmiał się.

– A dlaczego nie? Pomyśl, co mogłabyś zrobić! To byłoby fantastyczne!

– Na przykład nikt nigdy nie odważyłby się z tobą zadzierać – powiedział Harrin.

Pokręciła głową.

– Nie masz racji. Byłby to raczej dodatkowy powód. – Skrzywiła się. – Wszyscy nienawidzą magów. Znienawidziliby i mnie.

– Wszyscy nienawidzą magów z *Gildii* – odparował Cery. – Oni wszyscy są z Domów. Dbają tylko o siebie. A wszyscy wiedzą, że ty jesteś bylcem, jak my wszyscy.

Bylec. Po dwóch latach w mieście jej ciotka i wuj przestali używać tego słowa, którym mieszkańcy slumsów nazywali samych siebie. Wyrwali się ze slumsów. Zostali rzemieślnikami.

– Bylcy będą zachwyceni, mając własnego maga – upierał się Cery – zwłaszcza jak zaczniesz robić dla nich różne dobre rzeczy.

Sonea potrząsnęła głową.

– Dobre rzeczy? Magowie nigdy nie robią nic dobrego. Dlaczego bylcy mieliby uznać, że ja jestem inna?

– A uzdrawianie? – podsunął Cery. – Ranel kuleje, prawda? Mogłabyś go wyleczyć!

Wstrzymała oddech. Wspomnienie bólu, jakiego koślawa noga przysparzała jej wujowi, sprawiło, że zrozumiała nagle, skąd bierze się entuzjazm Cery'ego. Byłoby *wspaniale* móc uleczyć nogę wuja. A gdyby pomogła jemu, to czemu nie innym?

Następnie przypomniała sobie, jak Ranel wyrzekał na „konowałów", którzy składali jego nogę. Pokręciła ponownie głową.

– Ludzie nie ufają felczerom, dlaczego więc mieliby zaufać mnie?

– Bo ludzie uważają, że felczerzy dodają im tylu chorób, ile leczą – odpowiedział Cery. – Boją się, że będą jeszcze bardziej chorzy.

– Magii boją się jeszcze bardziej. Pomyślą, że nasłali mnie magowie, żeby się ich pozbyć.

Cery roześmiał się.

– To już naprawdę głupie. Nikt tak nie pomyśli.

– A co z takim Burrilem?

Skrzywił się.

– Burril to burak. Nie wszyscy myślą tak jak on.

Sonea parsknęła, nie do końca przekonana.

– Nawet gdyby tak było, to i tak nie wiem nic o magii. Jeśli wszyscy uznają, że mogę ich wyleczyć, nie opędzę się od nich na ulicy, mimo że nie będę mogła im pomóc.

Cery zmarszczył czoło.

– To prawda. – Podniósł wzrok na Harrina. – Ona ma rację. Mógłby z tego być kłopot. Nawet jeśli Sonea postanowi spróbować, czy potrafi użyć magii jeszcze raz, i tak przez jakiś czas będziemy musieli trzymać to w tajemnicy.

Harrin zagryzł wargę, po czym skinął głową.

– Jeśli ktokolwiek będzie pytał o twoją magię, Sonea, powiemy mu, że nic nie zrobiłaś, tylko pewnie coś rozproszyło na chwilę uwagę magów albo takie tam i dlatego kamień przeleciał.

Sonea wpatrywała się w niego, czując, że wstępuje w nią nadzieja.

– A może tak właśnie było? Może naprawdę nic nie zrobiłam?

– Jeśli nie uda ci się tego powtórzyć, będziesz wiedziała na pewno. – Cery poklepał ją po ramieniu. – A jeśli ci się uda, nie powiemy nikomu. Za parę tygodni wszyscy uznają, że magowie po prostu popełnili błąd. A za miesiąc lub dwa nikt nie będzie o tobie pamiętał.

Sonea podskoczyła na dźwięk stukania do drzwi. Harrin wstał i wpuścił do pokoju Donię. Dziewczyna niosła tacę zastawioną kubkami i sporym bochenkiem chleba.

– Proszę – powiedziała, stawiając tacę na stoliku. – Po kubku spylu dla każdego, żeby oblać powrót starej przyjaciółki. Harrin, ojciec chce z tobą pogadać.

– Lepiej sprawdzę, o co chodzi. – Harrin szybko wychylił jeden z kubków. – Wpadnę do ciebie, Sonea – powiedział. Chwycił Donię w pasie i wyciągnął chichoczącą z pokoju. Sonea pokręciła głową, gdy wyszli.

– Od kiedy?

– Ci dwoje? – zapytał Cery z ustami pełnymi chleba. – Prawie rok, tak mi się zdaje. Harrin mówi, że się z nią ożeni i odziedziczy zajazd.

Sonea roześmiała się.

– Gellin o tym wie?

Cery odpowiedział uśmiechem.

– Jeszcze nie przegonił Harrina.

Wzięła do ręki kromkę ciemnego chleba, upieczonego z ziarna *curren* i posypanego ziołami. Gdy ugryzła, żołądek przypomniał jej, że zaniedbywała go przez cały dzień, toteż łapczywie zabrała się do jedzenia. Spyl był kwaśny, ale dobry do słonego chleba. Kiedy skończyli, Sonea opadła na krzesło z westchnieniem.

– Jak Harrin zajmie się prowadzeniem zajazdu, co ty będziesz robił, Cery?

Wzruszył ramionami.

– To i owo. Będę kradł spyl od Harrina, uczył jego dzieci otwierać zamki. Przynajmniej tej zimy będziemy mieli dach nad głową. A ty co planujesz?

– Nie wiem. Jonna i Ranel mówili… oj! – Skoczyła na równe nogi. – Nie spotkałam się z nimi. Nie wiedzą, gdzie jestem!

Cery machnął lekceważąco ręką.

– Znajdą się.

Sięgnęła po sakiewkę z pieniędzmi – była, pełna, ciężka, i wisiała na swoim miejscu przy pasie.

– Niezłe oszczędności – zauważył Cery.

– Ranel powiedział, że każde z nas powinno mieć przy sobie część i udać się do slumsów na własną rękę. Musielibyśmy mieć pecha, żeby gwardziści wszystkich przeszukali. – Zmrużyła oczy, wpatrując się w niego. – Wiem dokładnie, ile tam było.

Roześmiał się.

– Ja też – i tyle zostało. Chodź, pomogę ci ich znaleźć.

Podniósł się i poprowadził ją za drzwi do krótkiego korytarzyka. Sonea zeszła za nim po schodach do znajomej sali. Powietrze, jak zawsze, było ciężkie od oparów spylu, śmiechu, szmeru nieustannych rozmów i nieszkodliwych przekleństw. Potężny mężczyzna pochylał się nad ladą, z której serwował gęsty trunek.

– Bry, Gellin – rzucił Cery.

Mężczyzna zmrużył krótkowzroczne oczy, żeby przyjrzeć się Sonei, a chwilę później jego twarz rozjaśnił uśmiech.

– Eja! To przecież mała Sonea, co? – podszedł i położył jej dłonie na ramionach. – Ależ wyrosłaś. Pamiętam, jak podkradałaś mi spyl, dziewczyno. Zwinna była z ciebie sroczka.

Sonea uśmiechnęła się i rzuciła spojrzenie Cery'emu.

– I wszystko to był mój pomysł, co, Cery?

Cery rozłożył ręce i zamrugał niewinnie.

– Co masz na myśli, Sonea?

Gellin zaśmiał się.

– Tak wychodzi się na konszachtach ze Złodziejami. Jak tam rodzice, co?

– Masz na myśli ciotkę Jonnę i wuja Ranela?

Machnął ręką.

– Aha, ich.

Sonea wzruszyła ramionami i opowiedziała pokrótce o wygnaniu jej rodziny z gościńca. Gellin pokiwał współczująco głową, słysząc o tym nieszczęściu.

– Teraz pewnie zamartwiają się, co się ze mną stało – dodała. – Miałam…

Drzwi zajazdu trzasnęły tak, że Sonea aż podskoczyła. W sali zapadła cisza, wszyscy odwrócili się ku wejściu. Oparty o framugę stał tam Harrin, dysząc ciężko i ociekając potem.

– Uważaj na moje drzwi! – wrzasnął Gellin.

Harrin podniósł wzrok. Na widok Sonei i Cery'ego zbladł i utkwił w nich wzrok. Przebiegł przez salę, chwycił dziewczynę za ramię i wypchnął ją przez drzwi do kuchni zajazdu. Cery wsunął się tam za nimi.

– O co chodzi? – szepnął Cery.

– Magowie przeszukują slumsy – wydyszał Harrin.

Sonea spojrzała na niego z przerażeniem.

– Są *tutaj*? – krzyknął Cery. – Dlaczego?

Harrin spojrzał porozumiewawczo na Soneę.

– Szukają mnie – szepnęła.

Harrin potaknął ponuro, po czym zwrócił się do Cery'ego.

– Dokąd idziemy?

– Jak daleko są?

– Blisko. Zaczęli od Muru Zewnętrznego i posuwają się do środka.

Cery gwizdnął.

– *Tak* blisko.

Sonea przycisnęła dłoń do piersi. Serce waliło jej jak młotem. Poczuła, że robi się jej słabo.

– Mamy najwyżej kilka minut – oznajmił Harrin. – Musimy stąd uciekać. Przeszukują wszystkie budynki.

– W takim razie musimy ją ukryć gdzieś, gdzie już byli.

Sonea oparła się o ścianę, czując, że uginają się pod nią kolana na samo wspomnienie poczerniałego ciała.

– Zabiją mnie… – wyszeptała.

Cery spojrzał na nią.

– Nie, Sonea – powiedział z naciskiem.

– Zabili tamtego chłopaka… – Wzdrygnęła się.

Chwycił ją w ramiona.

– Nie pozwolimy na to.

Patrzył jej prosto w oczy z niezachwianą pewnością. Odwzajemniła spojrzenie, poszukując w jego twarzy śladów niepewności, ale ich nie znalazła.

– Ufasz mi? – spytał.

Przytaknęła. Uśmiechnął się do niej.

– No to chodźmy.

Odciągnął ją od ściany i poprowadził szybkim krokiem przez kuchnię. Harrin pospieszył za nimi. Przeszli przez następne drzwi i znaleźli się w błotnistym zaułku. Sonea zadrżała, gdyż zimny wiatr wdarł się natychmiast pod jej ubranie.

Zatrzymali się u wylotu zaułka, gdzie Cery kazał im zaczekać, a sam pobiegł sprawdzić, czy droga jest wolna. Wyjrzał jedynie za róg i niemal natychmiast uskoczył, potrząsając głową. Gestem ręki odesłał ich z powrotem w zaułek.

W jego połowie zatrzymał się i uniósł niewielką kratkę umocowaną w murze. Harrin spojrzał na niego podejrzliwie, po czym położył się na ziemi i wczołgał do środka. Sonea wpełzła za nim i znalazła się w ciemnym korytarzyku. Kiedy Harrin pomagał jej stanąć na nogach i pociągnął ją na bok, Cery przecisnął się przez szparę. Kratka zamknęła się bezgłośnie, wskazując na regularne oliwienie zawiasów.

– Jesteś pewny, że wiesz, co robisz? – szepnął Harrin.

– Złodzieje będą zbyt zajęci ukrywaniem swojego dobytku przed wizytą magów, żeby przejmować się nami – odpowiedział mu Cery. – Poza tym nie będziemy tu długo. Połóż mi dłoń na ramieniu, Sonea.

Usłuchała i chwyciła go za płaszcz. Dłoń Harrina spoczęła na jej ramieniu. Ruszyli korytarzem. Sonea wpatrywała się z bijącym sercem w ciemność.

Z rozmowy wywnioskowała, że wkroczyli na Złodziejską Ścieżkę.

Posługiwanie się bez uprzedniej zgody systemem podziemnych korytarzy było zabronione, a ona znała przerażające opowieści o karach, jakie Złodzieje nakładali na tych, którzy tu wtargnęli.

Odkąd sięgała pamięcią, wszyscy w żartach nazywali Cery'ego przyjacielem Złodziei. W tych żartach zawsze czuć było zarówno strach, jak i szacunek. Sonea wiedziała, że ojciec chłopaka był przemytnikiem, niewykluczone więc, że Cery odziedziczył po nim przywileje i kontakty. Nigdy jednak nie widziała na to dowodów, przypuszczała więc, że Cery podtrzymywał takie pogłoski, ponieważ dawały mu pozycję zastępcy szefa bandy Harrina. Podejrzewając, że Cery nie ma żadnych powiązań ze Złodziejami, gnała korytarzem, jakby ścigała ją sama śmierć.

Lepsze jednak ryzyko spotkania ze Złodziejami niż pewna śmierć tam na górze. Złodzieje przynajmniej na nią nie polowali.

W korytarzu robiło się coraz ciemniej, aż wreszcie wszystkim, co Sonea widziała, stały się różne odcienie czerni, potem zaś znów pojaśniało, gdy zbliżyli się do kolejnej kratki. Cery skręcił w kolejny tunel, po czym wkroczył w całkowitą ciemność bocznej odnogi. Minęli kilka rozgałęzień, zanim wreszcie dał im znak, by się zatrzymali.

– Zakładam, że tu już byli – mruknął Cery do Harrina. – Zatrzymamy się tylko na chwilę, żeby coś kupić, i ruszamy dalej. Zbierz pozostałych i upewnij się, że nie mówili nikomu o Sonei. Ktoś może zechcieć wymusić coś na nas, strasząc, że powie magom, gdzie jesteśmy.

– Zbiorę ich – zapewnił go Harrin. – Dowiem się, czy coś gadali i każę im trzymać gęby na kłódkę.

– Dobra – powiedział Cery. – Teraz musimy tylko zdobyć trochę proszku iker i tyle.

W oddali rozległy się stłumione dźwięki, a następnie otwarły się drzwi i wkroczyli w jasne światło dnia. Oraz na podwórko pełne rassooków.

Na widok intruzów ptaki uniosły swe małe, bezużyteczne skrzydełka i zaskrzeczały głośno. Gdakanie odbiło się echem od wszystkich czterech ścian okalających niewielkie podwórko. W pobliskich drzwiach pojawiła się kobieta. Jej twarz wykrzywiła się niechętnie na widok Sonei i Harrina w kurniku.

– Eja! Kim jesteście?

Sonea odwróciła się do Cery'ego, który, jak się okazało, kucał za nią, omiatając dłonią zakurzone podwórko. Wstał i uśmiechnął się do kobiety.

– Wpadliśmy z wizytą, Laria – powiedział.

Kobieta obrzuciła go spojrzeniem z góry. Grymas znikł, a na jego miejsce pojawiły się zmarszczki uśmiechu.

– Ceryni! Zawsze dobrze cię widzieć! To twoi przyjaciele? Witajcie! Witajcie! Chodźcie do domu na parę łyków raki.

– Jak interes? – zagadnął Cery, gdy wychodzili z kurnika, idąc za Larią do maleńkiego pokoiku. Jego połowę zajmowało wąskie łóżko, a piec i stół niemal całą resztę.

Zmarszczyła czoło.

– Pracowity dzień. Miałam kilku gości przed niecałą godziną. Bardzo byli wścibscy.

– Gości w szatach? – spytał Cery.

Przytaknęła.

– Wystraszyli mnie na śmierć, oj tak. Zaglądali wszędzie, ale nic nie zauważyli. Wiesz, co mam na myśli. Gwardziści natomiast i owszem. Jestem pewna, że tu jeszcze wrócą, ale jak wrócą, nic już nie znajdą. – Zachichotała. – Za późno będzie. – Zamilkła na chwilę, stawiając wodę na piecu. – Czego potrzebujesz, hę?

– Tego, co zwykle.

W oczach Larii zagościł złośliwy uśmiech.

– Masz w planach całonocne wycieczki, co? Ile dajesz?

Cery wyszczerzył się w odpowiedzi.

– O ile pamiętam, jesteś mi winna przysługę.

Kobieta wydęła wargi i zmrużyła oczy.

– Zaczekaj.

Znikła w drzwiach. Cery opadł z westchnieniem na łóżko, które zaskrzypiało głośno.

– Rozluźnij się, Sonea – powiedział. – Oni tu już byli. Nie będą szukać ponownie.

Skinęła głową. Tym niemniej jej serce nadal waliło jak szalone, żołądek też nie dawał spokoju. Odetchnęła głęboko i oparła się o ścianę. Gdy woda zaczęła wrzeć, Cery sięgnął do dzbana z ciemnym proszkiem i nasypał po łyżce do kubków, które Laria postawiła na stole. Pokój wypełnił się dobrze znanym, ostrym aromatem.

– Chyba możemy być pewni, Sonea – powiedział Harrin, biorąc kubek z rąk Cery'ego.

Zmarszczyła brwi.

– Pewni czego?

– To, co zrobiłaś, musiało być magią. – Uśmiechnął się krzywo. – Nie szukaliby, gdyby uważali inaczej, prawda?

Dannyl niecierpliwym gestem pozbył się wilgoci z szat. Z tkaniny uniosły się obłoczki pary. Gwardziści cofnęli się na ten widok, ale kiedy powiew lodowatego wiatru rozwiał mgiełkę, powrócili na stanowiska.

Szli w formacji: dwóch za nim, po jednym po każdej stronie. Komiczne środki ostrożności. Bylcy nie są tak głupi, żeby ich atakować. A nawet gdyby, Dannyl wiedział doskonale, że to gwardziści uciekliby się do niego po pomoc.

Dannyl pochwycił zadumane spojrzenie jednego z nich, i zakłuło go lekkie poczucie winy. Na początku dnia byli nerwowi i służalczy. Wiedząc, że będzie musiał użerać się z nimi cały dzień, postanowił być przystępny i przyjacielski.

Dla nich to zadanie było jak wakacje – znacznie ciekawsze niż stanie godzinami pod tą czy inną bramą albo patrolowanie ulic. Niemniej jednak, pomimo ich szczerej chęci włamywania się do kryjówek przemytników i do burdeli, nie pomagali mu wiele w poszukiwaniach. Dannyl nie potrzebował pomocy w otwieraniu drzwi czy skrzyń, a mieszkańcy slumsów okazali się pomocni – choć niekoniecznie chętni.

Dannyl westchnął. Widział wystarczająco dużo, żeby zorientować się, że wielu z tych ludzi umiało doskonale chować to, na czego znalezienie nie zamierzali pozwolić. Widział również sporo tłumionych uśmiechów na przyglądających mu się twarzach. Jakie szanse miała setka magów na znalezienie wśród tysięcy mieszkańców slumsów zwyczajnie wyglądającej dziewczyny?

Po prawdzie – żadnych. Dannyl zacisnął zęby na wspomnienie wczorajszych słów Mistrza Balkana.

Jakby to wyglądało, gdyby któryś z nas przebrał się za nędzarza? Stalibyśmy się pośmiewiskiem w całych Ziemiach Sprzymierzonych.

Parsknął. *A teraz nie robimy z siebie pośmiewiska?*

Ostry smród wypełnił jego nozdrza. Zerknął ku zatkanemu pomyjami rynsztokowi. Stojący w pobliżu ludzie umknęli w pośpiechu. Dannyl zmusił się do zaczerpnięcia powietrza i przyjęcia poważnego wyrazu twarzy.

Nie lubił straszyć ludzi. Robić wrażenie? Owszem. Wzbudzać nabożny lęk? Jeszcze lepiej. Ale po prostu zastraszać –

nie. Czuł się niezręcznie za każdym razem, kiedy ludzie uciekali na jego widok, po czym gapili się z ukrycia. Dzieci były odważniejsze, szły za nim krok w krok, ale znikały natychmiast, gdy tylko się odwrócił. Mężczyźni i kobiety, starzy i młodzi, przyglądali mu się z rezerwą. Wszyscy wyglądali na twardych i sprytnych. Ciekawe, ilu pracowało dla Złodziei...

Dannyl przystanął.

Złodzieje...

Gwardziści zatrzymali się jak na komendę i spojrzeli na niego pytająco. Zignorował ich.

Jeśli wierzyć pogłoskom, Złodzieje wiedzieli o slumsach znacznie więcej niż ktokolwiek inny. Może wiedzą, gdzie znajduje się ta dziewczyna? A jeśli nawet nie, to może potrafią ją znaleźć? Ale czy zechcą pomóc Gildii? Jeśli nagroda byłaby godziwa, kto wie...

Jak zareagują pozostali magowie, jeśli zaproponuje układanie się ze Złodziejami?

Będą oburzeni. Wściekli.

Spojrzał na płytki śmierdzący rów, służący tu za rynsztok. Jest szansa, że magowie okażą się przychylniejsi wobec tej propozycji po kilku dniach włóczenia się po dzielnicy nędzy. A to oznacza, że im dłużej wstrzyma się z przedstawieniem tego pomysłu, tym większe będzie miał szanse powodzenia.

Jednak każda mijająca godzina oznaczała, że dziewczyna zdąży się lepiej ukryć. Dannyl zacisnął usta. Nie zaszkodziłoby wysondować, czy Złodzieje zgodziliby się na układy, *zanim* zaprezentuje swój pomysł Gildii. Gdyby najpierw postarał się o zgodę Gildii, a następnie Złodzieje odmówili współpracy, zmarnowałby mnóstwo czasu i wysiłku.

Odwrócił się do najstarszego z gwardzistów.

– Kapitanie Garrin, znasz może sposób nawiązania kontaktu ze Złodziejami?

Kapitan uniósł brwi tak wysoko, że niemal znikły pod hełmem. Pokręcił głową.

– Nie, panie.

– Ja znam, panie.

Wzrok Dannyla powędrował ku najmłodszemu z nich, chudzielcowi imieniem Ollin.

– Kiedyś tu mieszkałem, panie – ciągnął Ollin – zanim wstąpiłem do Gwardii. Na ulicach zawsze są ludzie, którzy przekażą Złodziejom wiadomość, trzeba tylko wiedzieć, jak ich szukać.

– Rozumiem – Dannyl zagryzł wargi, namyślając się nad tym. – Znajdź mi takiego człowieka. Niech zapyta, czy Złodzieje zgodziliby się z nami współpracować. Odpowiadasz za to przede mną – i tylko przede mną.

Ollin potaknął i spojrzał pytająco na kapitana. Starszy mężczyzna zacisnął zęby, nie kryjąc niezadowolenia, ale skinął głową, po czym wskazał na drugiego gwardzistę.

– Weź z sobą Kerana.

Dannyl popatrzył przez chwilę, jak oddalali się ulicą, potem odwrócił się i ruszył dalej, rozważając w myślach możliwości. Z domu położonego nieco dalej wychynęła znajoma postać. Dannyl uśmiechnął się i wydłużył krok.

~ *Rothen!*

Mężczyzna zatrzymał się, a wiatr pochwycił jego szatę i owinął ją wokół ciała.

~ *Dannyl?* ~ Sygnał od Rothena był słaby i niepewny.

~ *Tu jestem.* ~ Dannyl przesłał drugiemu magowi obraz ulicy wraz z informacją o dzielącej ich odległości. Rothen odwrócił się we właściwą stronę i wyprostował na widok Dannyla. Podchodząc bliżej, młody mag zauważył, że w szeroko otwartych niebieskich oczach Rothena czai się jakiś niepokój, czy też niepewność.

– Jak idzie?

– Bez powodzenia. – Rothen pokręcił głową. Spojrzał na otaczające ich nędzne domki. – Nie miałem pojęcia, jak to naprawdę wygląda.

– Jak nory harreli, nie? – Dannyl zaśmiał się gardłowo. – Potworny bałagan.

– Tak, ale miałem raczej na myśli ludzi. – Rothen zatoczył ręką koło, wskazując na zgromadzony wokół nich tłumek. – Warunki tu są tak okropne… Nie wyobrażałem sobie…

Dannyl wzruszył ramionami.

– Nie mamy szans na jej znalezienie, Rothen. Jest nas po prostu za mało.

Rothen potaknął.

– Myślisz, że innym lepiej poszło?

– Gdyby im się powiodło, wiedzielibyśmy o tym.

– Prawda. – Rothen zmarszczył brwi. – Właśnie przyszło mi coś do głowy: skąd wiemy, że ona w ogóle jest w mieście? Mogła uciec na wieś. – Potrząsnął głową. – Obawiam się, że masz rację. Nie mamy tu już nic do roboty. Wracajmy do siedziby Gildii.

ROZDZIAŁ 4

POSZUKIWANIA TRWAJĄ

Światło poranka zalało złotem oszronione okna. Powietrze w pokoju było cudownie ciepłe, ogrzane przez lśniącą kulę unoszącą się za umieszczoną w ścianie szybką z matowego szkła. Wiążąc pas swojej szaty, Rothen wszedł do salonu, aby przywitać przyjaciół.

Druga taka szybka umożliwiała kuli jednoczesne ogrzewanie sypialni i głównego pokoju. Przy ścianie stał starszawy mag z rękami uniesionymi ku źródłu ciepła. Mimo że dawno przekroczył osiemdziesiątkę, Yaldin był wciąż krzepki i bystry: wykorzystywał w pełni długowieczność i dobre zdrowie idące w parze z talentem magicznym.

Obok Yaldina stał młodszy i wyższy mag. Oczy Dannyla były półprzymknięte – jakby właśnie zamierzał zasnąć.

– Dzień dobry – powiedział Rothen. – Wygląda na to, że dziś się przejaśni.

Yaldin uśmiechnął się krzywo.

– Mistrz Davin jest zdania, że będziemy mieli kilka ciepłych dni, zanim przyjdzie prawdziwa zima.

Dannyl skrzywił się.

– Davin mówi tak od kilku tygodni.

– Nigdy nie powiedział, *kiedy* to ma się zdarzyć – zachichotał Yaldin. – Tylko że się *zdarzy*.

Rothen uśmiechnął się. W Kyralii znane było przysłowie, że „słońce nie świeci na rozkaz Króla ani nawet maga". Trzy lata temu ekscentryczny Alchemik, Mistrz Davin, zabrał się do studiów nad pogodą, żeby obalić tę tezę. Od niedawna zaczął karmić Gildię swoimi „prognozami", Rothen przypuszczał jednak, że ich sprawdzalność związana jest w większym stopniu z przypadkiem niż z geniuszem.

Otwarły się drzwi i weszła służąca Rothena, dziewczyna o imieniu Tania, wniosła tacę i postawiła ją na stole. Na tacy znajdowały się filiżanki ze złotym ornamentem i talerz pełen słodkich ciastek w wyszukanych kształtach.

– Sumi, panowie? – spytała.

Dannyl i Yaldin skinęli ochoczo głowami. Rothen wskazał im krzesła, a Tania tymczasem wsypała do dzbanuszka kilka łyżeczek suszonych liści i zalała je wrzątkiem.

Yaldin westchnął i pokręcił głową.

– Szczerze mówiąc, nie wiem, dlaczego zgłosiłem się dzisiaj. Nie zgodziłbym się iść, gdyby Ezrille nie nalegała. Powiedziałem jej: „Będzie nas tylko połowa, jakie mamy szanse?". A ona na to: „Większe niż gdyby nikt nie poszedł".

Rothen uśmiechnął się.

– Twoja żona to rozumna kobieta.

– Myślałem, że więcej z nas będzie zainteresowanych po tym, jak doradcy Króla ogłosili, że jeśli to nie dzika, mamy ją szkolić – zauważył Dannyl.

Yaldin skrzywił się.

– Myślę, że niektórzy wycofali się na znak protestu. Nie chcą w Gildii dziewczyny ze slumsów.

– Cóż, teraz nie mają wyjścia. No i zyskaliśmy jednego nowego pomocnika – przypomniał im Rothen, biorąc z rąk Tani filiżankę.

– Ferguna? – Dannyl prychnął z pogardą. – Dziewczyna powinna była wziąć lepszy zamach.

– Dannyl! – Rothen pogroził młodemu magowi palcem. – Fergun jest jedynym powodem, dla którego spora część Gildii jeszcze jej szuka. Był bardzo przekonujący na wczorajszym Posiedzeniu.

Yaldin uśmiechnął się ponuro.

– Nie sądzę, żeby długo wytrzymał. Po wczorajszych poszukiwaniach udałem się natychmiast do łaźni, ale Ezrille oznajmiła, że nadal czuć mnie slumsami.

– Mam nadzieję, że nasza mała uciekinierka nie śmierdzi aż tak okropnie – Dannyl posłał Rothenowi krzywy uśmiech. – W przeciwnym razie nauka kąpieli może okazać się pierwszą lekcją, jakiej trzeba jej będzie udzielić.

Rothen wzdrygnął się na wspomnienie wygłodzonej, brudnej buzi i wielkich zdumionych oczu. Slumsy śniły mu się przez całą noc. Włóczył się po nędznych lepiankach wśród spojrzeń niezdrowo wyglądających ludzi, drżących starców w łachmanach, chudych dzieci pożerających przegniłe resztki jedzenia, wśród kalek o powykrzywianych kończynach...

Rozmyślania przerwało mu pukanie do drzwi. Zwrócił ku nim wzrok i wydał w myślach polecenie. Drzwi otwarły się do wnętrza i pojawił się w nich młody człowiek w ubraniu posłańca.

– Mistrzu Dannylu... – Posłaniec skłonił się głęboko młodemu magowi.

– Mów – rozkazał mu Dannyl.

– Kapitan Garrin przesyła ci wiadomość, panie. Kazał powiedzieć, że strażnicy Ollin i Keran zostali pobici i obrabowani. Człowiek, którego szukałeś, nie chce rozmawiać z magami.

Dannyl popatrzył na służącego, po czym zmarszczył brwi, zastanawiając się nad tą wiadomością. W przedłużającym się milczeniu słychać było niespokojne szuranie butów posłańca.

– Czy obrażenia są poważne? – spytał Rothen.

Posłaniec potrząsnął przecząco głową.

– Siniaki, mój panie. Nie mają żadnych złamań.

Dannyl odesłał go gestem ręki.

– Podziękuj kapitanowi za wiadomość. Możesz odejść.

Posłaniec skłonił się ponownie i wyszedł.

– O co tu chodzi? – spytał Yaldin, gdy drzwi zamknęły się za młodzieńcem.

Dannyl zagryzł wargę.

– Wygląda na to, że Złodzieje nie są do nas najlepiej usposobieni.

Yaldin parsknął cicho, po czym sięgnął po ciastko.

– Pewnie, że nie! Dlaczego mieliby być…? – Stary mag urwał i przyjrzał się uważnie młodszemu koledze. – Ty chyba nie…?

Dannyl wzruszył ramionami.

– Warto było spróbować. Oni ponoć wiedzą o wszystkim, co dzieje się w slumsach.

– Próbowałeś nawiązać kontakt ze *Złodziejami*!

– Nie złamałem żadnego znanego mi prawa.

Yaldin jęknął i chwycił się za głowę.

– Nie, Dannyl – odpowiedział Rothen. – Ale Królowi i Domom nie spodobałyby się raczej konszachty Gildii ze Złodziejami.

– Kto mówił o konszachtach? – Dannyl uśmiechnął się, sącząc płyn z filiżanki. – Pomyślcie tylko. Złodzieje znają slumsy znacznie lepiej, niż my je kiedykolwiek poznamy. Mają znacznie większe szanse na znalezienie dziewczyny, a poza tym założę się, że woleliby szukać jej sami, niż tolerować nasze węszenie po ich terenie. Musielibyśmy tylko wmówić Królowi, że przekonaliśmy lub zastraszyliśmy Złodziei, i wydali dziewczynę, a nikt nie będzie się czepiał.

Rothen zamyślił się.

– Nie będzie ci łatwo przekonać do tego starszych.

– Nie muszą na razie o niczym wiedzieć.

Rothen skrzyżował ręce na piersi.

– Owszem, muszą – oznajmił.

Dannyl mrugnął do niego.

– Oczywiście, że muszą, ale jestem przekonany, że przebaczą mi, jeśli to zadziała, a ja podsunę im sposób na usprawiedliwienie się przed Królem.

Yaldin prychnął.

– Może lepiej, żeby to nie zadziałało.

Rothen wstał i podszedł do okna. Przetarł szybę rękawem i spojrzał na pięknie zaprojektowane i doskonale utrzymane ogrody. Pomyślał o trzęsących się z zimna, wygłodniałych ludziach, których oglądał wczoraj. Czy ona też żyje w takich warunkach? Czy ich poszukiwania wygnały ją z wątpliwego schronienia w jakiejś norze na ulicę? Nadchodziła zima: dziewczyna może umrzeć z zimna i głodu na długo przed tym, jak jej moc stanie się niestabilna i niebezpieczna. Zabębnił palcami w parapet.

– Istnieje kilka grup Złodziei, prawda?

– Tak – odpowiedział Dannyl.

– Czy ten człowiek, z którym usiłowałeś nawiązać kontakt, mówi w imieniu wszystkich?

– Nie mam pojęcia – przyznał Dannyl. – Ale nie sądzę.

Rothen zwrócił się do przyjaciela.

– Warto by się upewnić, nieprawdaż?

Yaldin gapił się na Rothena, po czym ponownie chwycił się za głowę.

– Wy dwaj napytacie nam biedy – jęknął.

Dannyl poklepał starca po ramieniu.

– Nie martw się, Yaldin. Wystarczy jeden. – Uśmiechnął się szeroko do Rothena. – Zostawcie to mnie. Musimy tylko wymyślić powód, dla którego Złodzieje mogliby zechcieć nam pomóc. Myślę, że powinniśmy zajrzeć w te podziemne przejścia, na które się wczoraj natknęliśmy. Założę się, że oni woleliby, żebyśmy nie mieli powodów dokładniej się im przyglądać.

– Nie lubię tych podziemnych pomieszczeń – powiedziała Donia. – Nie ma okien. Jakoś tu nieprzyjemnie.

Sonea skrzywiła się i podrapała maleńkie ślady po ugryzieniach, które pojawiły się w nocy. Ciotka regularnie prała materace i koce w wywarze z ziół, żeby pozbyć się robactwa, i Sonea po raz pierwszy w życiu zatęskniła za jej zamiłowaniem do porządku. Westchnęła i rozejrzała się po zakurzonym pomieszczeniu.

– Mam nadzieję, że Cery'emu nie oberwie się za ukrywanie mnie tutaj.

Donia wzruszyła ramionami.

– Od lat załatwiał różne sprawy dla Opii i dziewcząt z Tańczących Pantofelków, więc chyba nie będą miały nic przeciwko temu, żebyś schroniła się w ich piwnicy przez kilka dni. Jego matka tu pracowała, wiesz. – Donia postawiła przed Soneą dużą drewnianą misę. – Dawaj głowę.

Sonea usłuchała i zatrzęsła się, gdy po włosach spłynęła jej lodowato zimna woda. Po kilku płukaniach Donia zabrała misę, pełną teraz mętnej, zielonkawej cieczy.

Wysuszyła Sonei włosy przetartym ręcznikiem, po czym wyprostowała się, by obejrzeć swoje dzieło.

– Nic nie pomogło – zawyrokowała, kręcąc głową.

Sonea dotknęła włosów palcami. Były wciąż lepkie od nałożonej przez Donię papki.

– Nic?

Donia nachyliła się i przeczesała jej włosy.

– Są może odrobinę jaśniejsze, ale to nie wystarczy. – Westchnęła. – Nie możemy ich też wiele więcej obciąć. Ale… – cofnęła się o krok i wzruszyła ramionami. – Jeśli magowie szukają dziewczyny, a tak mówią ludzie, może cię nie rozpoznają. Z takimi włosami wyglądasz jak chłopak, w każdym razie na pierwszy rzut oka. – Podparła się pod boki i cofnęła jeszcze trochę. – Dlaczego w ogóle je obcięłaś?

Sonea uśmiechnęła się.

– Żeby wyglądać jak chłopak. Żeby przestali mnie zaczepiać.

– W gościńcu?

– Nie. Biegałam za zleceniami i z robotą Jonny i Ranela. Wuj nie może szybko chodzić z powodu tej nogi, a ciotka lepiej, żeby pracowała. Nienawidziłam tkwienia przez cały czas w gościńcu, więc latałam na posyłki. – Skrzywiła się. – Za pierwszym razem, kiedy zanosiłam towar kupcowi, zobaczyłam, jak kilku czeladników i stajennych dobiera się do dziewczyny piekarza. Nie chciałam się na to narażać, więc zaczęłam się ubierać i czesać jak chłopak.

Donia uniosła brwi.

– I to działało?

– Zazwyczaj. – Sonea uśmiechnęła się niechętnie. – Ale czasami nie jest dobrze wyglądać jak chłopak. Kiedyś zakochała się we mnie służąca! Kiedy indziej zaczepiał mnie ogrodnik i byłam pewna, że odgadł, że jestem dziewczyną, dopóki mnie nie chwycił. O mało co nie zemdlał, a potem zrobił się cały czerwony i błagał mnie, żebym nikomu nie mówiła. Ludzie są różni.

Donia zachichotała.

– Dziewczyny nazywają takich mężczyzn złotymi żyłami. Opia bierze więcej za chłopców, ponieważ gdyby gwardziści się dowiedzieli, powiesiliby ją. Ale prawo nie czepia się o dziewczyny. Pamiętasz Kalię?

Sonea potaknęła, przypominając sobie szczupłą dziewczynę, która podawała do stołów w spylunce w pobliżu targu.

– Okazało się, że ojciec od lat sprzedawał ją klientom – powiedziała Donia, potrząsając głową. – Własną córkę! W zeszłym roku uciekła i zatrudniła się u Opii. Mówi, że teraz przynajmniej ma z tego trochę pieniędzy. Słysząc coś takiego, uświadamiasz sobie, jakie miałaś szczęście, nie? Mój ojciec dba o to, żeby nikt mnie zbyt nieprzyzwoicie nie nagabywał. Najgorsze, co mi się…

Urwała i spojrzała w kierunku wejścia, po czym skoczyła i wyjrzała przez dziurkę od klucza. Następnie uśmiechnęła się z ulgą i otwarła drzwi.

Cery wsunął się do pokoju i podał Doni jakieś zawiniątko, po czym przyjrzał się krytycznie Sonei.

– Wcale nie wyglądasz inaczej.

Donia westchnęła.

– Kolor nie chwycił. Kyraliańskie włosy niełatwo jest ufarbować.

Cery wzruszył ramionami, po czym wskazał na tobołek.

– Przyniosłem ci trochę ubrań, Sonea. – Ruszył z powrotem do drzwi. – Zapukaj, jak się przebierzesz.

Gdy zamknęły się za nim drzwi, Donia podniosła zawiniątko i rozpakowała je.

– Męskie ciuchy – pociągnęła nosem, rzucając w Soneę parą spodni i koszulą ze stójką. Następnie rozwinęła długą połę ciężkiego ciemnego sukna i pokiwała głową z aprobatą. – Przynajmniej porządny płaszcz.

Sonea przebrała się. Narzucała właśnie płaszcz na ramiona, kiedy rozległo się pukanie.

– Wychodzimy – oznajmił Cery, wchodząc do pokoju. Za nim pojawił się Harrin z niewielką lampką. Na widok ich ponurych twarzy serce Sonei zamarło.

– Już szukają?

Cery potaknął, po czym podszedł do starej drewnianej komody z tyłu pomieszczenia. Otworzył ją i pociągnął za półki. Wysunęły się tak gładko, że stojące na nich przedmioty ledwie się zachwiały. Tylna ściana komody ustąpiła, odsłaniając przed nimi prostokąt ciemności.

– Szukają już od kilku godzin – zwrócił się do Sonei Harrin, gdy przechodzili przez ukryte drzwi do tunelu.

– Już?

– Tu na dole łatwo traci się poczucie czasu – wyjaśnił. – Na zewnątrz jest późny ranek.

Cery popchnął Harrina i Donię w głąb korytarza. Sonea usłyszała cichutkie skrzypnięcie, a następnie zobaczyła smugę światła z lampki Harrina, oświetlającą wilgotne ściany korytarzyka. Cery zamknął na powrót komodę, ukrywając tajne przejście, i zwrócił się do Harrina.

– Żadnego światła. W ciemności łatwiej znajdę drogę.

Korytarz zniknął, gdy Harrin zasłonił światło.

– I żadnych rozmów – dodał Cery. – Sonea, złap mnie za płaszcz, a drugą ręką wymacaj ścianę.

Wyciągnęła rękę i chwyciła szorstki materiał jego długiego płaszcza. Na ramieniu poczuła lekkie dotknięcie. Kroki odbiły się echem, gdy ruszyli przed siebie.

Ich drogi przez kilka kolejnych korytarzy nie oświetlił żaden promień. Słabe echo kapiącej wody zanikło, po czym wróciło. Sonea pamiętała, że burdel Opii mieścił się w pobliżu rzeki, toteż przejścia znajdowały się zapewne poniżej poziomu wody. Nie poprawiło to jej samopoczucia.

Cery zatrzymał się, a kiedy ruszył nagle pod górę, skraj jego płaszcza wyślizgnął się z dłoni Sonei. Wyciągnęła rękę i natknęła się na nieheblowaną deskę, a potem następną. Bała się, że wahając się zbyt długo, mogłaby zgubić Cery'ego; postawiła stopę na pierwszym szczeblu drabiny – i oberwała jego butem. Zdusiła w sobie przekleństwo i ruszyła w górę nieco ostrożniej. Za sobą słyszała szurające o drewno buty Harrina i Doni.

Nad nią pojawił się jaśniejszy kwadrat; przeszła za Cerym przez klapę i znalazła się w długim, prostym korytarzu. Przez szpary po jednej stronie wpadało słabe światło. Przeszli tym tunelem ponad sto kroków, kiedy Cery zatrzymał się nagle tuż przed zakrętem.

W korytarzu przed nimi było znacznie jaśniej, a źródło światła najwyraźniej znajdowało się za załomem. Sonea widziała dokładnie sylwetkę Cery'ego rysującą się na tle ściany. Z oddali dobiegał ich uprzejmy męski głos.

– Ach! *Jeszcze jedno* tajne przejście. No cóż, zobaczymy, jak daleko się ciągnie.

– Są w podziemnych korytarzach – szepnęła Donia.

Cery obrócił się na pięcie i zamachał rozpaczliwie do Sonei, która nie potrzebowała dodatkowej zachęty. Odwracając się, zobaczyła Harrina i Donię skradających się na palcach z powrotem.

Mimo że starali się iść jak najciszej i najszybciej, ich kroki odbijały się echem w wąskim przejściu. Sonea wytężała słuch, spodziewając się w każdej chwili usłyszeć za sobą krzyk. Popatrzyła w dół i dostrzegła, że jej cień staje się coraz wyraźniejszy, w miarę jak światło zbliżało się do załomu.

Korytarz przed nimi rozszerzał się w nieskończoną ciemność. Zerknęła za siebie. Podążająca za nimi jasność była teraz tak oślepiająca, że mag zapewne był już na zakręcie. Za moment ich zobaczy...

Syknęła, gdy poczuła na ramionach ręce, zmuszające ją do zatrzymania się. To Cery przycisnął ją do ściany i oparł dłonie na jej ramionach. Cegły za nią zdawały się ustępować – cofnęła się i prawie upadła.

Oparła się plecami o kolejną ścianę. Cery popchnął ją w bok, po czym dołączył do niej w maleńkiej niszy. Poczuła jego chudy łokieć wbijający się jej pod żebro i usłyszała suchy chrzęst przesuwających się cegieł.

W ciasnym pomieszczeniu ich oddechy zdawały się brzmieć jak grzmoty. Czując, jak wali jej serce, Sonea znów wytężyła słuch, aż dotarł do niej szmer głosów za ścianą z cegieł. W szparach pojawiło się światło. Sonea nachyliła się i zajrzała w jedną ze szczelin.

W powietrzu tuż przed jej oczami unosiła się lśniąca kula światła. Sonea odprowadzała ją zachwyconym wzrokiem, aż kula znikła z jej pola widzenia, pozostawiając jedynie czerwone powidoki. Następnie pojawiła się blada dłoń, a za nią szeroki fioletowy rękaw i tułów człowieka... człowieka odzianego w szatę... w szatę *maga!*

Serce biło jej jak oszalałe. Był tak blisko – w zasięgu ręki. Dzieliła go od niej tylko cienka ściana z cegieł.

Na dodatek zatrzymał się.

– Zaczekaj chwileczkę. – W jego głosie słychać było zdziwienie. Stał milczący i nieruchomy, po czym powoli zwrócił się ku niej.

Sonea zamarła z przerażenia. To był mag z placu Północnego, ten, który ją zauważył. Ten, który usiłował ją wskazać pozostałym. Miał nieobecny wyraz twarzy, jakby czegoś nasłuchiwał, ale wydawało się, że przenika wzrokiem mur, patrząc wprost na nią.

Czuła suchość w ustach, jakby najadła się piasku. Przełknęła ślinę i usiłowała pokonać rosnące przerażenie. Wydawało jej się, że zdradzi ją bijące mocno serce. Czy on może je usłyszeć? Albo jej oddech?

On może nawet słyszeć myśli w mojej głowie.

Poczuła, że nogi się pod nią uginają. Podobno magowie potrafią robić takie rzeczy. Zamknęła oczy. *On nie może mnie zobaczyć*, powiedziała do siebie. *Ja nie istnieję. Nie ma mnie tutaj. Jestem niczym. Nikt nie może mnie zobaczyć. Nikt nie może mnie usłyszeć.*

Poczuła wokół siebie coś dziwacznego, jakby ktoś owinął jej głowę kocem, tłumiąc zmysły. Zadrżała, czując się niepewnie ze świadomością, że znów coś zrobiła – tym razem z samą sobą.

A może to ten mag rzucił na mnie jakieś zaklęcie, pomyślała nagle. Przerażona otworzyła oczy i stwierdziła, że wpatruje się w ciemność.

Mag zniknął razem ze swoim światełkiem.

Dannyl spoglądał na budynek z niesmakiem. Był to najnowszy obiekt na terenie Gildii, ale brakowało mu rozmachu i piękna, które tak podziwiał w starszych budowlach. Niektórzy chwalili nowoczesny styl, on jednak uważał, że budynek jest równie absurdalnie pretensjonalny jak jego nazwa.

Siedmiołuk był długim prostokątem, którego fasadę zdobiło siedem pozbawionych ozdób łuków. Wewnątrz znajdowały się trzy pomieszczenia: sala dzienna, gdzie przyjmowano ważnych gości, sala bankietowa i sala wieczorna, gdzie magowie spotykali się każdego czwartodniowego wieczora na nieformalne pogaduszki i plotki przy drogim winie.

To właśnie do tej trzeciej sali zmierzali Dannyl z Rothenem. Był chłodny wieczór, ale pogoda nigdy nie powstrzymywała bywalców sali wieczornej. Dannyl uśmiechnął się, gdy weszli do środka. W środku bowiem potrafił zapomnieć o architektonicznej czkawce, z której narodził się ten budynek, i mógł podziwiać gustowne wykończenie jego wnętrza.

Rozejrzał się dookoła, stwierdzając, że po kolejnym dniu spędzonym w zimnych i wilgotnych zaułkach slumsów bardziej docenia luksusy tego przybytku. Okna zasłonięte były okiennikami w granatowo-złote wzory. Wszędzie stały wyściełane krzesła. Ściany zdobiły obrazy i płaskorzeźby autorstwa najwybitniejszych artystów Ziem Sprzymierzonych.

Zauważył, że tego wieczora zgromadziło się tu więcej magów niż zwykle. Przechadzając się wraz z Rothenem wśród zebranych, dostrzegał twarze mniej towarzyskich magów. W pewnej chwili jego uwagę przyciągnęła plama czerni, zatrzymał się więc w miejscu.

– Wielki Mistrz zaszczycił nas dziś swą obecnością – mruknął.

– Akkarin? Gdzie? – Rothen obrzucił pokój wzrokiem i uniósł brwi na widok odzianej w czerń postaci.

– Interesujące. Ile to czasu? Dwa miesiące?

Dannyl potaknął, biorąc kieliszek z winem od przechodzącego sługi.

– Co najmniej.

– Czy to Administrator Lorlen koło niego?

– Niewątpliwie – powiedział Dannyl i przełknął łyk wina. – Lorlen z kimś rozmawia, ale nie widzę, z kim.

Lorlen podniósł wzrok i rozejrzał się po sali. Zatrzymał wzrok na Dannylu i Rothenie. Uniósł rękę.

~ *Dannyl. Rothen. Musimy porozmawiać.*

Zaskoczony i nieco speszony Dannyl pospieszył za Rothenem przez salę. Zatrzymali się za krzesłem, które zasłaniało Dannylowi widok na rozmówcę Lorlena. Ich uszu dobiegł przyjemny głos.

– Slumsy to ohydna skaza na obliczu miasta. To wylęgarnia zbrodni i chorób. Król nie powinien był pozwolić im się tak rozrosnąć. Mamy teraz doskonałą okazję do oczyszczenia z nich Imardinu.

Dannyl przybrał uprzejmą minę i spojrzał na człowieka siedzącego na krześle. Idealnie zaczesane jasne włosy lśniły w świetle lamp. Mężczyzna miał półprzymknięte oczy; skrzyżowane nogi wyciągnął w stronę Wielkiego Mistrza. Na jego skroni widniał niewielki opatrunek.

– A jak chciałbyś to uczynić, Mistrzu Fergunie? – zapytał uprzejmie Lorlen.

Fergun wzruszył ramionami.

– Oczyszczenie tego terenu nie powinno nastręczać trudności. Domy nie są szczególnie porządnie zbudowane, a zawalenie tuneli pod nimi nie powinno być problemem.

– Każde miasto się rozrasta – zauważył Lorlen. – To normalne, że ludzie zaczynają budować za murami, kiedy braknie miejsca w ich obrębie. Niektóre części slumsów nie różnią się zasadniczo od dzielnic wewnętrznych. Budynki są porządne, a ulice mają prawdziwe rynsztoki. Ludzie mieszkający w tej okolicy zaczęli nazywać slumsy Zewnętrznym Kręgiem.

Fergun wychylił się do przodu.

– Ale również pod tymi domami są ukryte przejścia. Zapewniam cię, że ich mieszkańcy to wysoce podejrzani osobnicy. Powinniśmy uznać, że każdy dom zbudowany nad tymi tunelami należy do świata przestępczego, i zrównać wszystko z ziemią.

Na te słowa Akkarin uniósł lekko brwi, Lorlen zaś zerknął na Wielkiego Mistrza i uśmiechnął się.

– Gdybyż to problem Złodziei dał się tak łatwo rozwiązać. – Spojrzał na Rothena i uśmiechnął się ponownie. – Dobry wieczór, Mistrzu Rothenie i Mistrzu Dannylu.

Fergun podniósł wzrok. Jego wzrok prześlizgnął się po Dannylu i Rothenie, a usta rozciągnęły się w wystudiowanym uśmiechu.

– Ach, Mistrz Rothen.

– Dobry wieczór, Ekscelencjo. Dobry wieczór, Mistrzu Administratorze – odpowiedział Rothen, skłaniając głowę w stronę starszych. – Dobry wieczór, Mistrzu Fergunie. Czy czujesz się już lepiej?

– Och, tak – odrzekł Fergun, unosząc dłoń, by dotknąć bandaża na czole. – Dziękuję za troskę.

Dannyl starał się zachować obojętność. To, że Fergun „zapomniał" się z nim przywitać, było niegrzeczne, ale dość zwyczajne. Ale że uczynił to w obecności Wielkiego Mistrza – jednak zaskakujące.

Lorlen założył ręce na piersi.

– Zauważyłem, że wy dwaj pozostaliście dziś dłużej niż inni w slumsach. Czyżbyście odkryli jakieś tropy, które mogą nas doprowadzić do dziewczyny?

Rothen potrząsnął głową i opowiedział o próbach zorientowania się w podziemnych tunelach. Dannyl przyglądał się Wielkiemu Mistrzowi w milczeniu, czując przy tym dobrze znany dreszcz. *Ukończyłem studia dziesięć lat temu, a on ciągle robi na mnie takie wrażenie, jakbym był nowicjuszem*, pomyślał.

Obowiązki i zainteresowania Dannyla rzadko wymagały kontaktu z przywódcą Gildii, toteż, jak za każdym razem, poczuł zaskoczenie, uświadamiając sobie młody wiek Akkarina. Przypomniały mu się dyskusje, które pięć lat temu towarzyszyły wyborowi młodego maga na stanowisko Wielkiego Mistrza. Przywódcy Gildii byli wybierani spośród najpotężniejszych magów, ale zazwyczaj preferowano też starszych, ze względu na ich doświadczenie i dojrzałość.

Akkarin wykazał się mocą znacznie większą niż pozostali, ale to wiedza i zdolności dyplomatyczne, które zdobył, podróżując do innych krajów, zapewniły mu zwycięstwo. Od przywódcy Gildii oczekiwano siły, zdolności, godności i autorytetu – a Akkarin miał wszystkie te cechy w nadmiarze. Jak zauważało wielu podczas wyborów, wiek nie powinien mieć znaczenia. Najważniejsze decyzje zapadały w głosowaniach, a codziennymi sprawami Gildii zajmował się Administrator.

Mimo że wszystkie te argumenty brzmiały rozsądnie, Dannyl podejrzewał, że obiekcje w stosunku do wieku Wielkiego Mistrza nie znikły. Zauważył, że Akkarin zaczął się czesać w staroświecki, elegancki sposób, preferowany przez starszych mężczyzn – długie włosy zebrane w pedantyczny węzeł na karku. Lorlen również przyjął ten styl.

Dannyl obrócił się, by przyjrzeć się Administratorowi, który z uwagą wsłuchiwał się w słowa Rothena. Lorlen był najbliższym przyjacielem Akkarina i został asystentem poprzedniego Administratora na jego prośbę. Kiedy Administrator złożył swój urząd dwa lata temu, Lorlen zajął jego miejsce.

Okazał się bardzo dobrym wyborem. Był praktyczny, miał autorytet, a przede wszystkim był przystępny. Rola Administratora nie była łatwa i Dannyl wcale nie zazdrościł Lorlenowi długich godzin poświęconych sprawowanej funkcji – a ta nierzadko była bardziej wymagająca niż w wypadku Wielkiego Mistrza.

Kiedy Rothen skończył opowieść, Lorlen pokiwał głową.

– Gdy słucham opisów slumsów, wątpię, czy uda nam się ją kiedykolwiek znaleźć. – Westchnął. – Król rozkazał otworzyć jutro port.

Fergun zmarszczył brwi.

– Już? A co, jeśli ona ucieknie statkiem?

– Wątpię, czy blokada powstrzymałaby ją od opuszczenia Imardinu, jeśli taki był jej zamiar. – Lorlen spojrzał na Rothena, a na jego ustach zagościł krzywy uśmiech. – Jak zwykł mawiać dawny opiekun Mistrza Rothena, „Kyralia miałaby się świetnie, gdyby ogłosić, że sprawowanie władzy jest zbrodnią".

Rothen zaśmiał się.

– Istotnie, Mistrz Margen był niewyczerpaną skarbnicą tego rodzaju mądrości. Nie sądzę jednak, by mogła się wyczerpać. Dannyl podpowiedział mi dziś rano, że ludźmi, którzy mają największe szanse na znalezienie dziewczyny, są mieszkańcy slumsów. Myślę, że mój przyjaciel ma rację.

Dannyl spojrzał na przyjaciela ze zdumieniem. Rothen nie zamierzał chyba wyjawić ich planów skontaktowania się ze Złodziejami?

– A dlaczego mieliby nam pomagać? – spytał Lorlen.

Rothen rzucił Dannylowi spojrzenie.

– Ponieważ możemy wyznaczyć nagrodę – odpowiedział z uśmiechem.

Dannyl odetchnął. *Mogłeś mnie uprzedzić, stary druhu!*

– Nagrodę! – wykrzyknął Lorlen. – Tak, to mogłoby zadziałać.

– Doskonały pomysł – zgodził się Fergun. – Powinniśmy też karać grzywnami tych, którzy nam przeszkadzają.

Lorlen rzucił mu spojrzenie pełne nagany.

– Nagroda wystarczy. Pamiętajcie, nie dawajmy im nic, dopóki dziewczyna się nie znajdzie, inaczej wszyscy mieszkańcy slumsów zaczną krzyczeć, że ją widzieli. – Zamyślił się. – Hmm, powinniśmy też zniechęcić ludzi do prób schwytania jej na własną rękę…

– Możemy wywiesić na rogach ulic jej portrety wraz z warunkami nagrody i ostrzeżeniem, że nie należy się do niej zbliżać – zaproponował Dannyl. – Powinniśmy zachęcić ludzi do donoszenia nam, gdzie ją widzieli, ponieważ to może dać nam informacje na temat miejsc, w których bywa najczęściej.

– Może narysujmy mapę slumsów, żeby można było śledzić te pojawienia się – podsunął Fergun.

– Hmm, to *mogłoby* się przydać – przyznał Dannyl, udając, że niezbyt chętnie przyznaje, iż zaskoczyła go ta sugestia. Mając w pamięci labirynt przejść i uliczek, wiedział, że takie zadanie usunie im Ferguna z drogi na kilka miesięcy. Rothen zmrużył oczy, wpatrując się w Dannyla, ale nic nie powiedział.

– Informacje o nagrodzie – Lorlen spojrzał na Dannyla. – Zajmiesz się tym?

– Jutro. – Dannyl skinął głową.

– Jutro rano powiadomię o tym pozostałych poszukiwaczy – powiedział Lorlen. Podniósł wzrok na Rothena i Dannyla, uśmiechając się do nich. – Jeszcze jakieś pomysły?

– Ta dziewczyna musi okazywać prezencję – powiedział cicho Wielki Mistrz. – Jest nieszkolona, więc nie będzie umiała jej ukryć – nie będzie nawet wiedziała o jej istnieniu. Czy ktokolwiek szukał jej w taki sposób?

Przez chwilę panowało milczenie, po czym Lorlen odchrząknął z ponurą miną.

– Jak mogłem o tym nie pomyśleć? Nikt nie wspominał o poszukiwaniu prezencji. – Pokręcił głową. – Wygląda na to, że wszyscy zapomnieliśmy, kim jesteśmy – i kim ona jest.

– Prezencja – odezwał się cicho Rothen. – Ja chyba…

Lorlen zmarszczył czoło, gdy Rothen przerwał.

– Tak?

– Zorganizuję jutro poszukiwania mentalne – dokończył Rothen.

Lorlen uśmiechnął się.

– W takim razie wy dwaj będziecie mieć jutro ciężki dzień.

Rothen pochylił głowę.

– Powinniśmy zatem wcześnie udać się spać. Dobranoc, Mistrzu Administratorze. Dobranoc, Wielki Mistrzu. Dobranoc, Mistrzu Fergunie.

Trzej magowie skinęli mu głowami w odpowiedzi. Dannyl pospieszył za Rothenem ku drzwiom wyjściowym. Kiedy znaleźli się na zewnątrz, w chłodzie wieczoru, Rothen głęboko odetchnął.

– *Teraz* rozumiem! – Palnął się dłonią w czoło.

– Rozumiesz co? – spytał nieco ogłupiały Dannyl.

– Dziś, gdy szedłem jednym z tuneli, coś *poczułem*. Jakby ktoś mi się przyglądał.

– Prezencja?

– Niewykluczone.

– Sprawdziłeś to?

Rothen potaknął.

– To nie miało sensu. To, co wyczuwałem, musiało być tuż koło mnie, ale nie było tam nic poza ścianą z cegieł.

– Poszukałeś ukrytych drzwi?

– Nie, ale… – Rothen zawahał się, marszcząc czoło. – …to znikło.

– Znikło? – Dannyl nie krył zaskoczenia. – Jak mogło po prostu zniknąć? Prezencja nie znika ot tak – chyba że ktoś ją ukryje. A ona nie była w tym szkolona.

– Czy aby na pewno? – Rothen uśmiechnął się ponuro. – Jeśli to była ona, to albo ktoś ją uczył, albo sama do tego doszła.

– To nietrudno opanować – przyznał Dannyl – a my tego uczymy przez grę w chowanego.

Rothen pokiwał powoli głową, jakby rozważał taką możliwość, po czym wzruszył ramionami.

– Sądzę, że przekonamy się jutro. Powinienem wrócić i sprawdzić, czy uda mi się zorganizować jakąś pomoc. Myślę, że wielu z tych, którzy nie mają ochoty wchodzić znowu do slumsów, z chęcią wspomoże poszukiwanie mentalne. Chcę, żebyś ty też do nas dołączył, Dannylu. Masz wyjątkowo czułe zmysły.

Dannyl wzruszył ramionami.

– Skoro tak stawiasz sprawę, jakże mógłbym ci odmówić?

– Zaczniemy wcześnie. Powinieneś jak najszybciej wydrukować i rozwiesić te informacje o nagrodzie.

– Ech – skrzywił się Dannyl. – Nie mów mi, że to oznacza kolejną wczesną pobudkę.

ROZDZIAŁ 5

NAGRODA

– Cery?

Cery uniósł głowę znad stołu i zamrugał. Zakładał, że jest rano, aczkolwiek nie łatwo to ocenić, kiedy przebywa się pod ziemią. Wyprostował się i rzucił okiem w stronę łóżka. Świeca właśnie się wypalała i jej światło nie sięgało daleko, ale wystarczyło, by dostrzegł lśniące oczy Sonei.

– Nie śpię – powiedział, przeciągając się. Zabrał świecę ze stołu i przeniósł ją w pobliże łóżka. Sonea leżała z rękami pod głową, wpatrując się w niskie sklepienie. Na jej widok poczuł dziwaczny, niedający się odegnać niepokój. Pamiętał, że podobnie czuł się dwa lata temu, tuż przed tym, jak odeszła z bandy. Kiedy znikła, zdał sobie sprawę, że od zawsze wiedział, że tak będzie: że któregoś dnia ona odejdzie.

– Dzień dobry – dodał.

Zmusiła się do uśmiechu, który jednak nie przegonił wyrazu strachu z jej twarzy.

– Kim był ten chłopak na placu… ten, który zginął?

Cery usiadł w nogach łóżka i westchnął.

– Chyba miał na imię Arrel. Nie znałem go dobrze. Wydaje mi się, że był synem kobiety, która pracowała w Tańczących Pantofelkach.

Pokiwała powoli głową. Przez dłuższą chwilę milczała, po czym zmarszczyła czoło.

– Udało ci się znaleźć Jonnę i Ranela?

Cery pokręcił głową.

– Nie.

– Tęsknię za nimi. – Sonea nagle się roześmiała. – Nigdy bym się tego nie spodziewała, wiesz? Bo – przewróciła się na bok, żeby spojrzeć mu prosto w oczy – tęsknię za nimi bardziej niż za matką. Czy to nie dziwne?

– Opiekowali się tobą przez większość twojego życia – przypomniał jej Cery. – A twoja matka zmarła dawno temu.

Przytaknęła.

– Czasami widzę ją we śnie, ale kiedy się budzę, nie mogę sobie przypomnieć, jak wyglądała. Ale pamiętam dom, w którym mieszkałyśmy. Był wspaniały.

– Twój dom? – Nigdy wcześniej o tym nie słyszał.

Potrząsnęła głową.

– Mama i ojciec byli służącymi w jednym z Domów, ale zostali wyrzuceni, kiedy ojca oskarżono o kradzież.

Cery posłał jej uśmiech.

– Słusznie?

– Zapewne. – Ziewnęła. – Jonna oskarża go o wszystkie moje niecne postępki. Ona nie akceptuje kradzieży, nawet od ludzi bogatych i podłych.

– Gdzie jest teraz twój tato?

Wzruszyła ramionami.

– Odszedł po śmierci mamy. Pojawił się raz, kiedy miałam sześć lat. Dał Jonnie trochę pieniędzy i znowu zniknął.

Cery zdrapał ze świecy spływający wosk.

– Mojego ojca zabili złodzieje, kiedy dowiedzieli się, że ich oszukuje.

Wybałuszyła oczy.

– To okropne! Wiedziałam, że nie żyje, ale *o tym* nigdy mi nie opowiadałeś.

Wzdrygnął się.

– Niezbyt rozsądnie jest rozpowiadać wokół, że twój tata był mątwą. Ryzykował i w końcu go złapali. Tak w każdym razie mówi mama. Ale zdążył mnie sporo nauczyć.

– O Złodziejskiej Ścieżce.

Przytaknął.

Rozpromieniła się.

– A więc to prawda? *Jesteś* człowiekiem Złodziei?

– Aha – odpowiedział, odwracając wzrok. – Tata pokazał mi Ścieżkę.

– W takim razie masz pozwolenie?

Wzruszył ramionami.

– Tak i nie.

Sonea zasępiła się, ale nic więcej nie powiedziała.

Spoglądając na świecę, Cery wrócił myślami do tego dnia trzy lata temu, kiedy dał nura do tuneli, uciekając przed gwardzistą, któremu nie spodobało się grzebanie po jego kieszeniach. Z ciemności wychynął cień, chwycił Cery'ego za kołnierz, zawlókł do pomieszczenia z boku tunelu i zamknął. Cała wiedza włamywacza zdała się na nic – Cery nie zdołał się uwolnić. Kilka godzin później drzwi otwarły się i pomieszczenie zalało światło tak jasne, że widział jedynie sylwetkę człowieka trzymającego lampę.

– Kim jesteś? – zapytał nieznajomy władczym tonem. – Jak ci na imię?

– Ceryni – pisnął Cery.

Zapadło milczenie, a po chwili światło przybliżyło się.

– Zaiste – oznajmił nieznajomy z lekkim rozbawieniem. – Istny szczurek, rzekłbym. Ach, wiem kim jesteś.

Synem Torrina. Hmm, zdajesz sobie sprawę, że za chodzenie Ścieżką bez pozwolenia grozi kara?

Cery potaknął, przerażony.

– Doskonale, mały Ceryni. Jesteś w niezłych tarapatach, ale postanowiłem być łagodny. Nie chodź Ścieżką zbyt często – ale w potrzebie nie wahaj się. Jeśli ktoś cię spyta, to powiedz, że masz pozwolenie od Raviego. Ale pamiętaj, jesteś moim dłużnikiem. Jeśli kiedyś cię o coś poproszę, nie możesz odmówić. Jeśli odmówisz, nie przejdziesz się już *żadną* ścieżką. Jasne?

Cery przytaknął ponownie, zbyt przerażony, by cokolwiek powiedzieć.

Nieznajomy zaśmiał się cicho.

– Doskonale. A teraz zmykaj. – Światło znikło, niewidoczne ręce zaciągnęły Cery'ego do najbliższego wyjścia i wyrzuciły na zewnątrz.

Od tego czasu nieczęsto zdarzało mu się wędrować Złodziejską Ścieżką. Ilekroć jednak powracał do labiryntu, był zaskoczony, że pamięć go nie zawodzi. Z rzadka spotykał tam innych, ale nikt go nigdy nie zaczepił.

Przez kilka ostatnich dni nadużywał jednak gościnności Złodziei znacznie częściej, niż miałby ochotę. Gdyby ktoś ich zatrzymał, pozostawało mieć nadzieję, że imię Raviego jeszcze się liczy. Nie zamierzał jednak mówić o tym Sonei. Za bardzo by się wystraszyła.

Spojrzał na nią i poczuł znów ten dziwaczny niepokój. Zawsze miał nadzieję, że ona kiedyś wróci, ale nigdy w to nie wierzył. Była inna. Niezwykła. Był pewny, że kiedyś wyrwie się ze slumsów.

Okazała się niezwykła, i to w sposób, którego nigdy by się nie spodziewał. Miała talent magiczny! Co wyszło na jaw w najgorszym możliwym czasie. Nie mogła tego odkryć, przygotowując rakę albo czyszcząc buty? Musiała to zrobić na oczach Gildii Magów?

Tak się jednak stało i teraz on musi ją przed nimi ukryć. Przynajmniej w ten sposób dłużej będą razem. Nawet jeśli przez to narusza warunki umowy z Ravim, warto. Najgorsze, że ona tak się martwi...

– Nie przejmuj się. Dopóki magowie nie zaczną wtykać nosów do tuneli, Złodzieje nie będą zawracać sobie głowy...

– Ciii – przerwała mu, unosząc rękę.

Śledził ją wzrokiem, gdy wstała z łóżka i wyszła na środek pokoiku. Obróciła się w koło, przypatrując się uważnie ścianom. Jej oczy nie zatrzymywały się ani na moment. Wytężył słuch, ale nie rozpoznał żadnego nieoczekiwanego dźwięku.

– O co chodzi?

Potrząsnęła głową i nagle skuliła się. Na jej twarzy pojawił się wyraz zaskoczenia i przerażenia. Cery skoczył na równe nogi, zaniepokojony.

– O co chodzi?

– Szukają – syknęła.

– Nic nie słyszę.

– Nie, nie potrafisz – szepnęła drżącym głosem. – Ja ich *widzę*, ale to nie jest jak widzenie. Bardziej jak słyszenie, ale też nie, ponieważ nie mam pojęcia, co mówią. To jest raczej jak... – Wzięła oddech i zakręciła się na pięcie; jej oczy sprawiały wrażenie, jakby szukały czegoś niedostępnego dla zmysłów. – Oni szukają za pomocą myśli.

Cery przyglądał się jej bezradnie. Gdyby wciąż nie dowierzał jej magicznym zdolnościom, to teraz pozbyłby się wątpliwości.

– Czy oni cię widzą?

Odpowiedziała przerażonym spojrzeniem.

– Nie wiem.

Cery zaciskał i rozluźniał pięści. Był tak pewny, że potrafi ją przed nimi uchronić, ale gdzie miał ją ukryć przed *magią*? Tu nie pomogą żadne ściany.

Wciągnął powietrze, po czym zrobił krok do przodu i ujął ją za ramiona.

– Potrafisz sprawić, żeby cię nie widzieli?

Rozłożyła bezradnie ręce.

– Jak? Nie umiem posługiwać się magią.

– Spróbuj! – ponaglił. – Spróbuj czegoś. Czegokolwiek!

Pokręciła głową, po czym spięła się nagle i szybko nabrała powietrza w płuca. Patrzył, jak jej twarz bladnie.

– Miałam wrażenie, że on popatrzył wprost na mnie… – Odwróciła się do Cery'ego. – Ale przeszedł. Oni patrzą przeze mnie. – Na jej twarz wypłynął rumieniec. – Nie widzą mnie.

Spojrzał jej głęboko w oczy.

– Jesteś pewna?

Przytaknęła.

Odsunęła się od niego i usiadła na łóżku, zamyślona.

– Myślę, że wczoraj zrobiłam coś, kiedy ten mag omal nas nie odkrył. Jakbym stała się niewidzialna. Gdyby nie to, chybaby mnie znalazł. – Spojrzała nagle w górę, po czym rozluźniła się i uśmiechnęła. – To tak, jakby byli ślepi.

Cery odetchnął z ulgą. Potrząsnął głową.

– Przestraszyłaś mnie, Sonea. Mogę cię ukryć przed oczami magów, ale obawiam się, że chowanie cię przed ich umysłami, to trochę za dużo. Chyba powinniśmy znów się ruszyć. Jest takie miejsce w pobliżu Ścieżki, które mogłoby dać nam schronienie na kilka dni.

*

Jedynym dźwiękiem zakłócającym ciszę panującą w siedzibie Gildii był szmer oddechów. Rothen otwarł oczy i przebiegł wzrokiem po rzędach twarzy.

Jak zwykle poczuł lekkie zakłopotanie, patrząc na innych magów pochłoniętych pracą mentalną. Nie potrafił otrząsnąć się z poczucia, że ich szpieguje, podgląda w bardzo intymnych chwilach.

Wyrazy ich twarzy bawiły go jednak jak dziecko. Niektórzy siedzieli ze zmarszczonym czołem, inni sprawiali wrażenie zdziwionych lub zaskoczonych. Wielu wyglądało, jakby spokojnie spali.

Słysząc ciche chrapanie, Rothen uśmiechnął się. Mistrz Sharrel zwisał bezwładnie na krześle, łysa głowa opadała powoli na klatkę piersiową. Najwyraźniej ćwiczenia mające wyciszyć umysł i pomóc skupić myśli okazały się aż nadto skuteczne.

„On nie jest jedyny, który nie skupia się na zadaniu, co, Rothen?"

Dannyl otworzył jedno oko z łajdackim uśmiechem. Potrząsając głową z dezaprobatą, Rothen przyjrzał się pozostałym, by sprawdzić, czy przyjaciel nie zakłócił ich koncentracji. Dannyl wzruszył lekko ramionami i zamknął z powrotem oczy.

Rothen westchnął. Powinni byli już ją znaleźć. Spojrzał na rzędy magów i potrząsnął głową z niedowierzaniem. Jeszcze pół godziny, zdecydował. Zamknąwszy oczy, wziął głęboki oddech i rozpoczął od nowa wyciszające ćwiczenia.

Późnym rankiem słońce rozproszyło mgiełkę okrywającą miasto. Dannyl stał przy oknie, ciesząc się chwilą spokoju. Maszyny drukarskie, bardziej opłacalne od skrybów, wydawały z siebie brzęcząco-stukoczące dźwięki, od których zawsze dzwoniło mu w uszach.

Zacisnął usta. Był już wolny: ostatnia partia ogłoszeń o nagrodzie została wydrukowana i rozesłana. Poszukiwania mentalne nie dały rezultatu, a Rothen udał się już do slumsów. Dannyl nie potrafił zdecydować, czy cieszyć się z tego, że przyjaciel będzie miał ładną pogodę, czy też współczuć mu dalszego włóczenia się po tych norach.

– Mistrzu Dannylu – rozległ się czyjś głos. – Pod bramą Gildii zgromadził się spory tłum ludzi, którzy chcą z tobą rozmawiać.

Dannyl odwrócił się zaskoczony i ujrzał stojącego w drzwiach Administratora Lorlena.

– *Już?* – wykrzyknął.

Lorlen przytaknął, wykrzywiając usta w grymasie niechęci.

– Nie wiem, jak się tu dostali. Musieli wyminąć dwa patrole gwardzistów przy bramach i przejść przez Krąg Wewnętrzny, zanim tu dotarli. No chyba że to włóczędzy, których ominęła Czystka.

– Ilu ich jest?

– Około dwustu – odpowiedział Lorlen. – Zdaniem gwardzistów wszyscy zaklinają się, że wiedzą, gdzie jest dziewczyna.

Na myśl o tłumie złodziei i żebraków przed bramą Dannyl chwycił się za głowę i jęknął.

– Właśnie – powiedział Lorlen. – Co teraz zrobisz?

Dannyl oparł się o stół i zamyślił. Nie minęła jeszcze godzina, odkąd wysłał pierwszych posłańców z ogłoszeniami o nagrodzie. Ci pod bramą byli zaledwie awangardą tłumu informatorów, który miał się tu zwalić.

– Ktoś musi ich przesłuchać – zawyrokował.

– Byle nie w Gildii – odparł Lorlen. – W przeciwnym razie następni zaczną zmyślać tylko po to, żeby się nam przyjrzeć z bliska.

– W takim razie gdzieś w mieście.

Lorlen bębnił palcami we framugę drzwi.

– Gwardia ma kilka posterunków rozrzuconych po mieście. Poproszę, żeby użyczyli nam któregoś z nich.

Dannyl potaknął.

– Możesz poprosić też o przydzielenie nam paru gwardzistów do pilnowania porządku?

Administrator skinął głową na znak zgody.

– Myślę, że nie będą mieli nic przeciwko.

– Poszukam ochotników do przesłuchiwania informatorów.

– Sprawiasz wrażenie, jakbyś to wszystko kontrolował – Lorlen wycofał się za drzwi.

Dannyl uśmiechnął się i skłonił lekko.

– Dziękuję, Mistrzu Administratorze.

– Jeśli będziesz potrzebował czegoś jeszcze, daj mi znać – Lorlen skinął mu głową i odszedł.

Przechodząc przez pokój, Dannyl zebrał przybory, za pomocą których narysował oryginalne ogłoszenie o nagrodzie i włożył je do ozdobnego piórnika. Wyszedł na korytarz i pospieszył ku swoim komnatom, ale zatrzymał się na widok nowicjusza wychodzącego z sali wykładowej i kierującego się ku schodom.

– Hej, ty! – zawołał za nim. Młodzian zamarł, po czym szybko się obrócił. Napotkawszy wzrok Dannyla, natychmiast spuścił oczy, kłaniając się nisko. Młody mag podbiegł do niego i wcisnął mu w ręce piórnik.

– Zanieś to do Biblioteki i powiedz Mistrzowi Jullenowi, że przyjdę po to później.

– Tak jest, Mistrzu Dannylu – odpowiedział nowicjusz, omal nie upuszczając pudełka w ponownym ukłonie. Następnie odwrócił się i pognał przed siebie.

Dannyl doszedł do końca korytarza i zaczął schodzić na dół. W holu przed wyjściem z Uniwersytetu stało kilku magów – wszyscy mieli wzrok utkwiony w odległą bramę. Larkin, młody Alchemik, który niedawno ukończył studia, spojrzał na zbliżającego się Dannyla.

– Czy to twoi informatorzy, Mistrzu Dannylu? – spytał z lekką ironią.

– Raczej łowcy nagród – odpowiedział sucho Dannyl.

– Nie zamierzasz chyba ich tu wpuścić? – odezwał się burkliwy głos.

Dannyl rozpoznał kwaśny ton rektora i odwrócił się do niego.

– Tylko jeśli rozkażesz, rektorze Jerriku – odpowiedział.

– Nie ma mowy!

Za sobą usłyszał stłumiony chichot Larkina i z trudem powstrzymał się od uśmiechu. Jerrik nigdy się nie zmieniał. Za studenckich czasów Dannyla był tym samym niezadowolonym z życia, zgorzkniałym człowiekiem.

– Wysyłam ich na posterunek Gwardii – odpowiedział starszemu magowi. Następnie odwrócił się, przecisnął między tłoczącymi się w holu magami i zbiegł po schodach.

– Powodzenia! – zawołał Larkin.

Dannyl odpowiedział mu machnięciem ręki. Przed nim ciemna masa stłoczonych ciał napierała na ozdobne bramy Gildii. Dannyl skrzywił się i poszukał przyjaznego umysłu.

~ *Rothen!*

~ *Słucham.*

~ *Spójrz.* ~ Wysłał mu mentalny obraz. Poczuł niepokój drugiego maga, który jednak szybko przerodził się w rozbawienie, kiedy Rothen uświadomił sobie, kim są ci ludzie.

~ *Już masz informatorów! Co z nimi zrobisz?*

~ *Każę im przyjść później* ~ odpowiedział Dannyl. ~ *I zapowiem, że nie będzie rozdawnictwa pieniędzy, dopóki nie znajdziemy dziewczyny.* ~ Tak szybko i wyraźnie, jak pozwalał kontakt mentalny, wyjaśnił, że Administrator Lorlen właśnie organizuje miejsce przesłuchań „informatorów" w mieście.

~ *Mam wrócić, by ci pomóc?*

~ *Nie zdołałbym cię powstrzymać.*

Wyczuł rozbawienie płynące od starszego maga, a następnie prezencja Rothena rozpłynęła się i nie mógł już jej namierzyć.

Podchodząc do bramy, Dannyl przyglądał się stłoczonym za nią, rozpychającym się ludziom. Jego uszy wypełnił koszmarny jazgot, gdy zaczęli się przekrzykiwać, chcąc, by ich natychmiast wysłuchał. Gwardziści spoglądali na niego z mieszaniną ulgi i zaciekawienia.

Zatrzymał się kilka kroków przed bramą. Wyprostował się, by wykorzystać w pełni swój imponujący wzrost, skrzyżował ręce na piersi i czekał. Hałas w końcu ucichł. Kiedy tłum zamilkł, Dannyl przysposobił powietrze przed sobą do wzmocnienia głosu.

– Ilu z was przybyło tu z informacjami o poszukiwanej przez nas dziewczynie?

W odpowiedzi podniósł się gwar głosów. Dannyl skinął głową i ponownie uniósł dłoń, by uciszyć zebranych.

– Gildia dziękuje wam za pomoc w tej sprawie. Każdy z was będzie miał szansę się wypowiedzieć. Właśnie przygotowujemy dla was jedną ze strażnic Gwardii. Dokładniejsze informacje wywiesimy na tej bramie i bramach miejskich za godzinę. Tymczasem wracajcie do domów.

Z tyłu tłumu odezwało się kilka niezadowolonych głosów. Dannyl uniósł podbródek i dodał ostrzegawczy ton do swojego głosu.

– Nie będzie żadnej nagrody, dopóki dziewczyna nie znajdzie się bezpiecznie pod naszą opieką. Dopiero wtedy wypłacimy pieniądze, i to tylko tym, których informacje okażą się przydatne. I jeszcze jedno: nie zbliżajcie się do niej. Może być niebez…

– *Ona jest tutaj!* – wrzasnął ktoś z tłumu.

Dannyl chcąc nie chcąc poczuł przypływ nadziei. Tłum zakołysał się, ludzie szemrali, gdy ktoś zaczął przepychać się do przodu.

– Pozwólcie jej podejść – rozkazał.

Tłum rozstąpił się, przepuszczając do bramy pomarszczoną kobietę, która wsunęła kościstą dłoń między pręty i skinęła na Dannyla. Drugą ręką trzymała ramię chudej dziewczynki ubranej w brudną i wytartą koszulę.

– To ona! – oznajmiła kobieta, wpatrując się w maga wielkimi oczami.

Dannyl przyjrzał się dziewczynie. Krótkie, nierówno obcięte włosy otaczały drobną twarzyczkę z zapadniętymi policzkami. Dziewczynka była niemiłosiernie chuda, tak że ubranie dosłownie zwisało z jej bezkształtnego ciała. Kiedy spoczął na niej wzrok Dannyla, wybuchnęła płaczem.

Dannyl poczuł zwątpienie, ale przyszło mu do głowy, że może nie pamiętać dokładnie twarzy, którą Rothen pokazał w Gildii.

~ *Rothen?*

~ *Tak?*

Posłał przyjacielowi obraz tej dziewczyny.

~ *To nie ona.*

Dannyl westchnął z ulgą.

– To nie ona – oświadczył, potrząsając głową. Po czym odwrócił się od tłumu.

– *Ejże!* – zaprotestowała kobieta. Obróciwszy głowę, napotkał utkwione w sobie spojrzenie. Wytrzymał je, kobieta zaś dość szybko spuściła wzrok.

– Jesteś pewny, panie? – krzyknęła zawodzącym głosem. – Nawet się jej dokładnie nie przyjrzałeś.

Tłum wpatrywał się w niego z oczekiwaniem i Dannyl uświadomił sobie, że oni chcą widzialnego dowodu. Jeśli nie przekona ich, że nie da się go oszukać, wszyscy zaczną przyprowadzać tu dziewczynki w nadziei na nagrodę – a przecież nie będzie prosił Rothena o identyfikację każdej z nich.

Powoli zbliżył się do bramy. Dziewczyna przestała płakać, ale kiedy Dannyl podszedł do niej, pobladła z przerażenia.

Mag wyciągnął ku niej dłoń, uśmiechając się przy tym łagodnie. Dziewczyna spojrzała na niego i zrobiła krok w tył, ale stojąca przy niej kobieta chwyciła ją za rękę i popchnęła ku bramie.

Dannyl ujął jej dłoń i wysłał do jej umysłu mentalne zapytanie. Natychmiast wyczuł uśpione źródło mocy. Zawahał się przez chwilę, zdumiony, ale puścił dłoń dziewczyny i cofnął się.

– To nie ona – powtórzył.

Informatorzy zaczęli znów się przekrzykiwać, ale w tym jazgocie mniej już było nalegania i żądań. Dannyl cofnął się jeszcze o kilka kroków i uniósł ręce. Tłum zamilkł.

– Idźcie! – zawołał mag. – Wróćcie po południu!

Obrócił się tak szybko, że szaty zawirowały wokół jego nóg, i oddalił się zdecydowanym krokiem. Z tłumu dobył się cichy pomruk pełnego szacunku zachwytu. Dannyl uśmiechnął się i wydłużył krok.

Uśmiech znikł jednak z jego twarzy na wspomnienie mocy, którą wyczuł w tej małej żebraczce. Nie była jakoś niezwykle potężna. Gdyby urodziła się w którymś z Domów, raczej nie wysłano by jej na studia do Gildii. Bardziej przydatna byłaby dla swojej rodziny jako żona i matka, która wzmocni magiczną krew swego rodu. Gdyby natomiast była trzecim lub czwartym synem, jej krewni nie posiadaliby się z radości. Nawet słaby mag dodawał prestiżu rodzinie.

Dannyl dotarł do Uniwersytetu, kręcąc wciąż głową. To musiał być przypadek, że jedyna dziewczyna ze slumsów, którą zbadał, posiadała potencjał magiczny. Może była córką prostytutki, która zaszła w ciążę z magiem. Dannyl nie miał złudzeń co do sposobu prowadzenia się niektórych konfratrów.

Przypomniały mu się słowa Mistrza Solenda: „Jeśli ta dziewczyna jest «naturalnym talentem», to możemy się spodziewać, że będzie potężniejsza niż nasi nowicjusze, być może nawet potężniejsza niż przeciętny mag". Dziewczyna, której szukają, może być tak potężna jak on. Może nawet potężniejsza…

Wzdrygnął się. Wyobraził sobie nagle złodziei i morderców ćwiczących w sekrecie moce, którymi wolno władać jedynie magom z Gildii. Była to przerażająca perspektywa i Dannyl uświadomił sobie, że następnym razem nie będzie się czuł całkiem bezpiecznie na ulicach slumsów.

*

Powietrze na strychu było rozkosznie ciepłe. Światło późnego popołudnia wpadało przez dwa niewielkie okienka i malowało jasne prostokąty na ścianach. Zapach reberzej wełny walczył o swoje z dymem. Tu i ówdzie siedziały niewielkie grupki poowijanych w koce dzieci, rozmawiając cicho.

Sonea przyglądała im się z kącika, który zajęła dla siebie. Kiedy otwarła się klapa przesłaniająca wejście na strych, spojrzała w tym kierunku z nadzieją, ale chłopiec, którego głowa pojawiła się nad podłogą, nie był Cerym. Pozostałe dzieci powitały przybysza z radością.

– Słyszeliście? – powiedział, rzucając się na legowisko z koców. – Magowie ogłosili nagrodę dla osoby, która wskaże im, gdzie jest dziewczyna.

– Nagrodę!

– Naprawdę?

– Ile?

Chłopak wybałuszył oczy.

– Sto sztuk złota.

Przez pokój przebiegł pomruk podniecenia. Dzieciaki zebrały się wokół przybysza, tworząc krąg ciekawskich twarzy. Kilkoro z nich zerknęło ku Sonei w zamyśleniu.

Zmusiła się do spokojnego patrzenia na nich, do zachowania obojętnego wyrazu twarzy. Odkąd się tu zjawiła, towarzyszyły jej ciekawskie spojrzenia. Strych był schroniskiem dla bezdomnych dzieci. Znajdował się na granicy slumsów i targu, a z małych okienek roztaczał się widok na Przystań. Sonea była za duża na noclegi tutaj, ale Cery znał właściciela – sympatycznego byłego kupca imieniem Norin – i obiecał, że coś dla niego zrobi w zamian za tę przysługę.

– Magowie naprawdę chcą ją dorwać, co? – odezwała się jedna z dziewczynek.

– Nie chcą, żeby ktokolwiek poza nimi posługiwał się magią – odpowiedział krępy chłopak.

– Teraz szuka jej mnóstwo ludzi – oznajmił nowo przybyły z miną mędrca. – To wielkie pieniądze.

– To krwawe pieniądze, Ral – odpowiedziała dziewczynka, marszcząc nosek.

– No to co? – odparł Ral. – Są tacy, którym to nie będzie przeszkadzać. Po prostu połakomią się na bogactwo.

– Ja bym jej nie wydała. Nienawidzę magów. Rok temu poparzyli mojego kuzyna.

– Naprawdę? – spytała inna dziewczynka z oczami szeroko otwartymi z ciekawości.

– Naprawdę. – Pierwsza przytaknęła z powagą. – Podczas Czystki. Gilen płatał im figle. Pewnie zaczął nawiewać. Jeden z magów uderzył go zaklęciem. Miał poparzone pół twarzy. Teraz ma wielką czerwoną bliznę.

Sonea wzdrygnęła się. Poparzyli. Przed oczami stanęło jej znów zwęglone ciało. Odwróciła wzrok od dzieciaków. Strych przestał być przytulnym schronieniem. Chciała zebrać się i wyjść, ale pamiętała, że Cery nalegał, żeby się tu zadekowała i nie zwracała na siebie uwagi.

– Mój wujek usiłował kiedyś okraść maga – oznajmiła dziewczynka z długimi, rozczochranymi włosami.

– Twój wujek był głupcem – mruknął siedzący koło niej chłopak. Rzuciła mu spojrzenie spode łba i wymierzyła kopniaka w łydkę, ale on uchylił się zwinnie.

– Nie wiedział, że to był mag – wyjaśniła dziewczynka. – Miał długi płaszcz zarzucony na szatę.

Chłopak prychnął, a dziewczynka uniosła ostrzegawczo pięść.

– Słucham cię pilnie. – Zrobił minę niewiniątka.

– Chciał odciąć mu sakiewkę – ciągnęła dziewczynka – ale mag tak ją zaczarował, że wiedział, jak ktoś jej dotykał. No i ten mag obrócił się bardzo szybko i uderzył go magią, i połamał mu ręce.

– Obie ręce? – wyrwał się któryś z młodszych chłopców. Przytaknęła.

– A nawet go nie dotknął. Po prostu zrobił o tak… – uniosła ręce dłońmi do przodu na wysokość jego twarzy – i magia uderzyła w mojego wujka tak, jakby zwaliła się na niego ściana. Tak mi opowiadał. Ten wujek.

– Ojej – szepnął chłopiec. Przez chwilę na strychu panowało milczenie, po czym odezwał się kolejny głos.

– Moja siostra też zginęła przez magów.

Wszystkie twarze zwróciły się ku chudemu chłopcu, który siedział ze skrzyżowanymi nogami na brzegu kręgu.

– Byliśmy w tłumie – powiedział. – Magowie zaczęli błyskać tymi swoimi światłami na ulicy za nami, więc wszyscy rzucili się biegiem. Mama upuściła moją siostrzyczkę i nie mogła się zatrzymać, bo tylu ludzi biegło. Tato się wrócił i ją znalazł. Słyszałem, jak przeklina, że to przez nich umarła. Przez magów. – Zmrużył oczy i wbił wzrok w podłogę. – *Nienawidzę* ich.

Kilkoro siedzących w kręgu dzieci pokiwało ze zrozumieniem głowami. Zapadło milczenie, po czym dziewczynka, która odezwała się jako pierwsza, wydała pomruk zadowolenia.

– Widzisz – powiedziała – teraz pomógłbyś magom? Bo ja nie. Ta dziewczyna im pokazała, i to jak. Może następnym razem zrobi im coś więcej?

Dzieci roześmiały się i pokiwały głowami. Sonea odetchnęła z ulgą. Usłyszała skrzypienie klapy i twarz jej się rozjaśniła na widok osoby gramolącej się na strych. Cery podszedł do niej i usiadł, uśmiechając się od ucha do ucha.

– Zostaliśmy wydani – mruknął. – Zaraz będą przeszukiwać dom. Chodź.

Serce jej zamarło. Spojrzała na przyjaciela i zorientowała się, że ten szeroki uśmiech nie sięga jego oczu. Wstał, a ona za nim. Kilkoro dzieci przyglądało się, jak przechodziła, ale starała się unikać ich wzroku. Czuła, że ich ciekawość wzrasta, kiedy Cery zatrzymał się i otworzył drzwi sporej szafy postawionej z tyłu pomieszczenia.

– Tu są tajne drzwi do tuneli – mruknął, sięgając do środka. Pociągnął za coś delikatnie, zmarszczył brwi i pociągnął mocniej. – Zablokowane od drugiej strony – zaklął pod nosem.

– Jesteśmy w pułapce?

Omiótł strych spojrzeniem. Większość dzieciaków gapiła się na nich z zainteresowaniem. Zamknął szafę i podszedł do jednego z okien.

– Nie mamy czasu na utrzymywanie pozorów. Jak u ciebie ze wspinaczką?

– Już dość dawno nie… – Spojrzała w górę. Okna znajdowały się w dachu, który opadał niemal do podłogi.

– Podsadź mnie.

Złączyła dłonie i skrzywiła się, czując jego ciężar. Zachwiała się, gdy wspiął się na jej ramiona. Chwytając się sufitowej belki, Cery złapał równowagę, po czym wyciągnął z kieszeni płaszcza nóż i zabrał się do otwierania okna.

Gdzieś z głębi budynku dobiegło Soneę trzaskanie drzwi, a następnie stłumiony szmer podniesionych głosów. Przeraziła się, widząc otwierającą się klapę, ale wysunęła się nad nią głowa siostrzenicy Norina, Yalii.

Kobieta ogarnęła wzrokiem dzieci oraz Soneę dźwigającą na ramionach Cery'ego.

– Drzwi? – spytała.

– Zablokowane – odpowiedział Cery.

Skrzywiła się i spojrzała na dzieci.

– Magowie są tutaj – oznajmiła. – Będą przeszukiwać dom.

Natychmiast rozległ się gwar pytań. Cery zaklął szpetnie nad głową Sonei, która omal nie zrzuciła go, gdy nagle przestąpił z nogi na nogę.

– Eja! Nie jesteś najlepszą drabiną, Sonea!

Nagle poczuła, że jego ciężar znika jej z ramion. Cery podskoczył, kopiąc ją przy tym w pierś. Sonea zdusiła złośliwą uwagę, starając się zejść z drogi jego nogom.

– Nie zrobią nam krzywdy – mówiła Yalia do dzieci. – Nie odważyliby się. Od razu zobaczą, że jesteście za mali. Bardziej interesują ich…

– *Eja, Sonea!* – wyszeptał chrapliwie Cery.

Spojrzała w górę i zorientowała się, że Cery zagląda przez okno, wyciągając do niej ręce.

– *Chodź!*

Wyciągnęła w górę ramiona, żeby mógł ją chwycić. Zrobił to z zaskakującą siłą i podciągnął ją do parapetu. Zawisła na chwilę na belce, po czym, wymacawszy ręką górną krawędź okna, zamachnęła się nogami, zaczepiła but o framugę i wydostała się na zewnątrz.

Dysząc z wyczerpania, położyła się na chłodnych dachówkach. Powietrze było lodowate, zimny wiatr natychmiast wdarł się pod jej ubranie. Unosząc głowę, zobaczyła przed sobą morze dachów. Słońce wisiało nisko nad horyzontem.

Cery wyciągnął rękę, żeby zamknąć okno, i zamarł w pół ruchu. Dotarł do nich odgłos otwierającej się klapy, a następnie przerażone pomruki dzieciaków. Sonea uniosła głowę i zajrzała do środka.

Nad otwartą klapą stał mężczyzna w czerwonych szatach, rozglądając się po strychu z nieukrywaną wściekłością. Miał gładko zaczesane jasne włosy, a na skroni niewielką czerwoną bliznę. Przytuliła się do dachu, usiłując uspokoić szalejące serce. W twarzy tego mężczyzny było coś znajomego, ale nie chciała ryzykować.

Chwilę później usłyszeli jego głos.

– Gdzie ona jest? – zapytał władczym tonem.

– Kogo masz na myśli, panie? – odpowiedziała pytaniem Yalia.

– Dziewczynę. Dostałem informację, że jest tutaj. Gdzieście ją ukryli?

– Nikogo nie ukrywam – odezwał się głos starszego mężczyzny.

Sonea domyśliła się, że to Norin.

– Co to w ogóle za miejsce? Czemu są tu ci żebracy?

– Pozwalam im tu nocować. Nie mają dokąd pójść w zimie.

– Była tu ta dziewczyna?

– Nie pytam ich o imiona. Gdyby była wśród nich ta, której szukacie, nie miałbym o tym pojęcia.

– Myślę, że kłamiesz, starcze – w głosie maga zabrzmiała złowroga nuta.

Uszu Sonei dobiegło zawodzenie i płacz kilkorga dzieci. Cery chwycił ją za rękaw.

– Mówię prawdę – odpowiedział stary kupiec. – Nie mam pojęcia, kim są te dzieci, ale wiem, że zawsze są to…

– Czy wiesz, jaka jest kara za ukrywanie nieprzyjaciół Gildii, starcze? – warknął mag. – Jeśli nie pokażesz mi, gdzie ukryłeś dziewczynę, rozbiorę twój dom kamień po kamieniu i…

– *Sonea* – szepnął Cery.

Odwróciła się do niego. Kiwnął na nią nagląco ręką i zaczął posuwać się po dachu. Sonea zmusiła członki do ruchu i popełzła za nim.

Nie odważyła się zbyt szybko zjechać po dachu, w obawie, że mag ją usłyszy. Krawędź przybliżyła się. Kiedy do niej dotarła, Sonea zorientowała się, że Cery zniknął. Jej uwagę zwrócił nagły ruch i dostrzegła parę rąk trzymających się rynny tuż pod nią.

– Sonea – syknął Cery. – Musisz tu zeskoczyć.

Przykucnęła powoli i zsunęła się w dół, aż znalazła się na wysokości rynny. Wyjrzawszy, przekonała się, że Cery zwisa dwa piętra nad ziemią. Wskazywał głową na jednopiętrowy budynek sąsiadujący z domem kupca.

– Musimy się tam dostać – powiedział. – Patrz na mnie, a potem zrób to samo.

Sięgnął ku ścianie tamtego budynku i chwycił się pionowej części rynny, która biegła aż do ziemi. Kiedy całkowicie się na niej oparł, rura niepokojąco skrzypnęła, ale Cery zsunął się po niej szybko, wykorzystując przytrzymujące ją przy ścianie zaczepy jako stopnie drabiny. Przeskoczył na sąsiedni dach, po czym skinął na Soneę.

Wzięła głęboki oddech, chwyciła się rynny i potoczyła po dachu. Przez moment zawisła na rękach, które ledwie ją trzymały, po czym wyciągnęła ramię ku pionowej rurze. Zeszła na dół najszybciej, jak się dało, i zeskoczyła na dach drugiego domu.

Cery uśmiechnął się szeroko.

– Trudne?

Potarła palce, podrapane przez ostre krawędzie zaczepów i wzruszyła ramionami.

– Tak i nie.

– Chodź. Musimy stąd zmykać.

Ostrożnie przeszli po dachu, usiłując nie dać się lodowatemu wiatrowi. Dotarli do następnego budynku i wspięli się na jego dach. Stamtąd ześlizgnęli się po kolejnej rynnie w wąski zaułek między domami.

Z palcem na ustach Cery ruszył w głąb zaułka. Zatrzymał się w połowie i zerkając za siebie, by się upewnić, że nikt ich nie śledzi, uniósł niewielką kratkę w ścianie. Następnie położył się na brzuchu i wpełzł do środka, a Sonea za nim.

Zatrzymali się w ciemności, żeby chwilę odpocząć. Jej oczy przyzwyczajały się powoli do mroku, aż wreszcie zobaczyła wokół siebie wąski tunel o ścianach z cegieł. Cery patrzył w ciemność, ku domowi Norina.

– Biedny Norin – szepnęła Sonea. – Co się z nim stanie?

– Nie wiem, ale nie brzmiało to najlepiej.

Soneę ogarnęło poczucie winy.

– Wszystko przeze mnie.

Cery odwrócił się do niej.

– Nie – warknął. – To wszystko przez *magów* – i tego, kto nas zdradził. – Rzucił jeszcze jedno spojrzenie w głąb tunelu. – Wrócę, żeby dowiedzieć się, kto to był, ale na razie muszę cię gdzieś ukryć.

Popatrzyła na niego i ujrzała w jego oczach pewność siebie, której nigdy wcześniej w nich nie dostrzegła. Bez niego już dawno by ją złapali, zapewne już by nie żyła.

Potrzebowała go, ale ile ta pomoc będzie go kosztować? Wykorzystał już dla niej różne przysługi, które winni mu byli inni ludzie, u niektórych się zadłużył, no i naraził się Złodziejom, używając ich przejść.

A jeśli magowie ją znajdą? Skoro Norin stracił dom, ponieważ oskarżono go o ukrywanie jej, co magowie zrobią Cery'emu? „Czy wiesz, jaka jest kara za ukrywanie nieprzyjaciół Gildii, starcze?". Wzdrygnęła się i chwyciła Cery'ego za rękę.

– Obiecaj mi coś, Cery.

Obrócił się, by ze zdziwieniem spojrzeć jej w oczy.

– „Obiecaj"?

Potaknęła.

– Obiecaj, że jeśli nas złapią, będziesz udawał, że mnie nie znasz. – Otworzył usta, żeby zaprotestować, ale nie pozwoliła mu dojść do słowa. – Jeśli zobaczą, że mi pomagałeś, po prostu uciekaj. Nie pozwól się złapać.

Potrząsnął głową.

– Sonea, nie mógłbym...

– Powiedz, że tak zrobisz. Ja... nie zniosłabym myśli, że zabili cię przeze mnie.

Cery spojrzał na nią szeroko otwartymi oczami i uśmiechnął się.

– Nie złapią cię – powiedział. – A nawet jeśli, to ja cię odbiję. Obiecuję.

ROZDZIAŁ 6

SPOTKANIA W PODZIEMIACH

Na szyldzie nad spylunką widniała nazwa „Pod Srogim Majchrem". Nie brzmiało to zbyt zachęcająco, ale rzut oka do środka wystarczył, żeby się przekonać, że panuje tam spokój. Dannyl wchodził już do wielu spylunek, ale tylko tu klienci rozmawiali przyciszonymi głosami i sprawiali wrażenie przestraszonych.

Popchnął drzwi i wszedł do środka. Niektórzy z popijających zerknęli w jego kierunku, ale większość nie zwróciła specjalnej uwagi. To też było miłe zaskoczenie. Dannyl poczuł jednak lekką niepewność. Dlaczego to miejsce tak bardzo różniło się od innych?

Przed poszukiwaniami nie bywał w spylunkach, nigdy zresztą go to nie kusiło, ale gwardzista, którego wysłał na poszukiwanie Złodziei, dał mu szczegółowe instrukcje: ma pójść do spylunki, powiedzieć właścicielowi, z kim chce rozmawiać, a następnie zapłacić, gdy pojawi się przewodnik. Najwyraźniej tak właśnie należało postępować.

Nie mógł oczywiście wejść do spylunki w szatach i spodziewać się pożądanej współpracy, nie usłuchał zatem przełożonych i założył kubrak zwykłego kupca.

Przebranie wybrał starannie. Nie miał szans na ukrycie swojego wzrostu, ewidentnego przyzwyczajenia do bogactwa ani eleganckiej wymowy. Wymyślił więc historyjkę o nieudanej inwestycji i niespłaconych długach. Nikt nie chce mu pożyczyć pieniędzy – Złodzieje są jego ostatnią szansą. Kupiec w takiej sytuacji byłby równie zdesperowany jak Dannyl, tyle że znacznie bardziej wystraszony.

Biorąc głęboki oddech, ruszył przez salę ku ladzie, za którą stał chudy człowiek z wystającymi kośćmi policzkowymi i ponurą miną. W jego czarnych włosach pojawiły się już przebłyski siwizny. Spojrzał twardo na Dannyla.

– Co podać?

– Napitek.

Mężczyzna wziął drewniany kubek i napełnił go z jednej z beczułek stojących za ladą. Dannyl wyjął z sakiewki srebrną i miedzianą monetę. Ukrył srebrną w dłoni, miedzianą zaś wsunął w wyciągniętą do niego prawicę.

– Poszukujesz majchra? – spytał go cicho karczmarz.

Dannyl spojrzał na niego ze zdziwieniem.

Karczmarz uśmiechnął się ponuro.

– A po co innego przychodziłbyś do Srogiego Majchra? Robiłeś to już kiedyś?

Dannyl pokręcił głową, myśląc szybko. Sądząc z tonu tego mężczyzny, pozyskiwanie pomocy „majchra" wymagało pewnej tajności. Ponieważ nie istniało prawo zakazujące posiadania broni, słowo „majcher" musiało oznaczać jakiś nielegalny przedmiot – lub usługę. Nie miał pojęcia, co by to mogło być, ale ten mężczyzna najwyraźniej był przygotowany na rozmowę o szemranych interesach, należało więc to wykorzystać.

– Nie potrzebuję majchra – Dannyl uśmiechnął się niepewnie. – Szukam kontaktu ze Złodziejami.

Karczmarz uniósł brwi.

– Ach, tak? – Zmrużył oczy, wpatrując się w Dannyla. – Trzeba mieć im coś do powiedzenia, żeby chcieli rozmawiać.

Dannyl otworzył dłoń ze srebrną monetą, po czym zacisnął z powrotem palce, kiedy karczmarz spojrzał głodnym wzrokiem na srebro. Mężczyzna prychnął i zwrócił się gdzieś w bok.

– Ej, Kollin!

W drzwiach za ladą pojawił się chłopak. Zlustrował Dannyla od stóp do głów uważnym spojrzeniem.

– Zabierz tego jegomościa do rzeźni.

Kollin rzucił Dannylowi spojrzenie, po czym skinął na niego. Kiedy Dannyl wsuwał się za ladę, właściciel spylunki stanął na jego drodze, wyciągając rękę.

– Trzeba zapłacić. Srebrem.

Dannyl skrzywił się powątpiewająco na widok wyciągniętej ręki.

– Nie bój się – powiedział karczmarz. – Gdyby odkryli, że oszukuję tych, którzy szukają ich pomocy, zdarliby ze mnie skórę i powiesili na krokwi jako nauczkę dla innych.

Niepewny, czy nie robią go w konia, Dannyl wsunął srebrną monetę w dłoń karczmarza. Mężczyzna oddalił się, przepuszczając Kollina i idącego za nim Dannyla przez drzwi.

– Chodź za mną, ale trzymaj gębę na kłódkę – powiedział chłopak. Wszedł do niewielkiej kuchni, po czym otworzył kolejne drzwi i wyjrzał do zaułka. Dopiero rozejrzawszy się uważnie na wszystkie strony, wyszedł za próg.

Chłopiec poruszał się szybko, prowadząc Dannyla przez labirynt wąskich uliczek. Mijali bramy, z których dochodził zapach piekącego się chleba, gotowanego mięsa i jarzyn, garbowanych skór. Wreszcie Kollin zatrzymał się i wskazał na wejście w zaułek. Wąska uliczka tonęła w błocie i pomyjach, kończąc się ślepą ścianą po mniej więcej dwudziestu krokach.

– Rzeźnia. Idź tam – powiedział chłopiec, wskazując w głąb zaułka. Odwrócił się i zniknął.

Dannyl przyjrzał się uliczce nieufnie, ale ruszył we wskazanym kierunku. Żadnych drzwi. Żadnych okien. Nikt nie wyszedł mu na powitanie. Doszedł do ściany i westchnął. *Zrobili* go w konia. W dodatku zważywszy na nazwę tego miejsca, mógł się spodziewać co najmniej zasadzki.

Wzdrygnął się, obrócił na pięcie i stanął oko w oko z trzema potężnie zbudowanymi mężczyznami blokującymi wejście do zaułka.

– Eja! Szukasz kogoś?

– Tak. – Dannyl ruszył w ich kierunku. Wszyscy mieli na sobie długie płaszcze z grubej skóry oraz rękawice. Przez policzek stojącego pośrodku przebiegała blizna. Patrzyli na Dannyla bez mrugnięcia okiem. *Zwykłe rzezimieszki*, pomyślał Dannyl. Zapewne *istotnie* zasadzka.

Cofnął się o kilka kroków, po czym obrzucił wzrokiem zaułek i uśmiechnął się krzywo.

– A więc to rzeźnia? Cóż za nazwa. A wy jesteście moimi przewodnikami?

– Jeśli zapłacisz.

– Zapłaciłem człowiekowi w „Srogim Majchrze”.

Zbir zmarszczył brwi.

– Szukasz majchra?

– Nie – odpowiedział Dannyl z westchnieniem. – Chcę rozmawiać ze Złodziejami.

Mężczyzna popatrzył po swoich kompanach, na których twarze wypełzły nieprzyjemne uśmieszki.

– A z kim konkretnie?

– Z kimś wielce wpływowym.

Zbir stojący w środku żachnął się.

– No to by wypadało na Gorina. – Jeden z jego towarzyszy stłumił śmiech. Wciąż z uśmiechem na twarzy przywódca skinął na Dannyla. – Chodź ze mną.

Dwaj pozostali odsunęli się. Dannyl poszedł za tym nowym przewodnikiem ku wyjściu z zaułka. Spojrzawszy za siebie, zobaczył dwóch pozostałych: przyglądali mu się ze złowrogimi uśmiechami na ustach.

Ruszyli ponownie krętymi uliczkami i zaułkami. Dannyl zaczął się zastanawiać, czy tyły wszystkich piekarni, garbarni, zakładów krawieckich i spylunek wyglądają tak samo. Następnie rozpoznał szyld i stanął jak wryty.

– Byliśmy już tutaj. Czemu prowadzisz mnie w kółko?

Zbir odwrócił się i rzucił Dannylowi tylko jedno spojrzenie, po czym obrócił się i zbliżył do muru. Schylił się, chwycił za krawędź kratki wentylacyjnej i pociągnął. Otwarła się bez kłopotu.

Zbir wskazał otwór.

– Ty pierwszy.

Dannyl przykucnął i zajrzał do środka. Nic nie widział. Przezwyciężając pokusę zapalenia kuli świetlnej, przełożył nogę przez kratę – i poczuł pustkę w miejscu, gdzie spodziewał się podłogi. Spojrzał w górę ku swemu przewodnikowi.

– Poziom ulicy jest na wysokości twojej piersi – powiedział zbir. – Idź.

Chwytając się krawędzi dziury, Dannyl przeszedł przez otwór. Znalazł występ w ścianie, o który mógł się oprzeć, po czym wciągnął drugą nogę i opuszczał stopę, aż dotknął ziemi. Cofnął się o krok i oparł o ścianę. Zbir wślizgnął się do tunelu z gracją znamionującą przyzwyczajenie. Dannyl widział w ciemności tylko zarys jego sylwetki, trzymał się jednak w pewnej odległości.

– Chodź za mną – powiedział tamten. Ruszyli w dół tunelu: Dannyl kilka kroków za przewodnikiem, macając dłońmi ściany. Szli tak przez kilka minut, skręcając w wielu miejscach, po czym kroki przed Dannylem ucichły, a w pobliżu rozległo się stukanie.

– Przed tobą długa droga – powiedział zbir. – Jesteś pewny, że tego chcesz? Możesz jeszcze zmienić zdanie, wyprowadzę cię stąd.

– Dlaczego miałbym zmieniać zdanie? – spytał Dannyl.

– Tak po prostu.

Przed nimi pojawiła się szpara światła i zaczęła się rozszerzać. Ukazała się w niej sylwetka innego mężczyzny, którego twarzy Dannyl nie mógł dostrzec w tym oświetleniu.

– Ten tu do Gorina – zaanonsował przewodnik. Spojrzał na Dannyla, wykonał szybki ruch ręką, po czym obrócił się i znikł w ciemności.

– Do Gorina, co? – odezwał się człowiek stojący w drzwiach. Głos nie zdradzał wieku: mógł należeć zarówno do dwudziesto-, jak i do sześćdziesięciolatka. – Jak ci na imię?

– Larkin.

– Czym się zajmujesz?

– Handluję matami z simby. – Warsztaty wytwórców mat rozmnożyły się ostatnimi laty w Imardinie.

– Spora konkurencja.

– Nie musisz mi mówić.

Mężczyzna chrząknął.

– Czemu chcesz rozmawiać z Gorinem?

– O tym będę rozmawiać z Gorinem.

– Oczywiście. – Mężczyzna wzruszył ramionami, po czym sięgnął ku czemuś na ścianie za sobą.

– Odwróć się – rozkazał. – Od tego miejsca musisz iść z zawiązanymi oczami.

Dannyl odwrócił się z wahaniem i niechętnie. Spodziewał się takich rzeczy. Poczuł na twarzy materiał i dotyk mężczyzny zawiązującego mu opaskę z tyłu głowy. W słabym świetle lampy widział jedynie gęsty splot tkaniny.

– Chodź za mną.

Raz jeszcze Dannyl ruszył przed siebie, macając rękami ściany. Jego nowy przewodnik nie ociągał się. Mag liczył kroki, obiecując sobie, że przy najbliższej okazji zmierzy, jak daleko można normalnie dojść w tysiąc kroków.

Poczuł na piersi nacisk – zapewne czyjejś ręki – zatrzymał się więc. Usłyszał otwierające się drzwi, ktoś go popchnął. W nozdrza Dannyla uderzyło bogactwo zapachów przypraw i kwiatów; pod nogami poczuł miękkie podłoże, najprawdopodobniej dywan.

– Stój. Nie zdejmuj przepaski.

Drzwi zamknęły się.

Nad sobą słyszał niewyraźne głosy i stuk butów, z czego wywnioskował, że znajduje się pod jedną z tłoczniejszych spylunek. Wsłuchiwał się przez chwilę w te dźwięki, po czym zaczął liczyć własne oddechy. Kiedy to go znudziło, uniósł ręce ku opasce na oczach. Za sobą usłyszał głuche stąpnięcia, charakterystyczny odgłos bosych stóp na dywanie. Odwrócił się i chwycił opaskę z zamiarem pozbycia się jej, ale zastygł bez ruchu, gdy usłyszał, że ktoś porusza klamką. Wyprostował się i puścił tkaninę.

Drzwi nie otwarły się. Dannyl czekał, koncentrując się na panującej w pomieszczeniu ciszy. Coś przyciągnęło jego uwagę. Coś znacznie bardziej ulotnego niż niewyraźne odgłosy, które wcześniej słyszał.

Prezencja.

Krążyła gdzieś nad nim. Dannyl odetchnął głęboko i udał, że wyciąga ręce, by wymacać ściany. W miarę jak się obracał, prezencja odsuwała się od niego.

Ktoś jeszcze był w tym pokoju. Ktoś, kto nie chciał być zauważony. Dywan zagłuszał odgłos kroków, a wszelkie inne dźwięki tonęły w gwarze dochodzącym ze spylunki. Kwietny zapach unoszący się w powietrzu miał zapewne uniemożliwiać wyczucie kogoś węchem. Dannyl wiedział o obecności nieznajomego wyłącznie dzięki zmysłom maga.

To musiała być próba. Nie sądził, żeby chodziło o sprawdzenie, czy właściciel prezencji potrafi uniknąć wykrycia; nie: ten test był przeznaczony dla niego, przybysza. Żeby sprawdzić, czy czegoś nie wyczuje. Żeby sprawdzić, czy nie jest magiem.

Zmysły Dannyla wyczuły jakąś jeszcze, bardzo słabą prezencję. Ta pozostawała nieruchoma. Wyciągnął ręce i ruszył znów do przodu. Pierwsza skakała wokół niego, ale nie zwracał na nią uwagi. Po dziesięciu krokach natknął się na ścianę. Z dłońmi na nierównej powierzchni zaczął przemierzać pomieszczenie ku tej drugiej prezencji. Pierwsza odsunęła się, po czym nagle rzuciła się ku niemu. Poczuł na karku lekki oddech. Zignorował go i kontynuował wędrówkę wzdłuż ściany.

Jego palce wymacały framugę drzwi, a następnie rękaw i ramię. Ktoś zdjął mu z oczu przepaskę i Dannyl znalazł się oko w oko ze starcem.

– Wybacz, że kazałem ci czekać – powiedział mężczyzna. Dannyl rozpoznał głos swojego przewodnika. Czy ten człowiek w ogóle wychodził z pokoju?

Nie wdając się w wyjaśnienia, jego przewodnik otworzył drzwi.

– Chodź za mną.

Dannyl rozejrzał się po pustym już pokoju, po czym wyszedł na korytarz.

Wędrowali teraz nieco wolniej, a Dannyl przyglądał się korytarzowi w świetle lampy kołyszącej się w ręce starego człowieka. Ściany wokół były porządne; na każdym zakręcie do cegieł przymocowano niewielkie tabliczki z wyrytymi dziwacznymi symbolami. Dannyl nie potrafił ocenić, ile czasu minęło, ale zdawał sobie sprawę, że musiało upłynąć sporo godzin, odkąd wszedł do pierwszej spylunki. Czuł zadowolenie na myśl o tym, że odgadł, o co chodziło w teście. Czy zostałby zaprowadzony do Złodziei, gdyby domyślili się, że jest magiem? Szczerze w to wątpił.

Być może czeka go więcej prób – trzeba uważać. Nie miał pojęcia, czy zbliżył się do rozmowy z Gorinem. Powinien tymczasem postarać się dowiedzieć jak najwięcej o ludziach, z którymi zamierzał prowadzić negocjacje. Przyjrzał się badawczo swojemu towarzyszowi.

– Co to jest „majcher"?

Starzec odchrząknął.

– Zabójca.

Dannyl zamrugał, po czym zdusił uśmiech. „Srogi Majcher" to istotnie odpowiednia nazwa. Jakim cudem właścicielowi uchodziło na sucho tak bezczelne ogłaszanie usług?

Pomyśli o tym później. Na razie powinien uzyskać bardziej przydatne informacje.

– Czy są jeszcze jakieś specjalne słowa, które powinienem poznać?

Starzec uśmiechnął się.

– Jeśli ktoś przyśle ci posłańca, to znaczy, że dostałeś ostrzeżenie albo że ktoś został ostrzeżony w twoim imieniu.

– Rozumiem.

– A mątwa to ktoś, kto zdradza Złodziei. Nie chciałbyś nim być. Tacy nie żyją długo.

– Zapamiętam.

– Jeśli wszystko pójdzie dobrze, zostaniesz nazwany klientem. Zależy, o co ci chodzi. – Przewodnik zatrzymał się i odwrócił głowę do Dannyla. – Myślę, że czas najwyższy o tym porozmawiać.

Zapukał w ścianę. Z początku nic się nie wydarzyło, panowała całkowita cisza, ale chwilę później cegły rozstąpiły się przed nimi. Starzec wskazał ręką przejście.

Dannyl znalazł się w niewielkim pomieszczeniu. Między ścianami stał spory stół, blokując możliwość zbliżenia się do siedzącego za nim ogromnego mężczyzny. Za krzesłem widać było uchylone drzwi.

– Larkin, sprzedawca mat – oznajmił mężczyzna zaskakująco głębokim głosem.

Dannyl pochylił głowę.

– A ty, panie?

Mężczyzna odpowiedział uśmiechem.

– Jestem Gorin.

Nie było tu krzeseł dla gości, Dannyl podszedł więc do stołu. Gorin nie był przystojny, a na ogrom jego ciała składały się mięśnie, nie tłuszcz. Włosy miał gęste i kręcone, szczękę pokrywał obfity zarost. Imię mu pasowało: otrzymał je po wielkich bestiach, które holowały łodzie na rzece Tarali. Dannyl zastanawiał się, czy nie padł ofiarą żartu tych zbirów: Gorin niewątpliwie mógł stać się *wielce* wpływowy wśród Złodziei.

– Jesteś przywódcą Złodziei? – spytał Dannyl.

Gorin uśmiechnął się.

– Złodzieje nie mają przywódcy.

– Skąd zatem mam wiedzieć, czy rozmawiam z właściwym człowiekiem?

– Chcesz dobić interesu? Dobijesz go ze mną. – Rozłożył ręce. – Jeśli zerwiesz umowę, ja cię ukarzę. Myśl o mnie jako o kimś pośrednim między ojcem a królem. Pomogę ci, ale jeśli mnie zdradzisz, zabiję. Zrozumiałeś?

Dannyl zacisnął usta.

– Myślałem o nieco bardziej wyważonym układzie. Jak ojciec z ojcem, dajmy na to? Nie roszczę sobie pretensji do miana króla, aczkolwiek „jak król z królem" brzmi nieźle.

Gorin uśmiechnął się ponownie, ale jego oczy pozostały zimne.

– Czego chcesz, Larkinie, sprzedawco mat?

– Chcę, żebyś pomógł mi kogoś znaleźć.

– Ach. – Złodziej skinął głową. Przyciągnął stertę kartek, pióro i kałamarz. – Kogo?

– Dziewczynę. Czternaście, może szesnaście lat. Drobna, ciemne włosy, chuda.

– Uciekła, niech no zgadnę.

– Właśnie.

– Dlaczego?

– Z powodu nieporozumienia.

Gorin przytaknął ze współczuciem.

– Jak sądzisz, dokąd mogła się udać?

– Do slumsów.

– Jeśli dziewczyna żyje, znajdę ją. Jeśli nie albo jeśli nie uda się jej znaleźć w umówionym terminie – zaraz go ustalimy – nie będziesz miał wobec mnie żadnych zobowiązań. Jak ona ma na imię?

– Nie znamy jeszcze jej imienia.

– Nie znacie… – Gorin podniósł na niego wzrok i zmrużył oczy. – Wy?

Dannyl pozwolił sobie na uśmiech.

– Musicie opracować lepszą próbę.

Powieki Gorina uniosły się nieznacznie. Przełknął ślinę, po czym rozparł się na krześle.

– A więc to tak?

– Co zamierzałeś ze mną zrobić, gdybym nie przeszedł próby?

– Wyprowadzić cię gdzieś daleko stąd. – Oblizał wargi, po czym wzdrygnął się. – Ale jesteś tutaj. Czego chcesz?

– Jak powiedziałem: pomocy w odnalezieniu dziewczyny.

– A jeśli odmówię?

Uśmiech zniknął z twarzy Dannyla.

– Jeśli odmówisz, ona umrze. Zabije ją jej własna moc, przy okazji niszcząc zapewne spory kawałek miasta – aczkolwiek nie mogę tego dokładnie ocenić, nie znając jej możliwości. – Podszedł bliżej, oparł się rękami na stole i spojrzał Złodziejowi prosto w oczy. – Jeśli nam pomożesz, możesz na tym zyskać – choć musisz zrozumieć, że są pewne rzeczy, których nie wolno nam otwarcie robić.

Gorin wpatrywał się w niego w milczeniu, po czym odłożył pióro i papier. Oparł się wygodnie i przekrzywił lekko głowę.

– Ej, Dagan! Krzesło dla naszego gościa.

Pokój był ciemny i zatęchły. Pod jedną ścianą ustawiono skrzynie, z których wiele było porozbijanych. W kątach zebrały się kałuże wody, a wszystkie przedmioty pokryte były grubą warstwą kurzu.

– A więc to tutaj twój ojciec przechowywał swoje towary? – zapytał Harrin.

Cery potaknął.

– To magazyn mojego starego. – Otarł kurz z jednej ze skrzyń i usiadł na niej.

– Nie ma tu łóżka – powiedziała Donia.

– Coś sklecimy – odpowiedział Harrin. Podszedł do skrzyń i zaczął w nich grzebać.

Sonea stała w drzwiach, nieszczególnie zachwycona perspektywą spędzenia nocy w takim zimnym i nieprzyjemnym miejscu. Westchnęła i usiadła na najniższym stopniu. Tej nocy musieli trzy razy uciekać przed łowcami nagród. Czuła się tak, jakby nie spała od wielu dni. Zamknęła oczy i odpłynęła myślami. Rozmowa Harrina i Doni dobiegała do niej jakby z oddali, podobnie jak odgłos kroków w korytarzu za jej plecami.

Kroków?

Otworzyła oczy, spojrzała za siebie i ujrzała w oddali chybotliwe światełko.

– Eja! Ktoś tu idzie.

– Co? – Harrin przeszedł przez pokój i zajrzał w głąb tunelu. Przez chwilę nasłuchiwał, po czym pomógł Sonei wstać i popchnął ją ku najdalszemu kątowi pomieszczenia. – Schowaj się tam. Lepiej, żeby nie było cię widać.

Sonea przeszła we wskazane miejsce, a Cery tymczasem dołączył do Harrina.

– Nikt tu nie przychodzi – powiedział. – Kurz na schodach był nietknięty.

– W takim razie ktoś musiał nas śledzić.

Cery wyjrzał na korytarz, przeklinając pod nosem. Następnie zwrócił się do Sonei.

– Zakryj twarz. Może nie chodzi o ciebie.

– Nie uciekamy? – spytała Donia.

Cery pokręcił głową.

– Stąd nie ma innego wyjścia. Kiedyś był tunel, ale Złodzieje zamknęli go kilka lat temu. Dlatego nie chciałem tu wcześniej przychodzić.

Kroki wyraźnie się przybliżyły. Harrin i Cery odsunęli się od drzwi i czekali. Sonea naciągnęła kaptur na twarz i wraz z Donią ukryły się w odległym kącie.

W przejściu ukazały się buty, a następnie spodnie, kubraki i wreszcie twarze schodzących po stopniach przybyszów. W drzwiach stanęło czterech chłopców. Obrzucili spojrzeniem Harrina i Cery'ego, a następnie zlokalizowali Soneę i wymienili chciwe spojrzenia.

– Burril! – zawołał Harrin. – Co tutaj robisz?

Krępy młodzieniec o muskularnych ramionach podparł się pod boki i podszedł do Harrina. Sonea poczuła dreszcz. To był ten chłopak, który oskarżał ją, że jest szpiegiem.

Spojrzawszy na pozostałych, ku własnemu zaskoczeniu rozpoznała jednego. O ile pamiętała, Evina należał do spokojniejszych chłopców w bandzie Harrina. Uczył ją, jak oszukiwać w warcaby. A teraz patrzył na nią nieprzyjaźnie, ważąc w ręce żelazny pręt. Sonea wzdrygnęła się i odwróciła wzrok.

Pozostali dwaj mieli przy sobie kawałki desek. Zapewne zaopatrzyli się w te prowizoryczne maczugi gdzieś po drodze. Sonea oceniła szanse. Czworo na czterech. Wątpiła, czy Donia ma pojęcie o walce, nie mówiąc już o tym, żeby którakolwiek z nich mogła dorównać siłą kompanom Burrila. We dwójkę może poradzą sobie z jednym. Wyciągnęła rękę i wyrwała deszczułkę z jednej z połamanych skrzyń.

– Przyszliśmy po dziewczynę – oznajmił Burril.

– Zamieniliśmy się w mątwę, co, Burril? – Głos Harrina wręcz ociekał pogardą.

– Właśnie miałem cię o *to samo* zapytać – odrzekł Burril. – Nie widzieliśmy cię od kilku dni. Potem słyszymy o nagrodzie i wszystko pięknie się składa. Chcesz zatrzymać pieniądze dla siebie.

– Nie, Burril – powiedział twardo Harrin, spoglądając na pozostałych chłopców. – Sonea jest moją przyjaciółką. A ja nie sprzedaję przyjaciół.

– Ale nie jest naszą przyjaciółką – odpowiedział Burril, zerkając na kompanów.

Harrin skrzyżował ramiona.

– A więc tak. Nie trzeba było dużo czasu, żebyś zamarzył o przywództwie. Znasz zasady, Burril. Albo jesteś ze mną, albo spadaj. – Raz jeszcze spojrzał na jego towarzyszy. – To samo dotyczy was. Chcecie iść za tą mątwą?

Nie ruszyli się z miejsca, ale popatrywali to na Burrila, to na Harrina, to na siebie nawzajem. I ani na chwilę nie stracili czujności.

– Sto sztuk złota – powiedział cicho Burril. – Rezygnujesz z takich pieniędzy tylko po to, żeby włóczyć się z tymi głupcami? Moglibyśmy żyć jak królowie.

Towarzyszący mu chłopcy wyprostowali się.

Harrin zmrużył oczy.

– Wynoś się, Burril.

W dłoni Burrila błysnęło ostrze i wycelowało w Soneę.

– Nie bez dziewczyny. Oddaj ją.

– Nie.

– W takim razie sami ją weźmiemy.

Zrobił krok w kierunku Harrina. Jego towarzysze otoczyli go, a Cery podszedł do przyjaciela. Spoglądał na nich lodowatym wzrokiem, ręce trzymał w kieszeniach.

124

– Daj spokój, Harrin – powiedział pojednawczo Burril. – Nie musimy tego robić. Oddaj dziewczynę. Podzielimy się kasą, jak w dawnych czasach.

Twarz Harrina wykrzywiła się gniewem i pogardą. Również w jego dłoni błysnęło ostrze, kiedy rzucił się do przodu. Burril zrobił unik i zamachnął się nożem. Sonea wstrzymała oddech, kiedy ostrze rozcięło rękaw Harrina, pozostawiając czerwoną smugę. Evin zakręcił żelaznym prętem, ale Harrin zdołał uskoczyć poza jego zasięg.

Donia złapała ją za rękę.

– Powstrzymaj ich, Sonea – szepnęła z przerażeniem. – Użyj magii!

Sonea spojrzała na nią z rozpaczą.

– Ale… ja nie wiem, jak!

– Spróbuj czegokolwiek! Zrób coś!

Cery zaczekał, aż dwóch pozostałych zbliżyło się do niego, po czym wyciągnął z kieszeni dwa sztylety. Chłopcy zawahali się na ich widok. Sonea dostrzegła rzemienie mocujące sztylety do nadgarstków, umożliwiające walkę na pięści bez wypuszczania broni. Nie potrafiła powstrzymać uśmiechu. Cery naprawdę nic a nic się nie zmienił.

Kiedy większy z napastników rzucił się na niego, Cery chwycił przeciwnika za nadgarstek i przyciągnął do siebie, wykorzystując jego ruch, żeby wytrącić go z równowagi. Chłopak zachwiał się, drewniana broń wypadła z wykręconej ręki. Cery wziął mocny zamach i wymierzył mu w głowę potężny cios płazem sztyletu.

Chłopak upadł na kolana. Cery uskoczył przed ciosem wymierzonym deską przez drugiego z atakujących. Za nim Harrin uchyla się właśnie przed kolejnym zamachem Burrila. Kiedy obie pary walczących rozdzieliły się na chwilę, Evin przemknął między nimi i ruszył w stronę Sonei.

Zauważyła z ulgą, że miał puste ręce. Nie miała pojęcia, gdzie podział się żelazny pręt. Może schował go pod płaszczem...

– Zrób coś! – wrzasnęła Donia, chwytając Soneę mocno za ramię.

Sonea gapiła się na trzymaną w ręce klepkę i zdała sobie sprawę, że nie ma sensu powtarzać tego, co zrobiła na placu Północnym. Tu nie ma magicznej tarczy, przez którą trzeba by się przedrzeć, nie sądziła też, żeby dała radę powstrzymać Evina, ciskając w niego deską.

Musiała spróbować czegoś innego. Może powinna zmusić deszczułkę do mocniejszego uderzenia? *Czy jestem w stanie to zrobić?* Spojrzała na Evina. *Czy powinnam? A jeśli naprawdę zrobię mu krzywdę?*

– Zrób coś! – syknęła Donia, cofając się przed Evinem.

Sonea wzięła głęboki oddech i cisnęła klepką w stronę chłopaka, życząc sobie, żeby uderzenie zwaliło go z nóg. On jednak odrzucił ją, nie zwalniając nawet kroku. Kiedy wyciągnął ręce w stronę Sonei, Donia niespodziewanie zastąpiła mu drogę.

– Jak możesz to robić, Evin? – spytała groźnie. – Byłeś naszym przyjacielem. Pamiętam, jak razem z Soneą graliście w warcaby. Czy to...

Evin chwycił Donię za ramiona i odsunął na bok. Sonea skoczyła i wymierzyła mu cios pięścią w brzuch najsilniej, jak umiała. Wybełkotał coś i cofnął się o krok, uchylając się przed jej uderzeniami, tym razem wymierzonymi w twarz.

Pomieszczenie wypełnił zduszony krzyk. Sonea rozejrzała się i zobaczyła, że przeciwnik Cery'ego wycofuje się, ściskając się za ramię. W tej samej chwili coś uderzyło ją w twarz i upadła. Lądując na ziemi, obróciła się, by umknąć Evinowi, ale on rzucił się i przygwoździł ją.

– Zostaw ją! – wrzasnęła Donia. Stanęła nad chłopakiem, dzierżąc w dłoni klepkę. Rąbnęła nią Evina w głowę. Krzyknął i zatoczył się, tak że drugie uderzenie dosięgło jego skroni. Stracił przytomność i osunął się na ziemię.

Donia machnęła jeszcze bronią nad nieprzytomnym chłopakiem, po czym rozluźniła się i uśmiechnęła do Sonei. Wyciągnąwszy rękę, pomogła jej wstać. Odwróciły się, żeby zobaczyć, co się dzieje z pozostałymi. Burril i Harrin nadal walczyli. Cery spoglądał z góry na dwóch chłopaków, z których jeden trzymał się za bok, a drugi kulił się pod ścianą z dłonią przy twarzy.

– Eja! – zawołała Donia. – Wygląda na to, że wygrywamy!

Burril odstąpił od Harrina i rzucił jej spojrzenie. Sięgnął do kieszeni i zamachnął się szybko ręką. Czerwona mgiełka zawirowała wokół głowy przywódcy bandy.

Harrin zaklął głośno, kiedy drobinki papei dostały mu się do oczu. Mrugając, cofnął się o kilka kroków.

Donia ruszyła w jego kierunku, ale Sonea powstrzymała ją.

Harrin uchylił się przed rzucającym się na niego Burrilem, ale nie dość szybko. Rozległ się krzyk bólu, nóż Harrina brzęknął o ziemię. Cery skoczył ku Burrilowi, który jednak obrócił się dość zręcznie, aby odeprzeć ten atak. Harrin upadł na kolana i wciąż przecierając oczy, wymacał swój nóż.

Burril odepchnął Cery'ego i sięgnął pod połę płaszcza, znów zamachnął się szybko i czerwona chmura poszybowała ku Cery'emu, który uchylił się o sekundę za późno. Jego twarz wykrzywił grymas bólu i cofnął się przed nacierającym Burrilem.

– On ich pozabija! – krzyknęła Donia.

Sonea pochyliła się po kolejną deskę. Zamknęła na moment oczy, usiłując przypomnieć sobie, co zrobiła na placu Północnym. Chwyciła deszczułkę mocno, przywołując cały swój gniew i strach. Skoncentrowawszy się na klepce, cisnęła ją z całej siły w Burrila.

Jęknął, gdy dostał w plecy, i obrócił się w stronę dziewczyny. Po czym zaczął opędzać się od przedmiotów, którymi ciskała w niego Donia.

– Użyj magii! – krzyknęła Donia do Sonei, gdy ta przyłączyła się do niej.

– Próbowałam! Nie działa!

– Spróbuj jeszcze raz! – Donia ledwie dyszała z wysiłku.

Burril sięgnął do kieszeni i wyciągnął niewielką paczuszkę. Sonea rozpoznała ten przedmiot i poczuła, że wzbiera w niej gniew. Machnęła trzymaną w dłoni deską, po czym zawahała się.

Może zanadto skupiała się na mocnym rzucie? Magia nie jest fizyczna. Patrzyła, jak Donia ciska skrzynką w Burrila. Ona nie musi niczym rzucać...

Skupiła się na skrzynce, jakby chciała ją popchnąć – niechby wyskoczyła do przodu i uderzyła Burrila tak mocno, by stracił przytomność!

Poczuła, że coś dzieje się w jej umyśle.

Pokój przeciął błysk światła, a skrzynka eksplodowała ogniem. Burril wrzasnął na ten widok i uchylił się. Płonące deski runęły na ziemię i wylądowały w kałuży. Woda zaskwierczała i wyparowała.

Paczuszka sproszkowanej papei spadła na ziemię. Burril gapił się na Soneę. Dziewczyna uśmiechnęła się i sięgnęła po kolejną deskę, po czym wyprostowała się i spod przymrużonych powiek spojrzała mu prosto w oczy.

Z jego twarzy odpłynęła cała krew. Nie patrząc nawet na swoich kompanów, Burril rzucił się do drzwi i wyskoczył na zewnątrz.

Sonea usłyszała za sobą cichy szmer. Odwróciwszy się, zobaczyła, że Evin odzyskał przytomność i stoi zaledwie kilka kroków za nią. Cofnął się i również skoczył ku drzwiom. Dwaj pozostali, widząc, że przywódcy uciekli, pozbierali się i poczłapali za nimi.

Słysząc ich cichnące w oddali kroki, Harrin wybuchnął śmiechem. Wstał, zachwiał się i podszedł ostrożnie do drzwi.

– Co się stało? – zawołał. – Myśleliście, że ona *pozwoli* wam się porwać?

Uśmiechnął się i mrugnął do Sonei.

– Eja, dobra robota!

– Ładne zakończenie – przyznał Cery. Potarł oczy i skrzywił się. Wsunął dłoń do kieszeni, wydobył niewielką buteleczkę i przemył oczy jej zawartością. Donia podbiegła do Harrina i obejrzała jego rany.

– Musimy to opatrzyć. Ty też oberwałeś, Cery?

– Nie. – Podał jej buteleczkę.

Donia obmyła twarz Harrina. Skórę miał zaczerwienioną i całą w bąblach.

– Będzie cię to bolało przez kilka dni. Jak myślisz, Sonea, mogłabyś go wyleczyć?

Sonea zmarszczyła brwi i pokręciła głową.

– Nie wiem. To drewno nie miało się zapalić. Co będzie, jeśli poparzę Harrina, zamiast mu pomóc?

Donia spojrzała na nią szeroko otwartymi oczami.

– To byłoby okropne.

– Musisz poćwiczyć – oznajmił Cery.

Sonea odwróciła się do niego.

– Potrzebuję na to czasu i miejsca, gdzie nikt nie zwracałby na mnie uwagi.

Cery wyciągnął z kieszeni kawałek tkaniny i dokładnie wytarł sztylety.

– Kiedy to się rozniesie, ludzie będą zbyt przerażeni, żeby próbować cię schwytać. Powinniśmy mieć teraz trochę spokoju.

– Obawiam się, że nie – odparł Harrin. – Założę się, że ani Burril, ani jego kolesie nikomu o tym nie powiedzą. A nawet gdyby, każdy następny uzna, że sobie poradzi.

Cery skrzywił się i zaklął.

– W takim razie lepiej szybko stąd zmykajmy – powiedziała Donia. – Dokąd teraz, Cery?

Podrapał się w głowę, po czym jego twarz rozjaśnił szeroki uśmiech.

– Kto ma pieniądze?

Harrin i Donia zwrócili wzrok na Soneę.

– Nie są moje – zaprotestowała. – Należą do Jonny i Ranela.

– Jestem pewna, że nie mieliby nic przeciwko temu, żebyś wydała je na swój ratunek – powiedziała Donia.

– I uznaliby cię za głupią, gdybyś tego nie zrobiła.

Sonea westchnęła i sięgnęła pod kubrak po przypiętą tam sakiewkę.

– Mam nadzieję, że kiedy się wyplączę z tych opałów, będę mogła im zwrócić te pieniądze – Powiedziała i dodała, spoglądając na Cery'ego: – Lepicj szybko ich odszukaj.

– Obiecuję – zapewnił ją. – Kiedy tylko będziesz bezpieczna. Na razie lepiej, żebyśmy się rozdzielili. Spotkamy się za godzinę. Przyszło mi do głowy jedno miejsce, gdzie raczej nikt nie będzie cię szukał. Możemy się tam zatrzymać tylko na parę godzin, ale powinno nam to wystarczyć, żeby obmyślić następny ruch.

ROZDZIAŁ 7

NIEBEZPIECZNE SOJUSZE

Wracając samotnie ze stajni, Rothen zwolnił kroku w okolicy ogrodów. Powietrze było rześkie, ale dalekie od nieprzyjemnego zimna, on zaś potrzebował odpoczynku od gwaru miasta. Odetchnął głęboko.

Mimo że przesłuchał dziesiątki informatorów, mało który miał coś sensownego do powiedzenia. Większość z nich przybyła w nadziei, że wszelka informacja, nawet całkiem nieistotna, może prowadzić do schwytania dziewczyny, zapewniając im nagrodę. Niektórzy przychodzili, żeby wyżalić się na Gildię.

Niektórzy wszakże opowiadali o samotnych dziewczynach ukrywających się przed ludzkim wzrokiem. Po kilku wyprawach do slumsów okazywało się jednak, że jest tam pełno bezdomnych dzieciaków, kryjących się w ciemnych zakamarkach. Rozmowa z pozostałymi magami, którzy zajmowali się przesłuchaniami, pokazała, że większość uzyskanych informacji prowadziła do podobnych rozczarowań.

Byłoby o wiele lepiej, gdyby mogli na ogłoszeniach o nagrodzie umieścić również portret dziewczyny. Rothen pomyślał z tęsknotą o swoim nieżyjącym już nauczycielu, Mistrzu Margenie, który bezskutecznie pracował nad sposobem przenoszenia obrazu z myśli na papier. Dannyl również podjął to wyzwanie, ale nie odniósł na razie sukcesu.

Rothen zastanawiał się, jak idzie Dannylowi. Krótka mentalna rozmowa z przyjacielem upewniła go, że młody mag żyje, ma się dobrze i zamierza wrócić o zmroku. Nie mogli rozmawiać o prawdziwym powodzie wizyty Dannyla w slumsach, ponieważ zawsze istniała możliwość, że inni magowie podsłuchają wymianę myśli. Niemniej jednak Rothen wyczuł w tonie przyjaciela obiecujące samozadowolenie.

– ...wiesz... Rothen...

Usłyszawszy własne imię, mag rozejrzał się. Mówiący ukryty był za gęstym żywopłotem, ale Rothen był pewny, że rozpoznaje głos.

– ...nie można tego przyspieszać.

Głos należał do administratora Lorlena. Rozmawiający zbliżali się coraz bardziej do miejsca, w którym przystanął Rothen. Zakładając, że muszą go minąć, przeszedł na jeden z niewielkich dziedzińców w obrębie ogrodu. Usiadł na ławce i wsłuchał się uważnie w konwersację coraz wyraźniej dobiegającą jego uszu.

– Twoja prośba została przyjęta do rozpatrzenia, Fergunie – mówił spokojnie Lorlen. – Nic więcej nie mogę zrobić. Kiedy ją znajdziemy, zajmiemy się tą sprawą w zwyczajowym trybie. Na razie interesuje mnie tylko jej schwytanie.

– Ale czy musimy przechodzić przez cały ten... całe to *zamieszanie*? To nie Rothen jako pierwszy dostrzegł jej moc. To byłem *ja*! Jak on może spierać się o to ze mną?

Administrator odpowiedział mu spokojnym, rzeczowym tonem, ale przyspieszył kroku. Rothen uśmiechnął się do siebie, kiedy przeszli koło niego.

– To nie jest *zamieszanie*, Fergunie – mówił zdecydowanym tonem Lorlen. – Takie jest prawo Gildii. Stanowi ono, że...

– „Pierwszy mag, który rozpozna potencjał magiczny w innym człowieku, ma prawo ubiegać się o opiekę nad nim" – wyrecytował natychmiast Fergun. – To *ja* jako pierwszy zetknąłem się z jej mocą, a nie Rothen.

– Niezależnie od wszystkiego nie da się tego rozstrzygnąć, dopóki nie znajdziemy dziewczyny...

Oddalili się od Rothena na tyle, że przestał słyszeć ich słowa. Wstał z ławki i ruszył powoli w stronę Domu Magów.

A więc Fergun zamierzał domagać się przyznania mu prawa do opieki nad dziewczyną. Kiedy Rothen zgłosił gotowość zajęcia się jej nauką, nie przypuszczał, że którykolwiek z pozostałych magów będzie miał na to ochotę. A zwłaszcza Fergun, który zawsze spoglądał na niżej urodzonych z nieskrywaną pogardą.

Uśmiechnął się do siebie. Dannylowi się to nie spodoba. Jego przyjaciel nie znosił Ferguna od czasu ich wspólnego nowicjatu. Kiedy się o tym dowie, dołoży wszelkich starań, żeby znaleźć ją osobiście.

Cery był w łaźni wiele lat temu, ale nigdy nie widział od środka tych droższych prywatnych sal. Wyszorowany i po raz pierwszy od wielu dni zagrzany, otulony w ciepły ręcznik, miał wyjątkowo dobry humor, idąc za łaziebną do sali z gorącym powietrzem. Sonea już siedziała tam na macie z simby, otoczona usługującymi dziewczętami: chude ciało ukryte w grubym ręczniku, rozradowana twarz. Ten widok poprawił mu humor jeszcze bardziej.

Uśmiechnął się do niej.

– Eja! Ależ luksusy! Jestem pewny, że Jonnie by się to spodobało.

Sonea skrzywiła się i Cery natychmiast pożałował swoich słów.

– Przepraszam. – Spojrzał na nią błagalnie. – Nie powinienem ci o tym przypominać. – Zwinął się na macie obok niej, opierając się plecami o ścianę. – Jeśli będziemy rozmawiać cicho, powinniśmy być tu bezpieczni – dodał znacznie ciszej.

Przytaknęła.

– Co teraz? Nie możemy tu zostać.

– Wiem. Już o tym myślałem. – Westchnął. – Nie jest dobrze, Sonea. Samo ukrywanie się przed magami nie byłoby bardzo trudne, ale nagroda wszystko zmieniła. Nie mogę teraz nikomu ufać. Nie mogę prosić o przysługi i… i znikać po to, żeby cię ukryć.

Pobladła.

– Co w takim razie zrobimy?

Zawahał się. Po walce z Burrilem doszedł do wniosku, że zostało mu tylko jedno wyjście. Które jej się nie spodoba. Jemu też się nie podobało, jeśli o to chodzi. Gdyby tylko mógł komukolwiek zaufać… Potrząsnął głową i spojrzał jej prosto w oczy.

– Chyba powinniśmy poszukać pomocy u Złodziei.

Sonea wybałuszyła na niego oczy.

– Oszalałeś?

– Szaleństwem byłoby dalsze ukrywanie cię na własną rękę. Prędzej czy później ktoś cię wyda.

– A Złodzieje? Czemu oni mieliby mnie nie wydać?

– Masz coś, czego potrzebują.

Zmarszczyła brwi i spochmurniała.

– Magię?

134

– Właśnie. Założę się, że byliby zachwyceni, mając swojego maga. – Przebiegł palcami po macie. – Jeśli dostaniesz od nich opiekę, nikt nie odważy się ciebie tknąć. Nikt nie zadziera ze Złodziejami. Nawet za sto sztuk złota.

Zamknęła oczy.

– Jonna i Ranel mówili mi zawsze, że od Złodziei nie da się uwolnić. Zawsze mają na ciebie haka. Nawet jeśli dotrzymasz umowy, pozostaniesz ich dłużnikiem.

Cery pokręcił głową.

– Wiem, że nasłuchałaś się różnych strasznych historii. Wszyscy je znamy. Ale jeśli tylko przestrzegasz zasad Złodziei, będą traktować cię uczciwie. Tak mówił mój tato.

– A oni go zabili.

– Był głupi. Zmątwił.

– A co, jeśli...? – Potrząsnęła głową z westchnieniem. – Nie mam chyba wyboru, prawda? Jeśli się nie zgodzę, znajdzie mnie Gildia. Niewola u Złodziei jest chyba lepsza od śmierci.

Cery skrzywił się.

– To nie tak. Jak tylko się nauczysz używać swojej mocy, staniesz się ważna i potężna. Będziesz miała dużo do powiedzenia. Będą musieli cię słuchać. Poza wszystkim, jeśli uznasz, że nie chcesz czegoś zrobić, jak mieliby cię zmusić?

Przez długą chwilę wpatrywała się w niego badawczo.

– Wcale nie jesteś tego pewny, prawda?

Zmusił się do wytrzymania jej spojrzenia.

– Jestem pewny, że nie masz wyboru. Jestem pewny, że potraktują cię uczciwie.

– O co zatem chodzi?

Westchnął.

– Nie jestem pewny, czego zażądają w zamian.

Skinęła głową, podparła się na łokciu i utkwiła wzrok w przeciwległej ścianie.

– Jeśli uważasz, że tak powinniśmy postąpić, to posłucham cię, Cery. Wolę związać się ze Złodziejami, niż wpaść w łapy Gildii.

Widząc jej pobladłą twarz, znów poczuł ten znany już niepokój, tyle że teraz była w nim nuta poczucia winy. Wiedział, że Sonea jest przerażona, ale stawi czoła Złodziejom z tym swoim nieustraszonym uporem. Ta myśl sprawiła, że poczuł się jeszcze gorzej. Mimo że nie potrafił dłużej łudzić się, że zdoła ją ochronić, zabieranie jej do Złodziei było prawie jak zdrada. Nie chciał znów jej stracić.

Nie miał jednak wyboru.

Wstał i podszedł do drzwi.

– Poszukam Harrina i Doni – powiedział. – Dasz sobie radę?

Nie podniosła wzroku, ale przytaknęła skinieniem głowy.

Na zewnątrz znalazł łaziebną. Gdy zapytał o przyjaciół, dziewczyna wskazała mu drzwi do następnego pomieszczenia. Przygryzł wargę i zapukał.

– Wejdź – odezwał się ze środka Harrin.

Oboje z Donią siedzieli na macie, dziewczyna wycierała włosy ręcznikiem.

– Powiedziałem jej i zgodziła się.

Harrin zmarszczył czoło.

– Nie jestem pewny, czy to dobry pomysł. Może lepiej wyprowadzić ją z miasta?

Cery pokręcił głową.

– Nie sądzę, żeby udało nam się daleko zajść. Możesz mieć pewność, że Złodzieje wszystko już o niej wiedzą. Nie zajmie im dużo czasu wypytanie, gdzie bywała i mieszkała.

Dowiedzą się wszystkiego o jej wyglądzie, rodzicach, wujostwu. Z opowieści Burrila i jego kompanów bez trudu wywnioskują, że...

– Jeśli tyle wiedzą – przerwała mu Donia – to czemu po prostu nie przyjdą i jej nie zabiorą?

– To nie jest ich sposób postępowania – odpowiedział Cery. – Lubią się targować i ubijać interesy, w ten sposób wszyscy, którzy dla nich pracują, są zadowoleni i nie robią później problemów. Mogliby przyjść do nas i zaoferować opiekę, ale nie zrobili tego. Dlatego myślę, że nie są pewni jej magicznego talentu. Jeśli my do nich nie pójdziemy, któryś z nich ją w końcu wyda. Dlatego nigdy nie uda nam się wydostać z miasta.

Donia i Harrin wymienili spojrzenia.

– Co ona o tym sądzi? – spytała Donia.

Cery skrzywił się.

– Słyszała opowieści. Boi się, ale wie, że nie ma wyjścia.

Harrin podniósł się.

– Jesteś tego pewny, Cery? – zapytał. – Wydawało mi się, że coś do niej czujesz. Jeśli to zrobisz, możesz jej już nigdy nie zobaczyć.

Cery zamrugał oczami ze zdziwienia i miał wrażenie, że oblewa się rumieńcem.

– A myślisz, że ją zobaczę, jeśli wpadnie w łapy magów?

Harrin opuścił ramiona z westchnieniem.

– Nie.

Cery zaczął krążyć po pomieszczeniu.

– Pójdę z nią. Będzie potrzebowała znajomej twarzy. Może się na coś przydam.

Harrin wyciągnął rękę i chwycił go za ramię. Wpatrywał się w niego badawczo i w końcu puścił.

– A więc my też przestaniemy się widywać, co?

Cery pokręcił głową. Poczuł ukłucie winy. Harrin został właśnie zdradzony przez czterech członków bandy, a reszty nie mógł być pewny. A teraz najbliższy przyjaciel oznajmił, że go opuszcza.

– Będę przychodził, kiedy tylko będę mógł. Gellin i tak już uważa, że pracuję dla Złodziei.

Harrin uśmiechnął się.

– Niech tak będzie. Kiedy ją zabierasz?

– Wieczorem.

Donia położyła mu rękę na ramieniu.

– A jeśli jej nie zechcą?

Cery uśmiechnął się ponuro.

– Zechcą.

Korytarz w Domu Magów był cichy i pusty. Zmierzając ku pokojom Yaldina, Dannyl wsłuchiwał się w głośne echo własnych kroków. Zapukał i czekał, słysząc dochodzące zza drzwi ciche odgłosy rozmowy. W pewnej chwili nad ogólny szum wybił się kobiecy głos.

– Co zrobił?

Chwilę później drzwi się otwarły. Ezrille, żona Yaldina, uśmiechnęła się z lekko nieobecnym wyrazem twarzy i wpuściła Dannyla do środka. Wokół niskiego stołu stało kilka krzeseł. Na dwóch siedzieli już Yaldin i Rothen.

– Rozkazał Strażnikowi wyrzucić tego człowieka z jego domu – mówił Yaldin.

– Za to, że pozwalał dzieciakom spać na strychu? To potworne! – zawołała Ezrille, wskazując jednocześnie Dannylowi krzesło.

Yaldin skinął głową.

– Dobry wieczór, Mistrzu Dannylu. Filiżankę sumi?

– Dobry wieczór – odpowiedział Dannyl, opadając na krzesło. – Sumi, bardzo chętnie, dziękuję. To był długi dzień.

Rothen podniósł wzrok i spojrzał na niego pytająco. Dannyl uśmiechnął się w odpowiedzi i wzruszył ramionami. Wiedział, że Rothen nie może się doczekać wiadomości o jego spotkaniu ze Złodziejami, ale sam najpierw chciał się dowiedzieć, co tak poruszyło Ezrille, która zazwyczaj była łagodna, ugodowa i nieskora do gniewu.

– Jest coś, o czym nie wiem?

– Wczoraj jeden z naszych poszukiwaczy poszedł z informatorem do domu w lepszej części slumsów – wyjaśnił Rothen. – Właściciel pozwalał bezdomnym dzieciom spać na swoim strychu, a informator twierdził, że ukrywa się tam również nieco starsza dziewczyna. Nasz kolega utrzymuje, że dziewczyna z towarzyszem uciekli tuż przed jego przybyciem, w czym dopomógł im właściciel. Rozkazał więc Gwardii usunąć tego człowieka wraz z rodziną z jego własnego domu.

Dannyl zmarszczył brwi.

– Nasz kolega? Kto taki…? – Zmrużył oczy i przeszył Rothena wzrokiem. – Czyżbyśmy mówili o pewnym wojowniku imieniem Fergun?

– O nim właśnie.

Dannyl wydał niezbyt elegancki dźwięk, po czym uśmiechnął się do Ezrille, która podała mu parującą filiżankę sumi.

– Dziękuję.

– Co się w końcu stało? – spytała Ezrille. – Wygonili tego człowieka?

– Lorlen oczywiście anulował rozkaz – odpowiedział Yalden – ale Fergun i tak zdemolował sporą część budynku. Twierdzi, że szukał kryjówek.

Ezrille potrząsnęła głową.

– Nie mogę uwierzyć, że Fergun jest tak… tak…

– Mściwy? – parsknął Dannyl. – Trudno mi uwierzyć, że nie aresztował tego biedaka.

– Nie odważyłby się – powiedział z naganą Yaldin.

– Nie w tej chwili – zgodził się Dannyl.

Rothen westchnął i rozparł się na krześle.

– To nie wszystko. Podsłuchałem dziś interesującą konwersację. Fergun chce zażądać opieki nad dziewczyną.

Dannyl poczuł, jak zamiera w nim serce.

– Fergun? – Ezrille zasępiła się. – Nie jest bardzo potężnym magiem. Myślałam, że Gildia odradza słabszym magom opiekę nad nowicjuszami.

– Owszem, odradza – odpowiedział Yaldin. – Ale nie jest to zakazane przez prawo.

– Jakie ma szanse?

– Twierdzi, że pierwszy rozpoznał w niej moc, ponieważ jako pierwszy *odczuł* jej działanie – wyjaśnił Rothen.

– To poważny argument?

– Mam nadzieję, że nie – mruknął Dannyl. Wiadomość zaniepokoiła go. Znał dobrze Ferguna. Aż za dobrze. Czego od dziewczyny ze slumsów może chcieć właśnie on, znany ze swojej pogardy dla niżej urodzonych?

– Może chce się zemścić za upokorzenie na placu Północnym?

Rothen spojrzał na niego z naganą.

– Dannyl, przestań…

– Musimy wziąć taką możliwość pod uwagę – przerwał mu Dannyl.

– Fergun nie decydowałby się na coś takiego z powodu siniaka, nawet jeśli ucierpiała przy tym jego ambicja – odpowiedział ostro Rothen. – Chce po prostu być tym, który ją ujarzmi, i chce, żeby ludzie o tym pamiętali.

Dannyl odwrócił wzrok. Jego starszy przyjaciel nie mógł zrozumieć, że ta niechęć do Ferguna nie była spowodowana tylko urazem z czasów nowicjatu. Dannyl wiedział aż za dobrze, jak bardzo uparty i zaślepiony potrafi być Fergun, kiedy idzie o zemstę.

– Zapowiada się na niezłą walkę – roześmiał się Yaldin. – Biedna dziewczyna nie ma pojęcia, jakiego zamieszania narobiła w Gildii. Rzadko zdarza się, żeby dwaj magowie ubiegali się o opiekę nad nowicjuszem.

Rothen prychnął cicho.

– Obawiam się, że to jest najmniejsze z jej zmartwień. Po tym, co się stało na placu Północnym, ona musi być przekonana, że chcemy ją zabić.

Uśmiech znikł z twarzy Yaldina.

– Niestety, nie zdołamy jej przekonać, że jest inaczej, dopóki jej nie znajdziemy.

– Och, nie byłbym aż takim pesymistą – odezwał się cicho Dannyl.

Rothen spojrzał na niego.

– Chciałbyś coś powiedzieć, Dannylu?

– Myślę, że mój nowy przyjaciel Złodziej potrafi rozesłać wieści w slumsach.

– Przyjaciel? – Yaldin rzucił mu pełne niedowierzania spojrzenie. – Właśnie nazwałeś Złodzieja *przyjacielem*.

– Niech będzie „wspólnik" – odpowiedział z łajdackim uśmiechem Dannyl.

– Wnoszę, że udało ci się coś załatwić? – Rothen uniósł jedną brew.

– Co nieco. Na początek nie najgorzej. – Dannyl wzruszył ramionami. – Chyba udało mi się porozmawiać z jednym z ich przywódców.

Ezrille aż otworzyła usta ze zdziwienia.

– Jaki on jest?

– Na imię ma Gorin.

– Gorin? – zdziwił się Yaldin. – Dziwaczne imię.

– Wygląda na to, że przywódcy nadają sobie przydomki od zwierząt. Tego nazwano ewidentnie ze względu na posturę, ponieważ niewątpliwie wygląda jak swój zwierzęcy imiennik. Jest ogromny i włochaty. Niemalże spodziewałem się rogów.

– Co powiedział? – spytał niecierpliwie Rothen.

– Niczego nie obiecał. Uświadomiłem mu, jakim niebezpieczeństwem jest mag, który nie potrafi kontrolować swojej mocy. Ale bardziej interesowało go, co Gildia może zaoferować mu w zamian za odnalezienie dziewczyny.

Yaldin spoważniał.

– Starsi Mistrzowie nie zgodzą się na wymianę przysług ze Złodziejami.

Dannyl machnął lekceważąco ręką.

– Oczywiście, że nie. Powiedziałem mu to i zrozumiał. Myślę, że wystarczą mu pieniądze.

– Pieniądze? – Yaldin pokręcił głową. – Nie wiem…

– Ponieważ już ogłosiliśmy nagrodę, to co za różnica, że trafi ona do Złodziei. – Dannyl rozłożył bezradnie ręce. – Każdy wie, że pieniądze dostanie tak czy siak ktoś ze slumsów, musimy się więc liczyć z tym, że nie będzie to osoba o nieskalanej reputacji.

Ezrille wzniosła oczy do nieba.

– Tylko ty potrafisz wymyślić rozsądnie brzmiące uzasadnienie dla czegoś takiego.

Dannyl wyszczerzył się do niej w szerokim uśmiechu.

– Och, jest jeszcze lepiej. Jeśli odpowiednio przedsta-
wimy sprawę, wszyscy będą się poklepywać po plecach
i przechwalać, że udało się namówić Złodziei, żeby zrobili
coś pożytecznego dla miasta.

Ezrille roześmiała się.

– Mam nadzieję, że Złodzieje nie słyszeli tych argumentów, bo chyba odmówiliby pomocy.

– Oczywiście, to musimy na razie zachować w tajemnicy – powiedział Dannyl. – Nie chcę robić tu zamieszania,
dopóki nie przekonam się, czy Gorin zechce nam pomóc,
czy nie. Mogę liczyć na waszą dyskrecję?

Rozejrzał się po zebranych. Ezrille potaknęła entuzjastycznie. Rothen skinął głową. Yaldin zmarszczył brwi, po
czym wzruszył ramionami.

– W porządku. Ale bądź ostrożny, Dannylu. Stawiasz na
szali nie tylko własną skórę.

– Wiem o tym – odpowiedział Dannyl z uśmiechem. –
Wiem.

Wędrówka Złodziejską Ścieżką w świetle lampy była znacznie ciekawsza niż wymacywanie drogi w ciemności. Ściany
tuneli zbudowane były z nieskończenie zróżnicowanych
cegieł, na wielu z nich wyryto znaki; przedziwne symbole
opisywały również niektóre skrzyżowania korytarzy.

Przewodnik przystanął na jednym z takich skrzyżowań
i postawił lampę na ziemi. Z kieszeni płaszcza wydobył
skrawki czarnej tkaniny.

– Od tego miejsca musicie mieć zawiązane oczy.

Cery skinął głową i stał bez słowa, kiedy mężczyzna wią-
zał mu opaskę na oczach. Następnie przewodnik podszedł
do Sonei, która zacisnęła powieki, gdy szorstki materiał

owinął ciasno jej twarz. Poczuła dłoń na ramieniu i drugą na nadgarstku – ręce pociągnęły ją w głąb tunelu.

Mimo że usiłowała zapamiętać zakręty, szybko straciła rachubę. Posuwali się naprzód w ciemności. Do jej uszu dochodziły stłumione odgłosy: rozmowy, kroki, kapanie wody i nieco dźwięków, których nie potrafiła rozpoznać. Skóra pod opaską swędziała, ale dziewczyna nie śmiała się podrapać, by przewodnik nie pomyślał, że podgląda.

Kiedy mężczyzna ponownie się zatrzymał i zdjął jej opaskę, Sonea odetchnęła z ulgą. Spojrzała na Cery'ego – uśmiechnął się do niej uspokajająco.

Przewodnik wyjął z kieszeni wygładzony patyk i wetknął go w dziurę w ścianie. Chwilę później fragment ceglanego muru przesunął się, ukazując w przejściu muskularnego mężczyznę.

– Tak?

– Ceryni i Sonea do Farena – oznajmił przewodnik.

Mężczyzna skinął głową w odpowiedzi, otworzył szerzej drzwi i obrzucił Cery'ego i Soneę wzrokiem.

– Wejdźcie.

Cery zawahał się i odwrócił do przewodnika.

– Prosiłem o spotkanie z Ravim.

Twarz mężczyzny wykrzywił podobny do uśmiechu grymas.

– Najwyraźniej Ravi uznał, że powinieneś spotkać się z Farenem.

Cery wzruszył ramionami i przeszedł przez otwór w ścianie. Idąc za nim, Sonea zastanawiała się, czy Złodziej nazwany imieniem jadowitego ośmionogiego robala jest bardziej niebezpieczny od tego, który nosi miano gryzonia.

Weszli do niewielkiego pokoju. Z krzeseł po obu stronach wpatrywali się w nich jeszcze dwaj postawni mężczyźni.

Pierwszy zamknął przejście do tunelu, po czym otwarł drzwi znajdujące się po drugiej stronie pomieszczenia i gestem nakazał im udanie się w tamtą stronę.

W następnym pomieszczeniu ze ścian zwieszały się lampy, rzucając na sufit kręgi ciepłego światła. Na podłodze leżał wielki dywan obrzeżony złotymi frędzlami. Na końcu pokoju za stołem siedział ciemnoskóry mężczyzna w czarnym, obcisłym ubraniu. Przyglądał się im badawczo dziwacznie jasnymi, żółtawymi oczami.

Sonea wytrzymała jego spojrzenie. Złodziej był Lonmarczykiem, wywodził się z dumnej pustynnej nacji, której ziemie rozciągały się daleko na północ od Kyralii. Jej przedstawiciele rzadko pojawiali się w Imardinie – niewielu chciało żyć z dala od rygorystycznych zasad własnej kultury. Lonmarczycy uważali kradzież za wielkie zło, ponieważ wierzyli, że zabranie innemu człowiekowi czegokolwiek, nawet najdrobniejszego przedmiotu, oznacza utratę cząstki własnej duszy. A jednak zasiadał przed nią lonmarski Złodziej.

Mężczyzna zmrużył oczy. Sonea zdała sobie sprawę, że bezczelnie się na niego gapi, więc spuściła szybko wzrok. Złodziej rozparł się na krześle z uśmiechem i wyciągnął ku niej długi ciemny palec.

– Podejdź bliżej, dziecko.

Sonea zrobiła kilka kroków do przodu i przystanęła tuż przed stołem.

– Jesteś więc tą, której szuka Gildia, tak?

– Tak.

– Masz na imię Sonea, zgadza się?

– Tak.

Faren zacisnął usta.

– Spodziewałem się kogoś o nieco bardziej imponującym wyglądzie. – Wzruszył ramionami, wychylił się ku niej i oparł łokcie na blacie. – Skąd mam wiedzieć, że to rzeczywiście ty?

Sonea rzuciła spojrzenie przez ramię.

– Cery powiedział, że będziesz wiedział, że to ja, że mnie obserwowaliście.

– Ach, tak powiedział, zaprawdę. – Faren zaśmiał się cicho i przeniósł wzrok na jej przyjaciela. – Ależ to spryciarz, ten mały Ceryni, zupełnie jak jego ojciec. Owszem, obserwowaliśmy cię… was oboje, ale jego dłużej. Podejdź, Cery.

Cery stanął obok Sonei.

– Ravi przesyła pozdrowienia.

– Jak gryzoń gryzoniowi? – Głos Cery'ego zadrżał tylko nieznacznie.

Faren wyszczerzył białe zęby, ale uśmiech szybko zniknł z jego twarzy, a żółte oczy skierowały się ponownie ku Sonei.

– Potrafisz więc używać magii, tak?

Sonea przełknęła ślinę, wyschło jej bowiem w gardle.

– Tak.

– Posługiwałaś się nią od tamtego niespodziewanego wydarzenia na placu Północnym?

– Tak.

Faren uniósł brwi. Przesunął palcami po włosach. Na skroniach widać było kilka siwych pasm, ale skórę miał gładką i bez zmarszczek. Jego palce ozdabiały liczne pierścienie, niektóre z wielkimi kamieniami. Sonea nigdy nie widziała tylu podobnych klejnotów na rękach mieszkańca slumsów – ale ten człowiek nie był zwykłym bylcem.

– Nie najlepszy moment wybrałaś na odkrycie swej mocy, mała Soneo – powiedział do niej Faren. – Magowie desperacko cię szukają. Ich poszukiwania sprawiły nam mnóstwo kłopotów, nagroda zaś niewątpliwie wpakowała cię w tarapaty. A teraz chcesz, żebyśmy to *my* ukryli cię przed *nimi*. Czy nie byłoby dla nas bardziej opłacalne wydać cię magom i zgarnąć nagrodę? Zakończyłoby to poszukiwania. Ja stałbym się nieco bogatszy. A ci irytujący magowie wynieśliby się z naszego terenu…

Rzuciła znów spojrzenie Cery'emu.

– Możemy zawrzeć umowę.

Faren wzruszył ramionami.

– Możemy. Co zatem oferujesz w zamian?

– Ojciec wspominał, że jesteś mu coś dłużny… – wtrącił się Cery.

Żółte oczy rzuciły mu krótkie spojrzenie.

– Twój ojciec stracił prawo do wszelkich należności, kiedy nas zdradził – warknął ich właściciel.

Cery pochylił głowę, po czym uniósł podbródek i spojrzał Złodziejowi prosto w oczy.

– Ojciec wiele mnie nauczył – zaczął. – Może mógłbym…

Faren parsknął i machnął ręką.

– Kiedyś możesz okazać się przydatny, mały Ceryni, ale na razie nie masz takich przyjaciół, jakich miał twój ojciec, a prosisz nas o wielką przysługę. Czy wiesz, że karą za ukrywanie przed Gildią dzikiego maga jest śmierć? Nie ma rzeczy gorzej widzianej przez Króla niż magowie pokątnie robiący rzeczy, na które nie wydał pozwolenia. – Jego oczy prześlizgnęły się ku Sonei, a na ustach pojawił się chytry uśmiech. – Niemniej jednak jest to kusząca myśl. I bardzo mi się ona podoba. – Złożył dłonie. – Do czego używałaś swojej mocy od czasu Czystki?

– Sprawiłam, że kawałek drewna zajął się ogniem.

Oczy Farena rozbłysły.

– Naprawdę? Coś jeszcze?

– Nie.

– Może byś coś teraz pokazała?

Wlepiła w niego oczy.

– Teraz?

Wskazał jedną z książek leżących na stole.

– Spróbuj to poruszyć.

Zerknęła na Cery'ego. Jej przyjaciel skinął nieznacznie głową. Zagryzła wargi i powtórzyła sobie, że od chwili, gdy postanowiła szukać pomocy u Złodziei, zdecydowała się również posługiwać magią. Musiała się z tym pogodzić, jakkolwiek nieprzyjemnie czułaby się z tą myślą.

Faren rozparł się ponownie na krześle.

– No, spróbuj.

Sonea wzięła głęboki oddech, utkwiła wzrok w książce i kazała jej się poruszyć.

Nic się nie wydarzyło.

Zmarszczyła brwi i powróciła myślą do placu Północnego oraz do walki z Burrilem. Uświadomiła sobie, że w obu przypadkach czuła gniew. Zamknęła oczy i pomyślała o magach. Przewrócili jej życie do góry nogami. To przez nich musiała teraz zaprzedawać się Złodziejom w zamian za opiekę. Poczuła wzbierający gniew, otworzyła więc oczy i skierowała niechęć na książkę.

Coś trzasnęło w powietrzu i błysk światła wypełnił pomieszczenie. Faren odskoczył z przekleństwem na ustach, kiedy książka wybuchnęła płomieniem. Chwycił kubek i szybko wylał jego zawartość na kartki, żeby ugasić ogień.

– Przepraszam – powiedziała szybko Sonea. – Poprzednio też nie stało się to, czego chciałam. Ja…

Faren uniósł rękę, uciszając ją tym gestem, po czym uśmiechnął się przebiegle.

– Myślę, że posiadasz coś, co warto chronić, mała Soneo.

ROZDZIAŁ 8

WIEŚCI W CIEMNOŚCIACH

Rozglądając się po zatłoczonej sali wieczornej, Rothen uznał, że wczesne przybycie było błędem. Zamiast przemówić do zgromadzonych, był wypytywany przez małe grupki i musiał w kółko odpowiadać na te same pytania.

– To brzmi, jakbym był nowicjuszem recytującym formuły – mruknął poirytowany do Dannyla.

– Może powinieneś pisać co wieczór raporty z postępów sprawy i wywieszać je na swoich drzwiach?

– Nie sądzę, by to pomogło. Z pewnością uznaliby, że umknie im jakiś szczegół, jeśli mnie osobiście nie odpytają. – Rothen pokręcił głową i rozejrzał się po rozmawiających w grupkach magach. – Na dodatek z jakiegoś powodu wszyscy chcą wypytywać *mnie*. Dlaczego tobie nigdy nie zawracają głowy?

– Najwyraźniej twoje oczywiste starszeństwo jest bardziej wiarygodne – odrzekł Dannyl.

Rothen popatrzył na niego spod przymrużonych powiek.

– Oczywiste?

– Och, poczęstuj się winem, by nawilżyć biedne, sterane struny głosowe. – Dannyl skinął na przechodzącego z tacą sługę.

Rothen wziął kieliszek i delektował się winem. Jakoś tak wyszło, że został nieoficjalnym organizatorem poszukiwań dziewczyny. Wszyscy oprócz Ferguna i jego popleczników szukali jego rady. Nie mógł przez to poświęcać całego czasu aktywnemu poszukiwaniu, a na dodatek przez cały dzień łączyli się z nim mentalnie ci, którzy chcieli, by obejrzał znalezione przez nich dziewczęta.

Rothen skrzywił się, czując na ramieniu czyjąś dłoń. Odwrócił się i zobaczył obok siebie Administratora Lorlena.

– Dobry wieczór, Mistrzu Rothenie, Mistrzu Dannylu – powiedział Lorlen. – Wielki Mistrz pragnie z wami rozmawiać.

Rothen spojrzał przez pokój i zobaczył, że Wielki Mistrz właśnie zajmuje ulubione miejsce. Kiedy więcej osób dostrzegło Akkarina, szmer głosów zamienił się w pełen zainteresowania gwar. *Wygląda na to, że znów będę musiał powtórzyć to samo*, pomyślał Rothen, podchodząc wraz z Dannylem do przywódcy Gildii.

Wielki Mistrz podniósł wzrok i powitał ich ledwie zauważalnym skinieniem głowy. W długich palcach ściskał kieliszek z winem.

– Usiądźcie, proszę – Lorlen wskazał na dwa puste krzesła. – Opowiedzcie, jak postępuje wasze śledztwo.

Rothen zajął wskazane mu miejsce.

– Przesłuchaliśmy ponad dwustu informatorów, ale większość z nich nie posiadała żadnych przydatnych informacji. Niektórzy trzymali w zamknięciu zwykłe żebraczki, mimo że ostrzegaliśmy przed zbliżaniem się do poszukiwanej. Niektórzy byli nawet przekonująco zdziwieni, kiedy wskazane przez nich miejsce okazywało się puste. I tyle, niestety, mam na razie do powiedzenia.

Lorlen skinął głową.

– Mistrz Fergun uważa, że dziewczynę ktoś chroni.

Dannyl zacisnął usta, ale zachował milczenie.

– Złodzieje? – podsunął Rothen.

Lorlen wzdrygnął się.

– Albo jakiś dziki mag. Bardzo szybko nauczyła się ukrywać swoją prezencję.

– Dziki? – Rothen rzucił Akkarinowi spojrzenie, pamiętając pewność, z jaką Wielki Mistrz zapewniał, że w slumsach nie ma dzikich magów. – Czyżbyśmy mieli podstawy do podejrzeń, że jednak jakiś tam jest?

– Wyczułem, że ktoś posługiwał się magią – powiedział cicho Akkarin. – Nic wielkiego i nie trwało to długo. Sądzę, że ona eksperymentuje na własną rękę, ponieważ każdy nauczyciel przede wszystkim pokazałby jej, jak ukrywać takie poczynania.

Rothen utkwił wzrok w Wielkim Mistrzu. Zdolność Akkarina do wyczuwania wszelkiej aktywności magicznej w mieście była zdumiewająca, by nie rzec niepokojąca. Kiedy spojrzenie ciemnych oczu maga spotkało się z jego wzrokiem, Rothen szybko spojrzał w dół na swoje dłonie.

– To bardzo… interesujące spostrzeżenie – powiedział.

– Czy możesz… Czy mógłbyś ją wyśledzić? – spytał Dannyl.

Akkarin zacisnął usta.

– Ona posługuje się magią nagle i przez moment; czasem jest to jeden wybuch, czasem kilka w ciągu godziny. Da się to wyczuć, kiedy się tego spodziewasz i nasłuchujesz, ale nie wystarczy, żeby ją znaleźć i schwytać, dopóki nie posłuży się mocą przez dłuższy czas.

– Ale moglibyśmy się do niej zbliżać za każdym użyciem – powiedział powoli Dannyl. – Rozproszyć się po mieście i czekać. Za każdym razem, kiedy ona spróbuje coś zrobić, przybliżalibyśmy się o krok, aż w końcu znaleźlibyśmy ją.

Wielki Mistrz potaknął.

– Ona jest w północnej części Zewnętrznego Kręgu.

– A zatem tam właśnie rozpoczniemy poszukiwania jutro – Dannyl pstryknął palcami. – Ale musimy być ostrożni, by te ruchy nie zdradziły jej naszej strategii. Jeśli ktoś jej pomaga, to na ulicach mogą stać czujki wypatrujące magów. – Uniósł brew i spojrzał na Wielkiego Mistrza. – Będziemy mieli większe szanse, jeśli się przebierzemy.

Kącik ust Akkarina uniósł się nieznacznie.

– Płaszcze powinny wystarczyć, by ukryć szaty.

Dannyl szybko przytaknął.

– Oczywiście.

– Macie tylko jedną szansę – ostrzegł ich Lorlen. – Jeśli dziewczyna dowie się, że wyczuwacie użycie magii, zacznie zmieniać miejsce pobytu po każdym eksperymencie.

– W takim razie musimy się pospieszyć. I im więcej magów weźmie w tym udział, tym szybciej ją znajdziemy.

– Poproszę więcej osób o pomoc.

– Dziękuję, Administratorze. – Dannyl skłonił się lekko.

Lorlen uśmiechnął się i oparł o krzesło.

– Muszę przyznać, że nie sądziłem, iż ucieszy mnie fakt posługiwania się magią przez naszego małego zbiega.

Rothen zmarszczył brwi. *Tak*, pomyślał, *tylko że za każdym użyciem groźba całkowitej utraty kontroli staje się coraz większa.*

Paczka była nieduża, ale ciężka. Kiedy Cery postawił ją na stole, usłyszał przyjemny brzęk. Faren wziął pakunek i zdjął papierowe opakowanie, spod którego wyjrzało niewielkie drewniane pudełko. Kiedy je otworzył, na jego twarzy i na ścianie za nim zatańczyły maleńkie krążki odbitego światła.

Cery wstrzymał oddech na widok wypolerowanych monet. Faren wyciągnął drewniany blok z czterema wbitymi w niego kołkami. Cery przyglądał się, jak Złodziej nakłada na nie monety. Dziurki w monetach odpowiadały kształtom kołków: złoto na zaokrąglony, srebro na kwadratowy, duże miedziaki na trójkątny. Ostatni, najlepiej znany Cery'emu, czyli ten na miedziaki, pozostawał pusty. Kiedy na stercie ze złotem znalazło się dziesięć monet, Faren przeniósł je na „czop" – osobny patyk z zatyczkami z obu stron – i odłożył na bok.

– Mam dla ciebie następne zadanie, Ceryni.

Cery niechętnie odwrócił wzrok od rosnącego na jego oczach bogactwa, ale wyprostował się i skrzywił nieznacznie, gdy dotarło do niego znaczenie słów Farena. Ile jeszcze „zadań" będzie musiał wykonać, zanim pozwolą mu zobaczyć się z Soneą? Minął już ponad tydzień, odkąd Faren podjął się opieki nad nią. Stłumił jednak zniecierpliwienie i stanął przed Złodziejem.

– Co mam zrobić?

Faren odchylił się na krześle, w jego żółtych oczach tliły się iskierki rozbawienia.

– To będzie zapewne bardziej odpowiednie do twoich talentów. Para zbirów grabi od jakiegoś czasu sklepy po stronie północnej, sklepy należące do ludzi, z którymi mam umowy. Chcę, żebyś odnalazł tę parkę i dał im do zrozumienia, że są obserwowani. Zrobisz to?

Cery przytaknął.

– Jak wyglądają?

– Jeden z moich ludzi przepytał sklepikarzy, on ci powie. Na razie weź to – podał Cery'emu niewielki, złożony kawałek papieru. – I zaczekaj przed drzwiami.

Cery odwrócił się, ale przystanął w pół kroku. Rzucił Farenowi spojrzenie przez ramię, zastanawiając się, czy to odpowiedni moment, żeby spytać o Sonę.

– Niedługo – powiedział Faren. – Jeśli wszystko pójdzie dobrze, to jutro.

Cery kiwnął głową i skierował się ku drzwiom. Mimo że krzepcy strażnicy przyglądali mu się podejrzliwie, Cery odpowiedział na ich spojrzenia uśmiechem. Ojciec uczył go, że nie należy robić sobie nieprzyjaciół wśród służby. Najlepiej wręcz przeciwnie – sprawiać, żeby cię polubili. Ci dwaj byli tak do siebie podobni, że musieli być braćmi: dało się ich rozróżnić tylko po wyraźnej bliźnie na policzku jednego.

– Mam tu zaczekać – oznajmił Cery, po czym wskazał na krzesło. – Wolne?

Ten z blizną wzruszył ramionami. Cery usiadł i rozejrzał się po pomieszczeniu. Jego uwagę przyciągnął zawieszony na ścianie wąski pas jaskrawozielonej tkaniny. Na samej górze wyszyty był złotą nicią inkal.

– Eja! Czy to to, co myślę? – spytał, wstając ponownie. Strażnik z blizną wyszczerzył zęby.

– Ano.

– Popręg Huragana? – szepnął Cery. – Jak go zdobyłeś?

– Mój kuzyn jest stajennym w Domu Arran – odpowiedział mężczyzna. – Zdobył to dla mnie. – Wyciągnął rękę i pogładził tkaninę. – Wygrałem dwadzieścia sztuk złota dzięki temu koniowi.

– Powiadają, że spłodził niezłe potomstwo.

– Żaden mu nie dorówna.

– Widziałeś wyścig?

– Nie. A ty?

Cery uśmiechnął się szeroko.

– Prześlizgnąłem się między sprawdzającymi bilety, co nie było łatwe. Nie wiedziałem, że Huragan będzie startował. Miałem szczęście. – Oczy strażnika zamgliły się, gdy słuchał opowieści o wyścigu.

Przerwało im pukanie do drzwi. Milczący strażnik wpuścił do środka wysokiego, muskularnego, ponurego mężczyznę w długim czarnym płaszczu.

– Ceryni?

Cery zrobił krok do przodu. Mężczyzna obrzucił go badawczym spojrzeniem, uniósł brwi, po czym gestem nakazał, żeby chłopak udał się za nim. Cery skinął głową strażnikom i ruszył korytarzem.

– Mam cię wprowadzić w sprawę – powiedział jego towarzysz.

Cery przytaknął.

– Jak wyglądają te zbiry?

– Jeden jest mojego wzrostu, ale cięższej budowy, drugi mały i chudy. Mają krótkie czarne włosy, wygląda na to, że sami je sobie obcinają. Większy ma coś nie tak z oczami. Jeden sklepikarz twierdzi, że są dziwnego koloru, drugi, że strasznie zezują. Poza tym to zwyczajni bylcy.

– Mają broń?

– Noże.

– Wiadomo, gdzie mieszkają?

– Nie, ale jeden ze sklepikarzy widział ich wieczorem w spylunce. Jeśli tam teraz pójdziemy, powinniśmy ich zastać. Na pewno będą wracać do domu okrężną drogą, więc bądź czujny.

– Jasne. Jak działają?

Mężczyzna spojrzał na niego z nieodgadnionym wyrazem twarzy.

– Prostacko. Biją sklepikarzy, a czasem nawet ich rodziny. Ale nie zabawiają się długo. Wynoszą się, gdy dostaną to, po co przyszli.

– A co rabują?

– Głównie pieniądze. Jeśli się nawiną, to i trunki. Jesteśmy prawie na miejscu.

Wyłonili się z tunelu w mrocznym zaułku. Przewodnik zgasił lampę i wyprowadził Cery'ego na szerszą ulicę, po czym skrył się w cieniu bramy. Pijackie odgłosy z drugiej strony ulicy zdradzały położenie spylunki.

Towarzysz Cery'ego wykonał szybki gest dłońmi, składając je w znak zapytania. Idąc za jego wzrokiem, Cery dostrzegł poruszenie w pobliskim zaułku.

– Są tam. Zaczekajmy.

Cery oparł się o framugę. Jego towarzysz milczał, wpatrując się bacznie w wejście do spylunki. Zaczął padać deszcz, krople uderzały w dachy i tworzyły kałuże na ulicy. Na niebie pojawił się księżyc, zalewając ulicę światłem, a następnie wzniósł się wyżej i została z niego jedynie przeświecająca przez szare chmury upiorna poświata.

Mężczyźni i kobiety opuszczali spylunkę w niewielkich grupkach. Kiedy pojawiła się większa grupa mężczyzn, chwiejących się na nogach i śmiejących pijacko, towarzysz Cery'ego znieruchomiał w napięciu. Cery wlepił wzrok w grupę i dostrzegł dwie postacie przemykające obok rozbawionego towarzystwa. Czujka w załomie ściany wykonał kolejny ruch dłońmi, a kompan Cery'ego potaknął.

– To oni.

Cery skinął głową i wyszedł na deszcz. Posuwając się za tymi dwoma ulicą, starał się trzymać cieni. Jeden z mężczyzn najwyraźniej był pijany w sztok, drugi jednak z wielką pewnością siebie wybierał drogę między kałużami. Cery trzymał się w takiej odległości, by podsłuchać, jak ten bardziej zalany wyrzuca towarzyszowi, że za mało wypił.

– Nidz by zie nie zdało, Tulyn – bełkotał. – Jezdeźmy za brzy na do.

– Stul pysk, Nig.

Przez jakiś czas łazili w kółko po slumsach. Od czasu do czasu Tullin zatrzymywał się i rozglądał, ale nie udało mu się wypatrzyć kryjącego się w mroku Cery'ego. W końcu, znudzony gadaniną kumpla, wybrał prostą drogę między domami i po około stu krokach zatrzymał się przed opuszczonym sklepem.

Kiedy obaj znikli w środku, Cery podszedł bliżej, przyglądając się budynkowi. Na ziemi przed wejściem leżał szyld. Rozpoznał na nim słowo „raka". Położył dłoń na piersi, zastanawiając się nad listem spoczywającym w jego kieszeni.

Faren chciał go doręczyć w sposób, który nastraszyłby rabusiów. Tej parce należało pokazać, że Złodzieje o wszystkim wiedzą: kim oni są, gdzie mają kryjówkę, co robią – i jak łatwo Złodzieje mogliby ich zabić. Cery przygryzł wargę, rozmyślając.

Mógłby wsunąć list pod drzwi, ale to zbyt łatwe. Nie przestraszyłoby ich tak bardzo, jak odkrycie, że ktoś dostał się do kryjówki. Będzie musiał zaczekać, aż znów wyjdą, a potem wślizgnąć się do środka.

Czy rzeczywiście? Jeśli wrócą do domu i znajdą list w swojej kryjówce, na pewno się przestraszą, ale nie aż tak, jak gdyby ktoś zakradł się do środka podczas ich snu.

Cery uśmiechnął się pod nosem i obejrzał dokładnie schronienie rabusiów. Budynek był jednym z szeregu sklepików łączących się ze sobą bocznymi ścianami. Oznaczało to, że wejścia są tylko z przodu i z tyłu. Przeszedłszy na koniec uliczki, Cery znalazł zaułek biegnący na tyłach zabudowań. Było tam pełno pustych skrzyń i śmieci. Policzył drzwi i uznał, że znalazł właściwe podwórko, ponieważ pod ścianą walały się śmierdzące worki ze zgniłymi liśćmi raki. Przykucnął i zajrzał przez dziurkę od klucza w tylnych drzwiach.

W pomieszczeniu paliła się lampa. Nig leżał na łóżku, chrapiąc, Tullin zaś przechadzał się po pokoju, pocierając raz za razem twarz. Kiedy odwrócił się do światła, Cery zauważył zapuchnięte oko i głęboki cień pod nim.

Zbir najwyraźniej nie sypiał dobrze – zapewne bał się, że Złodzieje mogą złożyć im niespodziewaną wizytę. Jakby czytając w myślach Cery'ego, Tullin podszedł nagle do tylnych drzwi. Cery czekał w napięciu, gotów w każdej chwili dać nura, ale Tullin nie chwycił za klamkę. Jego palce natomiast zacisnęły się na czymś w powietrzu i powędrowały w górę, poza zasięg wzroku Cery'ego. *Sznur*, pomyślał chłopak. Bez zaglądania do środka wiedział, że Tullin zastawił pułapkę na nieproszonych gości.

Zadowolony ze swej przezorności, zbir podszedł do drugiego łóżka. Zza pasa wyciągnął nóż i położył go na stojącym tuż obok stoliku, a następnie zdusił knot w lampce. Raz jeszcze obrzucił spojrzeniem całe pomieszczenie i wyciągnął się na łóżku.

Cery zerknął na drzwi. Rakę przywożono do Imardinu w postaci strączków owiniętych w liście. Sklepikarze obrywali te strączki z gałązek i piekli. Liście i szypułki wyrzucano zazwyczaj do zsypu prowadzącego do zewnętrznego worka, te ostatnie zaś zbierali chłopcy, którzy następnie sprzedawali ich zawartość chłopom w pobliskich wioskach.

Posuwając się wzdłuż ściany, Cery odnalazł zewnętrzną klapę zsypu. Od środka przytrzymywał ją zwykły rygiel – nic trudnego. Cery wyciągnął z kieszeni maleńką buteleczkę i cieniutką, pustą w środku trzcinkę. Zassał nieco oleju do rurki i naoliwił ostrożnie rygiel i zawiasy klapy. Odłożył flaszeczkę i trzcinkę na swoje miejsce, wyjął zestaw wytrychów i lewarków i zabrał się do otwierania zamka.

Robota szła powoli, ale dawało to Tullinowi mnóstwo czasu na zapadnięcie w głęboki sen. Kiedy zamek puścił, Cery uchylił ostrożnie klapę i rozejrzał się po niewielkim pomieszczeniu. Schował wytrychy do kieszeni i wyciągnął kawałek polerowanego metalu owinięty w delikatną tkaninę. Wysunął rękę ze zsypu i użył tego lusterka do oceny pułapki Tullina.

Omal się głośno nie roześmiał na widok tego, co zwieszało się nad drzwiami: grabie, których rączka przymocowana była sznurkiem do haka nad framugą. Żelazne ostrza opierały się o belkę sufitu, zapewne przytrzymywane w miejscu gwoździem. Drugi kawałek sznurka biegł od ostrza do klamki.

Coś to za łatwe, pomyślał Cery. Rozejrzał się po pomieszczeniu w poszukiwaniu innych pułapek, ale nic nie znalazł. Wyślizgnął się ze zsypu, wrócił do drzwi i wyjął ponownie zestaw do oliwienia. Szybkie oględziny zamka wykazały, że jest uszkodzony – zapewne od czasu, kiedy rabusie po raz pierwszy włamali się do tego sklepu.

Cery wyciągnął z kieszeni małe pudełeczko, otworzył je i wybrał wąskie ostrze. Z innej kieszeni wyciągnął specjalne rozkładane narzędzie odziedziczone po ojcu. Przypiął ostrze do jednego ramienia tego narzędzia i wsunął je przez dziurkę od klucza. Na oślep znalazł klamkę i przesuwał po niej ostrze, aż wyczuł opór sznurka. Wtedy przycisnął mocno.

Wrócił do zsypu, żeby sprawdzić za pomocą lusterka, że sznurek zwisa teraz nieszkodliwie z sufitu. Zadowolony z siebie zapakował narzędzia, owinął buty szmatami, zaczerpnął głęboko powietrza i uspokoił oddech.

Otworzył drzwi jak najciszej. Wślizgnął się do środka i przyjrzał śpiącym mężczyznom.

Ojciec mawiał, że najlepszym sposobem na to, żeby się do kogoś zakraść, jest *nie* skradać się. Cery zerknął na rabusiów. Obaj spali, ten pijany chrapał. Cery przeszedł przez pokój i obejrzał drzwi frontowe. Z zamka wystawał klucz. Odwrócił się i raz jeszcze obrzucił spojrzeniem obu mężczyzn.

Nóż Tullina pobłyskiwał w ciemności. Cery wyciągnął zza pazuchy list Farena i podszedł do rabusia. Podniósł nóż i ostrożnie przygwoździł nim kartkę do blatu.

To jest to. Uśmiechnął się ponuro, podszedł do drzwi i chwycił klucz. Kiedy go przekręcił, zamek stuknął cicho. Powieki Tullina zadrgały, ale się nie obudził. Cery szarpnął za klamkę, wyszedł na zewnątrz i zatrzasnął za sobą drzwi.

Ze środka dobiegł go krzyk. Chłopak wskoczył w bramę sąsiedniego sklepu i spojrzał za siebie. Chwilę później drzwi sklepiku rabusiów otworzyły się i stanął w nich Tullin, rozglądając się po ciemnej ulicy. Jego twarz była blada w świetle księżyca. We wnętrzu rozległy się protesty, a następnie przerażony wrzask. Tullin skrzywił się i wskoczył z powrotem do środka.

Cery odszedł w noc z uśmiechem na ustach.

Sonea pod nosem przeklinała Farena.

Przed nią na palenisku leżał krótki patyk. Po eksperymentach z różnymi przedmiotami skupiła się na drewnie jako najbezpieczniejszym materiale do prób magicznych. Nie było ono tanie – drzewa ścinano w górach na Północy i spławiano rzeką Tarali – ale mimo to miała go pod dostatkiem.

Spojrzała z powątpiewaniem na kijek, po czym rozejrzała się po pokoju, by przypomnieć sobie, że ta frustracja jest ceną za coś. Otaczały ją stoły z polerowanego drewna i wyściełane krzesła. W sąsiednich pomieszczeniach znajdowały się miękkie łóżka, mnóstwo jedzenia i spory zapas trunków. Faren traktował ją jak honorowego gościa w jednym z wielkich Domów.

Ona jednak czuła się jak więzień. Kryjówka pozbawiona była okien i znajdowała się całkowicie pod ziemią. Dało się tu dojść jedynie Ścieżką, a na zewnątrz przez cały czas czuwali strażnicy. To miejsce znane było jedynie zaufanym ludziom Farena, jego „rodzinie".

Westchnęła i opuściła ramiona. Nie groziło jej nic ze strony magów i przedsiębiorczych bylców, ale musiała walczyć z nudą. Po sześciu dniach wpatrywania się w te same ściany nawet luksusowe meble przestały ją rozpraszać, a mimo że Faren wpadał tu od czasu do czasu, miała niewiele do roboty poza próbami magicznymi.

Może tego właśnie oczekiwał od niej Faren. Spoglądając na patyk, poczuła kolejną falę frustracji. Mimo że przyzywała swoją moc kilka razy w ciągu dnia, odkąd przybyła do tej kryjówki, nigdy nie osiągnęła zamierzonego efektu. Kiedy chciała coś spalić, poruszało się. Kiedy kazała przedmiotom się ruszać, wybuchały. Kiedy chciała je rozwalić, płonęły. Opowiedziała o tym Farenowi, ale on tylko uśmiechnął się i kazał ćwiczyć.

Sonea skrzywiła się i skoncentrowała ponownie na patyku. Wzięła głęboki oddech i wbiła wzrok w kawałek drewna.

Mrużąc oczy, rozkazała mu przetoczyć się przez kamienie, którymi wyłożone było palenisko.

Nic.

Cierpliwości, skarciła samą siebie. Zazwyczaj musiała spróbować kilka razy, zanim jakaś sztuczka się udała. Zebrała całą swoją wolę w wyimaginowane działo i rozkazała patykowi poruszyć się.

Leżał nieruchomo.

Westchnęła i oparła się na piętach. Za każdym razem, kiedy magia działała, czuła złość: albo własną frustrację, albo nienawiść do Gildii. Potrafiła zebrać te emocje, myśląc o czymś, co ją irytowało, ale było to wyczerpujące i nieprzyjemne.

Niemniej jednak magowie robią to bez przerwy, przypomniała sobie. Czyżby przechowywali zapasy złości i nienawiści, żeby z nich czerpać? Co to za ludzie?

Spojrzawszy na kawałek drewna, uświadomiła sobie, że będzie musiała zrobić właśnie coś takiego. Zmagazynować gniew i zebrać nienawiść, zachować je na te chwile, kiedy przyjdzie jej posłużyć się magią. Jeśli tego nie zrobi, niczego nie osiągnie, a Faren odda ją w ręce Gildii.

Skrzyżowała ramiona, czując, jak ogarnia ją fala rozpaczy. *Jestem w pułapce*, pomyślała. *Mam do wyboru albo stać się jedną z nich, albo dać się im zabić.*

Usłyszała cichy trzask: jakby coś pękło albo jakby ktoś wyrzucił w powietrze pas tkaniny i szybko szarpnął nim z powrotem.

Po blacie stoliczka stojącego między dwoma krzesłami pełzały jasne, pomarańczowe płomyki. Sonea podskoczyła, czując, jak wali jej serce.

To moja robota? – pomyślała. – *Nie byłam przecież zła.*

Ogień rozprzestrzeniał się, trzaskając wesoło. Sonea podeszła bliżej, niepewna, co powinna zrobić. Jak zareaguje Faren, kiedy dowie się, że jego kryjówka spłonęła? Sonea prychnęła. Będzie rozdrażniony i trochę zawiedziony, że małe magiczne zwierzątko zginęło.

Ze stoliczka unosił się dym, tworząc chmury pod sufitem. Sonea podczołgała się na czworakach, chwyciła jedną nogę mebla i pociągnęła go. Ogień zatańczył. Kuląc się przed gorącem, Sonea uniosła stolik i rzuciła go na palenisko. Oparł się o kratę i płonął bez przeszkód.

Sonea westchnęła, widząc, jak płomienie trawią mebel. Przynajmniej udało jej się odkryć coś nowego. Stoły nie stają w płomieniach same z siebie. Wygląda na to, że rozpacz też jest w stanie wyzwolić magię.

Gniew, nienawiść, rozpacz, pomyślała. *Ale fajnie być magiem.*

– Czułeś to? – zapytał Rothen głosem drżącym z podniecenia.

Dannyl przytaknął.

– Owszem. Niezupełnie czegoś takiego się spodziewałem. Myślałem, że magię *czuje się* tak, jakby ktoś śpiewał. To brzmiało bardziej jak chrząknięcie.

– Magiczne chrząkanie – roześmiał się Rothen. – Interesujące porównanie.

– Jeśli nie umiesz śpiewać ani mówić, będziesz wydawać niezrozumiałe dźwięki, prawda? Może tak właśnie brzmi niekontrolowana magia? – Dannyl zamrugał, po czym odsunął się od okna i przetarł oczy. – Późno już, a ja jestem zbyt roztargniony. Chyba powinienem się przespać.

Rothen potaknął, ale nie ruszył się od okna. Patrzył na ostatnie światła palące się jeszcze w mieście.

– Nasłuchiwaliśmy przez wiele godzin. Niczego więcej nie zdziałamy – powiedział Dannyl. – Wiemy już, że potrafimy ją wyczuć. Prześpij się, Rothen. Jutro musimy znów być czujni.

– Nie chce mi się wierzyć, że ona jest tak blisko nas, a my nie potrafimy jej znaleźć – odezwał się cicho Rothen. – Ciekaw jestem, czego ona próbuje.

– Rothen – powiedział twardo Dannyl.

Starszy mag westchnął i odwrócił się od okna z ledwo dostrzegalnym uśmiechem.

– Oczywiście. Spróbuję się wyspać.

– To dobrze. – Dannyl skierował się do drzwi, usatysfakcjonowany tym zapewnieniem. – Do jutra.

– Dobranoc, Dannylu.

Dannyl odwrócił się jeszcze w drzwiach i ku swojemu zadowoleniu zobaczył, że przyjaciel kieruje się do sypialni. Wiedział, że zaangażowanie Rothena w odnalezienie dziewczyny wykracza poza jego obowiązki. Idąc korytarzem, uśmiechał się do siebie.

Kilka lat temu, kiedy Dannyl był nowicjuszem, Fergun rozpowszechniał o nim różne pogłoski w odwecie za pewien psikus. Dannyl nie spodziewał się, by ktokolwiek brał na poważnie gadaninę Ferguna, ale kiedy nauczyciele i inni nowicjusze zaczęli traktować go inaczej i kiedy zorientował się, że w żaden sposób nie będzie mógł odzyskać pozycji, stracił cały szacunek dla swoich kompanów. Entuzjazm do nauki wyparował i Dannyl zaczął się coraz bardziej opuszczać.

Wtedy Rothen wziął go na rozmowę i z nieskończonym uporem i optymizmem przekonywał młodzieńca na powrót do magii i nauki. Wyglądało na to, że nie potrafi powstrzymać się od pomagania młodym ludziom w opałach. Dannyl wiedział, że jego przyjaciel jest równie zdeterminowany jak zawsze, niemniej jednak nie był pewny, czy Rothen jest w pełni przygotowany do opieki nad tą dziewczyną. Istnieje spora różnica między marudnym nowicjuszem a dzieckiem ze slumsów, które zapewne nienawidzi magów.

Jednego był pewny: życie stanie się znacznie ciekawsze, kiedy wreszcie ją znajdą.

ROZDZIAŁ 9

NIEPROSZONY GOŚĆ

Zimny wicher skręcał strugi deszczu w bicze i szarpał za ubrania. Cery naciągnął szczelniej płaszcz i otulił się szalikiem. Skrzywił się, gdy wiatr uderzył go w twarz, ale wnet stawił mu dzielnie czoła.

W spylunce, gdzie umówił się z Harrinem, było cudownie ciepło. Ojciec Doni był w dobrym humorze, ale nawet darmowy spyl nie skusiłby Cery'ego do pozostania – nie kiedy Faren pozwolił mu wreszcie odwiedzić Soneę.

Cery aż jęknął, gdy zderzył się z nim wysoki mężczyzna. Zagapił się w jego plecy znikające w oddali. Zapewne kupiec, ocenił, sądząc po tym, jak krople błyszczały na nowym płaszczu i butach. Mruknął coś obraźliwego i ruszył dalej.

Kiedy wrócił z kryjówki rabusiów, Faren wypytał go o nocne zadanie i wysłuchał raportu, nie zdradzając ani rozczarowania, ani zadowolenia, po czym skinął głową.

Wypróbowuje moją przydatność, pomyślał Cery. *Chce znać moje możliwości. Ciekawe, co zleci mi następnym razem.*

Podniósł wzrok i obrzucił spojrzeniem ulicę. Kilku bylców przemykało pospiesznie w deszczu. Nic w tym nadzwyczajnego. Nieco dalej kupiec przystanął przed jakimś budynkiem bez zrozumiałego dla chłopaka powodu.

Idąc ulicą, Cery spojrzał na mijanego kupca. Oczy nieznajomego były zamknięte, czoło zmarszczone jak w głębokim zamyśleniu. Cery wszedł w następny zaułek i spojrzał za siebie – akurat, żeby zobaczyć, jak głowa mężczyzny unosi się, a wzrok skupia z powrotem na ulicy.

Nie, pomyślał Cery, czując nieprzyjemny dreszcz na skórze, *pod ulicą*.

Przyjrzał się dokładniej ubraniu domniemanego kupca. Jego buty wyglądały zarazem znajomo i nietypowo. W mdłym świetle pobłyskiwał jakiś znak…

Cery poczuł, jak serce podchodzi mu do gardła. Obrócił się na pięcie i rzucił pędem przed siebie.

Pomimo deszczu Rothen widział postać wysokiego mężczyzny w długim płaszczu stojącego na rogu ulicy naprzeciwko niego.

~ *Jesteśmy blisko* ~ odezwał się Dannyl w jego umyśle. ~ *Ona jest gdzieś pod tymi budynkami.*

~ *Musimy tylko odnaleźć drogę do środka* ~ odpowiedział Rothen.

Był to długi, bezowocny dzień. Czasami dziewczyna używała magii raz za razem – wtedy robili spore postępy. Kiedy indziej musieli jednak czekać godzinami, aby otrzymać jeden sygnał, a potem długo nic.

Rothen zauważył szybko, że płaszcz, który skrywał jego szaty, wciąż wygląda zdecydowanie za dobrze jak na slumsy. Uznał również, że kilku odzianych w porządne płaszcze mężczyzn kręcących się po okolicy będzie przyciągać uwagę, toteż gdy zbliżyli się do dziewczyny, rozkazał większości z nich oddalić się.

Brzęczenie gdzieś na granicy myśli zwróciło jego uwagę z powrotem ku dziewczynie. Dannyl poruszył się na swojej pozycji i wszedł w zaułek. Rothen porozumiał się z pozostałymi poszukiwaczami i uznał, że dziewczyna musi ukrywać się pod domem po jego lewej.

~ *Myślę, że tu jest wejście do tuneli* ~ odezwał się Dannyl. ~ *Zapewne krata wentylacyjna w ścianie, taka, jakie już widzieliśmy.*

~ *Nie możemy pójść dalej, nie ujawniając się* ~ myśl Rothena powędrowała do wszystkich poszukiwaczy. ~ *Nadszedł czas. Makin i ja będziemy pilnować głównego wejścia. Kiano i Yaldin, idźcie do tylnych drzwi. Dannyl i Jolen jako pierwsi wejdą do tunelu, ponieważ ona zapewne tędy będzie uciekać.*

Kiedy wszyscy zameldowali się na pozycjach, dał rozkaz Dannylowi i Jolenowi. Otwierając kratę, Dannyl zaczął wysyłać obrazy do pozostałych.

Wsunął się przez otwór do środka, przykucnął na podłodze, przywołał kulę świetlną i przyglądał się, jak Mistrz Jolen wchodzi do tunelu. Następnie rozeszli się w przeciwnych kierunkach.

Po około stu krokach Dannyl zatrzymał się i wysłał światło przed siebie. Przez chwilę unosiło się w powietrzu, po czym dotarło do zakrętu.

~ *To chyba prowadzi pod ulicę, zawracam.*

Chwilę później Mistrz Jolen wysłał pozostałym obraz wąskich stopni wiodących w dół. Zaczął po nich schodzić, ale zatrzymał się, kiedy zobaczył przed sobą sylwetkę człowieka. Nowo przybyły spojrzał na kulę świetlną Jolena, po czym zawrócił i uciekł w boczny korytarz.

~ *Zauważyli nas* ~ wysłał Jolen.

~ *Idź dalej* ~ odpowiedział Rothen.

Dannyl przestał wysyłać obrazy, żeby umożliwić Rothenowi śledzenie postępów Jolena. Doszedłszy do podstawy schodów, mag ruszył przed siebie wąskim tunelem. Kiedy dotarł do zakrętu, w zmysły Rothena wdarł się pył, hałas i uczucie niepokoju. Chwilę później zapanował kompletny chaos, ponieważ wszyscy magowie zaczęli wysyłać pytania.

~ *Zawalili przejście* ~ poinformował ich Jolen, pokazując obraz barykady z gruzu. ~ *Dannyl był za mną.*

Rothen poczuł szarpnięcie przerażenia.

~ *Dannyl?*

Przez chwilę panowało milczenie, po czym w jego umyśle rozległ się słaby głos.

~ *Przysypany. Zaczekaj... już się uwolniłem. Najwyraźniej nie chcieli, byśmy dostali się głębiej. Idziemy dalej, żeby ją znaleźć.*

~ *Idźcie* ~ odrzekł Rothen. Jolen odwrócił się od zawalonej ściany i pospiesznie ruszył korytarzem.

Zabrzęczał dzwonek. Sonea oderwała wzrok od paleniska i wstała. Fragment ściany przesunął się i do środka wkroczył Faren. Cały ubrany na czarno, z pobłyskującymi dziwacznymi oczami, wyglądał bardzo owadzio i niebezpiecznie. Uśmiechnął się i podał jej coś zawiniętego w tkaninę i obwiązanego sznurkiem.

– Dla ciebie.

Obróciła przedmiot w rękach.

– Co to jest?

– Otwórz – odpowiedział Faren, sadowiąc się w jednym z foteli.

Sonea usiadła naprzeciwko i rozwiązała sznurek. Materiał opadł, ukazując starą księgę oprawną w skórę. Część kartek wypadła z oprawy. Sonea podniosła wzrok na Farena, krzywiąc się lekko.

– Stara książka?

Przytaknął.

– Spójrz na tytuł.

Sonea spojrzała w dół, ale szybko podniosła z powrotem oczy.

– Nie umiem czytać.

Faren zamrugał ze zdziwienia.

– Oczywiście – potrząsnął głową. – Przepraszam, powinienem był się domyślić. To książka o magii. Posłałem człowieka, żeby przeszukał wszystkie kantory zastawne i nory przemytników. O ile wiem, magowie palą swoje stare księgi, ale zdaniem właściciela sklepu ta została sprzedana przez nieposłusznego sługę. Zajrzyj do środka.

Sonea rozchyliła okładki i znalazła kartkę. Biorąc ją do ręki, natychmiast wyczuła grubość pergaminu. Tak doskonale wykonana karta kosztowała więcej niż obiad dla całej rodziny czy nowy płaszcz. Rozłożyła ją i popatrzyła na czarne litery wijące się w idealnych liniach na całej stronicy, po czym wstrzymała oddech na widok znaku odbitego w rogu. Diament przedzielony na trzy – symbol Gildii.

– Co to jest? – spytała szeptem.

– List – odpowiedział Faren. – Do ciebie.

– Do mnie? – Spojrzała na niego ze zdziwieniem.

Potaknął.

– Skąd wiedzieli, jak mi go dostarczyć?

– Nie wiedzieli, ale dali to komuś, kto ma powiązania ze Złodziejami, a ten przekazał dalej.

Podała mu pergamin.

– Co tu jest napisane?

Wziął od niej kartę.

– Piszą tak: „Do młodej damy o magicznym talencie. Ponieważ nie możemy porozmawiać osobiście, wysyłamy ten list za pośrednictwem Złodziei, licząc, że uda im się z tobą skontaktować. Chcemy cię zapewnić, że nie zamierzamy cię w żaden sposób skrzywdzić. Uwierz również, że nie zamierzaliśmy zrobić krzywdy ani tobie, ani temu chłopcu w dzień Czystki. Jego śmierć była tragicznym wypadkiem. Chcemy cię tylko nauczyć kontrolowania twojej mocy i zaproponować ci wstąpienie do Gildii. Będziesz wśród nas mile widziana". Podpis brzmi: „Mistrz Rothen z Gildii Magów".

Sonea gapiła się na kartę z niedowierzaniem. Gildia chce, żeby ona, dziewczyna ze slumsów, *dołączyła* do nich?

Uznała, że to na pewno pułapka, próba wywabienia jej z kryjówki. Przypomniała sobie maga, który wdarł się do schronienia na strychu, tego, który nazwał ją wrogiem Gildii. Nie wiedział, że ona go słyszała, zapewne więc mówił prawdę.

Faren złożył z powrotem kartę i wsunął ją do kieszeni. Widząc jego chytry uśmiech, Sonea poczuła ukłucie strachu. Skąd miała wiedzieć, że powiedział jej prawdę o tym, co było napisane w liście?

No ale po co miałby zmyślać? Chciał, żeby dla niego pracowała, a nie uciekała do magów. Chyba że to próba...

Złodziej uniósł brew.

– Co o tym myślisz, mała Soneo?

– Nie wierzę im.

– Dlaczego?

– Nigdy nie przyjęliby bylca.

Faren potarł poręcz fotela.

– A gdybyś przekonała się, że naprawdę chcą cię przyjąć? Wielu zwykłych ludzi marzy o tym, żeby zostać magiem. Może Gildia chce poprawić swój wizerunek w oczach ludzi?

Sonea pokręciła głową.

– To pułapka. Ich błędem było to, że zabili niewłaściwego bylca, a nie że w ogóle kogoś zabili.

Faren pokiwał powoli głową.

– Tak właśnie twierdzi większość świadków. W takim razie odrzucimy zaproszenie Gildii i zajmiemy się ważniejszymi sprawami. – Wskazał na leżącą na jej kolanach księgę. – Nie mam pojęcia, czy to się przyda. Znajdę kogoś, kto będzie ci czytał. Lepiej jednak by było, gdybyś nauczyła się liter.

– Ciotka uczyła mnie troszkę – odpowiedziała Sonea, kartkując książkę. – Ale to było dawno. – Podniosła wzrok. – Czy będę mogła zobaczyć się z Jonną i Ranelem? Jonna z pewnością nauczyłaby mnie czytać.

Pokręcił głową.

– Nie wcześniej, niż magowie przestaną… – Zmarszczył brwi i przechylił lekko głowę. Do uszu Sonei doszło cichutkie brzęczenie.

– Co to?

Faren wstał.

– Zaczekaj tutaj – powiedział i zniknął w ciemności za ruchomą ścianą.

Sonea odłożyła książkę i podeszła do paleniska. Chwilę później ściana uchyliła się znowu i Faren wrócił do pokoju.

– Szybko – rzucił. – Chodź za mną i nic nie mów.

Przeszedł koło niej. Sonea rzuciła mu szybkie spojrzenie, ale podniosła się i poszła za nim.

Faren wyciągnął z kieszeni niewielki przedmiot i przesunął nim kilka razy po drewnianej okładzinie. Sonea podeszła bliżej i zobaczyła, jak sęk w desce porusza się i wysuwa na pół palca w głąb pokoju. Faren chwycił i pociągnął.

Fragment ściany obrócił się. Faren ujął Sonę za rękę i wciągnął w ciemność. Następnie nacisnął sęk i zamknął przejście.

Stali w ciemności. Kiedy oczy dziewczyny przyzwyczaiły się do braku światła, dostrzegła, że w poprzek drzwi na wysokości ramienia biegnie rządek pięciu maleńkich dziurek.

– Istnieją szybsze sposoby wydostania się z tamtej kryjówki – powiedział – ale ponieważ mieliśmy czas, uznałem, że najlepiej wybrać drzwi, których prawie nie da się otworzyć. Spójrz.

Odsunął się od dziurek. Sonea zmrużyła oczy, kiedy nagle w ciemności rozbłysło światło lampy. Faren trzymał w ręce małą latarenkę, którą zamknął tak, że tylko wąska smuga oświetlała korytarz. Uniósł ją i wskazał metalowe rygle i skomplikowane urządzenia z tyłu drzwi.

– Co się dzieje? – spytała.

Żółte oczy Farena rozbłysły w półmroku, kiedy wsuwał rygle na miejsce.

– Kilku magów nadal cię szuka. Moi szpiedzy wiedzą już, jak oni wyglądają, znają ich imiona, śledzą ich ruchy – Faren zaśmiał się sucho. – Podsyłamy im fałszywych informatorów, żeby mieli zajęcie.

Ale dzisiaj zachowywali się dziwnie. Zjawiło się ich tu więcej i wyglądali tak, jakby na coś czekali. Nie wiem dlaczego, ale wciąż zmieniali pozycje. I za każdym razem przybliżali się do tego miejsca. A przed chwilą Ceryni powiedział mi, że chyba w ten sposób usiłują cię namierzyć. Twierdzi, że pewnie potrafią wyczuć magię. Nie wierzyłem, dopóki…

Faren urwał, po czym zgasił nagle latarnię, pogrążając korytarz na powrót w ciemności. Sonea usłyszała, że podchodzi do ściany. Przesunęła się do przodu i przytknęła oko do jednej z maleńkich dziurek.

Wejście do pokoju było otwarte, tworząc prostokąt ciemności. Z początku Sonea myślała, że kryjówka jest pusta, ale teraz dostrzegła postać wyłaniającą się nagle z jednego z bocznych pomieszczeń. Zielone szaty zakołysały, się gdy mężczyzna przystanął.

– Moi ludzie zatrzymali ich na chwilę, zawalając korytarz – szepnął Faren – ale jeden się przedarł. Nie bój się. Nikt nie przedostanie się przez te drzwi. To... – Cicho zaczerpnął powietrza. – Interesujące.

Sonea przyłożyła znów oko do dziurki i poczuła, że serce w niej zamiera. Mag najwyraźniej patrzył dokładnie w jej kierunku.

– Czyżby nas słyszał? – mruknął Faren. – Sprawdzałem ściany wiele razy.

– Może widzi drzwi – podpowiedziała Sonea.

– Nie, musiałby wiedzieć, gdzie szukać. A nawet gdyby zdołał wypatrzyć przejścia, to z tego pokoju jest ich pięć. Czemu miałby wybrać właśnie to?

Mag podszedł w ich stronę i zatrzymał się. Wbił wzrok w drewno, po czym zamknął oczy. Sonea poczuła falę czegoś aż za dobrze znanego. Kiedy mag otworzył ponownie oczy, napięcie z jego twarzy znikło, a wzrok miał utkwiony w Farena.

– Skąd on wie? – syknął Faren. – Robisz teraz coś magicznego?

– Nie – odpowiedziała Sonea, zdziwiona pewnością we własnym głosie. – Poza tym ja potrafię się przed nim ukryć. To ty. On wyczuwa ciebie.

– *Mnie?* – Faren odwrócił twarz od ściany i przeszył Soneę wzrokiem.

Wzruszyła ramionami.

– Nie pytaj mnie.

– Potrafisz mnie ukryć? – W głosie Farena znać było napięcie. – Możesz ukryć nas oboje?

Odsunęła się od otworu. Czy potrafi? Nie jest chyba w stanie ukryć czegoś, co mag wyczuwa, nie zdradzając się. Spojrzała na Farena, po czym *spojrzała* na Farena. Było to tak, jakby wyciągnęła zmysły – nie, ten inny zmysł, który nie był ani wzrokiem, ani słuchem – i poczuła tam *osobę*.

Faren zaklął.

– Cokolwiek robisz, przestań! – jęknął.

Coś zaszurało w ścianie. Faren cofnął się.

– On usiłuje to otworzyć – powiedział. – Obawiałem się, że spróbuje użyć siły. To powinno dać nam trochę czasu. – Uchylił osłonkę lampy i skinął na Soneę.

Zdążyli zrobić zaledwie kilka kroków, kiedy zatrzymał ich dźwięk rygla przesuwającego się po drewnie. Faren odwrócił się z przekleństwem na ustach. Uniósł lampę, by oświetlić ścianę.

Rygle odskakiwały jeden po drugim, najwyraźniej z własnej woli. Sonea widziała, jak zębate kółka mechanizmu drzwi zaczynają się obracać, a następnie, kiedy lampa uderzyła o ziemię, korytarz pogrążył się w całkowitej ciemności.

– Pędem! – syknął Faren. – Za mną!

Sonea sięgnęła ręką ku ścianie tunelu i pobiegła za stukotem butów Farena. Nie przebiegła nawet dwudziestu kroków, kiedy obok niej przemknął promień światła, rzucając na ziemię jej cień. Za sobą usłyszała ciężkie kroki.

Korytarz wypełnił się jasnym blaskiem, cień Sonei skurczył się nagle. Poczuła na twarzy żar i skuliła się, gdy ogarnęła ją kula światła, która następnie minęła Farena i zatrzymała się za nim, tworząc jaśniejącą barierę.

Faren wyhamował, obrócił się i stanął twarzą w twarz z prześladowcą. W białym świetle jego twarz sprawiała wrażenie jeszcze bledszej. Sonea przysunęła się bliżej do niego i spojrzała przed siebie. Z głębi tunelu wyłoniła się postać w szatach. Sonea cofała się z bijącym sercem, dopóki nie wyczuła za sobą drgania i żaru bariery.

Faren warknął gardłowo, po czym z zaciśniętymi pięściami ruszył korytarzem ku magowi. Sonea wpatrywała się w niego w osłupieniu.

– Ty! – Faren wskazał podbródkiem maga. – Co ty sobie wyobrażasz? To *mój* teren. Jesteś *intruzem*!

Echo poniosło jego głos po korytarzach. Mag zwolnił kroku i spojrzał na Złodzieja spod przymrużonych powiek.

– Prawo mówi, że wolno nam iść tam, gdzie trzeba – oznajmił.

– Prawo mówi również, że nie wolno wam krzywdzić ludzi ani niszczyć ich dobytku – odparował Faren. – Przez ostatnie kilka tygodni złamaliście ten zakaz wielokrotnie.

Mag zatrzymał się i uniósł ręce w pojednawczym geście.

– Nie zamierzaliśmy zabić tego chłopca. To była pomyłka. – Mag spojrzał na Soneę, która poczuła na plecach dreszcz. – Musimy ci wiele rzeczy wyjaśnić. Musisz nauczyć się kontrolować swoją moc…

– Czy ty nie rozumiesz? – syknął Faren. – Ona nie ma ochoty zostawać magiem. Nie chce mieć z wami nic wspólnego. *Zostaw ją w spokoju.*

– Nie mogę tego zrobić – mag potrząsnął głową. – Dziewczyna musi pójść ze mną…

– Nie! – krzyknął Faren.

W oczach maga pojawił się chłód, a Sonea znów poczuła przebiegający ją dreszcz.

– Nie, Faren! – krzyknęła. – On cię zabije.

Nie zważając na nią, Faren rozstawił szeroko nogi i położył dłonie na ścianach po obu stronach tunelu.

– Jeśli chcesz dziewczynę – warknął – będziesz musiał najpierw zmierzyć się ze mną.

Mag zawahał się, po czym postąpił krok do przodu, wysuwając otwarte dłonie w stronę Farena. W korytarzu rozległ się brzęk.

Mag wyrzucił przed siebie ręce i zniknął.

Sonea wpatrywała się ze zdumieniem w miejsce, gdzie przed chwilą stał jej prześladowca. Teraz widniał tam prostokąt ciemności.

Faren opuścił ręce i wybuchnął śmiechem. Z bijącym wciąż mocno sercem Sonea przesunęła się ku niemu. Spojrzała w dół i uświadomiła sobie, że ciemny prostokąt to wielka dziura w podłodze.

– Co… co się stało?

Faren śmiał się teraz nieco ciszej. Sięgnął i przekręcił cegłę w ścianie, po czym włożył rękę w ciemny otwór, chwycił za coś i jęknąwszy z wysiłku, pociągnął. Klapa powoli poruszyła się i zatrzasnęła, zakrywając z powrotem dziurę. Faren przysypał ją kurzem zalegającym podłogę korytarza.

– Zbyt łatwo poszło – powiedział, wycierając dłonie w chustkę. Uśmiechnął się do Sonei i ukłonił z wdziękiem. – Jak ci się podobało moje przedstawienie?

Sonea poczuła, że usta same układają się jej w uśmiech.

– Rozumiem, że to mi się nie przyśniło?

– Ha! – Faren uniósł brwi. – Sądząc po twojej reakcji, byłem przekonujący. „Nie, Faren! On cię zabije!" – zawołał piskliwym głosem. Położył sobie rękę na sercu i uśmiechnął się. – Jestem wzruszony twoją troską o moje życie.

– Ciesz się nim – odpowiedziała. – Nie wiem, ile ono potrwa. – Łupnęła w klapę. – Dokąd to prowadzi?

Wzruszył ramionami.

– Och, daleko w dół, do lochu naszpikowanego żelaznymi szpikulcami.

Sonea zrobiła wielkie oczy.

– To znaczy… on nie żyje?

– Zdecydowanie – oczy Farena błysnęły.

Sonea spojrzała na klapę. Chyba nie… ale skoro Faren twierdzi… chociaż przecież mag umie sobie chyba poradzić…

Poczuła nagle przejmujący chłód i zrobiło jej się słabo. Nigdy nie przyszło jej do głowy, że maga można zabić. Zranić, może, ale nie *zabić*. Co zrobi Gildia, kiedy dowie się, że jeden z magów nie żyje?

– Sonea – poczuła na ramieniu dłoń Farena. – On nie zginął. Na dole jest zbiornik ściekowy. To w zamyśle miała być droga ucieczki. Jak się stamtąd wydostanie, będzie cuchnął bardziej, niż gdyby wykąpał się w Tarali, ale przeżyje.

Skinęła głową, czując ulgę.

– Pomyśl jednak, co on chciał z *tobą* zrobić. Może nadejść taki dzień, że będziesz musiała zabijać, żeby zachować wolność. – Faren uniósł jedną brew. – Przyszło ci to do głowy?

Nie czekając na odpowiedź, odwrócił się i przyjrzał barierze ze światła i żaru, która wciąż blokowała przejście. Potrząsnął głową i ruszył korytarzem z powrotem ku kryjówce. Sonea ruszyła za nim, nie bez lęku przekraczając klapę.

– Nie możemy się tu zatrzymać – myślał Faren na głos – ponieważ pozostali magowie mogli znaleźć inne wejście. Będziemy musieli… – Zbliżył się do ściany i obejrzał ją dokładnie. – O, jest. – Dotknął czegoś wśród cegieł.

Sonea krzyknęła cicho, kiedy ziemia ustąpiła nagle pod jej stopami. Coś uderzyło ją w plecy i poczuła, jak zsuwa się po stromej, gładkiej powierzchni. Powietrze zrobiło się nagle znacznie cieplejsze i wypełnił je zdecydowanie nieprzyjemny odór.

Nagle poczuła, że leci, i runęła w mokrą ciemność. Woda wpadła jej do uszu i nosa, ale zdołała powstrzymać się przed otwarciem ust. Kopiąc na oślep, wymacała twardy grunt i odepchnęła się, by wytknąć głowę nad wodę. Otwarła oczy i zobaczyła, jak Faren wyskakuje z tunelu i z pluskiem wpada do wody. Przez chwilę miotał się, po czym wypłynął na powierzchnię, mamrocząc przekleństwa.

– Fuj! – wrzasnął. Otarł oczy i zaklął znowu. – Nie ta zapadnia!

Sonea założyła ręce.

– Gdzie zatem *wylądował* mag?

Faren spojrzał na nią, a w jego oczach zapaliły się złośliwe ogniki.

– W zsypie browaru kilka domów stąd – wydyszał. – Kiedy stamtąd wyjdzie, będzie przez tydzień śmierdział sfermentowaną tugorową papką.

Sonea parsknęła i ruszyła w kierunku brzegu.

– Uważasz, że to gorsze od tego?

Wzruszył ramionami.

– Dla maga? Niewykluczone. Z tego, co słyszałem, nienawidzą spylu. – Wyszedł za nią z wody, po czym przyjrzał się jej z namysłem. – Chyba jestem ci winien kąpiel i nowe ubranie, co?

179

– Za to, że omal nie zawaliłeś opieki nade mną? – Sonea wzruszyła ramionami. – Powinno wystarczyć, ale będziesz musiał pomyśleć o czymś specjalnym za wrzucenie mnie do rynsztoka.

Uśmiechnął się szeroko.

– Zobaczymy, co się da zrobić.

ROZDZIAŁ 10

DECYZJA

Mimo że powietrze było mroźne od zimowego wiatru, a niebo zaciągnięte ciemnymi chmurami, Rothen poczuł, że humor mu się poprawia, gdy tylko wyszedł na dwór. Dziś był Dzień Wolny. Dla większości magów w Gildii piąty, ostatni dzień tygodnia, był wolny od zajęć. Dla nowicjuszy był to po części czas przeznaczony na naukę, a dla wykładowców – na przygotowywanie się do wykładów.

Rothen zazwyczaj spędzał w takie dni godzinę w ogrodzie, po czym wracał do siebie, żeby zająć się lekcjami. W tym tygodniu nie miał jednak nic do przygotowania. Ponieważ został oficjalnie mianowany organizatorem poszukiwań, jego nauczycielskie obowiązki przekazano komu innemu.

Większość czasu poświęcał na koordynowanie prac wolontariuszy. Było to wyczerpujące zajęcie – *zarówno* dla niego, *jak i* dla współpracujących z nim magów. Ostatnie trzy tygodnie, wliczając w to Dni Wolne, spędzili na poszukiwaniach. Rothen zdawał sobie sprawę, że wielu wycofa się, jeśli dalej będzie od nich żądał zaangażowania również w czasie odpoczynku, postanowił więc przerwać poszukiwanie na ten dzień.

Kiedy wyszedł za róg, ujrzał przed sobą Arenę Gildii. Osiem wieżyczek wznoszących się nad okrągłym podestem tworzyło ramę potężnej tarczy, osłaniającej wszystko na zewnątrz przed magią używaną podczas treningów sztuki wojennej. W tej chwili na arenie przebywało czworo nowicjuszy, ale nic szczególnie magicznego się tam nie działo.

Studenci stali w parach, trzymając w rękach broń i ćwiczyli doskonale wyważone, równomierne ruchy szermiercze. Kilka kroków przed nimi stał Fergun, również z mieczem w dłoni, i obserwował uważnie uczniów.

Na ten widok Rothen musiał powstrzymać się od uczucia niezadowolenia. Nowicjusze powinni teraz czytać, zamiast tracić czas na ćwiczenie tej jakże zbędnej sztuki walki.

Walka na miecze nie należała do programu studiów na Uniwersytecie. Ci z nowicjuszy, którzy pragnęli uczyć się szermierki, musieli na to poświęcać czas wolny. Było to traktowane jak rozrywka, a Rothen zdawał sobie sprawę, że zainteresowania niezwiązane z magią i wymagające ćwiczeń na wolnym powietrzu, są dla młodzieży zdrowe.

Niemniej jednak nie potrafił opędzić się od myśli, że szaty i miecze nie pasują do siebie. Istniało wystarczająco metod, którymi mag mógł zaszkodzić innemu człowiekowi. Po co jeszcze dodawać do tej listy sposoby niemagiczne?

Na schodach otaczających arenę stali dwaj magowie, przypatrując się uważnie ćwiczeniom. Rothen rozpoznał przyjaciela Ferguna, Mistrza Kerrina, a także Mistrza Elbena, nauczyciela alchemii. Obaj pochodzili z potężnego Domu Maron, podobnie zresztą jak Fergun. Uśmiechnął się do siebie. W chwili przyjęcia do Gildii nowicjusze i magowie w zamierzeniu mieli porzucać sojusze i nieprzyjaźnie wyniesione z Domów, ale niewielu się to udawało.

W pewnej chwili Fergun przywołał do siebie jednego z uczniów. Obaj zasalutowali, po czym przyjęli postawy wyjściowe. Rothen wstrzymał oddech, widząc, jak nowicjusz naciera, wymachując mieczem w pewnym siebie ataku. Fergun cofnął się nieco, a jego broń zawirowała. Moment później nowicjusz zamarł na widok ostrza Ferguna przytkniętego do swojej piersi.

– Walczysz z pokusą zapisania się na lekcje Mistrza Ferguna? – spytał znajomy głos za plecami Rothena.

Rothen odwrócił się.

– W moim wieku, Administratorze? – Pokręcił głową. – Nawet gdybym był o trzydzieści lat młodszy, nie widziałbym w tym sensu.

– Słyszałem, że to dobre ćwiczenie na refleks, no i przydatne w ćwiczeniach dyscypliny i koncentracji – odpowiedział Lorlen. – Mistrz Fergun zdobył obecnie pewne poparcie dla swoich pomysłów i poprosił o rozważenie włączenia fechtunku do programu studiów.

– O tym chyba zdecyduje Mistrz Balkan, prawda?

– Po części. Arcymistrz Wojowników musi przedstawić tę propozycję starszym pod głosowanie. Kiedy i czy w ogóle to uczyni, to już jego sprawa. – Lorlen rozłożył ręce. – Słyszałem, że postanowiłeś dać wolny dzień poszukiwaczom.

Rothen potaknął.

– Pracowali przez wiele godzin, często do późnej nocy.

– To były ciężkie tygodnie dla was wszystkich – zgodził się Lorlen. – Jak tam postępy?

– Niewielkie – przyznał Rothen. – Zwłaszcza w ostatnim tygodniu. Za każdym razem, gdy tylko zdołamy ją wyczuć, dziewczyna przenosi się gdzie indziej.

– Zgodnie z przewidywaniami Dannyla.

– Tak, ale zaczęliśmy poszukiwać regularności w tych przemieszczeniach. Jeśli będzie wracała do niektórych kryjówek, być może uda nam się je zlokalizować, jak za pierwszym razem, choć zajmie to więcej czasu.

– A co z tym człowiekiem, który pomógł jej uciec? Myślisz, że to jeden ze Złodziei?

Rothen wzruszył ramionami.

– Prawdopodobnie. Oskarżył Mistrza Jolena o wtargnięcie na jego terytorium, co by na to wskazywało, ale nie chce mi się wierzyć, żeby Lonmarczyk był Złodziejem. To może być po prostu jej opiekun, a oskarżenie miało zwabić Jolena nad klapę.

– Istnieje zatem prawdopodobieństwo, że ona nie jest związana ze Złodziejami?

– Prawdopodobieństwo owszem, ale niewielkie. Wątpię, żeby było ją stać na opłacenie ich opieki. Pochodzenie mężczyzny, którego spotkał w tunelu Jolen, a także luksusowe pokoje, w których mieszkała, wskazują na to, że opiekuje się nią ktoś wpływowy i zamożny.

– Ktokolwiek to jest, nie jest to dla nas dobra wiadomość. – Lorlen westchnął i spojrzał na walczących na arenie nowicjuszy. – Król nie jest zadowolony z rozwoju sytuacji i nie będzie, dopóki dziewczyna nie znajdzie się pod naszą kuratelą.

– Ja też nie będę.

Lorlen przytaknął, zacisnął usta i spojrzał ponownie na Rothena.

– Chciałbym z tobą porozmawiać o czymś jeszcze.

– Tak?

Lorlen zawahał się, jakby szukał odpowiednich słów.

– Mistrz Fergun domaga się prawa do opieki nad nią.

– Wiem o tym.

Lorlen uniósł brwi.

– Masz niespodziewanie dobre informacje, Mistrzu Rothenie.

Rothen odpowiedział uśmiechem.

– Owszem, niespodziewanie. Dowiedziałem się o tym przypadkiem.

– Czy ty również nadal chcesz zażądać tej opieki?

– Jeszcze się nie zdecydowałem. A powinienem?

Lorlen pokiwał głową.

– Uważam, że nie ma sensu się tym zajmować, dopóki jej nie znajdziemy. Rozumiesz jednak, że gdy do tego dojdzie, a wy dwaj będziecie się o to ubiegać, będę musiał zorganizować Przesłuchanie.

– Rozumiem. – Rothen wahał się przez chwilę, zanim zadał następne pytanie. – Mogę cię o coś zapytać?

– Oczywiście – odrzekł Lorlen.

– Czy Fergun ma mocny argument uzasadniający jego prośbę?

– Być może. Twierdzi, że ponieważ jako pierwszy odczuł konsekwencje użycia przez dziewczynę magii, jako pierwszy również odkrył jej talent. Ty zeznałeś, że dostrzegłeś ją już *po tym*, jak użyła mocy, i że odgadłeś to z wyrazu jej twarzy, a zatem nie widziałeś ani nie czułeś, jak używa magii. Prawo nie jest w tym wypadku jednoznaczne, a kiedy przychodzi do naginania przepisów do sytuacji, najprostsza interpretacja zazwyczaj wygrywa.

Rothen zachmurzył się.

– Rozumiem.

Wskazując Rothenowi gestem, żeby poszedł za nim, Lorlen ruszył w kierunku areny powolnymi, odmierzanymi krokami.

– Fergun jest uparty – powiedział cicho – i ma spore poparcie, ale pewnie równie wielu opowie się za tobą.

Rothen przytaknął z westchnieniem.

– To niełatwa decyzja. Wolałbyś, żebym nie robił zamieszania w Gildii, sprzeciwiając się jego żądaniom? Miałbyś wtedy mniej kłopotów.

– Co *ja* bym wolał? – żachnął się Lorlen, spoglądając Rothenowi prosto w oczy. – W obu przypadkach będę miał mnóstwo kłopotów. – Uśmiechnął się krzywo, po czym przechylił lekko głowę. – Do widzenia, Mistrzu Rothenie.

– Do widzenia – odrzekł Rothen. Dotarli do podnóża otaczających arenę schodów. Nowicjusze znów ćwiczyli w parach. Rothen zatrzymał się i beznamiętnie patrzył, jak jego towarzysz odchodzi w stronę magów przyglądających się lekcji. Coś w spojrzeniu, jakim obdarzył go Lorlen, podpowiadało mu, że Administrator chciał mu coś zasugerować.

Dwaj magowie drgnęli zaskoczeni, kiedy Lorlen pojawił się koło nich.

– Dzień dobry, Mistrzu Kerrinie. Dzień dobry, Mistrzu Elbenie.

– Administratorze. – Obaj pochylili głowy, po czym szybko odwrócili spojrzenia z powrotem ku arenie, kiedy jeden z nowicjuszy wydał okrzyk zaskoczenia.

– Cóż za nauczyciel! – zawołał Elben entuzjastycznie, wskazując na arenę. – Właśnie rozmawialiśmy o tym, że Mistrz Fergun byłby doskonałym opiekunem tej żebraczki. Po kilku miesiącach ścisłego kierownictwa będzie równie elegancka i zdyscyplinowana jak najlepsi z nas.

– Mistrz Fergun to odpowiedzialny człowiek – odpowiedział Lorlen. – Nie widzę powodów, dla których nie miałby się opiekować nowicjuszem.

A mimo to dotychczas nie wykazywał najmniejszego zainteresowania tym zajęciem, pomyślał Rothen. Odwrócił się i wrócił do przerwanej przechadzki po ogrodzie.

Opieka nad nowicjuszami nie była rzeczą zwyczajną. Zaledwie kilku w całym roczniku dostawało własnego przewodnika – wyłącznie ci, którzy wykazywali wyjątkowe talenty i moce. Niemniej jednak niezależnie od potęgi i zdolności, ta dziewczyna będzie potrzebowała pomocy i wsparcia, żeby po prostu nauczyć się żyć w Gildii. Gdyby jemu powierzono opiekę, z pewnością zapewniłby jej taką pomoc.

Wątpił natomiast, żeby motywy Ferguna były podobne. Jeśli słowa Elbena mogły być jakąś wskazówką, Fergun zamierzał raczej ujarzmić dziką, nawykłą do włóczęgi dziewczynę i uczynić z niej posłuszną i cichą nowicjuszkę. Jeśli by mu się to udało, otrzymałby w nagrodę mnóstwo pochwał i uwielbienia.

Jak Fergun zamierzał to osiągnąć – zważywszy, że jej moc była prawdopodobnie wielka, jego zaś nikła – trudno było powiedzieć. Jeśli ona zechce mu się sprzeciwić, Fergun nie zdoła jej powstrzymać.

Między innymi z tego właśnie powodu odradzano magom opiekę nad nowicjuszami posiadającymi większy talent niż oni sami. Słabi magowie rzadko w związku z tym zostawali opiekunami, ponieważ przyjmując nowicjuszy słabszych od siebie, przyznaliby się do własnej słabości – i wykazaliby niewielką moc uczniów.

Przypadek tej dziewczyny był jednak odmienny. Nikt nie przejmowałby się tym, że ograniczenia Ferguna mogą mieć wpływ na jej naukę. Wielu uważało bowiem, że dziewczyna powinna być wdzięczna za samo przyjęcie do Gildii.

Jeśli zaś plan Ferguna nie wypali, nikt nie będzie miał do niego pretensji. Jej pochodzenie zawsze ujdzie za wymówkę… a jeśli on zaniedba jej naukę, nikt nie będzie się czepiał…

Rothen potrząsnął głową. Zaczynał myśleć jak Dannyl. Fergun chce pomóc dziewczynie, co jest szlachetnym zamiarem. W przeciwieństwie do Rothena, który wychował już dwóch nowicjuszy, Fergun wciąż potrzebował się zasłużyć – i nie było w tym nic nagannego. Lorlen najwyraźniej tak właśnie uważał.

Czy aby na pewno? Co *naprawdę* powiedział Administrator? „W obu przypadkach będę miał mnóstwo kłopotów".

Rothen zachichotał, kiedy dotarł do niego sens tych słów. Wygląda na to, że Lorlen uważał oddanie dziewczyny pod opiekę Ferguna za równy kłopot, co kłótnie o opiekę – a taka sprzeczka z pewnością oznacza spore zamieszanie.

A to oznacza, że Lorlen dał Rothenowi do zrozumienia, że popiera jego stanowisko. Co nie zdarzało się często.

Strażnicy Sonei jak zwykle milczeli podczas wędrówek tunelami. Jeśli nie liczyć czasu spędzonego w pierwszej kryjówce, od dnia Czystki dziewczyna nieustannie przemieszczała się z miejsca na miejsce. Przyjemną odmianą było to, że teraz przynajmniej nie lękała się wykrycia na każdym kroku.

Idący z przodu mężczyzna zatrzymał się przed drzwiami i zapukał. W wejściu pojawiła się znana, smagła twarz Farena.

– Zostań i pilnuj drzwi – rozkazał Faren. – Wejdź, Sonea.

Weszła do pokoju i serce jej podskoczyło na widok drobnej postaci stojącej w głębi.

– Cery!

Uśmiechnął się szeroko i uścisnął ją mocno.

– Jak się masz?

– Dobrze – odpowiedziała. – A ty?

– Cieszę się, że cię widzę. – Zajrzał jej głęboko w oczy. – Wyglądasz lepiej.

– Nie natknęłam się na maga od, hmmm… co najmniej *kilku* dni – odpowiedziała, rzucając Farenowi powłóczyste spojrzenie.

Złodziej odchrząknął.

– Wygląda na to, że ich przechytrzyliśmy.

Pokój był niewielki, ale przytulny. W jedną ze ścian wbudowany był kominek, na którym buzował ogień. Faren wskazał im krzesła.

– Jak postępy, Sonea?

Skrzywiła się.

– Marnie. Próbuję i próbuję, ale nic nie wychodzi tak, jak bym chciała. – Zmarszczyła brwi. – Ale przynajmniej teraz właściwie za każdym razem *coś* się dzieje. Wcześniej musiałam próbować kilka razy, zanim cokolwiek się stało.

Faren odchylił się na krześle i zaśmiał.

– No, to już *jakiś* postęp. Książki pomagają?

Pokręciła głową.

– Nie rozumiem ich.

– Skryba źle czyta?

– Nie, nie o to chodzi. Czyta doskonale. Chodzi o to, że tam jest za dużo dziwacznych słów, a niektóre zdania nie mają sensu.

Faren skinął głową.

– Gdybyś miała więcej czasu na naukę, być może zrozumiałabyś, o co chodzi. Ciągle szukam ksiąg. – Zacisnął usta i przyjrzał się obojgu z namysłem. – Sprawdzam też pewne pogłoski. Ponoć pewien Złodziej od lat przyjaźni się z człowiekiem, który zna się nieco na magii. Zawsze uważałem, że to takie zmyślenie, które ma resztę z nas utrzymać w ryzach, ale i tak badam tę sprawę na wszelki wypadek.

– Przyjaźni się z magiem? – spytał Cery.

Faren wzdrygnął się.

– Nie wiem. Wątpię. Zapewne to po prostu sztukmistrz, którego pokazy wyglądają jak magia. Jeśli jednak posiada jakąkolwiek wiedzę na temat prawdziwej magii, może okazać się przydatny. Powiem wam, jak będę wiedział coś więcej. – Uśmiechnął się. – To wszystkie moje wieści, ale chyba Cery ma coś jeszcze.

Cery przytaknął.

– Harrin i Donia znaleźli twoją rodzinę.

– Naprawdę?! – Sonea z wrażenia usiadła na krawędzi krzesła. – Gdzie oni są? Wszystko u nich w porządku? Mają dach nad głową? Czy Harrin…

Cery zamachał rękami.

– Eja! Nie tak szybko!

Sonea zaśmiała się i nachyliła ku niemu.

– Przepraszam. Opowiedz mi wszystko, co wiesz.

– Cóż – zaczął Cery – wygląda na to, że nie dostali pokoju tam, gdzie mieszkali wcześniej, ale znaleźli lepszy parę ulic dalej. Ranel szukał cię każdego dnia. Słyszeli, że magowie też szukają dziewczynki, ale nie sądzili, że to ty.

Zachichotał.

– Jonna nagadała Harrinowi, kiedy dowiedziała się, że dołączyłaś do nas po Czystce, ale potem on jej opowiedział, co się stało. Z początku nie chcieli wierzyć. Opowiedział, jak usiłowaliśmy cię ukryć i o nagrodzie, i że masz teraz opiekę Złodziei. Harrin mówi, że nawet nie byli tak wściekli, jak się spodziewał – w każdym razie, jak już wszystko im wytłumaczył.

– Prosili, żeby mi coś przekazał?

– Powiedzieli, żebyś uważała na siebie, była ostrożna i nie ufała byle komu.

– To ostatnie to na pewno od Jonny – w głosie Sonei pobrzmiewała tęsknota. – Jak dobrze, że znaleźli mieszkanie i że wiedzą, że od nich nie uciekłam.

– Harrin chyba obawiał się, że Jonna zleje mu tyłek za to, że przyłączyłaś się do nas podczas Czystki. Ale mówi, że oni będą zaglądać do zajazdu po wiadomości. Chcesz im coś przekazać?

– Że jestem zdrowa i cała. – Spojrzała na Farena. – Czy mogłabym się z nimi spotkać?

Faren zasępił się.

– Tak, ale dopiero kiedy uznam, że to bezpieczne. Możliwe, choć osobiście w to wątpię, że magowie wiedzą, kim jesteś, i że mogą cię szukać przez nich.

Sonea wstrzymała oddech.

– A jeśli oni wiedzą o mojej rodzinie i zagrożą, że zrobią im krzywdę, jeśli się nie ujawnię?

Złodziej uśmiechnął się.

– Nie sądzę, żeby to zrobili. A już na pewno nie otwarcie. Jeśli zrobią to po cichu…? – Skinął na Cery'ego. – Poradzimy sobie. Nie martw się takimi rzeczami, Sonea.

Przez twarz Cery'ego przemknął cień uśmiechu. Sonea spojrzała na przyjaciela, zaskoczona sugestią tego partnerstwa. Cery był cały napięty, a na jego czole pojawiała się zmarszczka za każdym razem, kiedy spoglądał na Farena. Nie spodziewała się, że będzie rozluźniony w obecności Złodzieja, ale wydawał się za bardzo niespokojny.

Zwróciła wzrok na Farena.

– Czy mogłabym porozmawiać z Cerym? – spytała. – W cztery oczy.

– Oczywiście. – Wstał i podszedł do drzwi, po czym rzucił przez ramię: – Będę miał do ciebie sprawę, Cery, jak już skończycie. Nic pilnego. Nie spiesz się. Do jutra, Sonea.

– Do jutra – odpowiedziała, kiwając głową.

Kiedy za Złodziejem zamknęły się drzwi, Sonea odwróciła się do przyjaciela.

– Jestem tu bezpieczna? – spytała cicho.

– Na razie tak – odpowiedział.

– A co potem?

Wzruszył ramionami.

– To zależy od twojej magii.

Poczuła ukłucie lęku.

– A jeśli nigdy tego nie opanuję?

Nachylił się i ujął ją za rękę.

– Opanujesz. Po prostu musisz poćwiczyć. Gdyby to było łatwe, nie byłoby Gildii, nie? Z tego, co słyszałem, nowicjuszom nauka zajmuje pięć lat, zanim można ich tytułować Mistrzem Takim a Takim.

– Faren wie o tym?

Cery przytaknął.

– Da ci czas.

– W takim razie jestem bezpieczna.

Uśmiechnął się do niej.

– Tak.

Sonea westchnęła.

– A co z tobą?

– Staram się być użyteczny.

Spojrzała mu prosto w oczy.

– Czyli zostałeś niewolnikiem Farena?

Odwrócił wzrok.

– Nie musisz tu być – powiedziała. – Jestem bezpieczna. Tak powiedziałeś. Więc idź. Odejdź, zanim wpadniesz całkiem w ich łapy.

Potrząsnął głową, wstał i puścił jej rękę.

– Nie, Sonea. Ty potrzebujesz kogoś znajomego. Kogoś, komu możesz ufać. Nie zostawię cię samej z nimi.

– Nie możesz zostać niewolnikiem Farena tylko dlatego, że ja potrzebuję pogadać z przyjacielem. Wracaj do Harrina i Doni. Jestem pewna, że Faren pozwoli ci mnie odwiedzać od czasu do czasu.

Podszedł do drzwi, ale odwrócił się jeszcze do niej.

– Ja tego chcę, Sonea. – Jego oczy błyszczały. – Odkąd pamiętam, wszyscy zawsze mówili, że pracuję dla Złodziei. A teraz to może stać się prawdą.

Sonea wybałuszyła na niego oczy. On naprawdę tego chce? Czy ktoś tak miły jak Cery może chcieć zostać... kim? Bezwzględnym, chciwym mordercą? Odwróciła wzrok. Takie było zdanie Jonny o Złodziejach. Cery zawsze mówił, że Złodzieje w równym stopniu pomagają i chronią, jak kradną i szmuglują.

Nie mogła – nie powinna – powstrzymywać go przed tym, czego pragnął. Jeśli robota mu się nie spodoba, jest na tyle sprytny, żeby się wykręcić. Przełknęła ślinę, czując, że coś ściska ją w gardle.

– Jeśli tego pragniesz – powiedziała. – Ale uważaj na siebie.

Wzruszył ramionami.

– Zawsze uważam.

Odpowiedziała uśmiechem.

– Bardzo się cieszę, że będziemy się spotykać.

Wyszczerzył się do niej.

– Nic nie byłoby w stanie mnie powstrzymać.

Burdel znajdował się w najciemniejszej i najbrudniejszej części slumsów. Jak zwykle parter zajmowała spylunka, na piętrze zaś mieściły się pokoje najładniejszych dziewcząt. Reszta interesu toczyła się w budach na tyłach zajazdu.

Wchodząc, Cery miał w pamięci słowa Farena: „On zna większość twarzy, ale ciebie nie widział. Udawaj, że jesteś nowy. Zaoferuj dobrą cenę. Przynieś mi towar".

Gdy przechodził przez salę, zaczepiło go kilka dziewcząt. Były blade i wyglądały na zmęczone. Na palenisku pod jedną ze ścian płonął słaby ogień, dający niewiele ciepła. Nad barem pochylał się niedbale karczmarz, rozmawiając z dwoma klientami. Cery posłał dziewczynom uśmiechy i obrzucił je spojrzeniem, jakby zastanawiał się nad wyborem, po czym, zgodnie z instrukcją, podszedł do pulchnej dziewczyny z Elyne. Na jej ramieniu widniał tatuaż w kształcie pióra.

– Chcesz się zabawić? – spytała.

– Może później – odpowiedział. – Słyszałem, że jest tu pokój do spotkań.

Otworzyła szeroko oczy, po czym szybko przytaknęła.

– To prawda. Na górze. Ostatni po prawej. Zaprowadzę cię.

Wzięła go za rękę i powiodła na schody. Jej dłoń drżała lekko. Wchodząc na górę, Cery zauważył, że wiele dziewcząt spogląda za nimi z przestrachem.

Zaniepokoiło go to, więc znalazłszy się na piętrze, rozejrzał się wokół siebie ostrożnie i ruszył w głąb korytarza. Dziewczyna z tatuażem puściła jego rękę i wskazała na pokoje na samym końcu.

– Ostatnie drzwi.

Wsunął jej w dłoń monetę i ruszył dalej. Uchylił ostrożnie drzwi i zajrzał do środka. Pokoik był maleńki, a za całe umeblowanie służył stolik i dwa krzesła. Cery obrzucił wszystko wzrokiem jeszcze z progu. W ścianach dostrzegł kilka otworów do podglądania. Uznał, że pod zniszczonym chodnikiem z simby zapewne znajduje się klapa. Przez niewielkie okienko widać było niemal wyłącznie przeciwległą ścianę.

Otworzył okno i obejrzał dokładnie to, co się za nim znajdowało. Jak na takie miejsce, w burdelu panowała nadzwyczajna cisza. Gdzieś obok otwarły się drzwi, a z korytarza dobiegał odgłos kroków, wyraźnie przybliżających się do niego. Cery wrócił do stołu i przybrał czujny wyraz twarzy. W drzwiach stanął mężczyzna.

– Jesteś flisem? – spytał chrapliwym głosem.

Cery wzruszył ramionami.

– Ano.

Mężczyzna strzelał oczyma na wszystkie strony. Twarz miałby nawet przystojną, gdyby nie była tak chuda, a w spojrzeniu nie kryło się tyle dzikości i chłodu.

– Mam coś na sprzedaż – powiedział mężczyzna. Wyciągnął przed siebie ręce, które dotychczas trzymał w kieszeniach. Jedna była pusta, ale w drugiej leżał błyszczący naszyjnik. Cery wciągnął głęboko powietrze, nawet nie udając zaskoczenia. Coś takiego musiało należeć do bogatego mężczyzny lub kobiety – oczywiście *jeśli* było prawdziwe.

Wyciągnął rękę po naszyjnik, ale mężczyzna nie pozwolił mu go dotknąć.

– Muszę sprawdzić, czy to nie podróbka – zaprotestował chłopak.

Mężczyzna zmarszczył brwi, a w jego oczach pojawiła się podejrzliwość. Zacisnął usta i niechętnie położył naszyjnik na stole.

– Patrz – powiedział – ale nie dotykaj.

Cery westchnął i pochylił się, żeby obejrzeć dokładnie kamienie. Nie miał pojęcia, jak odróżnić prawdziwe klejnoty od fałszywych – będzie musiał się tego nauczyć – ale widywał właścicieli kantorów oceniających zastawianą biżuterię.

– Z drugiej strony – rozkazał.

Mężczyzna obrócił naszyjnik. Cery dostrzegł imię wygrawerowane na fragmencie oprawy.

– Przytrzymaj tak, żeby światło przeszło przez kamienie.

Mężczyzna gapił się na mrużącego oczy Cery'ego, trzymając naszyjnik w wyciągniętej dłoni.

– Na ile go wyceniasz?

– Dam ci za niego dziesięć sztuk srebra.

Mężczyzna opuścił rękę.

– Jest wart co najmniej pięćdziesiąt sztuk złota!

– Kto w slumsach da ci pięćdziesiąt sztuk złota?! – prychnął Cery.

Jego rozmówca skrzywił się.

– Dwadzieścia. Złota.

– Pięć – odparował Cery.

– Dziesięć.

Cery zrobił męczeńską minę.

– Siedem.

– Niech będzie.

Sięgając do kieszeni, Cery odliczył palcami monety, po czym wyciągnął połowę z nich. Następnie wyjmował kolejne sztuki z najróżniejszych miejsc, w które pochował pieniądze Farena, aż ułożył sześć stosików odpowiadających jednej złotej monecie, po czym z westchnieniem schylił się i wydobył z buta sztukę złota.

– Dawaj towar – powiedział.

Naszyjnik znalazł się na blacie obok pieniędzy. Mężczyzna sięgnął po monety, a Cery w tym czasie podniósł klejnoty i wsunął je do kieszeni. Sprzedający spojrzał na trzymaną w rękach niewielką fortunę i uśmiechnął się szeroko, a w jego oczach pojawił się błysk radości.

– Dobry interes, chłopcze. Będziesz w tym niezły. – Wycofał się z pokoju, obrócił na pięcie i już go nie było.

Cery podszedł do drzwi na czas, żeby zobaczyć, jak jego rozmówca zbliża się do innych i wchodzi do środka. Kiedy wyszedł na korytarz, usłyszał zaskoczony pisk dziewczyny.

– Nic mi cię już nie odbierze – odezwał się chrapliwy głos.

Przechodząc obok pokoju, Cery zerknął do środka. Dziewczyna z tatuażem siedziała na brzegu łóżka. Rzuciła Cery'emu przerażone spojrzenie. Mężczyzna stał za nią, przyglądając się monetom. Cery ruszył dalej, z powrotem na parter.

Wchodząc do spylunki, zrobił ponurą, rozczarowaną minę. Widząc to, dziewczyny zostawiły go w spokoju. Obecni tam mężczyźni śledzili go wzrokiem, ale nie zaczepiali ani się nie zbliżali.

Na zewnątrz było tylko nieznacznie chłodniej. Na wspomnienie braku klientów w burdelu Cery poczuł, że wzbiera w nim litość dla prostytutek. Przeszedł przez ulicę i zagłębił się w ciemny zaułek.

– Wyglądasz na znudzonego, mały Ceryni.

Natychmiast obrócił się. Wypatrzenie w mroku ciemnoskórego mężczyzny zajęło mu niepokojąco dużo czasu. A nawet kiedy dostrzegł już Farena, nie podobało mu się, że widzi zaledwie parę żółtych oczu i od czasu do czasu błysk zębów.

– Masz to, po co cię posłałem?

– Tak. – Cery wyciągnął naszyjnik w kierunku Farena. Poczuł dotyk dłoni w rękawiczce i klejnot zmienił miejsce pobytu.

– Ach, to ten – westchnął Faren i podniósł wzrok na burdel. – Ale dzisiejsza robota nie jest skończona, Cery. Chcę, żebyś zrobił coś jeszcze.

– Tak?

– Masz iść z powrotem i zabić go.

Cery poczuł, jak coś skręca go w żołądku – co podejrzanie przywodziło na myśl nóż wbijający się w jego wnętrzności. Przez chwilę nie był w stanie myśleć, ale już wkrótce główkował gorączkowo.

To jest kolejny test. Faren chce tylko zobaczyć, jak daleko posunie się jego nowy człowiek.

Co powinien zrobić? Cery nie miał pojęcia, co się stanie, jeśli odmówi. A chciał odmówić. Bardzo. Uświadomienie sobie tego było dla niego źródłem zarówno ulgi, jak i niepokoju. Niechęć do zabijania nie znaczy, że nie umiałby tego zrobić… tym niemniej kiedy pomyślał, że miałby przejść przez ulicę i wbić nóż w serce tego człowieka, nie mógł bodaj poruszyć palcem.

– Dlaczego? – Zadając to pytanie, zdał sobie sprawę, że właśnie zawalił jedną próbę.

– Ponieważ chcę, żeby ten człowiek umarł – odpowiedział krótko Faren.

– Dla-dlaczego chcesz, żeby umarł?

– Mam się przed tobą tłumaczyć?

Cery zebrał całą odwagę. *Zobaczymy, na co mogę sobie pozwolić.*

– Tak.

Faren wydał ze siebie stłumiony chichot.

– Doskonale. Mężczyzna, z którym dobiłeś interesu, ma na imię Verran. Od czasu do czasu pracował dla pewnego Złodzieja, ale zdarzało mu się wykorzystywać to, czego dowiedział się w pracy, do zarabiania co nieco na boku. Złodziej tolerował to do czasu – aż kilka nocy temu Verran postanowił nieproszony odwiedzić pewien dom. Dom należący do bogatego kupca, który ma układ ze Złodziejem. Kiedy Verran wszedł do domu, w środku była tylko córka kupca i kilku służących. – Faren urwał, a do uszu Cery'ego doszedł gniewny syk. – Złodziej dał mi prawo ukarania Verrana. Nawet gdyby dziewczyna przeżyła, byłby martwy.

Faren utkwił żółte oczy w Cerym.

– Oczywiście możesz uważać, że zmyślam. Musisz zdecydować, czy mi ufasz.

Cery skinął głową, po czym spojrzał znów w stronę burdelu. Zawsze kiedy musiał podejmować decyzje, nie będąc pewnym prawdy, zwracał się do swojego instynktu. Co podpowie mu teraz?

Pomyślał o zimnym, dzikim spojrzeniu tego mężczyzny, o strachu w oczach pulchnej dziewczyny. Tak, to jest człowiek zdolny do złych uczynków. Następnie przypomniał sobie pozostałe prostytutki, napięcie wiszące w powietrzu, brak klientów. Jedyni dwaj mężczyźni w budynku rozmawiali z właścicielem. Czyżby kompani Verrana? Tam chodziło o coś więcej.

A Faren? Cery rozważył wszystko, czego dotychczas dowiedział się o tym człowieku. Podejrzewał, że Złodziej jest bezlitosny, jeśli nie ma innego wyjścia, ale poza tym był sprawiedliwy i uczciwy. No i ten gniew w jego głosie, kiedy opowiadał o zbrodni Verrana.

– Nigdy jeszcze nikogo nie zabiłem – wyznał Cery.

– Wiem.

– Nie jestem pewny, czy potrafię.

– Potrafiłbyś, gdyby ktoś groził Sonei. Zgadza się?

– Tak, ale to co innego.

– Zaiste?

Cery zmrużył oczy i spojrzał na Złodzieja.

Faren westchnął.

– Nie, wcale tak nie uważam. Nie działam w taki sposób. Wystawiam cię na próby. Wiesz o tym zapewne. Nie musisz zabijać tego mężczyzny. Ważniejsze, żebyś nauczył się mi ufać i żebym ja znał twoje możliwości.

Cery poczuł, że serce bije mu mocniej. Oczekiwał prób. Ale Faren zlecał mu tak różne zadania, że Cery zaczął się zastanawiać, co Złodziej może sprawdzać. Czyżby miał wobec niego jakieś zamiary? Inne, niż można by się spodziewać?

Może to jest próba, z którą Cery będzie musiał zmierzyć się później, kiedy będzie starszy? Jeśli będzie się wahał przed zabójstwem, jeśli nie będzie w stanie tego zrobić, może stanowić zagrożenie dla siebie lub innych. Ale jeśli chodziłoby o Soneę...

Nagle znikły wszelkie wahania i niepewności.

Faren spojrzał na burdel po drugiej stronie ulicy i westchnął.

– Naprawdę, ten człowiek musi umrzeć. Sam bym to zrobił, tylko... nieważne. Znajdziemy go jeszcze. – Odwrócił się i ruszył zaułkiem, po czym przystanął, widząc, że Cery nie idzie za nim.

– Cery?

Cery sięgnął pod płaszcz i wydobył swoje sztylety. Faren zamrugał, gdy w ostrzach odbiło się słabe światło okien burdelu. Cofnął się o krok.

Cery uśmiechnął się.

– Zaraz wracam.

ROZDZIAŁ 11

BEZPIECZNE PRZEJŚCIE

Po półgodzinie odór spylu wydał mu się niemal przyjemny. Aromat ten miał w sobie coś przytulnego, niósł jakąś obietnicę spokoju. Dannyl gapił się na stojący przed nim kufel.

Mając w pamięci opowieści o brudnych browarach i ravich utopionych w beczkach spylu, nie mógł zmusić się do spróbowania gęstego napoju. Tego wieczora dodatkowo dręczyły go ponure podejrzenia. Jeśli bylcy *domyślili się*, kim jest, co miałoby ich powstrzymać przed zatruciem trunku?

Te obawy były zapewne niczym nieuzasadnione. Dannyl ponownie zamienił szaty na odzienie kupca, starając się przy tym wyglądać niezbyt porządnie. Pozostali klienci taksowali go spojrzeniem, kierując je głównie ku sakiewce u pasa, po czym przestawali się nim interesować.

A mimo to nie potrafił wyzbyć się wrażenia, że wszyscy wokół niego wiedzą, kim i *czym* jest. Ci mężczyźni i te kobiety stanowili towarzystwo ponure, apatyczne i znudzone. W poszukiwaniu schronienia przed szalejącą na ulicach zamiecią pochowali się po wszystkich kątach sali. Do uszu Dannyla dochodziły przekleństwa miotane na pogodę, ale też na Gildię. Z początku bawiły go. Wyglądało na to, że w mniemaniu bylców bezpieczniej było oskarżać o kłopoty Gildię niż Króla.

Jeden bylec, mężczyzna z twarzą pokrytą bliznami, nie spuszczał z Dannyla wzroku. Mag wyprostował się i przeciągnął, po czym obrzucił wnętrze wzrokiem. Kiedy postanowił odwzajemnić spojrzenie, mężczyzna uznał, że jego własne rękawice są znacznie ciekawsze. Zanim Dannyl ponownie utkwił oczy w zawartości kufla, zdążył spostrzec złotobrązowy odcień skóry i szeroką twarz tamtego.

W odwiedzanych spylunkach widywał mężczyzn i kobiety należących do wszystkich nacji. Najczęściej spotykało się niskich Elynów, ponieważ ich ojczyzna była najbliższym sąsiadem Kyralii. Brązowoskórzy Vindoni byli liczniejsi w slumsach niż w mieście, jako że wielu z nich opuszczało rodzinne strony w poszukiwaniu pracy. Najrzadziej widywał atletycznych przedstawicieli plemion Lanów oraz wyniosłych Lonmarczyków.

Sachakanina widział po raz pierwszy od lat. Mimo że Sachaka i Kyralia sąsiadowały ze sobą, wysokie góry leżące pomiędzy obiema krainami i nieprzyjazne pustkowia tuż za nimi nie sprzyjały podróżom. Nieliczni kupcy, którzy zapuszczali się w tamte rejony, opowiadali o barbarzyńcach walczących o przetrwanie w owej dziczy oraz o mieście bezprawia niemającym do zaoferowania nic ciekawego na handel.

Nie zawsze tak było. Wiele wieków temu Sachaka była wielkim mocarstwem rządzonym przez wyrafinowanych magów. Zmieniła to przegrana wojna z Kyralią i powstanie Gildii.

Ktoś położył mu dłoń na ramieniu. Obrócił się i zobaczył stojącego za nim śniadego mężczyznę. Przybysz skinął głową i odszedł.

Dannyl wstał z westchnieniem i przepchnął się przez tłum ku wyjściu. Na ulicy musiał lawirować między wszechobecnymi kałużami. Minęły trzy tygodnie, odkąd wyśledzono dziewczynę w podziemnej kryjówce, a Mistrz Jolen został zwabiony w pułapkę przez Lonmarczyka. Od tego czasu Gorin cztery razy odmówił Dannylowi spotkania.

Administrator Lorlen nie chciał przyjąć do wiadomości, że dziewczyny strzegą Złodzieje, a Dannyl doskonale to rozumiał. Nic nie złościło Króla w równym stopniu, co obecność dzikiego maga na jego ziemiach. Złodzieje byli tolerowani: trzymali w ryzach podziemie przestępcze i nie stwarzali zagrożenia większego niż utrata części podatków na rzecz przemytników. Gdyby nawet Królowi udało się ich znaleźć i dobrać się im do skóry, wiadomo było, że na ich miejsce pojawią się inni.

Król nie cofnąłby się natomiast przed zrównaniem slumsów z ziemią – a nawet przekopaniem ich głębiej – gdyby wiedział z całą pewnością, że ukrywa się tam dziki mag.

Dannyl zastanawiał się, czy Złodzieje zdają sobie z tego sprawę. Nie wspominał o tym w swoich rozmowach z Gorinem, nie chciał bowiem sprawiać wrażenia, że powodują nim emocje lub rzuca groźby. Zdecydował się natomiast przedstawić Złodziejowi, jakim zagrożeniem jest sama dziewczyna.

Po dojściu do końca zaułka przebiegł przez szerszą ulicę ku wolnej przestrzeni między dwoma budynkami. W tym miejscu slumsy zamieniały się w istny labirynt. Wiatr wdzierał się w każdą uliczkę, zawodząc niczym głodne dziecko. Czasem zamierał całkowicie i w jednej z takich chwil ciszy Dannyl usłyszał za sobą kroki. Odwrócił się.

Zaułek był pusty. Wzdrygnął się, ale ruszył dalej.

Mimo że starał się nie zwracać na to uwagi, wyobraźnia mówiła mu, że ktoś go śledzi. Czasem w odgłos jego kroków wdarł się stuk czyjegoś buta, czasem, odwracając głowę, kątem oka dostrzegał ruch. Rozdrażnienie Dannyla wzrastało, im bardziej był przekonany, że przeczucia go nie mylą. Skręcił za róg, pomajstrował szybko przy zamku i wszedł do wnętrza budynku.

Ku jego uldze okazało się, że pomieszczenie jest puste. Wyjrzał przez dziurkę od klucza i parsknął cicho, ponieważ w zaułku nadal nie było nikogo. Chwilę później w polu jego widzenia pojawiła się jakaś postać.

Dannyl zmarszczył brwi na widok blizn na szerokiej twarzy mężczyzny. Sachakanina wodził oczyma we wszystkich kierunkach, najwyraźniej czegoś szukając. Coś błysnęło i Dannyl zobaczył groźnie wyglądający nóż w odzianej w rękawicę dłoni mężczyzny.

Zaśmiał się cicho. *Miałeś szczęście, że cię usłyszałem*, pomyślał. Rozważył zabawienie się ze zbirem i zaprowadzenie go do najbliższego posterunku Gwardii, ale zrezygnował z tego pomysłu. Zbliżała się noc, a on zamierzał wrócić do swojej ciepłej komnaty.

Sachakanin przyjrzał się śladom na ulicy, po czym oddalił tą samą drogą, którą tu przyszedł. Dannyl policzył do stu, wymknął się z budynku i ruszył w swoją stronę. Wyglądało na to, że niepotrzebnie martwił się wykryciem przez bylców. Żaden bylec nie byłby na tyle głupi, żeby rzucać się na maga z nożem.

Cery zastał Soneę pochyloną nad wielką księgą. Podniosła na niego wzrok i uśmiechnęła się.

– Jak tam postępy w magii? – spytał.

Uśmiech zniknął z jej twarzy.

– Jak zwykle.

– Książka nic nie pomaga?

Potrząsnęła głową.

– To już pięć tygodni, odkąd zaczęłam ćwiczenia, ale na razie tylko lepiej czytam. Nie mogę uczyć się czytać w zamian za opiekę Farena.

– Nie dasz rady przyspieszyć nauki – odpowiedział. *Nie w sytuacji, kiedy możesz ćwiczyć tylko raz dziennie*, dodał w myślach.

Od czasu, kiedy omal nie została schwytana, gdy tylko Sonea posłużyła się magią, grupa magów zbliżała się do kolejnych kryjówek Farena, co zmuszało ich do poszukiwania coraz to nowych schronień. Cery zdawał sobie sprawę, że Faren zaciąga długi wdzięczności w całych slumsach. Wiedział również, że Złodziej uważa Soneę za wartą każdej monety i każdej przysługi.

– Jak myślisz, czego potrzebujesz, żeby twoja magia zaczęła działać? – spytał.

Oparła podbródek na ręce.

– Chciałabym, żeby ktoś mi *pokazał*. – Uniosła brew, patrząc mu prosto w oczy. – Czy Faren mówił coś o tym człowieku, którego poszukuje?

Cery pokręcił głową.

– Do mnie nie. Coś tam podsłuchałem, ale nie brzmiało to zachęcająco.

Sonea westchnęła.

– Nie sądzę, żebyś *ty* znał jakiegoś przyjaznego maga, który zechciałby podzielić się ze Złodziejami sekretami Gildii? A może dałbyś radę porwać kogoś takiego?

Cery roześmiał się, po czym zamilkł, ponieważ coś przyszło mu do głowy.

– Myślisz, że…

– Cii! – syknęła Sonea. – Posłuchaj!

Cery skoczył na równe nogi, kiedy usłyszał ciche pukanie w podłogę.

– Znak!

Podbiegł do wychodzącego na ulicę okna i wyjrzał w mrok. Zamiast czujki dostrzegł tam nieznajomą postać. Porwał z krzesła płaszcz Sonei i rzucił w jej stronę.

– Narzuć na koszulę – powiedział. – I chodź ze mną.

Chwycił wiadro stojące obok stołu i chlusnął jego zawartością na żarzący się jeszcze w kominku popiół. Drewno zasyczało, dym uniósł się do komina. Cery wyciągnął kratę i wpełzł do środka, po czym zaczął wspinać się w górę, stawiając stopy w szparach między nierównymi, gorącymi cegłami.

– Chyba żartujesz – mruknęła z dołu Sonea.

– Pospiesz się – ponaglił. – Przejdziemy po dachach.

Sonea zdusiła przekleństwo i zaczęła wspinaczkę.

Słońce wyjrzało zza burzowych chmur, zalewając dachy złotym światłem. Cery skoczył w cień najbliższego komina.

– Za jasno – oznajmił. – Z pewnością nas zobaczą. Chyba musimy tu zaczekać na zmrok.

Sonea przykucnęła koło niego.

– Jesteśmy dość daleko?

Spojrzał w kierunku kryjówki.

– Mam nadzieję.

Rozejrzała się wokół.

– To Górna Ścieżka, prawda? Te liny i deski, i uchwyty. – Uśmiechnęła się, widząc, jak Cery potakuje. – Tyle wspomnień…

Twarz rozpogodziła mu się na widok tęsknoty w jej oczach.

– Wydaje się, że to tak dawno.

– Bo to było dawno. Czasami trudno mi uwierzyć, że naprawdę robiliśmy takie rzeczy. – Potrząsnęła głową. – Teraz nie miałabym odwagi.

Wzruszył ramionami.

– Byliśmy dziećmi.

– Dziećmi, które zakradały się do domów i podwędzały różne rzeczy? – Uśmiechnęła się. – Pamiętasz, jak weszliśmy do domu tej kobiety, która miała mnóstwo peruk? Jak zwinąłeś się na podłodze i przykryliśmy cię nimi. A kiedy weszła, zacząłeś jęczeć.

Cery roześmiał się.

– Oj, ta to umiała wrzeszczeć.

Oczy Sonei rozbłysły w świetle zachodzącego słońca.

– Ale mi się dostało, jak Jonna dowiedziała się, że uciekam po nocach i włóczę się z tobą.

– Ale to cię nie powstrzymało – przypomniał jej.

– Nie. Zwłaszcza że wcześniej nauczyłeś mnie otwierać zamki.

Spojrzał na nią uważnie.

– Czemu *właściwie* przestałaś się z nami włóczyć?

Westchnęła i podciągnęła kolana pod brodę.

– To i owo się zmieniło. Chłopcy Harrina zaczęli mnie inaczej traktować. Tak jakby nagle przypomnieli sobie, że jestem dziewczyną, i uznali, że jestem z nimi z innych powodów. To przestało być zabawne.

– Ja nie traktowałem cię inaczej… – urwał, zbierając odwagę. – Ale przestałaś spotykać się też ze mną.

Potrząsnęła głową.

– Nie chodziło o ciebie, Cery. Chyba po prostu mnie to zmęczyło. Musiałam urosnąć i przestać udawać. Jonna zawsze powtarzała, że uczciwość jest skarbem, a kradzież złem.

Nie uważałam, że kradzież w potrzebie jest zła, ale my nie dlatego kradliśmy. Nawet się ucieszyłam, kiedy przenieśliśmy się do miasta, bo mogłam przestać o tym wszystkim myśleć.

Cery potaknął. Może i lepiej, że odeszła? Chłopcy z bandy Harrina nie zawsze obchodzili się grzecznie z napotykanymi dziewczynami.

– W mieście jest lepiej?

– Trochę. Ale też można napytać sobie kłopotów, jeśli się nie uważa. Najgorsi są gwardziści, ponieważ nikt im nie przeszkadza cię zaczepiać.

Spochmurniał, usiłując wyobrazić sobie, jak Sonea opędza się od nachalnych gwardzistów. Czy gdziekolwiek jest bezpiecznie? Potrząsnął głową: tak bardzo chciałby zabrać ją w jakieś miejsce, w którym mieliby spokój od gwardii i magów.

– Zapomnieliśmy o książce, prawda? – odezwała się nagle.

Cery zaklął cicho na wspomnienie tomu leżącego na stole w kryjówce.

– I tak nie na wiele się przydawała.

W jej głosie nie było żalu. Cery zasępił się. Musi być inny sposób na nauczenie się magii. Zagryzł wargę, gdy przypomniał sobie, jaki pomysł mu wcześniej podsunęła.

– Powinienem wyprowadzić cię ze slumsów. Dziś wieczorem będzie się tu roić od magów.

Zmarszczyła brwi.

– Wyjść ze slumsów?

– Tak – odpowiedział. – W mieście będziesz bezpieczniejsza.

– W *mieście*? Jesteś pewny?

– Czemu nie? – uśmiechnął się. – To ostatnie miejsce, w którym by cię szukali.

Zastanowiła się nad tym i wzruszyła ramionami.

– Ale jak się tam dostaniemy?

– Górną Ścieżką.

– Nie przeprowadzi nas to przez bramę.

Cery uśmiechnął się do niej promiennie.

– Nie musimy iść przez bramę. Chodź.

Mur Zewnętrzny górował nad slumsami. Był szeroki na dziesięć kroków i doskonale utrzymany przez miejską gwardię, aczkolwiek minęły stulecia, odkąd Imardin stał w obliczu inwazji. Wzdłuż murów biegła droga, nie dopuszczając zabudowań slumsów pod samo miasto.

Sonea i Cery zeszli z dachów w zaułek w pobliżu tej drogi. Cery ujął ją za ramię i poprowadził ku stercie skrzyń, po czym wpełzł pomiędzy nie. W środku unosiła się mieszanina zapachów świeżego drewna i zgniłych owoców.

Cery przykucnął i zastukał w ziemię. Głęboki, metaliczny dźwięk zaskoczył Soneę. Ziemia poruszyła się – to uniosła się okrągła klapa. Z ciemności wynurzyła się szeroka twarz. Otaczał ją mdlący odór.

– Cześć, Tul – powiedział Cery.

Uśmiech wypłynął na twarz mężczyzny.

– Jak leci, Cery?

Cery odpowiedział uśmiechem.

– Nieźle. Chcesz odrobić dług?

– Jasne. – Oczy mężczyzny zabłysły. – Przejście?

– Dla dwojga – odrzekł Cery.

Mężczyzna przytaknął i znikł z powrotem w śmierdzącym otworze. Cery uśmiechnął się do Sonei i wskazał dziurę w ziemi.

– Ty pierwsza.

Wsunęła stopę w otwór i wymacała szczebel drabinki. Zaczerpnąwszy świeżego powietrza, zaczęła powoli zstępować w ciemność. Słyszała płynącą w oddali wodę, powietrze było wilgotne. Kiedy jej oczy przyzwyczaiły się do ciemności, dostrzegła, że stoi na wąskiej półce nad podziemnym ściekiem. Tunel był tak niski, że musiała schylić głowę.

Gruba twarz mężczyzny, z którym rozmawiał Cery, należała do równie obfitego ciała. Cery podziękował i podał temu człowiekowi coś, na widok czego jego oblicze rozjaśniło się.

Pozostawiając Tula na jego posterunku, Cery poprowadził Soneę tunelem w stronę miasta. Po kilkuset krokach przed nimi pojawiła się kolejna postać i drabina. Ten mężczyzna pewnie kiedyś był wysoki, ale teraz garbił się tak, jakby jego ciało przystosowało się do rozmiarów tunelu. Podniósł wzrok i przypatrywał im się wielkimi oczami spod ciężkich powiek.

Nagle odwrócił się ku czemuś za sobą. W oddali rozległ się cichy brzęk.

– Szybko – szepnął chrapliwie. Cery chwycił Soneę za ramię i ponaglił do biegu.

Garbus wyjął spod płaszcza jakiś przedmiot i zaczął weń uderzać starą łyżką. Echo tego dźwięku w tunelu było ogłuszające.

Kiedy dotarli do drabiny, mężczyzna zatrzymał się. Za nimi słychać było coraz głośniejszy szmer. Czujka mruknął coś pod nosem i zaczął wymachiwać rękami.

– W górę! Szybko! – krzyknął.

Cery wspiął się na drabinę. Rozległ się metaliczny brzęk, po czym nad ich głowami pojawił się okrąg światła. Cery przeszedł przez otwór i znikł. Sonea, wspinając się, słyszała w oddali niski stukot. Garbus wydostał się za nią na powierzchnię i wyciągnął drabinę.

Sonea rozejrzała się. Stali w wąskim zaułku, niewidoczni w gęstniejącym mroku. Słysząc znów ten szmer, Sonea pochyliła się nad wejściem do tunelu. Dźwięk przybierał na sile, przechodząc w głośny ryk, który ucichł, gdy tylko garbus zatkał klapą wejście do tunelu. Chwilę później Sonea poczuła lekkie drżenie pod nogami. Cery nachylił się ku niej, tak że ustami prawie musnął jej ucho.

– Złodzieje od dawna używali tych tuneli, żeby przedostawać się przez Zewnętrzny Mur – szepnął. – Kiedy gwardziści to odkryli, zaczęli przepuszczać wodę przez kanały ściekowe. To w sumie nie najgorszy pomysł – przynajmniej zrobiło się tam czysto. Oczywiście Złodzieje zorientowali się, kiedy dokładnie gwardziści to robią, i interes rozkwitł na nowo. Wtedy gwardia zaczęła spłukiwać tunele nieregularnie.

– Dlatego walą w dzwonki? – odparła szeptem Sonea. Cery potaknął.

– To ostrzeżenie. – Odwrócił się i podał coś garbusowi, po czym poprowadził ją w głąb zaułka, gdzie wystające ze ściany cegły umożliwiały wspięcie się na dach domu. Robiło się zimniej, więc Sonea otuliła się szczelniej płaszczem.

– Zamierzałem wyjść gdzieś dalej – mruknął Cery – ale… – wzruszył ramionami. – Niezły stąd widok, co?

Przytaknęła. Mimo że słońce skryło się już za horyzontem, niebo wciąż rozświetlała poświata. Ostatnie burzowe chmury wisiały jeszcze nad Dzielnicą Południową, ale powoli przesuwały się na wschód. Przed nimi rozpościerało się miasto skąpane w złotym świetle.

– Widać nawet kawałek Pałacu Królewskiego – pokazał jej Cery.

Ponad wysokim Murem Wewnętrznym wznosiły się wysmukłe wieże Pałacu i część lśniącej kopuły.

– Nigdy tam nie byłem – szepnął Cery – ale kiedyś będę.

Sonea roześmiała się.

– Ty? W Pałacu Królewskim?

– To coś, co sobie obiecałem – odpowiedział. – Że choć raz wejdę do wszystkich ważnych budynków w mieście.

– I gdzie dotychczas byłeś?

Wskazał na bramę Wewnętrznego Kręgu. Było za nią widać ściany i dachy rezydencji, oświetlone żółtym światłem latarni ulicznych.

– W kilku z tych dużych domów.

Parsknęła z niedowierzaniem. Biegając na posyłki dla Jonny i Ranela, musiała czasem wchodzić do Wewnętrznego Kręgu. Tamtejsze ulice patrolowali gwardziści, którzy zaczepiali każdego, kto nie był dość bogato ubrany lub nie miał na sobie liberii służby któregoś z Domów. Ona dostała od klientów specjalny żeton, potwierdzający, że ma prawo tam przebywać.

Za każdą wizytą odkrywała cuda. Widziała domy o dziwacznych kształtach, pomalowane na wspaniałe kolory, niektóre z tarasami i wieżyczkami tak filigranowymi, że wyglądały, jakby miały się zawalić pod własnym ciężarem. Luksusy panowały nawet w pokojach służby.

Otaczające ją teraz zwyczajne kamienice były znacznie bardziej znajome. W Dzielnicy Północnej mieszkali kupcy i pomniejsze rody. Tacy ludzie mieli mało służby i potrzebowali usług rzemieślników. Przez dwa lata, kiedy tu mieszkali, Jonna i Ranel zdobyli niewielkie grono stałych klientów.

Sonea rozejrzała się po malowanych okiennikach zasłaniających okna wokół nich. Przez niektóre widać było cienie postaci. Westchnęła na myśl o klientach, których stracili wujostwo, kiedy wygnano ich z gościńca.

– Dokąd teraz?

Cery uśmiechnął się.

– Chodź za mną.

Poszli dalej po dachach. W przeciwieństwie do mieszkańców slumsów, miastowi nie zawsze szli na rękę Złodziejom, pozostawiając mostki i uchwyty na miejscu. Cery i Sonea musieli nieraz schodzić na dół, kiedy docierali do zaułka lub ulicy. Na większych ulicach natykali się na patrole gwardii i musieli czekać, aż przejdą, zanim przebiegli na drugą stronę.

Po godzinie zatrzymali się, żeby odpocząć, ale ruszyli dalej, kiedy na niebo wypłynął wąski sierp księżyca. Sonea szła za Cerym w milczeniu, skupiona na tym, gdzie w słabym świetle stawia nogi. Kiedy chłopak wreszcie znów się zatrzymał, poczuła, jak zalewa ją fala zmęczenia, i usiadła z jękiem.

– Mam nadzieję, że to już niedaleko – powiedziała. – Jestem wykończona.

– Już niedaleko – zapewnił ją. – To tam.

Przeszli przez mur do wielkiego, doskonale utrzymanego ogrodu. Drzewa były wysokie i równo przycięte. Cery prowadził ją w cieniu muru, który zdawał się ciągnąć w nieskończoność.

– Gdzie jesteśmy?

– Zaczekaj – odpowiedział Cery.

Poczuła, jak coś chwyta ją za stopę, i wpadła na pień drzewa. Dotknięcie szorstkiej kory zaskoczyło ją. Rozejrzała się dookoła. Przed nią ciągnęły się rzędy drzew niczym szeregi niemych strażników. W ciemności wyglądały mrocznie i złowrogo – las rąk zakończonych pazurami.

Las? Zmarszczyła brwi, po czym poczuła, jak przebiega ją dreszcz. *W Północnej Dzielnicy nie ma żadnych ogrodów, w Imardinie nie ma żadnego lasu…*

Poczuła, jak serce zaczyna jej walić coraz mocniej. Pobiegła za Cerym i chwyciła go za rękę

– Eja! Co ty wyprawiasz? – szepnęła. – Jesteśmy na terenie *Gildii*!

Jego zęby rozbłysły w mroku.

– Oczywiście.

Przeszyła go wzrokiem. Widziała tylko czarny kształt na tle księżycowego lasu, nie mogła więc odczytać wyrazu jego twarzy. Poczuła wzbierające w niej straszliwe podejrzenie. On przecież nie… nie mógłby… Nie Cery. Nie, on *nigdy* nie wydałby jej magom.

Poczuła jego dłoń na ramieniu.

– Nie martw się, Sonea. Pomyśl tylko. Gdzie są magowie? W slumsach. Jesteś tu znacznie bezpieczniejsza niż tam.

– Ale… oni przecież mają strażników.

– Kilku przy bramie i tyle.

– Patrole?

– Nie.

– A magiczny mur?

– Nie. – Roześmiał się cicho. – Chyba uważają, że ludzie zbyt się ich boją, żeby się tu wdzierać.

– Skąd wiesz o tych strażnikach i murach?

Zachichotał.

– Bo już tu bywałem.

Wciągnęła głośno powietrze.

– *Po co?*

– Kiedy postanowiłem zwiedzić całe miasto, przyszedłem tutaj i powęszyłem co nieco. Nie chciało mi się wierzyć, że tak łatwo poszło. Oczywiście nie usiłowałem wchodzić do środka budynków, tylko obserwowałem magów przez okna.

Sonea wpatrywała się w jego ukrytą w cieniu twarz z niedowierzaniem.

– Szpiegowałeś *Gildię*?

– Jasne. To bardzo interesujące. Mają pomieszczenia, w których uczą nowych magów, i takie, w których mieszkają. Ostatnio widziałem Uzdrowicieli przy pracy. *To* było coś. Był tam chłopak z pociętą całą twarzą. Kiedy Uzdrowiciel go dotknął, wszystkie rany znikły. Niesamowite.

Urwał i Sonea zobaczyła, że obraca ku niej twarz.

– Pamiętasz, jak powiedziałaś, że dobrze by było, gdyby ktoś ci pokazał, jak posługiwać się magią? Może jeśli się im poprzyglądasz, zobaczysz coś, co pomoże ci w nauce?

– Ale… to *Gildia*, Cery.

Wzruszył ramionami.

– Nie przyprowadziłbym cię tutaj, gdybym uważał, że to niebezpieczne, prawda?

Sonea pokręciła głową. Bardzo chciała ufać jego słowom. Gdyby zamierzał ją wydać, zrobiłby to tam, w kryjówce. Ale on nigdy by jej nie zdradził. Niemniej jednak to wyjaśnienie *było* niewiarygodne.

Jeśli to pułapka, to już po mnie.

Odsunęła od siebie tę myśl i zastanowiła się nad pomysłem Cery'ego.

– Myślisz, że naprawdę może nam się udać?

– Jasne.

– To szaleństwo, Cery.

Roześmiał się.

— Przynajmniej chodź i przyjrzyj się. Dojdziemy tylko do drogi i sama zobaczysz, jakie to proste. Jeśli nie będziesz chciała spróbować, wrócimy. Chodź.

Przezwyciężyła lęk i poszła za nim między drzewa. Las przerzedził się nieco i w końcu dostrzegła zabudowania. Trzymając się cienia, Cery podpełzł do przodu, aż znalazł się mniej niż dwadzieścia kroków od drogi, po czym skoczył przed siebie i przywarł do pnia sporego drzewa.

Sonea pobiegła za nim i skryła się za innym drzewem. Miała wrażenie, że nogi się pod nią uginają, czuła, że kręci jej się w głowie. Cery uśmiechnął się i wskazał między drzewa.

Spojrzała na wznoszący się przed nimi budynek i jęknęła.

ROZDZIAŁ 12

OSTATNIE MIEJSCE, W KTÓRYM BY SZUKALI

Budynek był tak wysoki, że zdawał się sięgać gwiazd.

Na wszystkich rogach wznosiły się wieżyczki. Białe mury pomiędzy nimi lśniły lekko w księżycowej poświacie. Na przodzie ścianę dzieliły ustawione jedne nad drugimi łuki, a z każdego z nich zwieszała się kamienna firanka. Szerokie schody prowadziły do ogromnych, stojących otworem drzwi.

– Jakie to piękne – westchnęła Sonea.

Cery zaśmiał się cicho.

– Prawda? Widzisz tę bramę? Jest wysokości mniej więcej czterech mężczyzn.

– Musi być bardzo ciężka. Jak oni ją zamykają?

– Za pomocą magii, jak sądzę.

Sonea wstrzymała oddech, kiedy w drzwiach pojawiła się postać w błękitnych szatach. Mężczyzna przystanął na chwilę, po czym skierował się ku mniejszemu budynkowi po prawej.

– Nie przejmuj się. Nie widzą nas – zapewnił ją Cery.

Sonea wypuściła powietrze i oderwała wzrok od dalekiej postaci.

– Co jest w środku?

– Sale wykładowe. To Uniwersytet.

W ścianie gmachu były trzy rzędy okien. Dwa najniższe prawie niewidoczne za drzewami, ale między liśćmi migało żółte światło. Po lewej stronie rozciągał się wielki ogród. Cery wskazał budowlę na jego drugim końcu.

– Tam mieszkają nowicjusze – powiedział. – Po drugiej stronie Uniwersytetu jest podobny budynek, w którym mieszkają magowie. A tam – wskazał okrągłą budowlę oddaloną od nich o kilkaset kroków w lewo – jest miejsce pracy Uzdrowicieli.

– A to co? – spytała Sonea, mając na myśli zakrzywione maszty wznoszące się ku niebu gdzieś w ogrodzie.

Cery wzruszył ramionami.

– Nie mam pojęcia – przyznał. – Nie udało mi się dowiedzieć.

Machnął ręką w stronę biegnącej tuż przed nimi drogi.

– To prowadzi do kwater służby, które są tam – wskazał na lewo – i stajni tam – wskazał na prawo. – Za Uniwersytetem jest jeszcze kilka budynków, no i ogród przed domem magów. Och, i są jeszcze inne domy magów dalej na wzgórzu.

– Tyle budynków – szepnęła. – Ilu *jest* tych magów?

– Tutaj mieszka ich ponad stu – odpowiedział. – Są jeszcze inni: jedni mieszkają w mieście, inni na wsi, a jeszcze inni w obcych krajach. Tutaj mieszka również około dwustu służących. Mają pokojówki, stajennych, kucharzy, skrybów, ogrodników, a nawet chłopów.

– Chłopów?

– W pobliżu pomieszczeń służby są pola.

Sonea zmarszczyła brwi.

– Czemu nie kupują jedzenia?

– Słyszałem, że uprawiają mnóstwo roślin, z których robią lekarstwa.

– Och. – Sonea spojrzała na Cery'ego z uznaniem. – Skąd tyle wiesz o Gildii?

Uśmiechnął się szeroko.

– Zadawałem mnóstwo pytań, zwłaszcza po tym, jak byłem tu ostatnim razem.

– Po co?

– Z ciekawości.

– Z ciekawości? – prychnęła Sonea. – Po prostu *z ciekawości*?

– Każdego ciekawi, co oni tam robią. *Ciebie* nie?

Sonea zawahała się.

– No… może czasem.

– Oczywiście. W dodatku masz więcej powodów niż inni. No więc jak: poszpiegujemy magów?

Sonea spojrzała ku zabudowaniom.

– Jak mamy zajrzeć do środka, żeby nas nie zauważyli?

– Ogród podchodzi pod same mury – odpowiedział Cery. – Jest tam mnóstwo ścieżek, a wokół nich drzewa i żywopłoty. Można tam chodzić całkiem niezauważonym.

Sonea pokręciła głową.

– Tylko ty mogłeś wpaść na coś tak wariackiego.

Uśmiechnął się w odpowiedzi.

– Wiesz, że nie ryzykowałbym bez potrzeby.

Przygryzła wargę, czując wciąż wstyd, że mogła posądzić go o zdradę. Zawsze był najsprytniejszy w bandzie Harrina. Jeśli szpiegowanie na terenie Gildii było możliwe, tylko on mógł się na to odważyć.

Wiedziała, że powinna poprosić go o odprowadzenie jej z powrotem do Farena. Jeśli ktoś ich nakryje… Bała się nawet o tym myśleć. Cery spoglądał na nią pytająco. *Szkoda byłoby nie spróbować*, podpowiedział jej głos gdzieś z głębi jej umysłu, *no i mogę się dowiedzieć czegoś użytecznego*.

– Dobra – westchnęła. – Dokąd najpierw?

Cery wskazał na budynek Uzdrowicieli.

– Przebiegniemy do ogrodu kawałek dalej, gdzie jest najciemniej na drodze. Chodź.

Zagłębił się na powrót w las i zaczął kluczyć między drzewami. Po kilkuset krokach zawrócił w stronę drogi i przycupnął za drzewem.

– Magowie są teraz zajęci lekcjami – mruknął – albo wrócili do swoich mieszkań. Mamy czas do zakończenia wieczornych zajęć, a potem zaszyjemy się gdzieś, gdzie nas nie znajdą. Na razie musimy jedynie uważać na służących. Podwiń jakoś płaszcz, bo będzie zawadzał.

Zrobiła, jak powiedział. Cery ujął ją za rękę i poprowadził w stronę drogi. Sonea spoglądała z powątpiewaniem w okna Uniwersytetu.

– A jeśli ktoś wyjrzy? Zobaczą nas.

– Nie martw się – odpowiedział. – W ich pokojach jest bardzo jasno, więc nie zobaczą nic na zewnątrz, chyba że podejdą do samego okna, a na to są zbyt zajęci.

Wciąż ciągnąc ją za rękę, przebiegł na drugą stronę drogi. Wstrzymała oddech i wpatrywała się w okna na górze, obawiając się wyglądających, ale nie pojawiła się tam żadna ludzka sylwetka. Kiedy znaleźli się pod osłoną zarośli, odetchnęła z ulgą.

Cery położył się na ziemi i wczołgał pod żywopłot. Chwilę później Sonea również kucała wśród gęstego listowia.

– Urosły, odkąd tu ostatnio byłem – mruknął Cery. – Trzeba będzie się czołgać.

Posuwając się na czworakach, poprowadził ją przez zielony tunel. Co jakieś dwadzieścia kroków musieli przeciskać się między pniami drzew. Po kilkuset krokach Cery zatrzymał się.

– Jesteśmy przed siedzibą Uzdrowicieli – powiedział. – Musimy przeciąć ścieżkę i wejść między te drzewa pod ścianą. Pójdę pierwszy. Upewnij się, że nikogo nie ma na drodze, i chodź za mną.

Przywarł znów brzuchem do ziemi, wypełzł spod żywopłotu i zniknął. Sonea przysunęła się do dziury, przez którą się wydostał, i wyjrzała na zewnątrz. Wzdłuż żywopłotu biegła ścieżka, a po jej drugiej stronie widać było rozsunięte gałęzie w miejscu, gdzie Cery wpełzł z powrotem między krzewy.

Sonea wyczołgała się na zewnątrz, przebiegła przez ścieżkę i wsunęła się między gałęzie. Cery siedział po drugiej stronie, oparty o gruby pień i wpatrywał się w ścianę.

– Dasz radę się na to wspiąć? – spytał szeptem, gładząc kamień. – Musisz wdrapać się na drugie piętro, tam są lekcje.

Sonea obejrzała mur. Wykonany był z wielkich bloków kamiennych. Łącząca je zaprawa była stara i spękana. Wokół całego budynku biegły dwie półki, tworząc podstawę okien. Jeśli zdoła dotrzeć do tego poziomu, będzie mogła przycupnąć na takiej półce, żeby zajrzeć do środka.

– Bez problemu – szepnęła w odpowiedzi.

Zmrużył oczy i zaczął grzebać po kieszeniach. Wyciągnął w końcu niewielkie pudełeczko, otworzył je i rozsmarował na twarzy Sonei ciemną pastę.

– Doskonale. Teraz wyglądasz jak Faren – uśmiechnął się od ucha do ucha, po czym spoważniał z powrotem. – Trzymaj się drzew. Jeśli zobaczę coś niepokojącego, zahukam jak mullook. Wtedy zatrzymaj się i postaraj nie ruszać i nie wydawać żadnych dźwięków.

Skinęła głową, obróciła się do ściany i ostrożnie postawiła stopę w szczelinie. Wbiła palce w kruszącą się zaprawę i poszukała następnego oparcia dla nóg. Wkrótce wisiała na ścianie ze stopami na wysokości głowy Cery'ego. Spojrzała w dół i dostrzegła błysk jego zębów wyszczerzonych w uśmiechu.

Czuła, że wszystkie jej mięśnie protestują przeciwko tej wspinaczce, ale nie zatrzymała się, dopóki nie dotarła do drugiej półki. Zrobiła krótką przerwę na wzięcie kilku oddechów, po czym zwróciła się w stronę najbliższego okna.

Było wielkości drzwi, wypełnione czterema wielkimi szybami. Sonea ostrożnie przesuwała się po półce, aż wreszcie zdołała zajrzeć do środka.

W środku siedziała spora grupka odzianych na brązowo magów, wpatrujących się w coś, co znajdowało się w odległym kącie pokoju. Sonea zawahała się: wciąż nie wyzbyła się lęku przed tym, że któryś podniesie wzrok i zauważy ją, ale nikt nawet nie spojrzał w jej stronę. Z bijącym sercem podczołgała się bliżej, żeby zobaczyć, w co się tak wpatrują.

W drugim końcu pomieszczenia stał człowiek w ciemnozielonej szacie. W rękach trzymał rzeźbę przedstawiającą rękę z wymalowanymi różnymi kolorami liniami oraz wypisanymi słowami. Mag krótkim patykiem wskazywał poszczególne słowa.

Sonea poczuła dreszcz zaciekawienia. Szkło tłumiło głos maga, ale wsłuchując się dokładnie, była w stanie usłyszeć, co mówił.

Przysłuchiwanie się obudziło w niej jednak tylko znaną już frustrację. Wykład maga składał się w większości z niezrozumiałych słów i wyrażeń. Pojmowała z tego tyle, co z obcego języka. Zamierzała już poddać się bólowi w palcach i wrócić do Cery'ego, kiedy wykładowca obrócił się i zawołał podniesionym głosem:

– Wprowadźcie Jenię.

Nowicjusze zwrócili się ku otwartym drzwiom. Do sali weszła młoda kobieta w towarzystwie starej służącej. Jej zabandażowana ręka zwisała na temblaku.

Kobieta uśmiechnęła się hardo i roześmiała głośno z czegoś, co powiedział któryś z nowicjuszy. Wykładowca spojrzał na nich z naganą, i klasa ucichła.

– Jenia spadła dziś z konia i złamała rękę – powiedział, gestem nakazując dziewczynie, by usiadła na krześle. Jej twarz spochmurniała, gdy odwinął bandaż.

Spod bandaży wyłoniło się posiniaczone i spuchnięte przedramię. Nauczyciel wskazał dwóch nowicjuszy. Przebiegli delikatnie dłońmi nad złamaną ręką i wydali orzeczenie. Wykładowca pokiwał zadowolony głową.

– A teraz – podniósł znów głos, żeby dotrzeć do całej klasy – musimy przede wszystkim powstrzymać ból.

Na znak nauczyciela jeden z nowicjuszy ujął rękę dziewczyny. Zamknął oczy i na chwilę w sali zapanowała cisza. Na twarzy dziewczyny odmalowała się widoczna ulga. Nowicjusz puścił rękę i skinął głową do nauczyciela.

– Najlepiej jest pozwolić ciału leczyć się samemu – ciągnął mag – ale możemy pomóc w zrastaniu się kości i złagodzić obrzęk.

Drugi nowicjusz przejechał powoli dłonią nad ręką młodej kobiety. Siniaki zbladły pod jego dotykiem. Kiedy chłopak zabrał swoją rękę, Jenia uśmiechnęła się i poruszyła nieśmiało palcami.

Nauczyciel obejrzał jej rękę, po czym ułożył ją na powrót na temblaku, na który dziewczyna spoglądała z wyraźną niechęcią. Zdecydowanym głosem nakazał jej nie używać tej ręki jeszcze przez dwa tygodnie. Jeden z nowicjuszy powiedział coś, na co reszta wybuchnęła śmiechem.

Sonea odsunęła się od okna. Właśnie widziała na własne oczy pokaz legendarnej mocy uzdrowicielskiej – coś, co niewielu bylców kiedykolwiek miało szanse oglądać. Było to tak zdumiewające, jak się spodziewała.

Nie dowiedziała się jednak nic o tym, jak coś takiego zrobić.

To chyba były zajęcia dla zaawansowanych, uznała. Całkiem świeży studenci nie mieliby pojęcia, jak radzić sobie z takimi obrażeniami. Jeśli trafi na ćwiczenia dla początkujących, może coś zrozumie.

Zeszła na dół. Gdy tylko jej stopy dotknęły ziemi, Cery chwycił ją za rękę.

– Widziałaś leczenie? – spytał szeptem.

Przytaknęła. Uśmiechnął się w odpowiedzi.

– Mówiłem ci, że to proste, nie?

– Może dla ciebie – odpowiedziała, pocierając dłonie. – Ja ewidentnie wyszłam z wprawy. – Przeszła do następnego drzewa i wsunąwszy zmęczone palce między kamienie, podciągnęła się na rękach.

W następnej klasie wykładała kobieta, również odziana w zieloną szatę. W milczeniu przyglądała się grupie nowicjuszy pochylonych nad ławkami, piszących coś pospiesznie lub kartkujących zniszczone księgi oprawne w skórę. Ból w rękach Sonei zwyciężył i zsunęła się na dół.

– I co? – spytał Cery.

Pokręciła przecząco głową.

– Niewiele.

W kolejnej sali nowicjusze mieszali płyny, proszki i gęste mazie w niewielkich moździerzach. Następne okno ukazało jej młodzieńca w zielonych szatach drzemiącego nad otwartą księgą.

– W pozostałych oknach jest ciemno – powiedział jej Cery, kiedy ponownie opuściła się na ziemię. – Obawiam się, że nic więcej tu nie zobaczysz. – Odwrócił się ku Uniwersytetowi. – Tam będzie więcej lekcji.

Potaknęła.

– Chodźmy więc.

Przecisnęli się przez żywopłot, przebiegli ścieżkę i wsunęli się między liście po przeciwnej stronie. W połowie ogrodu Cery zatrzymał się i wskazał otwór wśród krzaków.

Wyglądając spomiędzy gałęzi, Sonea zauważyła, że znaleźli się w pobliżu dziwacznych masztów, które wcześniej widzieli wznoszące się nad ogrodem. Zwężały się przy końcach i zaginały do środka, jakby się sobie wzajemnie kłaniały. Były rozstawione w równych odległościach wokół wielkiego kamiennego kręgu na ziemi.

Sonea wzdrygnęła się. W powietrzu wyczuła słaby ślad znanego pulsowania. Zaniepokojona położyła dłoń na ramieniu Cery'ego.

– Chodźmy stąd.

Cery potaknął i obrzuciwszy wysokie maszty jeszcze jednym spojrzeniem, poprowadził ją dalej.

Musieli przejść przez kolejne dwie ścieżki, zanim dotarli pod mur Uniwersytetu. Cery postukał w kamień.

– Po tym nie dasz rady się wspiąć – szepnął. – Ale na parterze też jest mnóstwo okien.

Sonea dotknęła ściany. Kamień pokryty był na całej powierzchni żyłkami i przebarwieniami, ale nie było widać żadnych szczelin czy spojeń. Wyglądało to tak, jakby cały gmach został wykonany z olbrzymiego bloku skalnego.

Cery ustawił się za drzewem i połączył dłonie. Sonea

uniosła stopę i postawiła ją na tym zaimprowizowanym stopniu. Podciągnęła się do góry i zajrzała ponad parapetem do znajdującego się przed nią pomieszczenia.

Odziany w fiolet mężczyzna pisał coś kawałkami węgla na tablicy. Głos dobiegał do jej uszu, ale nie potrafiła rozróżnić słów. Rysunki na tablicy były zaś równie niezrozumiałe, jak wykład Uzdrowiciela. Czując ukłucie rozczarowania i frustracji, dała Cery'emu znak, że chce zejść na ziemię.

Przeczołgali się wzdłuż budynku ku następnemu oknu. W środku Sonea zobaczyła równie tajemnicze rzeczy, jak w poprzedniej sali. Nowicjusze siedzieli wyprostowani na krzesłach, oczy mieli zamknięte. Za każdym z siedzących stał inny uczeń, z dłońmi przyciśniętymi do skroni kolegi. Nauczyciel, surowy mężczyzna w czerwonej szacie, przyglądał się w milczeniu.

Sonea już zamierzała zeskoczyć, kiedy mag przemówił.

– Wystarczy – powiedział głosem zaskakująco łagodnym, zwłaszcza zważywszy na jego groźną aparycję.

Nowicjusze otworzyli oczy. Ci, którzy stali, pocierali teraz własne skronie, krzywiąc się.

– Jak widzicie, nie da się zajrzeć do czyjegoś umysłu wbrew jego woli – powiedział nauczyciel. – No, może nie jest to całkiem *niemożliwe*, jak pokazał nasz Wielki Mistrz, ale pozostaje daleko poza zasięgiem przeciętnego maga, jak ja czy wy.

Jego wzrok powędrował na moment ku oknu. Sonea szybko dała nura. Cery pomógł jej ustać na nogach, ale ona skuliła się pod parapetem, przytulając się jak najmocniej do ściany – i gestem nakazała Cery'emu zrobić to samo.

– Zauważyli cię? – szepnął Cery.

Sonea przycisnęła rękę do serca, które trzepotało teraz jak oszalałe.

– Nie jestem pewna. – Czy mag przemierzał teraz korytarze Uniwersytetu, żeby przeszukać ogrody? A może stał przy oknie, czekając, aż wyjdą z ukrycia?

Zwilżyła językiem wyschnięte ze zmęczenia wargi. Zwróciła się do Cery'ego, zamierzając rzucić się w stronę lasu, ale zawahała się. Za sobą, najwyraźniej w sali, słyszała głos nauczyciela, ciągnącego wykład jak gdyby nigdy nic. Zamknęła oczy i odetchnęła z ulgą.

Cery wyprostował się i ostrożnie zajrzał przez okno. Spojrzał na Soneę i wzruszył ramionami.

– Idziemy dalej?

Wzięła głęboki oddech i potaknęła. Wstali i ruszyli dalej wzdłuż budynku, by zatrzymać się pod następnym oknem. Cery znowu splótł ręce i pomógł Sonei podciągnąć się.

Pierwszym, co rzuciło jej się w oczy, gdy wyjrzała nad parapet, były szybkie poruszenia. Przyglądała się tej scenie z zachwytem. Kilku nowicjuszy uchylało się i uciekało, robiąc co tylko było w ich mocy, żeby umknąć przed maleńkim świetlnym punkcikiem latającym po sali. W jednym z rogów na krześle stał mag w czerwonej szacie i wyciągniętą dłonią śledził poruszenia iskierki. W pewnym momencie krzyknął do uczniów:

– Baczność! Stać w miejscu!

Czterech nowicjuszy stanęło jak wrytych. Kiedy iskierka zbliżała się do nich, coś odpychało ją niczym pacniętą muchę. Kolejni nowicjusze szli w ślady kolegów, ale iskierka była szybka. Kilku mniej sprawnych uczniów miało czerwone plamki na rękach i twarzach.

Iskierka nagle znikła. Nauczyciel zgrabnie zeskoczył z krzesła. Nowicjusze rozluźnili się i popatrzyli po sobie. W obawie, żeby nie wyjrzeli za okno, Sonea zeskoczyła.

W następnym oknie zobaczyła odzianego w fiolet maga demonstrującego klasie dziwaczny eksperyment z kolorowymi cieczami. W kolejnym obejrzała nowicjuszy pracujących z unoszącymi się w powietrzu kulami płynnego szkła – kształtowali tę lśniącą maź w skomplikowane błyszczące rzeźby. A w jeszcze następnym wysłuchała przemowy o rozniecaniu ognia wygłoszonej przez łagodnego mężczyznę odzianego w czerwień.

Nagle po całej Gildii przetoczyło się echo dzwonu. Mag zrobił zdziwioną minę, a nowicjusze zaczęli podnosić się z krzeseł. Sonea zeskoczyła z parapetu.

Cery postawił ją na ziemi.

– Dzwon oznacza koniec zajęć – wyjaśnił. – Teraz musimy być cicho. Magowie będą przechodzić z Uniwersytetu do swoich domów.

Skulili się przytuleni do pnia drzewa. Przez kilka minut wokół nich panowała cisza, a potem Sonea usłyszała kroki za żywopłotem.

– …długi dzień – mówił kobiecy głos. – Mamy bardzo mało ludzi, a tylu cierpiących z powodu zimowego kaszlu. Mam nadzieję, że te poszukiwania wreszcie się zakończą.

– Ja też – odpowiedziała jej druga. – Na szczęście Administrator był rozsądny i przydzielił do tego głównie Alchemików i Wojowników.

– To prawda – przytaknęła ta pierwsza. – Powiedz mi, proszę, jak miewa się żona Mistrza Makina? Jest już chyba w ósmym…

Głosy kobiet ucichły w oddali, zastąpione przez chłopięcy śmiech.

– …na wariata. On cię autentycznie sprał, Kamo!

– To była tylko sztuczka i tyle – odpowiedział chłopak z wyraźnym akcentem z wyspy Vin. – Drugi raz mu się nie uda.

– Aha! – wtrącił się trzeci głos. – *To* był drugi raz!

Chłopcy wybuchnęli śmiechem, a do uszu Sonei doszedł dźwięk kolejnych kroków. Nowicjusze umilkli jak na komendę.

– Mistrzu Sarrinie – wymamrotali z szacunkiem, gdy kroki zrównały się z nimi. Kiedy nauczyciel ich wyminął, chłopięce głosy podniosły się znowu w podobnym przekomarzaniu jak wcześniej, po czym oddaliły się poza zasięg słuchu Sonei.

Minęły ich kolejne grupy magów. Wielu z nich szło w milczeniu. Powoli ruch w Gildii malał, aż w końcu zupełnie zamarł. Po mniej więcej godzinie Cery wysunął głowę spomiędzy liści, by sprawdzić drogę.

– Wrócimy teraz do lasu – powiedział do Sonei. – Dziś nie będzie już lekcji, które mogłabyś podejrzeć.

Poprowadził ją przez ścieżkę i żywopłoty, przeszli przez ogród i przemknęli z powrotem drogą do lasu. Cery przykucnął pod drzewem i uśmiechnął się do Sonei; jego oczy błyszczały z podniecenia.

– Łatwo poszło, nie?

Sonea odwróciła się ku zabudowaniom Gildii i rozpromieniła się.

– Aha!

– Widzisz. Pomyśl tylko: magowie polują na ciebie w slumsach, a my tymczasem buszowaliśmy po *ich* terenie!

Zachichotali cicho, po czym Sonea odetchnęła głęboko i westchnęła.

– Cieszę się, że to zrobiliśmy – przyznała. – Możemy już wracać?

Cery zacisnął usta.

– Chciałbym jeszcze czegoś spróbować, skoro już tu jesteśmy.

Sonea rzuciła mu podejrzliwe spojrzenie.

– Co takiego?

Nie pofatygował się z odpowiedzią, tylko podniósł się i ruszył między drzewa. Sonea wahała się przez chwilę, ale w końcu pospieszyła za nim. Im bardziej zagłębiali się w las, tym ciemniej się robiło i Sonea potykała się o niewidoczne korzenie i konary. Cery skręcił w prawo; Sonea wyczuła pod stopami inne podłoże i zgadła, że znaleźli się znów na drodze.

Grunt zaczął się w tym miejscu wznosić. Po kilkuset krokach przeszli przez wąską ścieżkę, prowadzącą bardziej stromo w górę. Cery zatrzymał się i wskazał ręką przed siebie.

– Patrz.

Między drzewami widoczny był długi dwupiętrowy budynek.

– Kwatery nowicjuszy – oznajmił Cery. – Jesteśmy na ich tyłach. Zobacz, możesz zajrzeć do środka.

Przez jedno z okien widziała fragment pokoju. Pod jedną ze ścian stało proste łóżko, pod drugą wąski stolik i krzesło. Z haków na ścianie zwieszały się dwie brązowe szaty.

– Żadnych luksusów.

Cery przytaknął.

– Wszędzie tak jest.

– Ale przecież oni są bogaci, prawda?

– Mam wrażenie, że nie wolno im urządzać pokoi po swojemu, dopóki nie zostaną magami.

– A jak wyglądają pokoje magów?

– Elegancko. – Oczy Cery'ego zabłysły. – Chcesz zobaczyć?

Potaknęła.

– No to chodźmy.

Wszedł głębiej między drzewa i ruszył ku szczytowi wzgórza. Kiedy znów zbliżyli się do granicy lasu, Sonea zauważyła, że za Uniwersytetem znajduje się jeszcze kilka budynków i wielki brukowany dziedziniec. Jedna z budowli wiła się po zboczu niczym długie schody i połyskiwała lekko, jakby była wykonana w całości z odlewanego szkła. Inna wyglądała jak wielka odwrócona misa, gładka i biała. Obszar, na którym się znajdowały, oświetlony był dwoma rzędami kulistych latarni umieszczonych na wysokich żelaznych prętach.

– Co to za budynki? – spytała Sonea.

Cery zatrzymał się.

– Nie wiem dokładnie. Ten szklany to chyba łaźnie. A pozostałe? – Wzruszył ramionami. – Nie zdołałem się dowiedzieć.

Ruszył dalej lasem. Kiedy z powrotem znaleźli się w pobliżu głównego gmachu Gildii, przebiegli przez dziedziniec i zatrzymali się w pobliżu kwater magów. Cery założył ręce i zmarszczył brwi.

– Wszyscy mają zasłonięte okna – powiedział. – Hmm, może jeśli obejdziemy budynek, uda nam się coś podejrzeć.

Kiedy wrócili na granicę lasu, Soneę bardzo już bolały nogi. Mimo że po drugiej stronie budynku drzewa podchodziły niemal pod sam mur, udało jej się zobaczyć jedynie kawałek umeblowania przez otwarte okno, które wskazał jej Cery. Nagle poczuła, że zmęczenie przeważa nad ciekawością i osunęła się na ziemię.

– Nie wiem, czy dam radę wrócić do slumsów – jęknęła. – Nie mam siły zrobić ani kroku więcej.

Cery skrzywił się i usiadł obok niej.

– Rzeczywiście straciłaś kondycję przez te parę lat.

Posłała mu miażdżące spojrzenie. Zaśmiał się i zerknął w stronę Gildii.

– Siedź tu i odpocznij przez chwilę – powiedział do niej. – Chciałbym jeszcze coś zrobić. To nie potrwa długo.

Sonea zachmurzyła się.

– Dokąd idziesz?

– Blisko. Nie martw się. Zaraz wrócę. – Obrócił się na pięcie i znikł w mroku.

Zbyt zmęczona, żeby się rozgniewać, Sonea gapiła się w las. Pomiędzy pniami dostrzegła coś płaskiego i szarego. Zamrugała zaskoczona, po czym uświadomiła sobie, że siedzi nie dalej niż czterdzieści kroków od niewielkiego piętrowego budynku.

Wstała i podeszła bliżej, zastanawiając się, czemu Cery nie pokazał jej tego domu. Może też go nie zauważył. Był zbudowany z innego, ciemniejszego kamienia niż pozostałe zabudowania Gildii, w związku z czym w cieniu drzew zdawał się prawie niewidoczny.

Podobnie jak Uniwersytet, otoczony był żywopłotem. Kilka kroków dalej Sonea wyczuła pod stopami kamienną ścieżkę. Ciemne okna przyciągnęły ją bliżej.

Spojrzała za siebie, zastanawiając się, ile czasu zajmie Cery'emu to, co sobie zamierzył. Jeśli nie będzie zbyt długo zwlekać, zdąży zajrzeć w okna tego budynku, zanim on wróci.

Czołgając się po ścieżce, dotarła do żywopłotu i zajrzała w najbliższe okno. Pokój był ciemny i nie mogła wiele w nim dojrzeć. Jakieś meble, niewiele więcej. Podeszła do drugiego okna i trzeciego, ale widok we wszystkich był taki sam. Rozczarowana postanowiła zawrócić, kiedy usłyszała za sobą kroki na ścieżce i zamarła.

Rzuciwszy się pod żywopłot, ujrzała jakąś postać wychodzącą zza rogu budynku. Mimo że widziała zaledwie zarys sylwetki, była pewna, że ten człowiek nie jest odziany w szaty. Czyżby sługa?

Mężczyzna podszedł do bocznej ściany budynku i otworzył drzwi. Słysząc trzaśnięcie zamykanego rygla, Sonea odetchnęła z ulgą. Wsparła się na rękach, żeby wstać, ale zawahała się: miała wrażenie, że gdzieś w pobliżu usłyszała coś jakby ciche brzęczenie.

Rozejrzała się i dostrzegła niewielką kratkę w ścianie budynku tuż nad ziemią. Opadła na czworaki, żeby się jej przyjrzeć. Wąski otwór wentylacyjny był pełen kurzu, ale zobaczyła spiralne schody dochodzące do otwartych drzwi.

Za drzwiami znajdował się pokój oświetlony żółtym światłem pochodzącym z niewidocznego źródła. W polu widzenia Sonei pojawił się długowłosy mężczyzna w ciężkim czarnym płaszczu. Ze schodów zszedł ktoś drugi, kto na chwilę przesłonił widok. Zanim wyszedł z zasięgu jej wzroku, zdążyła zauważyć, że ten nowy jest ubrany jak służący.

Usłyszała głos, ale nie mogła rozróżnić słów. Mężczyzna w płaszczu skinął głową.

– Zrobione – powiedział, chwytając zapinkę i zrzucając płaszcz z ramion.

Sonea poczuła, jak serce podchodzi jej do gardła na widok tego, co było pod spodem: ten człowiek miał na sobie potargane łachmany żebraka.

Na dodatek poplamione krwią.

Popatrzył na siebie i po jego twarzy przemknął cień obrzydzenia.

– Przyniosłeś moje szaty?

Służący wymamrotał coś w odpowiedzi. Sonea stłumiła okrzyk zgrozy i zaskoczenia. Ten człowiek był magiem!

Mag ściągnął tymczasem przez głowę zakrwawioną koszulę, ukazując ukryty pod nią skórzany pas i przypięty do niego spory sztylet w pochwie.

Zdjął pas i rzucił go wraz z koszulą na stół, po czym przyciągnął do siebie wielką misę z wodą i ręcznik. Zanurzył ręcznik w wodzie i szybko starł czerwone plamy z ciała. Za każdym razem, kiedy płukał ręcznik, woda zabarwiała się coraz mocniejszym szkarłatem.

W polu widzenia Sonei pojawiła się ręka trzymająca zwoje czarnego materiału. Mag wziął szaty i zniknął jej z widoku.

Sonea przysiadła na piętach. Czarna szata? Nigdy wcześniej nie widziała maga w czerni. Żaden z magów, którzy brali udział w Czystkach, nie nosił się na czarno. A zatem ten tutaj musi być kimś wyjątkowym w Gildii. Nachyliła się znów nad otworem, rozmyślając o zakrwawionej koszuli. Może to zabójca.

Mag pojawił się znów w zasięgu jej wzroku. Miał teraz na sobie czarne szaty, a długie włosy związał z tyłu głowy. Sięgnął do pasa i odpiął pochwę sztyletu.

Sonea wstrzymała oddech. Rękojeść broni zabłysła w świetle, a osadzone w niej klejnoty rzuciły zielone i czerwone błyski. Mag obejrzał dokładnie długie zakrzywione ostrze, po czym wytarł je delikatnie w ręcznik. Następnie podniósł wzrok na niewidocznego sługę.

– Walka osłabiła mnie – powiedział. – Potrzebuję twojej siły.

Usłyszała mruknięcie w odpowiedzi. Zobaczyła najpierw nogi służącego, a następnie resztę jego ciała z wyjątkiem głowy, kiedy mężczyzna przyklęknął na jedno kolano i wyciągnął przed siebie rękę. Mag chwycił go za nadgarstek.

Obrócił rękę sługi wnętrzem dłoni do góry i przejechał lekko sztyletem po jego skórze. Pojawiła się krew i mag zacisnął dłoń na ranie, jakby chciał ją uleczyć.

W tej chwili coś jakby zatrzepotało Sonei w uszach. Wyprostowała się i potrząsnęła głową, przekonana, że to jakiś owad zaplątał się jej we włosy, ale brzęczenie nie ustawało. Zamarła, czując dreszcz, gdy uświadomiła sobie, że ten szmer dochodzi skądś *wewnątrz* jej głowy.

Uczucie znikło równie nagle, jak się pojawiło. Pochylając się nad kratką, dostrzegła, że mag puścił już dłoń sługi. Obracał teraz powoli głowę, jakby szukał czegoś na ścianach.

– Dziwne – powiedział. – Mam wrażenie, jakby...

On nie szuka czegoś na ścianach, pomyślała nagle Sonea. *On szuka poza nimi.*

Ogarnęło ją przerażenie. Zerwała się na równe nogi, przecisnęła przez krzaki i popędziła przed siebie, byle dalej od tego domu.

Nie biegnij, skarciła samą siebie. *Nie hałasuj.* Powstrzymała się przed rzuceniem się między drzewa, starając się skradać jak najostrożniej. Doszedłszy do ścieżki, wydłużyła nieco krok, krzywiąc się za każdym razem, kiedy pod jej stopami trzasnęła gałązka. Las sprawiał wrażenie jeszcze mroczniejszego niż przedtem, a Sonea poczuła, że ogarnia ją panika na myśl o tym, że nie ma pojęcia, gdzie siedziała, kiedy rozstała się z Cerym.

– Sonea?

Uskoczyła na widok kształtu wynurzającego się spomiędzy cieni, ale rozpoznała twarz Cery'ego i odetchnęła z ulgą. Jej przyjaciel dźwigał w rękach coś ciężkiego.

– Patrz – powiedział, podtykając jej swój łup pod nos.

– Co to jest?

Uśmiechnął się szeroko.

– Książki!

– Książki?

– Księgi magiczne. – Uśmiech znikł z jego twarzy. –
Gdzieś ty *była*? Wróciłem i…

– Byłam tam. – Wskazała na dom i wzdrygnęła się. Wydawał się teraz jeszcze ciemniejszy, niczym jakiś stwór cza-
jący się na skraju ogrodów. – Musimy uciekać! Szybko!

– *Tam!* – zawołał Cery. – Tam mieszka ich przywódca…
Wielki Mistrz!

Chwyciła go za rękę.

– Obawiam się, że jeden z jego magów mnie usłyszał!

Cery wybałuszył oczy. Rzucił szybkie spojrzenie za siebie, po czym odwrócił się i ruszył lasem, jak najdalej od
mrocznego budynku.

ROZDZIAŁ 13

POTĘŻNE WPŁYWY

Kiedy Rothen przybył do sali wieczornej, zastał tam może ze dwudziestu magów. Zobaczył, że Dannyla jeszcze nie ma, i ruszył w kierunku foteli.

– Okno było otwarte. Ktokolwiek to był, musiał dostać się przez okno.

Słysząc niepokój w głosie mówiącego te słowa, Rothen rozejrzał się. W pobliżu Jerrik rozmawiał z Yaldinem. Ponieważ zaciekawiło go, co mogło do tego stopnia wstrząsnąć rektorem Uniwersytetu, podszedł do nich.

– Witajcie – skinął im uprzejmie głową. – Wyglądasz, jakby cię coś trapiło, rektorze.

– Mamy wśród nowicjuszy sprytnego złodzieja – wyjaśnił Yaldin. – Jerrik stracił kilka cennych ksiąg.

– Złodziej wśród nowicjuszy? – Rothen nie krył zaskoczenia. – A co to były za księgi?

– *Wiedza magów Południa, Arkana sztuk Archipelagu Minken, Podręcznik magii ogniowej* – wyliczył Jerrik.

Rothen zamyślił się.

– Dziwaczny zestaw ksiąg.

– To bardzo drogie księgi – odpowiedział z rozpaczą Jerrik. – Wykonanie tych egzemplarzy kosztowało mnie dwadzieścia sztuk złota.

Rothen gwizdnął cicho.

– A zatem złodziej ma dobre oko. – Zmarszczył brwi. – Ale tak rzadkie księgi będzie trudno ukryć. O ile pamiętam, to na dodatek spore tomiszcza. Możesz nakazać przeszukanie Domu Nowicjuszy.

Jerrik skrzywił się.

– Miałem nadzieję, że tego uniknę.

– Może ktoś je po prostu pożyczył? – zasugerował Yaldin.

– Pytałem wszystkich – Jerrik westchnął i potrząsnął głową. – Nikt ich nie widział.

– Mnie nie pytałeś – zauważył Rothen.

Jerrik rzucił mu gniewne spojrzenie.

– Nie, ja ich nie zabrałem. – Rothen roześmiał się. – Ale mogłeś nie zapytać też innych. Może powinieneś zadać to pytanie na następnym Posiedzeniu. Odbędzie się za dwa dni, a księgi mogą się do tego czasu znaleźć.

Jerrik skrzywił się.

– Może lepiej najpierw jeszcze popytam.

Na widok znajomej wysokiej postaci wchodzącej do wieczornej sali, Rothen przeprosił rozmówców. Podszedł do Dannyla i zaciągnął go w odległy kąt pokoju.

– I jak? – spytał cicho.

Dannyl wzdrygnął się.

– Bez powodzenia, ale przynajmniej tym razem nie włóczyli się za mną uzbrojeni w noże cudzoziemcy. A co u ciebie?

Rothen otworzył usta do odpowiedzi, ale zamknął je, kiedy zatrzymał się koło nich służący, oferując kieliszki z winem. Sięgnął, by podnieść jeden z nich, i zamarł w pół gestu, widząc rękę w czarnym rękawie zbliżającą się do tacy zza pleców Dannyla. Akkarin wybrał kieliszek i omijając Dannyla, stanął przed Rothenem.

– Jak postępy w poszukiwaniu, Mistrzu Rothenie?

Oczy Dannyla rozszerzyły się na widok Wielkiego Mistrza.

– Dwa tygodnie temu byliśmy najbliżej złapania dziewczyny, Wielki Mistrzu, ale jej opiekunowie wywiedli nas w pole. Zanim się zorientowaliśmy, że to nie ona, tamta zdążyła uciec. Znaleźliśmy za to księgę magiczną.

Wielki Mistrz zachmurzył się.

– To niedobra wieść.

– Była już przestarzała – wtrącił Dannyl.

– Mimo wszystko nie powinniśmy dopuszczać do tego, żeby takie księgi znajdowały się poza Gildią – odparł Akkarin. – Przeszukanie lombardów powinno wykazać, czy wiele ksiąg wywędrowało do miasta. Porozmawiam o tym z Lorlenem, a tymczasem… – spojrzał na Dannyla. – Czy udało ci się ustanowić na nowo kontakt ze Złodziejami?

Dannyl pobladł, a następnie zalał się rumieńcem.

– Nie – odpowiedział, a w jego tonie znać było napięcie. – Od kilku tygodni odmawiają mi spotkania.

Na twarzy Akkarina pojawił się cień uśmiechu.

– Zakładam, że ostrzegłeś ich przed niebezpieczeństwem, jakie może stwarzać nieszkolony mag?

Dannyl potaknął.

– Tak, ale nie przejęli się tym zbytnio.

– Wkrótce się przejmą. Staraj się nadal o spotkanie. Jeśli odmówią osobistego kontaktu, wysyłaj im listy. Opisuj w nich problemy, jakie mogą się pojawić, jeśli jej magia wymknie się spod kontroli. Nie będą potrzebowali dużo czasu, żeby przekonać się, że mówisz prawdę. Chcę być na bieżąco z tym, co robisz.

Dannyl przełknął ślinę.

– Tak, Wielki Mistrzu.

Akkarin skinął im głową.

– Życzę miłego wieczoru. – Odwrócił się i odszedł, pozostawiając dwóch magów gapiących się w jego plecy. Dannyl wypuścił głośno powietrze.

– Skąd on wie? – szepnął.

Rothen wzruszył ramionami.

– Powiadają, że Akkarin wie znacznie więcej o tym, co dzieje się w mieście, niż sam Król. Ale może po prostu Yaldin komuś powiedział?

Dannyl zmarszczył brwi i spojrzał na starszego maga stojącego w drugim końcu pokoju.

– To nie w stylu Yaldina.

– Nie – zgodził się Rothen. Uśmiechnął się i poklepał Dannyla po ramieniu. – Ale też nie wygląda to, jakbyś się wpakował w kłopoty. Po prawdzie to właśnie dostałeś osobiste zlecenie od Wielkiego Mistrza.

Sonea zawinęła brzeg kartki i westchnęła. Dlaczego ci pisarze z Gildii nie mogli używać zwykłych, *sensownych* wyrazów? Ten tutaj najwyraźniej rozkoszował się układaniem zdań, które nie miały nic wspólnego z codzienną mową. Nawet Serin, podstarzały skryba, który uczył ją czytać, nie potrafił wyjaśnić jej znaczenia wielu słów i zwrotów.

Potarła oczy i odchyliła się w krześle. Od kilku dni przebywała w piwnicy Serina. Było to zaskakująco wygodne miejsce: z dużym paleniskiem i ciężkimi meblami. Nie miała ochoty stąd odchodzić.

Po tym jak o mało co nie została schwytana, a Cery zabrał ją do Gildii, Faren umieścił ją w domu Serina w Dzielnicy Północnej i uznał, że powinna zaprzestać ćwiczenia magii, dopóki on nie zorganizuje nowych, bezpieczniejszych kryjówek. Na razie może zająć się studiowaniem ksiąg, które „znalazł" Cery.

Sonea spojrzała z powrotem na kartę i westchnęła. Przed nią znajdowało się słowo – obce, dziwaczne, irytujące słowo, którego nie mogła pojąć. Wpatrywała się w nie, wiedząc, że wokół tego doprowadzającego ją do szaleństwa wyrazu obraca się znaczenie całego zdania. Potarła raz jeszcze oczy i podskoczyła na dźwięk pukania do drzwi.

Podniosła się z krzesła i wyjrzała przez lufcik, po czym uśmiechnęła się i otwarła drzwi.

– Dobry wieczór – powiedział Faren, wchodząc do pokoju. Podał jej butelkę. – Przyniosłem ci coś na zachętę.

Odkorkowała butelkę i powąchała zawartość.

– Wino pachi! – zawołała.

– Zgadza się.

Podeszła do kredensu i wyjęła dwa kubki.

– Nie pasują chyba do pachi – powiedziała – ale nie mam nic innego, chyba że poprosisz Serina, żeby coś pożyczył.

– Mogą być. – Faren przyciągnął sobie krzesło do stołu i usiadł. Wziął od niej kubek z klarownym zielonym trunkiem i skosztował, po czym westchnął i odchylił się na krześle. – Oczywiście lepiej smakowałoby grzane z korzeniami.

– Nie mam pojęcia – odpowiedziała Sonea. – Nigdy tego nie piłam. – Spróbowała i uśmiechnęła się, gdy słodki, świeży smak wypełnił jej usta. Faren zaśmiał się, widząc jej minę.

– Tak myślałem, że ci zasmakuje. – Wyciągnął przed siebie nogi, rozpierając się na krześle. – Mam również dla ciebie wiadomości. Twoi wujostwo spodziewają się dziecka.

241

Sonea wlepiła w niego wzrok.

– Naprawdę?

– Niebawem będziesz mieć małego kuzyna – potwierdził. Wypił kolejny łyk i spojrzał na nią badawczo. – Cery mówił mi, że twoja matka umarła niedługo po twoim urodzeniu, a ojciec wkrótce potem opuścił Kyralię – urwał. – Czy którekolwiek z nich mogło mieć jakieś zdolności magiczne?

Potrząsnęła głową.

– Nic mi o tym nie wiadomo.

Faren zacisnął usta.

– Posłałem Cery'ego, żeby wypytał twoją ciotkę. Twierdzi, że nie zauważyła żadnych śladów magii u twoich rodziców czy dziadków.

– Jakie to ma znaczenie?

– Magowie lubią znać swoje pochodzenie – odpowiedział. – Moja matka miała magicznych przodków. Wiem o tym, ponieważ jej brat, mój wuj, jest magiem, podobnie jak brat mojego dziadka, jeśli jeszcze żyje.

– Masz w rodzinie *magów*?

– Tak, aczkolwiek żadnego z nich nigdy nie spotkałem – i zapewne nigdy nie spotkam.

– Ale… – Sonea potrząsnęła głową. – Jak to możliwe?

– Moja matka była córką zamożnego lonmarskiego kupca – wyjaśnił – a ojciec żeglarzem z Kyralii. Pracował dla szypra przewożącego regularnie towary dziadka.

– Jak się spotkali?

– Najpierw przez przypadek, a potem widywali się w tajemnicy. Lonmarczycy, jak zapewne wiesz, trzymają swoje kobiety w odosobnieniu. Nie sprawdzają ich talentów magicznych, ponieważ jedynym miejscem, gdzie można nauczyć się nimi posługiwać, jest Gildia, a Lonmarczycy uważają, że kobiety nie powinny przebywać z dala od domu, a nawet rozmawiać z mężczyznami spoza swojej rodziny. – Przerwał, by wypić kolejny łyk wina. Sonea czekała z niecierpliwością, aż przełknie. Na jego twarzy zagościł przelotny uśmiech.

– Kiedy dziadek dowiedział się, że jego córka potajemnie spotyka się z żeglarzem, ukarał ją – ciągnął Faren. – Została wychłostana i zamknięta w wieży. Mój ojciec porzucił statek i pozostał w Lonmarze, starając się ją uwolnić. Nie musiał czekać długo: kiedy krewni dowiedzieli się, że spodziewa się dziecka, wygnali ją w niełasce.

– Wygnali ją? Chyba tylko znaleźli dom dla dziecka?

– Nie – twarz Farena pociemniała. – Uważali, że jest nieczysta, że zhańbiła rodzinę. Tradycja nakazuje piętnować takie kobiety, żeby inni mężczyźni znali ich zbrodnię, a następnie sprzedawać na targu niewolników. Miała na każdym z policzków dwie długie blizny i jeszcze jedną na środku czoła.

– To okropne! – krzyknęła Sonea.

Faren wzruszył ramionami.

– Tak, nam wydaje się to straszne, ale Lonmarczycy uważają się za najbardziej cywilizowany naród na ziemi. – Pociągnął jeszcze łyk. – Mój ojciec wykupił ją i znalazł dla obojga przejazd do Imardinu. Ich kłopoty jednak się nie skończyły. Ojciec przyczynił się do tego, że jego szyper stracił ważnego klienta, bo rodzina matki nie chciała już z nim robić interesów. On sam nie mógł też znaleźć pracy na statkach, więc rodzice byli coraz biedniejsi. Zbudowali chatkę w slumsach i ojciec zatrudnił się w rzeźni, a niewiele później na świat przyszedłem ja.

Wychylił ostatni łyk i spojrzał na Soneę z uśmiechem.

– Widzisz? W ten sposób nawet nędzny złodziej może mieć magiczną krew.

– *Nędzny* złodziej? – parsknęła w odpowiedzi Sonea.
Nigdy wcześniej Faren nie był tak wylewny. Co jeszcze
miał do opowiedzenia? Nalała mu więcej wina.

– Jak syn rzeźnika został przywódcą Złodziei? – spytała,
gestami zdradzając niecierpliwość.

Faren uniósł kubek do ust.

– Mój ojciec zginął w zamieszkach w czasie pierwszej
Czystki. Żeby zarobić na nasze utrzymanie, matka została tancerką w burdelu – skrzywił się. – Nie było nam
łatwo. Ale jeden z jej klientów miał spore wpływy wśród
Złodziei. Polubił mnie i postanowił adoptować. Kiedy
się zestarzał, przejąłem jego interes, a potem tylko pią-
łem się w górę.

Sonea wydęła wargi.

– Czyli każdy może zostać Złodziejem? Trzeba tylko za-
przyjaźnić się z właściwym człowiekiem?

– Trzeba czegoś więcej niż tylko dobrych znajomości. –
Faren uśmiechnął się. – Myślisz o swoim młodym przyjacielu, co?

Zmarszczyła brwi, udając zaskoczenie.

– Przyjacielu? Nie, myślałam o sobie.

Odrzucił głowę do tyłu i wybuchnął śmiechem, po czym
wzniósł swój kubek ku niej.

– Za Soneę i jej skromne ambicje! Najpierw mag, potem Złodziejka.

Wychylili jednocześnie kubki, po czym Faren utkwił
wzrok w blacie stołu. Sięgnął po księgę i przysunął ją do
siebie.

– Zaczęłaś coś z tego rozumieć?

Westchnęła.

– Nawet Serin niewiele rozumie. To jest napisane dla
kogoś, kto wie znacznie więcej niż ja. Mnie przydałaby się

książka o podstawach magii. – Podniosła wzrok na Farena. – Cery'emu coś się udało?

Pokręcił głową przecząco.

– Może lepiej by było, gdybyś próbowała? Gildia miałaby zajęcie. W zeszłym tygodniu przeszukali wszystkie kantory w obrębie murów i poza nimi. Jeśli kiedyś w mieście były jakiekolwiek księgi magiczne, to już ich nie ma.

Sonea westchnęła i przyłożyła palce do skroni.

– Co oni teraz robią?

– Ciągle węszą po slumsach – odpowiedział. – Ani chybi czekają, aż posłużysz się magią.

Sonea pomyślała o wuju i ciotce, i o dziecku, którego się spodziewali. Dopóki magowie nie zaprzestaną poszukiwań, nie będzie mogła się z nimi zobaczyć. A tak chętnie by z nimi porozmawiała. Spojrzała w dół, na leżącą na stole księgę i poczuła, że wzbiera w niej gniew.

– Czy oni *nigdy* nie dadzą mi spokoju?

Podskoczyła, gdy przez pokój przetoczył się głośny brzęk, a po nim stukot, jakby coś rozprysło się na podłodze. Zerknąwszy w dół, dostrzegła okruchy białej ceramicznej wazy.

– Oj, Sonea – Faren pogroził jej palcem. – Niezbyt to dobra zapłata dla Sarina za… – Urwał i klepnął się w czoło z jękiem. – Teraz będą wiedzieć, że jesteś w mieście. – Zaklął, po czym spojrzał na nią z naganą. – Jest wiele powodów, dla których zakazałem ci posługiwania się tutaj magią.

Sonea zarumieniła się.

– Przepraszam, nie chciałam. – Podniosła z podłogi jeden z kawałków. – Najpierw, kiedy chcę coś zrobić, nie potrafię, a potem coś takiego, kiedy nawet o tym nie myślę…

Mina Farena złagodniała.

– Cóż, skoro nic na to nie możesz poradzić, to nie możesz. – Machnął ręką, wyprostował się i spojrzał jej prosto w oczy.

– O co chodzi? – spytała.

Przełknął ślinę i odwrócił wzrok.

– Nic. Tylko… coś mi przyszło do głowy. Magowie nie mogą być tak blisko, żeby wykryć cię tutaj, chociaż do jutra pewnie zaroi się od nich cała Północna Dzielnica. Chyba jednak nie muszę cię natychmiast przenosić – postaraj się tylko nie używać więcej magii.

Skinęła posłusznie głową.

– Postaram się.

– Kupiec Larkin?

Dannyl odwrócił się i ujrzał za sobą posługacza ze spylunki. Potaknął. Mężczyzna skinął głową na znak, że Dannyl powinien za nim pójść.

Przez chwilę mag gapił się na tego człowieka, nie dowierzając, że wreszcie coś się dzieje, po czym podniósł się pospiesznie ze stołka. Przeciskając się za przewodnikiem przez zatłoczoną salę, zastanawiał się nad swoim listem do Gorina. Co sprawiło, że Złodziej postanowił się z nim wreszcie spotkać?

Na dworze padał śnieg. Przewodnik skulił się i owinął ciaśniej płaszczem, po czym ruszył szybkim krokiem w dół ulicy. Kiedy dotarli do wejścia do pobliskiego zaułka, przed Dannylem wyrosła wysoka postać, blokując mu przejście.

– Mistrz Dannyl. Cóż za niespodzianka! A może powinienem powiedzieć: cóż za wdzianko!

Fergun uśmiechał się od ucha do ucha. Dannyl wpatrywał się w maga, a zaskoczenie szybko zmieniało się w gniew.

Na wspomnienie dawnych lat, kiedy młodszy Fergun prześladował go i wyśmiewał, poczuł niepokojącą pokusę – po czym rozzłościł się na samego siebie. Wyprostował ramiona i z niejaką przyjemnością stwierdził, że jest o jakąś głowę wyższy od Ferguna.

– Czego chcesz, Fergunie?

Równe brwi Ferguna uniosły się.

– Chcę wiedzieć, czemu to włóczysz się po slumsach w takim stanie, *Mistrzu* Dannylu.

– I myślisz, że ci powiem?

Wojownik uniósł ramiona.

– No cóż, jeśli nie, to zmusisz mnie do spekulacji, prawda? Jestem pewny, że moi przyjaciele z przyjemnością pomogą mi wysnuć właściwe wnioski. – Położył palec na wargach. – Hmm, najwyraźniej nie chcesz, żeby ktokolwiek wiedział, że tu jesteś. Czyżbyś ukrywał jakiś mały skandal? A może wplątałeś się w coś tak wstydliwego, że musisz przebierać się za żebraka, byle uniknąć wykrycia? Och! – Oczy Ferguna rozszerzyły się. – Może odwiedzasz burdele?

Dannyl spojrzał ponad ramieniem Ferguna. Zgodnie z tym, czego się spodziewał, przewodnika nie było nigdzie widać.

– Ach, a więc to był jeden z nich? – ciągnął Fergun. – Wyglądał dość prostacko. Choć oczywiście nie znam aż tak *dokładnie* twoich gustów.

Dannyl poczuł zalewającą go falę zimnej złości. Minęło sporo lat, odkąd Fergun zaczepiał go w ten sposób, ale nienawiść, jaką wyzwalały te szyderstwa, nie zmalała ani trochę.

– Zejdź mi z drogi, Fergun.

Oczy Ferguna zabłysły z uciechy.

– Ależ nie – odpowiedział, ale już bez szyderstwa

w głosie. – Nie zamierzam, dopóki nie powiesz mi, o co tu chodzi?

Przewrócenie go nie powinno być bardzo trudne, pomyślał Dannyl.

Z wysiłkiem powstrzymał jednak gniew.

– Fergunie, wszyscy wiedzą, że nie potrafisz trzymać gęby na kłódkę, choćbyś nawet chciał, a poza tym jesteś strasznym plotkarzem. Nikt nie uwierzy ci na słowo. Dlatego zejdź mi z drogi, żebym nie musiał składać na ciebie raportu.

W oczach Wojownika pojawił się chłód.

– Obawiam się, że Starszych bardziej zainteresują *twoje* poczynania. O ile pamiętam, przepisy dość ściśle określają, w jakich sytuacjach magowie muszą nosić szaty. Czy starsi wiedzą, że łamiesz prawo?

Dannyl uśmiechnął się.

– Nie jest im to całkiem niewiadome.

Cień wątpliwości przemknął przez twarz Ferguna.

– I pozwolili ci?

– Ba, rozkazali mi. Choć może powinienem powiedzieć: *rozkazał* – odpowiedział Dannyl. Przez chwilę pozwolił myślom błądzić, po czym potrząsnął głową. – Nigdy nie jestem w stanie stwierdzić, czy on patrzy, czy nie. Ale będzie musiał dowiedzieć się o tym spotkaniu. Powiem mu, jak tylko wrócę.

Fergun pobladł lekko.

– Nie trzeba! Sam z nim porozmawiam. – Ustąpił Dannylowi z drogi. – Idź. Rób, co ci kazano. – Cofnął się jeszcze o krok, po czym odwrócił się i pospiesznie oddalił.

Dannyl patrzył z uśmiechem, jak postać Wojownika niknie w gęstniejącym śniegu. Szczerze wątpił, czy Fergun zamieni choć słowo z Wielkim Mistrzem.

Uczucie samozadowolenia znikło, gdy przekonał się, że jest sam w pustym zaułku. Przeszukał ciemny zakątek, w którym znikł jego przewodnik. Fergun oczywiście *musiał* zjawić się akurat w tym dniu, kiedy Złodzieje wreszcie zgodzili się na spotkanie. Dannyl z westchnieniem ruszył z powrotem ku Drodze Północnej i Gildii.

W świeżym śniegu gdzieś za nim rozległ się szelest pospiesznych kroków. Spojrzał za siebie i zamrugał na widok przewodnika. Zatrzymał się, żeby mężczyzna mógł się z nim zrównać.

– Ej! O co tu chodziło? – spytał przewodnik.

– Jeden z poszukiwaczy wykazał pewną nadgorliwość – odparł Dannyl z uśmiechem. – Nazwałbyś go pewnie wścibskim ogonem.

Mężczyzna wyszczerzył do Dannyla dziurawe zęby.

– Kapuję.

Wzruszył lekko ramionami, po czym skinął znów na Dannyla. Ten rozejrzał się, żeby mieć pewność, że Fergun nie zaczaił się gdzieś w pobliżu, i ruszył za przewodnikiem w padającym śniegu.

– „Stopniowo zwiększaj ilość mocy, aż żar stopi szkło" – przeczytał Serin.

– Ale jak to zrobić? – wykrzyknęła Sonea. Wstała i przeszła się po pokoju. – To jest jak… bukłak, w którym jest maleńka dziurka. Jeśli go ściśniesz, woda tryśnie, ale nie da się jej skierować w konkretne miejsce ani…

Urwała, słysząc pukanie do drzwi. Serin wstał i wyjrzał przez lufcik, zanim otworzył.

– Sonea – powiedział Faren, gestem wypraszając skrybę z pokoju. – Goście do ciebie.

Wszedł do środka z szerokim uśmiechem. Za nim pojawił się krępy mężczyzna o zaspanych oczach i niska kobieta z głową owiniętą grubym szalem.

– Ranel! – krzyknęła Sonea. – Jonna! – Wyskoczyła zza stołu i rzuciła się ciotce na szyję.

– Sonea. – Jonna jęknęła cicho. – Tak żeśmy się martwili. – Odsunęła dziewczynę na odległość ręki i pokiwała aprobująco głową. – Wyglądasz nieźle.

Następnie, ku rozbawieniu Sonei, Jonna zmierzyła Farena wzrokiem. Złodziej oparł się o ścianę, nie przestając się uśmiechać. Sonea podeszła do Ranela i uściskała go.

Obrzucił ją badawczym spojrzeniem.

– Harrin mówił, że posługujesz się magią.

Sonea skrzywiła się.

– Owszem.

– I że magowie cię szukają.

– Aha. Faren mnie przed nimi ukrywa.

– Za jaką cenę? Twojej magii?

Sonea przytaknęła.

– Zgadza się. Nie żeby mu się to na cokolwiek teraz przydawało. Nie idzie mi zbyt dobrze.

Jonna parsknęła cicho.

– Nie może iść ci całkiem źle, skoro on cię ukrywa. – Rozejrzała się po pokoju i pokiwała głową. – Lepiej, niż przypuszczałam. – Podeszła do krzesła, usiadła, ściągnęła szal i odetchnęła głęboko.

Sonea kucnęła obok niej.

– Ponoć wzięliście się do nowego interesu?

Jonna uniosła brwi.

– Nowy interes?

– Sprawiania mi kuzynów, zgadza się?

Twarz ciotki rozjaśniła się nieco, gdy Jonna pogładziła się po brzuchu.

– A więc wieści dotarły do ciebie. Tak, latem pojawi się nowy członek naszej małej rodzinki. – Jonna podniosła wzrok na Ranela, na którego twarzy zagościł szeroki uśmiech.

Patrząc na nich, Sonea poczuła, jak wzbiera w niej tęsknota i czułość. W jej umyśle pojawiło się znane uczucie, więc wzięła nerwowy oddech. Wstała, ogarnęła pokój spojrzeniem, ale nie zauważyła nic szczególnego.

– Co się stało? – spytał Faren.

– Coś zrobiłam. – Zarumieniła się, gdy dotarło do niej, że ciotka i wuj gapią się na nią. – W każdym razie tak mi się zdawało.

Złodziej rozejrzał się po pokoju, po czym wzruszył ramionami.

– Może poruszyłaś kurz na ścianie.

Jonna patrzyła na nich ze zdziwieniem.

– O czym wy mówicie?

– Użyłam magii – wyjaśniła Sonea. – Niechcący. Czasem to się zdarza.

– I nie wiesz, co zrobiłaś? – Jonna przycisnęła dłoń do brzucha.

– Nie. – Sonea przełknęła ślinę i odwróciła wzrok. Przerażenie w oczach ciotki zmartwiło ją, ale rozumiała obawy Jonny. Myśl, że mogłaby przypadkiem zrobić krzywdę…

Nie, pomyślała. *Nawet o tym nie myśl.* Wciągnęła głęboko powietrze i wypuściła je powoli.

– Zabierz ich stąd, Faren. Na wszelki wypadek.

Potaknął. Jonna wstała z twarzą wykrzywioną przez strach. Odwróciła się do Sonei, żeby coś powiedzieć, ale potrząsnęła tylko głową i wyciągnęła do niej ręce. Sonea uścisnęła ciotkę mocno, po czym cofnęła się.

– Zobaczymy się jeszcze – zapewniła. – Kiedy to wszystko się uspokoi.

Ranel skinął głową.

– Uważaj na siebie.

– Oczywiście – obiecała.

Faren wyprowadził ich z pomieszczenia. Sonea stała, wsłuchując się w ich kroki na schodach. Jej uwagę przyciągnęła kolorowa plama na podłodze, której wcześniej tam nie widziała. Szal ciotki.

Podniosła go i pobiegła ku drzwiom i po schodach. Kiedy wspięła się na samą górę, zobaczyła, że wujostwo stoją z Farenem w kuchni Serina, wpatrując się w coś w dalszym pokoju. Podeszła do nich i zorientowała się, co zwróciło ich uwagę.

Podłogę pokrywały niegdyś spore kamienne płyty. Teraz w ich miejscu był gruz i pył. Głównym meblem w pokoju był wcześniej ciężki drewniany stół, z którego obecnie pozostały jedynie skręcone, poszarpane deski.

Sonea poczuła, że zasycha jej w gardle, po czym w jej umyśle znów coś przeskoczyło i stół zajął się ogniem. Faren odwrócił się do niej i widać było, że słowa przychodzą mu z trudem.

– Jak już mówiłem – odezwał się w końcu – ona chyba przechodzi teraz trudny okres. Sonea, zejdź na dół i spakuj swoje rzeczy. Odprowadzę twoich gości do domu i każę komuś zgasić ogień. Wszystko będzie dobrze.

Sonea podała ciotce szal i pobiegła z powrotem do piwnicy.

ROZDZIAŁ 14

SOJUSZNIK WBREW WOLI

Rothen zatrzymał się dla odpoczynku w zaułku, przymknął powieki i przyzwał nieco mocy, żeby odpędzić zmęczenie.

Otworzył oczy i przyjrzał się zaspom śniegu pod ścianami budynków. Łagodne mrozy minionych tygodni odeszły w zapomnienie, gdy do Imardinu dotarły zimowe burze śnieżne. Upewnił się, że płaszcz skrywa jego szatę, i skierował się ku ulicy.

Zatrzymał się jednak, gdyż usłyszał z tyłu głowy znajome brzęczenie. Zamknąwszy oczy, zaklął po cichu, gdy uświadomił sobie, jak daleko jest od jego źródła. Potrząsając głową, wyszedł na ulicę.

~ *Dannyl?*

~ *Słyszałem ją. Jest o kilka ulic ode mnie.*

~ *Przemieszcza się?*

~ *Tak.*

Rothen zamyślił się. Skoro ucieka, to czemu wciąż używa mocy?

~ *Kto jeszcze jest w pobliżu?*

~ *My jesteśmy najbliżej* ~ odpowiedział Mistrz Kerrin. ~ *Ona musi być nie dalej jak kilkaset kroków od nas.*

~ *Sarle i ja jesteśmy w podobnej odległości* ~ poinformował Mistrz Kiano.

~ *Podejdźcie bliżej* ~ rozkazał im Rothen. ~ *Nie zbliżaj-cie się do niej w pojedynkę.*

Rothen przeszedł przez ulicę i pobiegł w zaułek. Stary żebrak powiódł za nim niewidzącymi oczami.

~ *Rothen?* ~ odezwał się Dannyl. ~ *Spójrz na to.*

W umyśle Rothena pojawił się obraz domu pożeranego przez żółte płomienie i wznoszącego się w niebo dymu. Wraz z obrazem pojawiło się uczucie przerażenia i strasz-liwe podejrzenie.

~ *Myślisz, że ona...?*

~ *Zobaczylibyśmy coś jeszcze gorszego* ~ odpowiedział Rothen.

Zaułek wychodził na szerszą ulicę. Rothen zwolnił nieco kroku na widok płonącego domu, wokół którego zbierali się już gapie. Kiedy podszedł bliżej, z sąsiednich domów za-częli wybiegać ludzie, ściskając w rękach dobytek.

Z mroku wynurzyła się wysoka postać i zbliżyła się do Rothena.

– Ona musi być blisko – powiedział Dannyl. – Jeśli...

Obaj zesztywnieli, kiedy w ich zmysły uderzył krótki, bardzo mocny brzęk.

– Za tym budynkiem! – zawołał Rothen, wskazując przed siebie.

Dannyl skoczył do przodu.

– Znam tę okolicę. Za tym domem jest zaułek, który da-lej łączy się z dwoma innymi.

Wbiegli w ciemność między budynkami. Rothen zwol-nił nieco, czując kolejne mocne drgania jakieś sto kroków na lewo od poprzednich.

– Porusza się szybko – mruknął Dannyl, nie przerywa-jąc biegu.

Rothen pospieszył za nim.

– Coś tu się nie zgadza – zawołał, zasapany. – Najpierw kilka tygodni ciszy, potem codziennie coś – i czemu teraz ciągle używa mocy?

– Może nie potrafi się powstrzymać.

– A zatem Akkarin miał rację.

Rothen wysłał mentalne wezwanie.

~ Kiano?

~ Zmierza ku nam.

~ Kerrin?

~ Przed chwilą przecięła naszą drogę, zmierza na południe.

~ Otoczyliśmy ją ~ powiedział im Rothen. *~ Bądźcie ostrożni. Ona może tracić kontrolę nad swoją mocą. Kiano i Sarle, podchodźcie powoli. Kerrin i Fergun, trzymajcie się z prawej. My zbliżymy się do niej…*

~ Znalazłem ją ~ oznajmił Fergun.

Rothen zmarszczył brwi.

~ Gdzie jesteś, Fergun?

Milczenie.

~ Ona jest w tunelach pode mną. Widzę ją przez kratkę w ścianie.

~ Zostań tam ~ rozkazał Rothen. *~ Nie zbliżaj się sam do niej.*

Chwilę później poczuł kolejną wibrację, a potem wiele więcej. Wyczuł również niepokój pozostałych magów, więc wydłużył krok.

~ Co się dzieje, Fergun?

~ Zobaczyła mnie.

~ Nie zbliżaj się do niej! ~ ostrzegł Rothen.

Magiczne brzęczenie nagle ustało. Dannyl i Rothen spojrzeli po sobie i pobiegli dalej. Gdy dotarli do skrzyżowania, zobaczyli Ferguna stojącego w jednym z zaułków, zaglądającego przez kratkę w pobliskim murze.

– Uciekła – oznajmił.

Dannyl podbiegł do kratki, otworzył ją i zajrzał do tunelu.

– Co się stało? – spytał Rothen.

– Miałem się tu spotkać z Kerrinem – odpowiedział Fergun – więc czekałem na niego. Wtedy usłyszałem hałasy za tą kratą.

Dannyl podniósł się z ziemi.

– Więc podszedłeś sam i wystraszyłeś ją.

Fergun spojrzał na wysokiego maga spod przymrużonych powiek.

– Nie, pozostałem na miejscu, zgodnie z rozkazem.

– Czy ona zobaczyła, że ją obserwujesz, i to ją wystraszyło? – spytał Rothen. – Czy dlatego użyła swojej mocy?

– Tak. – Fergun wzruszył ramionami. – A potem jej kompani dali jej po głowie i uciekli.

– Nie pobiegłeś za nimi?

Fergun uniósł brwi.

– Nie. Zgodnie z rozkazem czekałem tutaj – powtórzył.

Dannyl mruknął coś ledwie słyszalnego i oddalił się w głąb zaułka. Kiedy nadbiegli pozostali magowie, Rothen wyszedł im na spotkanie. Wyjaśnił im, co się stało, i odesłał ich wraz z Fergunem do Gildii.

Znalazł Dannyla siedzącego na progu jednego z domów, toczącego kulę śnieżną.

– Ona traci kontrolę.

– Tak – zgodził się Rothen. – Musimy odwołać poszukiwania. Dalszy pościg, nie mówiąc już o konfrontacji, prawdopodobnie pozbawi ją tych resztek kontroli, jakie jeszcze posiada.

– To co nam pozostaje?

Rothen spojrzał na niego znacząco.

– Negocjacje.

Dym i swąd spalenizny utrudniał Cery'emu oddychanie. Biegł tunelem, uskakując przed ledwie widocznymi postaciami innych ludzi podróżujących Ścieżką. Zatrzymał się na chwilę przed jednymi z drzwi dla złapania oddechu. Strażnik, który mu otworzył, skinął głową na jego widok. Cery wspiął się po wąskich schodach, popchnął klapę znajdującą się u ich szczytu i wpadł do pomieszczenia, w którym panował półmrok.

Obrzucił spojrzeniem trzech potężnych strażników czających się w mroku, ciemnoskórego mężczyznę stojącego przy oknie i drobną postać śpiącą na krześle.

– Co się stało?

Faren odwrócił się do niego.

– Daliśmy jej lekarstwo, żeby zasnęła. Strasznie się bała, że narobi więcej szkód.

Cery podszedł do krzesła i przyjrzał się twarzy Sonei. Na skroni miała zapuchniętego siniaka, poza tym była blada i miała włosy posklejane od potu. Spojrzał niżej i zauważył nadpalony rękaw i zabandażowaną rękę.

– Ogień się rozprzestrzenia – zauważył Faren.

Cery podniósł się i podszedł do okna. Trzy domy po drugiej stronie ulicy stały w płomieniach; ogień zmieniał okna w błyszczące oczy i wznosił się niczym dziki pomarańczowy pióropusz w miejscach, gdzie dawniej były dachy. Z okien kolejnego domu zaczął się wydobywać dym.

– Mówiła, że śnił jej się koszmar – powiedział Faren do Cery'ego. – A kiedy się obudziła, w jej pokoju był ogień. Za duży, by go ugasić. Im bardziej się bała, tym mocniej wybuchały płomienie. – Faren westchnął. Przez dłuższy czas stali w milczeniu, po czym Cery wziął głęboki oddech i zwrócił się do Złodzieja.

– Co teraz zrobisz?

Ku jego zaskoczeniu, Faren uśmiechnął się w odpowiedzi.

– Przedstawię ją pewnemu przyjacielowi i staremu znajomemu. – Odwrócił się do jednego z mężczyzn stojących w mroku. – Jarin, będziesz ją niósł.

Z cienia w pomarańczowy, rozświetlony płomieniami półmrok wyszedł potężny, muskularny mężczyzna. Pochylił się, żeby podnieść Soneę, ale kiedy wziął ją w ramiona, otworzyła oczy. Jarin szybko puścił ją i cofnął się.

– Cery? – wymamrotała Sonea.

Natychmiast podbiegł do niej. Zamrugała, usiłując skupić wzrok na jego twarzy.

– Hej. – Uśmiechnął się do niej.

Zamknęła ponownie oczy.

– Nie poszli za nami, Cery. Pozwolili nam odejść. Czy to nie dziwne?

Otwarła ponownie oczy i spojrzała gdzieś ponad jego ramieniem.

– Faren?

– Obudziłaś się – zauważył Złodziej. – A powinnaś spać jeszcze co najmniej dwie godziny.

Ziewnęła.

– Wcale nie czuję się obudzona.

Cery zaśmiał się.

– I wcale nie wyglądasz jak naprawdę obudzona. Śpij dalej. Potrzebujesz odpoczynku. Zabierzemy cię gdzieś, gdzie będziesz bezpieczna.

Pokiwała głową i zamknęła oczy, a jej oddech stał się znów równomierny, jak u śpiącego. Faren spojrzał na Jarina, wskazując gestem nieprzytomną dziewczynę.

Wielki mężczyzna niechętnie wziął ją na ręce. Powieki Sonei drgnęły raz jeszcze, ale nie przebudziła się. Faren podniósł latarnię, podszedł do klapy, otworzył ją kopniakiem i zaczął schodzić na dół.

Brnęli w milczeniu przez kolejne tunele. Spoglądając na twarz Sonei, Cery czuł ucisk w sercu. Stara znajoma niepewność stała się czymś znacznie potężniejszym od wszystkich znanych mu uczuć. Przez nią nie sypiał po nocach i męczył się w dzień, miałby też kłopot, gdyby kazano mu wymienić chwile, gdy czuł się wolny od tej przypadłości.

Przede wszystkim lękał się o Sonę, ale ostatnio zaczął też bać się być przy niej. Tkwiąca w niej siła magiczna wymykała się jej z rąk. Nie było dnia, a czasem wręcz godziny, żeby coś w jej pobliżu nie zajęło się ogniem lub nie rozpadło na kawałki. Jeszcze rano śmiała się z tego, żartując, że nabierze wprawy w gaszeniu pożarów i uchylaniu się przed latającymi przedmiotami.

Za każdym razem, kiedy magia wyrywała się jej spod kontroli, z całego miasta zbiegali się magowie. Zmuszona do nieustannej ucieczki, przebywając więcej w tunelach niż kryjówkach Farena, była wyczerpana i nieszczęśliwa.

Pogrążony w takich myślach Cery nie zwracał szczególnej uwagi na drogę. W pewnym momencie zaczęli schodzić stromymi schodami, a następnie przecisnęli się pod ogromnym blokiem kamiennym. Cery rozpoznał fundament Zewnętrznego Muru, uznał zatem, że weszli do Dzielnicy Północnej i zastanowiło go, kim może być ten tajemniczy znajomy Farena.

Chwilę później Faren zatrzymał się i kazał strażnikowi postawić Soneę na ziemi. Obudziła się, tym razem nieco bardziej świadoma tego, co się wokół niej dzieje. Faren ściągnął płaszcz i z pomocą Jarina wsunął ręce dziewczyny w rękawy i naciągnął jej kaptur na twarz.

– Możesz iść? – spytał.

Wzruszyła ramionami.

– Spróbuję.

– Jeśli natkniemy się na kogokolwiek, postaraj się nie rzucać w oczy – pouczył ją.

Z początku potrzebowała pomocy, ale po kilku minutach odzyskała równowagę. Szli przez następne pół godziny, spotykając coraz więcej ludzi w korytarzach. Faren zatrzymał się przed jakimiś drzwiami i zastukał. Otworzył mu strażnik i wprowadził ich do niewielkiego pomieszczenia, po czym zapukał do następnych drzwi.

Pojawił się w nich niski smagły człowieczek o haczykowatym nosie, który przyjrzał się badawczo Złodziejowi.

– Faren – powiedział. – Co cię tu sprowadza?

– Interes – odrzekł Faren.

Cery nasłuchiwał w napięciu. Ten głos był jakoś znajomy. Mężczyzna zmrużył paciorkowate oczy.

– A zatem wejdź.

Faren przestąpił przez próg, po czym zatrzymał się i odwrócił do swoich strażników.

– Zostańcie – powiedział. – Wy dwoje chodźcie ze mną – zwrócił się do Sonei i Cery'ego.

Mężczyzna zmarszczył brwi.

– Nie wiem... – zawahał się, zmrużył oczy, lustrując Cery'ego, po czym jego twarz rozjaśnił uśmiech. – Ach, to mały Ceryni. A więc przygarnąłeś Torrinowego urwisa, Faren. Zastanawiałem się, czy to zrobisz.

Cery uśmiechnął się, gdy zrozumiał, kto to taki.

– Witaj, Ravi.

– Wejdźcie.

Cery wszedł do pomieszczenia, a Sonea za nim. Rozglądając się wokół, Cery napotkał wzrok starca siedzącego na krześle i gładzącego długą białą brodę. Cery skinął głową, ale starzec nie odwzajemnił pozdrowienia.

– A to kto? – spytał Ravi, wskazując na Soneę.

Faren odsunął kaptur. Sonea wbiła w Raviego spojrzenie rozszerzonych narkotykiem czarnych źrenic.

– To jest Sonea – powiedział Faren, uśmiechając się posępnie. – Sonea, to jest Ravi.

– Witaj – powiedziała cicho Sonea, a Ravi cofnął się o krok z pobladłą twarzą.

– To jest... *ona*? Ale ja...

– *Jak śmiałeś ją tu przyprowadzić!*

Wszyscy zwrócili się w kierunku głosu. Starzec podniósł się na nogi i stał teraz ze wzrokiem utkwionym w Farena. Sonea jęknęła cicho i zachwiała się.

Faren położył dłonie na ramionach dziewczyny, pomagając jej utrzymać równowagę.

– Nie bój się, Sonea – szepnął. – On nie odważy się zrobić ci krzywdy. Jeśliby cię skrzywdził, musielibyśmy powiadomić o nim Gildię, a on nie chciałby, żeby przekonali się, że wbrew temu, co im się wydaje, wcale nie umarł.

Cery odwrócił się w stronę starca – nagle dotarło do niego, czemu tamten nie odwzajemnił ukłonu.

– Widzisz, Sonea – ciągnął Faren, w którego głosie pobrzmiewała nuta samozadowolenia – ty i on macie wiele wspólnego. Oboje znajdujecie się pod opieką Złodziei, oboje posiadacie talent magiczny i oboje nie chcecie, żeby odnalazła was Gildia. A teraz, skoro już widziałaś tego tu oto

Senfela, on nie będzie miał wyboru: musi nauczyć cię kontrolować twoją moc, ponieważ jeśli tego nie uczyni, znajdą cię magowie, a ty zapewne im o nim opowiesz.

– On jest magiem? – szepnęła, wpatrując się w starca szeroko otwartymi oczami.

– Byłym magiem – sprostował Faren.

Cery poczuł ulgę, widząc w jej oczach nadzieję, nie strach.

– Możesz mi pomóc? – spytała.

Senfel skrzyżował ramiona.

– Nie.

– Nie? – powtórzyła cicho.

Starzec zmarszczył czoło i wydął pogardliwie usta.

– Szpikowanie jej narkotykami tylko pogorszy sprawę, Złodzieju.

Sonea wciągnęła gwałtownie powietrze. Widząc, że w jej oczach pojawia się na powrót strach, Cery podszedł i ujął ją za ręce.

– Wszystko będzie dobrze – szepnął jej do ucha. – To tylko lekarstwo uspokajające.

– Nie, wszystko nie będzie dobrze – przerwał mu Senfel. Spojrzał na Farena spod przymrużonych powiek. – Nie mogę jej pomóc.

– Nie masz wyboru – odparł Faren.

Senfel uśmiechnął się.

– Czyżby? Idź zatem do Gildii. Powiedz im, że tu jestem. Lepiej, żeby mnie znaleźli, niż żebym zginął, kiedy ona straci kontrolę nad mocą.

Widząc napięcie na twarzy Sonei, Cery zwrócił się do starca.

– Przestań ją straszyć – syknął.

Senfel utkwił w nim wzrok, po czym przeniósł go na dziewczynę. Sonea odpowiedziała zadziornym spojrzeniem. Mina starca złagodniała nieco.

– Idź do nich – powiedział. – Oni cię nie zabiją. Najgorsze, co mogą ci zrobić, to związanie twojej mocy, żebyś nie mogła się nią posługiwać. To lepsze niż śmierć, nie?

Nie odrywała od niego wzroku. Senfel wzruszył ramionami, po czym wyprostował się i wbił stalowoszare oczy w Farena.

– W pobliżu jest co najmniej trzech magów. Przywołanie ich nie będzie trudne, sądzę też, że nie powinienem mieć kłopotu z zatrzymaniem was tutaj, dopóki nie znajdą drogi. Nadal chcesz ujawnić moje istnienie Gildii?

Faren poruszał bezgłośnie ustami, wpatrując się w maga. W końcu pokręcił przecząco głową.

– Nie.

– Idź, a kiedy ona wytrzeźwieje, powtórz jej moje słowa. Jeśli nie poprosi Gildii o pomoc, umrze.

– W takim razie pomóż jej – odezwał się Cery.

Starzec potrząsnął głową.

– Nie jestem w stanie. Moja moc jest zbyt słaba, a ona zaszła za daleko. Teraz może jej pomóc tylko Gildia.

Właściciel spylunki wytoczył spod lady beczułkę i stęknął, stawiając ją na ławie. Posłał Dannylowi znaczące spojrzenie i zaczął napełniać kubki, które rozdawał zgromadzonym przy stole. Nachylił się i stuknął kubkiem przed Dannylem, po czym założył ręce i czekał.

Dannyl popatrzył na mężczyznę nieprzytomnym wzrokiem i podał mu monetę. Tamten nie odwracał jednak oczu. Dannyl spojrzał na trunek i uznał, że nie może dłużej udawać. Będzie musiał napić się tego paskudztwa.

Uniósł kubek, zanurzył w nim niepewnie wargi i zamrugał z zaskoczenia. Poczuł w ustach słodki, bogaty smak. Na dodatek dziwnie znajomy – po chwili rozpoznał sos chebol, tyle że bez przypraw.

Kilka łyków później poczuł ciepło wypełniające jego wnętrzności. Podniósł kubek do właściciela lokalu, który w odpowiedzi skinął z uznaniem głową. Mężczyzna nie przestawał mu się jednak przyglądać, toteż Dannyl poczuł wyraźną ulgę, gdy do spylunki wszedł młody chłopak i z miejsca zaczął rozmowę.

– Jak leci, Kol?

Karczmarz wzruszył ramionami.

– Jak zwykle.

– Ile chcesz beczek tym razem?

Dannyl przysłuchiwał się ich rozmowie o cenach. Kiedy doszli do porozumienia, przybysz usiadł na krześle z westchnieniem.

– Gdzie podziewa się ten cudzoziemiec z błyszczącym pierścieniem?

– Sachakanin? – Karczmarz wzdrygnął się. – Ktoś go skroił kilka tygodni temu. Znaleziono go w zaułku.

– Powiadasz?

– Szczera prawda.

Dannyl prychnął pod nosem. *Należny koniec*, pomyślał.

– Słyszałeś o pożarze wczoraj wieczorem? – spytał karczmarz.

– Mieszkam niedaleko. Strawił całą ulicę. Dobrze, że to nie lato. Mogłyby spłonąć całe slumsy.

– Nie żeby ci z miasta specjalnie się tym przejęli – powiedział karczmarz. – Ogień nigdy nie przedostanie się przez Mur.

Dannyl poczuł na ramieniu dotyk ręki. Podniósł wzrok i ujrzał tego samego chudego mężczyznę, którego Złodzieje wyznaczyli na jego przewodnika. Mężczyzna skinął głową w stronę drzwi.

Dannyl dopił swój spyl i odstawił kubek. Gdy wstawał, właściciel obdarzył go przyjaznym spojrzeniem. Dannyl odwzajemnił je i podążył ku drzwiom za swym przewodnikiem.

ROZDZIAŁ 15

W TAKI CZY INNY SPOSÓB...

Sonea śledziła wzrokiem, jak woda, sącząca się przez szczelinę wysoko na ścianie, zbiera się w kropelkę, spływa po pustym haku na lampę, a następnie spada i rozpryskuje się na podłodze. Wtedy podnosiła oczy i patrzyła, jak formuje się następna kropla.

Faren dobrze wybrał kolejną kryjówkę: w pustym podziemnym magazynie o ścianach z cegły i z kamienną ławą zamiast łóżka nie było nic, co mogłoby się zająć ogniem. Ani też nic cennego.

Oprócz niej samej.

Ta myśl wywołała falę strachu. Sonea zamknęła powieki i odegnała ją od siebie.

Nie miała pojęcia, jak długo przebywa w tym pomieszczeniu. Mogły to być równie dobrze dni, jak i godziny. Nie miała nic, co pomogłoby jej odmierzać czas.

Odkąd tu przybyła, ani razu nie poczuła znajomego poruszenia w myślach. Lista emocji, które mogły je wywołać, urosła do takich rozmiarów, że przestała liczyć. Leżąc w magazynie, skupiała się na wyciszeniu. Ilekroć jakakolwiek myśl zakłócała ten spokój, brała głęboki wdech i odpędzała ją od siebie. W końcu osiągnęła stan spokojnego oderwania.

Może to zasługa tego, czym napoił ją Faren.

Szpikowanie jej narkotykami tylko pogorszy sprawę. Wzdrygnęła się na wspomnienie dziwacznego snu, który przyśnił się jej po pożarze. W tym śnie odwiedziła w slumsach maga. Mimo że jej wyobraźnia stworzyła pomocnika, jego słowa nie przyniosły pocieszenia. Wciągnęła głęboko powietrze i odesłała te wspomnienia.

Najwyraźniej myliła się, sądząc, że powinna magazynować gniew, aby móc go przywołać w celu posłużenia się magią. Podziwiała teraz magów za ich umiejętność kontroli, ale wiedza o tym, że byli istotami pozbawionymi emocji, nie pomagała w polubieniu ich.

Usłyszała lekkie pukanie do drzwi, które następnie uchyliły się lekko. Tłumiąc w sobie dreszcz strachu, wstała i wyjrzała przez poszerzającą się szczelinę. Na korytarzu stał Cery, krzywiąc się z wysiłku, jakiego wymagało poruszenie ciężkich metalowych drzwi. Kiedy uchylił je na tyle, żeby się przecisnąć, zatrzymał się i pomachał do niej.

– Musisz się znowu przenieść.

– Nic przecież nie zrobiłam.

– Może nic świadomie.

Przeciskając się przez drzwi, zastanawiała się, co to mogło znaczyć. Czyżby pod działaniem narkotyku nie zauważała nawet, kiedy coś magicznego wymknęło się z jej umysłu? Nie widziała, żeby cokolwiek wybuchło lub stanęło w ogniu. A może jej moc nadal się wymykała, ale przyjmowała mniej niszczące kształty?

Te pytania doprowadziły ją niebezpiecznie blisko granicy, za którą leżały silne uczucia, toteż szybko przestała o tym wszystkim myśleć. Idąc za Cerym, skupiała się na utrzymaniu spokoju. Chłopak zatrzymał się i wspiął na zardzewiałą drabinę przyczepioną do ściany. Podniósł klapę i przecisnął się na zewnątrz, wpuszczając do tunelu świeży śnieg.

Wspinając się tuż za nim, Sonea poczuła na twarzy mroźne powietrze. Gdy wyszła na światło dzienne, znalazła się w pustym zaułku. Cery uśmiechnął się widząc, jak strzepuje śnieg z ubrania.

– Masz śnieg we włosach – powiedział. Wyciągnął rękę, żeby go strzepnąć, ale zaraz cofnął ją z jękiem.

– Aj! Co…? – Wyciągnął dłoń jeszcze raz, ale musiał ją zabrać. – Zrobiłaś barierę, Sonea.

– Nie, nie zrobiłam – odpowiedziała, przekonana, że nie posługiwała się w ogóle magią. Wyciągnęła rękę i poczuła ból, kiedy jej palce natrafiły na niewidzialny opór.

Ponad ramieniem Cery'ego dostrzegła ruch: w zaułku pojawił się jakiś mężczyzna, który zbliżał się ku nim.

– Za tobą! – rzuciła, ale Cery wpatrywał się w coś nad jej głową.

– *Mag!* – syknął, wskazując w górę.

Spojrzała we wskazanym kierunku i wstrzymała oddech. Na dachu ponad nimi stał mężczyzna, wpatrując się w nią uważnie. Stała, nie wierząc własnym oczom, kiedy ten człowiek zrobił krok do przodu, ale zamiast runąć w dół, opadł powoli ku ziemi.

Powietrze zadrżało, kiedy Cery zaczął walić w barierę.

– Uciekaj! – krzyczał. – Uciekaj stąd!

Cofnęła się przed zbliżającym się magiem. Zapomniała o wysiłkach mających utrzymać ją w spokoju i rzuciła się w głąb zaułka. Stukot butów na śniegu uświadomił jej, że szybujący mag musiał już być na ziemi.

Zaułek przed nią łączył się z innym. Za skrzyżowaniem zobaczyła następną postać. Rzuciła się przed siebie z całą mocą panicznego strachu. Poczuła dreszcz triumfu, gdy

268

udało jej się dopaść skrzyżowania, wyprzedzając drugiego maga o kilka kroków.

Skoczyła w przejście po prawej długim ślizgiem…

… i chwyciła się ściany, żeby się zatrzymać. Przed nią stał inny mag ze skrzyżowanymi rękami. Z jękiem odsunęła się od niego.

Zrobiła szybki obrót, skierowała się ku jedynemu pozostającemu jej zaułkowi – i zatrzymała się w pół ślizgu. Kilka kroków dalej stał kolejny mężczyzna, blokując przejście.

Zaklęła i obróciła się, żeby spojrzeć za siebie. Trzeci mag wpatrywał się w nią bacznie, ale nie ruszał się z miejsca. Spojrzała z powrotem na czwartego. Ruszył powoli w jej kierunku.

Serce waliło jej jak szalone. Przyjrzała się otaczającym ją ścianom – zwyczajna szorstka cegła – wiedziała jednak, że nawet gdyby miała czas, żeby się na nie wspiąć, magowie mogli bez trudu sprowadzić ją na ziemię. Poczuła ogarniające ją lodowate przerażenie.

Jestem w pułapce. Stąd nie ma wyjścia.

Spojrzała za siebie i przekonała się z rozpaczą, że dwaj pierwsi magowie dołączyli do trzeciego na skrzyżowaniu, a w myślach poczuła znajome trzepotanie. Na ulicę posypał się pył i kawałki cegieł, kiedy ściana nad trzema magami zatrzęsła się. Gruz jednak odbił się od powietrza nad ich głowami, nie czyniąc żadnych szkód.

Magowie spojrzeli na ścianę, a następnie przenieśli badawcze spojrzenia na Soneę. Przerażona, że w nią uderzą, jeśli pomyślą, że chciała ich zaatakować, zaczęła się cofać. W myślach poczuła znów to poruszenie. I palący żar na nogach. Zerknęła w dół i przekonała się, że śnieg wokół jej stóp topi się w bulgoczące kałuże, z których unosi się para, wypełniając zaułek ciepłą, nieprzeniknioną mgłą.

Nie zobaczą mnie! Poczuła, że wstępuje w nią nadzieja. *Będę mogła się przemknąć.*

Obróciła się na pięcie i skoczyła w zaułek. Ciemny kształt poruszył się, chcąc przeciąć jej drogę. Zawahała się, po czym sięgnęła do kieszeni płaszcza. Wymacała chłodną rękojeść noża. Kiedy mag wyciągnął rękę, by ją pochwycić, zanurkowała i rzuciła się na niego, wkładając w to całą siłę. Zachwiał się, ale nie upadł. Zanim zdołał odzyskać równowagę, Sonea wbiła cienkie ostrze w jego udo.

Weszło przerażająco głęboko. Kiedy mag krzyknął z zaskoczenia i bólu, Sonea poczuła straszliwy dreszcz zadowolenia. Wyciągnęła nóż i z całej siły odepchnęła od siebie mężczyznę. Upadł, jęcząc, pod ścianę, a ona rzuciła się do ucieczki.

Na nadgarstku poczuła zaciskające się palce. Warknęła i usiłowała się uwolnić. Uścisk jednak zacieśniał się, aż poczuła ból, a nóż wyślizgnął się jej z ręki.

Nagły powiew wiatru wygonił mgłę z zaułka i Sonea zobaczyła trzech pozostałych magów biegnących w jej kierunku. Czuła wzbierający strach i rozpaczliwie starała się wyrwać z uścisku, ale kopała tylko bezradnie nogami po mokrej ziemi. Mag, który ją trzymał, jęknął i pociągnął ją za rękę, wlokąc za sobą ku pozostałej trójce.

Z przerażeniem poczuła ręce zaciskające się na jej ramionach. Wiła się i skręcała, usiłując strząsnąć z siebie te dłonie, ale trzymały ją mocno. Jeden z magów przycisnął ją do ściany i przytrzymał. Dysząc z wysiłku, ujrzała, że jest otoczona przez magów wpatrujących się w nią błyszczącymi oczami.

– To dzika – powiedział jeden z nich. Ten, którego zraniła, zaśmiał się krótko i ponuro.

Spojrzała na tego, który stał najbliżej, i poczuła dreszcz. To był ten sam, który dostrzegł ją podczas Czystki. Jego oczy wpatrywały się w nią teraz w napięciu.

– Nie bój się, Soneo – powiedział. – Nie chcemy cię skrzywdzić.

Jeden z pozostałych coś wymamrotał. Ten starszy potaknął, na co pozostali cofnęli dłonie.

Teraz do ściany przypierała ją niewidzialna siła. Nie mogąc się poruszyć, poczuła falę rozpaczy, po której nastąpiło to charakterystyczne uczucie towarzyszące wymykaniu się magii z jej umysłu. Magowie odruchowo skulili się, gdy ściana za nimi roztrzaskała się, zasypując ulicę gradem cegieł.

W dziurze pojawił się człowiek w piekarskim fartuchu; jego twarz była purpurowa ze złości. Widząc czterech magów, zatrzymał się z wybałuszonymi oczami. Jeden z magów obrócił się i wykonał szybki gest.

– Zmykaj stąd – warknął. – Ty i wszyscy z tego zaułka.

Piekarz cofnął się i zniknął w mroku domu.

– Soneo.

Starszy mag bacznie się w nią wpatrywał.

– Posłuchaj mnie. Nie zamierzamy cię skrzywdzić. Chcemy tylko…

Poczuła na twarzy piekący żar. Poruszyła lekko głową i dostrzegła, że pobliskie cegły żarzą się na czerwono. Coś spłynęło po ścianie. Usłyszała, jak jeden z magów przeklina.

– Soneo – powtórzył starszy mag, nieco bardziej surowym głosem. – Przestań z nami walczyć. Zrobisz sobie krzywdę.

Ściana za nią zadrżała. Magowie wyciągnęli przed siebie ręce, gdy drgania zaczęły się wzmagać. Sonea jęknęła, widząc pojawiające się w ziemi pod jej stopami szczeliny.

– Oddychaj wolniej! – zawołał mag. – Postaraj się uspokoić.

Zamknęła oczy, po czym potrząsnęła głową. To na nic. Magia wypływała z niej niczym woda z pękniętej rury. Poczuła dotyk dłoni na czole i otwarła oczy.

Mag cofnął rękę. Na jego twarzy malowało się napięcie. Powiedział coś do pozostałych, spoglądając jej przy tym prosto w oczy.

– Mogę ci pomóc, Soneo – powiedział. – Mogę ci pokazać, jak to powstrzymać, ale musisz mi pozwolić. Wiem, że masz wszelkie powody, żeby się nas bać i żeby nam nie ufać, ale jeśli tego teraz nie zrobisz, skrzywdzisz nie tylko siebie, ale również wielu ludzi w tej okolicy. Rozumiesz?

Wpatrywała się w niego, nie rozumiejąc. Pomóc jej? Czemu miałby jej pomagać?

Ale gdyby zamierzał mnie zabić, uświadomiła sobie nagle, *już dawno by to zrobił.*

Jego twarz zamigotała i Sonea uświadomiła sobie, że to powietrze wokół niej faluje z gorąca. Sparzyło ją w twarz, ale stłumiła jęk bólu. Mag i jego towarzysze nie wyglądali na poparzonych, ale ich miny były ponure.

Mimo że jakaś jej cząstka wciąż się buntowała, wiedziała, że stanie się coś strasznego, jeśli nie zrobi tego, czego od niej żądają magowie.

Ten starszy zmarszczył brwi.

– Soneo – powiedział ostro. – Nie ma czasu na wyjaśnienia. Postaram się pokazać ci, co robić, tylko nie opieraj się.

Uniósł rękę i położył jej dłoń na czole. Zamknął oczy. Natychmiast poczuła *osobę* na granicy swoich myśli. Wiedziała, że ma na imię Rothen. W przeciwieństwie do umysłów, które jej wcześniej poszukiwały, ten ją *widział*.

Zamknęła oczy i skupiła się na jego obecności.

~ Posłuchaj mnie. Straciłaś niemal całkowicie kontrolę nad swoją mocą.

Nie słyszała słów, a mimo to znaczenie było oczywiste – i przerażające. Zrozumiała natychmiast, że jej moc ją zabije, jeśli nie nauczy się jej kontrolować.

~ Poszukaj w umyśle tego.

I coś – pozbawiona słów myśl – instrukcja, jak szukać. Nagle świadomie poczuła to miejsce wewnątrz siebie, które było zarazem znajome i obce. Kiedy skupiła się na nim, stało się wyraźniejsze. Jak wielka kula oślepiającego światła unosząca się w ciemności...

~ To twoja moc. Urosła w potężny magazyn energii, mimo że z niego czerpałaś. Musisz ją wypuścić – ale w sposób kontrolowany.

To jest jej magia? Sięgnęła ku niej. Z kuli natychmiast wystrzeliło białe światło. Poczuła ból, a gdzieś w oddali ktoś krzyknął.

~ Nie sięgaj po nią, dopóki nie pokażę ci, jak. Patrz...

Odciągnął jej uwagę. Poszła za nim gdzie indziej i zobaczyła inną kulę światła.

~ Przyglądaj się.

Obserwowała, jak naginając wolę, *ujął* nieco mocy z kuli, ukształtował i odesłał.

~ Spróbuj.

Skupiła się na własnym świetle i rozkazała niewielkiej cząstce energii wyjść ku niej. Jej umysł zalała magia. Musiała tylko pomyśleć, co chciałaby zrobić, i magia znikła.

~ Doskonale. Teraz powtórz to samo, ale ciągnij, dopóki nie zużyjesz całej zgromadzonej mocy.

~ Całej?

~ Nie bój się. Potrafisz tyle udźwignąć, a to ćwiczenie, które ci pokazałem, zużytkuje ją w nieszkodliwy sposób.

Głęboko zaczerpnęła powietrza i wypuściła je powoli. Raz jeszcze sięgnęła do swojej mocy, by ją kształtować i wypuszczać. Gdy tylko zaczęła, energia zdawała się chętnie poddawać jej woli. Kula zmniejszała się i bladła, aż wreszcie pozostała z niej jedynie iskierka w ciemności.

~ *Zrobione.*

Otwarła oczy i rozejrzała się, mrugając, po otaczających ją zniszczeniach. W promieniu dwudziestu kroków w miejscach, gdzie dawniej stały domy, teraz ciągnęły się spalone ruiny. Uwaga stojących wokół magów była skupiona całkowicie na niej.

Mimo że mur za nią zawalił się, niewidzialna siła wciąż utrzymywała ją w pionie. Kiedy znikła, Sonea zachwiała się na nogach, drżąc ze zmęczenia, i osunęła się na kolana. Ledwie zdołała się wyprostować, podniosła wzrok na starszego maga.

Uśmiechnął się i pochylił, żeby położyć jej dłoń na ramieniu.

~ *Jesteś teraz bezpieczna, Soneo. Zużyłaś całą swoją energię. Odpocznij. Niebawem porozmawiamy.*

Kiedy uniósł ją w ramionach, poczuła zalewającą ją falę senności, a następnie ciemność, w której utonęły wszelkie myśli.

Dysząc z wysiłku i bólu, Cery oparł się o to, co pozostało z muru. W uszach dzwoniło mu wciąż echo krzyku Sonei. Przycisnął dłonie do czoła i zamknął oczy.

– Sonea... – szepnął.

Westchnął, odjął palce od głowy i nieco za późno usłyszał kroki za swoimi plecami. Podniósł wzrok i zobaczył tego mężczyznę, który wcześniej odciął mu drogę ucieczki z zaułka. Człowiek ten bacznie wpatrywał się w niego.

Cery zignorował go. Wśród pyłu i gruzu dostrzegł coś kolorowego. Przykucnął i dotknął czerwonej strużki spływającej po krawędzi roztrzaskanej cegły. Krew.

Kroki przybliżyły się. Przy strużce krwi pojawił się but – dwa buty ze sprzączkami w kształcie symbolu Gildii. Cery poczuł wzbierający w nim gniew; jednym szybkim ruchem podniósł się i uderzył, celując w twarz maga.

Mężczyzna bez trudu chwycił go za nadgarstek i wykręcił mu rękę. Cery stracił równowagę, potknął się i upadł, uderzając głową w resztki muru. Przed oczami zamigotały mu wszystkie gwiazdy. Jęknął i usiłował się podnieść, rękami ściskając głowę w próżnym wysiłku zatrzymania świata, który kręcił się jak oszalały. Mężczyzna zaśmiał się gardłowo.

– Głupi bylec – powiedział.

Mag przebiegł palcami po starannie utrzymanych jasnych włosach, odwrócił się i znikł w oddali.

CZĘŚĆ DRUGA

ROZDZIAŁ 16

NOWE ZNAJOMOŚCI

Z upływem godzin Rothen czuł, że zmęczenie bierze nad nim górę. Zamknął oczy i wezwał nieco magii leczniczej, aby odświeżyć umysł, po czym podniósł znów książkę i zmusił się do dalszej lektury.

Zanim doszedł do końca strony, złapał się na tym, że znów spogląda na śpiącą dziewczynę. Leżała w niewielkiej sypialni znajdującej się w jego apartamencie, w łóżku, które niegdyś należało do jego syna. Niektórzy magowie byli przeciwni trzymaniu jej w Domu Magów. Rothen nie podzielał wprawdzie ich niepokoju, ale wolał mieć ją na oku – na wszelki wypadek.

W środku nocy pozwolił Yaldinowi przejąć czuwanie, żeby nieco odpocząć. Ale zamiast spać, leżał i myślał o niej. Trzeba będzie wyjaśnić jej tyle rzeczy. Chciał być przygotowany na wszelkie pytania i oskarżenia, jakie ona na pewno wysunie. Powtarzał w głowie możliwe wersje rozmowy, aż w końcu zrezygnował ze snu i wrócił do niej.

Przespała większość dnia. Magiczne wyczerpanie bardzo często tak właśnie objawia się u młodych. Przez dwa miesiące, które minęły od Czystki, jej ciemne włosy urosły nieco, ale twarz pozostała chuda i blada. Rothen pokiwał głową na wspomnienie tego, jak lekka mu się wydała, gdy ją podniósł. Czas spędzony u Złodziei nie wpłynął korzystnie na jej zdrowie. Westchnął i wrócił do książki.

Przeczytał zaledwie jedną stronę i podniósł wzrok. Ciemne oczy wpatrywały się w niego uważnie.

Popatrzyła na jego szaty i szybkim ruchem wyzwoliła się z pościeli, po czym spojrzała z niechęcią na koszulę z grubej bawełny, którą miała na sobie.

Rothen odłożył książkę i wstał, starając się przy tym poruszać jak najwolniej. Dziewczyna stała pod ścianą z szeroko otwartymi oczami. Mag podszedł do szafy w głębi pokoju i wyciągnął gruby szlafrok.

– Masz – powiedział, wyciągając do niej rękę. – To dla ciebie.

Patrzyła na szlafrok, jakby było to dzikie zwierzę.

– Weź – powtórzył, podchodząc do niej. – Na pewno ci zimno.

Marszcząc brwi, wychyliła się do przodu i wyrwała szlafrok z jego rąk. Nie spuszczając z niego oczu, wsunęła ręce w rękawy i otuliła szczelnie swoje chude ciałko, cofając się z powrotem pod ścianę.

– Mam na imię Rothen – powiedział.

Przyglądała mu się tylko w napięciu, bez słowa.

– Nie chcemy cię skrzywdzić, Soneo – ciągnął. – Nie musisz się niczego bać.

Zmrużyła oczy i zacisnęła usta.

– Nie wierzysz mi. – Wzruszył lekko ramionami. – Ja też na twoim miejscu nie wierzyłbym. Czy dostałaś nasz list?

Zachmurzyła się, a na jej twarzy pojawił się wyraz pogardy. Rothen zdołał powstrzymać uśmiech.

– Oczywiście, wtedy też nie uwierzyłaś, prawda? Powiedz mi, w co najtrudniej ci uwierzyć?

Skrzyżowała ramiona, przeniosła spojrzenie na widok za oknem i nie odpowiedziała. Rothen stłumił zniecierpliwienie. Opór, a nawet taka bezsensowna odmowa odpowiedzi były do przewidzenia.

– *Musimy* porozmawiać, Soneo – powiedział łagodnie. – Masz w sobie moc i czy tego chcesz, czy nie, musisz nauczyć się ją kontrolować. Jeśli nie opanujesz mocy, ona cię zabije. Wiem, że to rozumiesz.

Zmarszczyła brwi, ale nie oderwała wzroku od okna. Rothen pozwolił sobie na westchnienie.

– Jakiekolwiek masz powody, żeby nas nienawidzić, musisz sobie zdać sprawę, że odmowa przyjęcia naszej pomocy będzie głupotą. Wczoraj tylko pozbyliśmy się nagromadzonej w tobie mocy. Nie trzeba dużo czasu, żeby ona się odbudowała i znów stała groźna. Pomyśl o tym – zawiesił głos – ale nie za długo.

Odwrócił się ku drzwiom, by sięgnąć do klamki.

– Co mam zrobić?

Miała wysoki i dość cichy głos. Poczuł dreszcz triumfu, ale szybko powściągnął entuzjazm. Obrócił się i poczuł szarpnięcie w sercu na widok jej przerażonej twarzyczki.

– Musisz mi zaufać – odpowiedział.

Ten mag – Rothen – usiadł z powrotem w fotelu. Serce Sonei biło nadal mocno, choć już trochę wolniej. Otulona szlafrokiem czuła się nieco bezpieczniej. Wiedziała, że to żadna ochrona przed magią, ale przynajmniej zakrywał to śmieszne *coś*, w co ją ubrali.

Pokój, w którym się znajdowała, nie był duży. W jednym kącie stała wysoka szafa, drugi wypełniało łóżko, a na środku znajdował się niewielki stoliczek. Wszystkie te meble były z drogiego, polerowanego drewna. Na stoliku leżał mały grzebyk oraz przybory do pisania – wszystko ze srebra. Na ścianie nad stoliczkiem wisiało lustro, a nad głową maga, po drugiej stronie pokoju, obraz.

– Kontrola to delikatna sprawa – odezwał się Rothen. – Żeby ci ją wyjaśnić, muszę wejść do twojego umysłu, ale nie zdołam tego zrobić, jeśli będziesz się opierać.

W umyśle Sonei pojawiło się wspomnienie nowicjuszy Gildii w tamtym pokoju, gdzie jeden z pary trzymał dłonie na skroniach drugiego. Ich nauczyciel powiedział wtedy mniej więcej to samo. Sonea poczuła niechętne zadowolenie z faktu, że mag najwyraźniej mówił prawdę. Nikt nie będzie mógł wedrzeć się nieproszony do jej myśli.

Po czym spojrzała na niego podejrzliwie na wspomnienie obecności, która pokazała jej źródło magii i wytłumaczyła, jak się nim posługiwać.

– Wczoraj to zrobiłeś.

Potrząsnął głową.

– Nie, wczoraj tylko wskazałem ci twoją własną moc, a następnie na przykładzie mojej wyjaśniłem, co z nią zrobić. To coś zupełnie innego. Żeby nauczyć cię kontroli, muszę udać się z tobą w to miejsce wewnątrz ciebie, gdzie jest twoja moc. A żeby się tam dostać, muszę wejść do twojego umysłu.

Odwróciła wzrok. Wpuścić maga do swojego umysłu? Co on tam może zobaczyć? Wszystko? Czy tylko to, na co ona mu pozwoli?

Ale czy ma jakiś wybór?

– Porozmawiaj ze mną – poprosił mag. – Zadawaj mi pytania, jakie chcesz. Jeśli dowiesz się więcej o mnie, może uznasz, że jestem godny zaufania. Nie musisz polubić całej Gildii, nie musisz nawet polubić mnie. Musisz tylko poznać mnie na tyle, żeby zrozumieć, że chcę cię nauczyć tego, co musisz umieć, i że nie chcę ci zrobić krzywdy.

Obrzuciła go nieco bardziej uważnym spojrzeniem. Był w średnim wieku, a nawet starszawy. Mimo że w ciemnych włosach widać było siwiznę, oczy pozostały błękitne i żywe. Zmarszczki wokół oczu i ust nadawały mu sympatyczny wygląd. Wyglądał na miłego, opiekuńczego człowieka – ale ona przecież nie jest głupia. Oszuści zawsze wyglądają miło i uczciwie. Gdyby było inaczej, umarliby z głodu. Gildia na pewno wybrała najsympatyczniej wyglądającego maga na to pierwsze spotkanie.

Musi lepiej mu się przyjrzeć. Wpatrywała się głęboko w jego oczy, a on nie spuścił wzroku. Ta pewność siebie wytrąciła ją nieco z równowagi. Albo jest tak pewny, że nie znajdzie w nim nic niepożądanego, albo zakłada, że potrafi ją całkiem omamić.

Tak czy siak, jego zadanie nie będzie łatwe, pomyślała.

– Czemu mam wierzyć w jakiekolwiek twoje słowo?

Rozłożył ręce.

– A czemu miałbym kłamać?

– Żeby dostać to, czego chcesz. A po co się kłamie?

– A czym jest to, czego chcę?

Zawahała się.

– Jeszcze nie wiem.

– Chcę ci tylko pomóc, Soneo. – W jego głosie brzmiała autentyczna troska.

– Nie wierzę ci.

– Dlaczego?

– Jesteś magiem. Ponoć przysięgacie chronić ludzi, ale ja widziałam, jak zabijacie.

Zmarszczki na jego czole pogłębiły się, skinął powoli głową.

– Wiem, że widziałaś. Jak napisaliśmy w tym liście do ciebie, nie zamierzaliśmy wtedy nikomu zrobić krzywdy, ani tobie, ani temu chłopcu. – Westchnął. – To była okropna pomyłka. Gdybym wiedział, co się stanie, nigdy bym cię im nie wskazał. Jest wiele różnych sposobów posługiwania się magią, a najpowszechniejszym z nich jest uderzenie. Spośród wszystkich uderzeń najsłabsze jest ogłuszenie, którego zadaniem jest unieruchomienie, to znaczy spowodowanie, że człowiek nie może poruszyć mięśniami. Wszyscy magowie, którzy zabili tego chłopca, użyli ogłuszenia. Pamiętasz kolor tych uderzeń?

Zaprzeczyła, potrząsając głową.

– Nie patrzyłam. – *Byłam zbyt zajęta ucieczką*, pomyślała, ale nie zamierzała mówić tego głośno.

Zmarszczył brwi.

– W takim razie musisz mi uwierzyć, że były czerwone – ogłuszenie jest czerwone. Ale ponieważ zareagowało tylu magów jednocześnie, niektóre uderzenia połączyły się w silniejsze, ogniowe. Ci magowie nie zamierzali nikogo skrzywdzić, chcieli tylko, żeby chłopak nie uciekał. Zapewniam cię, że ta pomyłka kosztowała nas bardzo dużo kłopotów, łącznie z naganą ze strony Króla i Domów.

Sonea prychnęła.

– Tak jakby ich to w ogóle obchodziło.

Uniósł brwi.

– Ależ oczywiście, że ich obchodzi. Przyznaję, że ich niepokój ma więcej wspólnego z utrzymywaniem Gildii w ryzach niż ze współczuciem dla tego chłopca albo jego rodziny, ale *zostaliśmy* ukarani za ten błąd.

– Jak?

Uśmiechnął się krzywo.

– Listy z naganą. Publiczne przemowy. Ostrzeżenie od Króla. Nie brzmi to zbyt groźnie, ale w świecie polityki słowa są znacznie groźniejsze niż pałki czy magia.

Sonea potrząsnęła głową.

– Wy właśnie używacie magii. To jest to, w czym jesteście najlepsi. Jeden mag może popełnić błąd, ale nie tylu, ilu tam było.

Uniósł lekko ramiona.

– Myślisz, że spędzamy dnie na przygotowaniach do tego, że jakaś nieszczęsna dziewczyna ciśnie w nas nasyconym magią kamieniem? Nasi Wojownicy ćwiczą skomplikowane manewry i strategie na wypadek wojny, ale żadna sytuacja na arenie nie przygotuje ich do ataku ze strony ludzi, których uważają za nieszkodliwych.

Sonea parsknęła głośno. Nieszkodliwych. Zobaczyła, że Rothen zaciska usta, słysząc jej parsknięcie. *Pewnie czuje obrzydzenie na mój widok*, pomyślała. Dla magów mieszkańcy slumsów są brudni, brzydcy i do niczego niepotrzebni. Czy oni mają pojęcie, jak bardzo bylcy ich nienawidzą?

– Wcześniej też tak się działo – odpowiedziała. – Widziałam ludzi poparzonych przez magię. Nie mówiąc już o tych, którzy zostają stratowani, kiedy straszycie tłum tak, że rzuca się do ucieczki. Ale większość umiera z zimna w slumsach. – Zmrużyła oczy, patrząc na niego. – Ale tego pewnie nie uznasz za winę Gildii, co?

– W przeszłości zdarzały się wypadki – przyznał. – Magowie bywają beztroscy. O ile było to możliwe, leczyliśmy tych, którzy doznali szkód. Wypłacaliśmy też odszkodowania. A jeśli chodzi o same Czystki… – Potrząsnął głową. – Wielu z nas uważa, że nie są już potrzebne. Wiesz, skąd one się wzięły?

Sonea otworzyła już usta, żeby rzucić jakąś złośliwą uwagę, ale jednak zawahała się. Nie zaszkodzi dowiedzieć się, jaka jest *jego* wersja.

– No, skąd?

Spojrzenie Rothena stało się nieobecne.

– Ponad trzydzieści lat temu na dalekiej północy wybuchła góra. Sadza zakryła niebo i zasłoniła światło słońca. Zima, która wtedy nastąpiła, była tak długa i mroźna, że przed następną nie było prawdziwego lata. W całej Kyralii i Elyne padało bydło, a zboże nie rosło. Setki, a może nawet tysiące rolników i ich rodzin przybyły do miasta, ale tutaj nie było dla nich wszystkich pracy ani domów.

Miasto zapełniło się głodującymi. Król wydawał jedzenie, udostępnił też miejsca takie jak Arena Wyścigowa, żeby ci ludzie mogli tam zamieszkać. Niektórych chłopów zdołał odesłać do domów, uprzednio zaopatrzywszy ich tak, żeby wystarczyło do lata. Ale nie dało się nakarmić wszystkich.

Mówiliśmy ludziom, że następna zima nie będzie już tak straszliwa, ale wielu nie uwierzyło. Niektórzy nawet sądzili, że świat całkowicie zamarznie, a my wszyscy umrzemy. Porzucili wszelką przyzwoitość i żerowali na innych, przekonani, że nie ostanie się nikt, kto mógłby ich ukarać. Na ulicach zrobiło się niebezpiecznie nawet za dnia. Bandy włamywały się do domów, mordując ludzi w ich własnych łóżkach. To były straszne czasy. – Pokiwał głową w zamyśleniu. – Nigdy ich nie zapomnę.

Król wysłał Gwardię, żeby wygoniła te bandy z miasta. Kiedy okazało się, że nie da się tego zrobić bez rozlewu krwi, poprosił Gildię o pomoc. Następna zima znów była ciężka, więc kiedy Król zobaczył, że ponownie zbiera się na zamieszki, postanowił oczyścić ulice, zanim sytuacja zrobi się naprawdę niebezpieczna. I tak już zostało.

Rothen westchnął.

– Wielu ludzi sądzi, że Czystki powinny były się skończyć wiele lat temu, ale pamięć jest trwała, a slumsy rozrosły się potężnie od tamtej straszliwej zimy. Ludzie boją
się tego, co mogłoby się stać, gdyby co zimę nie oczysz-
czano miasta, zwłaszcza odkąd powstała organizacja Złodziei. Boją się, że Złodzieje wykorzystają okazję, żeby przejąć kontrolę nad miastem.

– To niepoważne! – krzyknęła Sonea. Zgodnie z jej
przypuszczeniami opowieść Rothena była jednostronna,
choć część powodów, dla których zorganizowano pierwszą Czystkę, okazała się dziwaczną nowością. Wybuchające
góry? Nie miała nawet o co się kłócić. Wykazałby tylko jej
ignorancję w takich sprawach. Wiedziała jednak coś, o czym
on nie miał pojęcia.

– To właśnie Czystka spowodowała powstanie klanu Złodziei – powiedziała. – Myślisz, że wszyscy ci ludzie, których
wyrzuciliście, byli rzezimieszkami i bandytami? Wypędziliście głodujących chłopów i ich rodziny. Ale jednocześnie
wypędziliście także żebraków i bezdomnych, którzy mogli
przeżyć tylko w mieście. I oni się zebrali, żeby sobie nawzajem pomagać. Przeżyli tylko dzięki temu, że przyłączyli się
do przestępców, bo nie widzieli już sensu w życiu zgodnie
z prawem królewskim. To Król ich wygnał, mimo że powinien im pomóc.

– Pomógł tylu, ilu zdołał.

– Ale nie wszystkim, no i teraz też nie pomaga. Myślisz,
że oczyszczacie ulice z bandziorów i rabusiów? Nie, głównie
z dobrych ludzi, którzy żyją z tego, co wyrzucą bogaci, a czasem robią nawet interesy w mieście, chociaż żyją w slumsach. Poza prawem stoją Złodzieje – ale ich Czystka nie

dotyka, ponieważ mogą bez przeszkód poruszać się między miastem a slumsami.

Rothen powoli pokiwał głową w zamyśleniu.

– Tak podejrzewałem. – Nachylił się do niej. – Soneo, ja nie chcę tych Czystek ani trochę bardziej niż ty, i nie jestem jedynym magiem, który tak myśli.

– Dlaczego więc *bierzesz* w nich udział?

– Ponieważ kiedy przychodzi rozkaz od Króla, *musimy* go wykonywać zgodnie z naszą przysięgą.

Sonea ponownie prychnęła.

– Możecie więc oskarżać Króla o wszystko, co robicie.

– Wszyscy jesteśmy jego poddanymi – przypomniał jej. – Gildia musi słuchać Króla, ponieważ inaczej ludzie pomyślą, że chcemy sami rządzić Kyralią. – Odchylił się na krześle. – Gdybyśmy byli tymi pozbawionymi sumienia mordercami, za których nas uważasz, czemu nie mielibyśmy tego zrobić? Dlaczego jeszcze nie opanowaliśmy kraju?

Wzruszyła ramionami.

– Nie mam pojęcia, ale dla bylców nie miałoby to żadnego znaczenia. Kiedy zrobiliście dla nas cokolwiek dobrego?

Rothen zmrużył oczy.

– Robimy wiele rzeczy, których nie zauważasz.

– Na przykład?

– Oczyszczamy Przystań ze szlamu. Bez nas statki nie mogłyby zawijać do Imardinu, a my nie moglibyśmy wysyłać naszych towarów.

– A co to ma wspólnego z bylcami?

– Port oznacza pracę dla ludzi ze wszystkich warstw społecznych. Na statkach przypływają żeglarze, którzy kupują tu jedzenie i różne przedmioty, a także wynajmują noclegi. Robotnicy portowi pakują, ładują i noszą towary. Rzemieślnicy wytwarzają sprzedawane przedmioty. – Przyjrzał się jej uważnie, po czym pokiwał głową. – Być może nasza praca jest zbyt odległa od waszego życia, żebyś ją doceniła. Skoro więc chcesz przykładu, jak pomagamy ludziom bezpośrednio, pomyśl o Uzdrowicielach. Pracują ciężko, żeby...

– Uzdrowiciele! – Sonea przewróciła oczami. – Kto z nas ma pieniądze na Uzdrowicieli? Opłaty wynoszą dziesięć razy tyle, ile dobry złodziej zarobi przez całe życie!

Rothen zawahał się.

– Oczywiście, masz rację – powiedział cicho. – Uzdrowicieli jest niewielu, ledwie ich wystarcza, żeby zajmować się chorymi, którzy do nas przychodzą. Wysokie opłaty mają zniechęcić ludzi, którzy nie są poważnie chorzy, do zajmowania Uzdrowicielom czasu. Pieniądze z opłat idą na naukę dla osób bez zdolności magicznych, aby mogły leczyć pomniejsze choroby. Ci medycy leczą wszystkich obywateli Imardinu.

– Bylców nie – odparowała Sonea. – My mamy felczerów, ale oni prędzej cię zabiją, niż wyleczą. Słyszałam o raptem kilku medykach, kiedy mieszkałam w Północnej Dzielnicy, a i oni kosztowali sporo złota.

Rothen wyjrzał przez okno z westchnieniem.

– Gdybym potrafił rozwiązać problem nędzy w Imardinie, Soneo, zrobiłbym to bez chwili wahania. Ale nawet my, magowie, niewiele możemy zrobić.

– Nie? Jeśli naprawdę nie podobają się wam Czystki, to powinniście odmówić brania w nich udziału! Powiedzcie Królowi, że zrobicie wszystko inne, co każe, ale nie to. Tak bywało wcześniej.

Zamyślił się, najwyraźniej zaskoczony.

– Wtedy, kiedy Król Palen odmówił podpisania Przymierza. – Powściągnęła uśmiech na widok jego zdziwienia. –

A potem zmuście Króla do wybudowania w slumsach porządnej kanalizacji. Jego pradziadek zrobił to w mieście, więc czemu nie tam?

Mag uniósł brwi.

– Nie chciałabyś, żeby wszyscy ludzie ze slumsów przenieśli się do miasta?

Pokręciła głową.

– Niektóre części Zewnętrznego Kręgu nie są takie złe. Miasto musi się rozrastać. Może Król powinien też wybudować następny mur.

– Mury są przestarzałe. Nie mamy wrogów. Ale poza tym to, co mówisz... interesujące. – Spojrzał na nią z podziwem. – Co jeszcze twoim zdaniem powinniśmy zrobić?

– Iść do slumsów i leczyć ludzi.

Skrzywił się.

– Nie ma nas wystarczająco dużo.

– Lepiej mało niż nic. Dlaczego złamana ręka kogoś z Domów jest ważniejsza od złamanej ręki bylca?

Uśmiechnął się, a Sonea nabrała strasznego podejrzenia, że jej słowa po prostu go bawią. Co go to w końcu obchodzi? On przecież tylko usiłuje ją przekonać, że ją rozumie. Będzie musiał się bardziej wysilić, żeby mu zaufała.

– Nigdy tego nie zrobicie – warknęła. – Powtarzasz tylko, że niektórzy z was pomogliby, gdyby była taka możliwość. Ale prawda jest taka, że gdyby któremukolwiek z magów choć trochę zależało, toby tam poszedł. Żadne prawo tego nie zakazuje, więc czemu nikt nie idzie? Powiem ci, czemu. Slumsy śmierdzą i są brzydkie, a wy wolelibyście, żeby ich w ogóle nie było. Tutaj jest wam całkiem wygodnie. – Zatoczyła ręką po pokoju i wypełniających go meblach. – Każdy wie, że Król sowicie was opłaca. Skoro więc wszystkim tak nas żal, to moglibyście dać ludziom trochę pieniędzy, ale nie zrobicie tego. Wolicie zatrzymać wszystko dla siebie.

Zacisnął usta, jakby nad czymś rozmyślał. Poczuła się dziwnie nieswojo w milczeniu, które zapanowało. Zazgrzytała zębami, gdy uświadomiła sobie, że dała się sprowokować.

– Gdyby któremuś z tych ludzi dać sporą sumę pieniędzy – powiedział Rothen powoli – to myślisz, że podzieliliby się z innymi?

– Tak – odpowiedziała.

Uniósł jedną brew.

– I nikt z nich nie czułby pokusy, żeby zachować wszystko dla siebie?

Tym razem nie odpowiedziała natychmiast. Znała kilka osób, które właśnie tak by postąpiły. Prawdę mówiąc, więcej niż kilka.

– Może niektórzy.

– Ach – powiedział. – Ale nie chciałabyś, żebym uważał wszystkich bylców za samolubów, prawda? W takim razie *ty* też nie powinnaś uważać, że wszyscy magowie to egoiści. Z pewnością będziesz mnie również przekonywać, że ludzie, których znasz, są porządni, mimo że zdarza im się łamać prawo. Nie osądzaj zatem wszystkich magów na podstawie błędów niektórych, a tym bardziej na podstawie wysokiego urodzenia. Większość z nas, zapewniam cię, stara się być przyzwoitymi ludźmi.

Sonea zmarszczyła brwi i odwróciła od niego wzrok. To, co mówił, brzmiało rozsądnie, ale nie dawało jej żadnego pocieszenia.

– Być może – odpowiedziała. – Ale nadal nie widzę, żeby *którykolwiek* z nich pomagał ludziom w slumsach.

Rothen potaknął.

– Poza wszystkim wiemy, że mieszkańcy slumsów od-
rzuciliby naszą pomoc.

Sonea zawahała się. Miał rację. Tylko że fakt, iż bylcy od-
rzuciliby pomoc Gildii, był winą samej Gildii, która dała im
mnóstwo powodów do nienawiści.

– Nie odmówiliby przyjęcia pieniędzy – rzuciła.

– Zakładając, że nie jesteś jedną z tych, którzy zatrzyma-
liby całe bogactwo dla siebie, co zrobiłabyś, gdybym dał ci
sto sztuk złota na dowolne wydatki?

– Nakarmiłabym ludzi.

– Sto sztuk złota wystarczyłoby na jedzenie dla niewielu
przez kilka tygodni albo wielu przez kilka dni. Potem ci ludzie byliby z powrotem równie biedni jak wcześniej. Niewiele byś zmieniła.

Sonea otwierała już usta do odpowiedzi, ale szybko je
zamknęła. Nie potrafiła na to odpowiedzieć. Miał rację,
a mimo to jej nie miał. W odmowie choćby próby pomocy
musi być coś złego.

Westchnęła i obrzuciła wzrokiem głupie ubrania, które
miała teraz na sobie. Zdawała sobie sprawę, że zmiana te-
matu będzie dla niego znakiem, że wygrał, mimo to pstryk-
nęła palcem w szlafrok.

– Gdzie są moje ubrania?

Spuścił wzrok.

– Nie ma. Dostaniesz nowe.

– Chcę moje własne.

– Kazałem je spalić.

Patrzyła na niego z niedowierzaniem. Jej płaszcz, chociaż
brudny i gdzieniegdzie nadpalony, był całkiem porządny –
a poza tym dostała go od Cery'ego.

Rozległo się pukanie do drzwi. Rothen podniósł się.

– Muszę teraz wyjść – powiedział. – Wrócę do ciebie za godzinę...

Obserwowała, jak podchodzi do drzwi i otwiera je – za nimi dostrzegła kawałek drugiego wystawnie urządzonego pokoju. Kiedy zamykał drzwi, nasłuchiwała odgłosu przekręcającego się w zamku klucza, a kiedy się go nie doczekała, poczuła przypływ nadziei.

Przyglądała się drzwiom w zamyśleniu. Czyżby były magicznie zaryglowane? Podeszła bliżej i usłyszała stłumione głosy dobiegające z drugiego pomieszczenia.

Nie ma sensu teraz usiłować otworzyć drzwi, ale może później...

Ból w głowie był nieznośny, a Cery czuł coś chłodnego spływającego za uchem. Po otwarciu oczu ujrzał w ciemności rozmazaną twarz. Twarz kobiety.

– Sonea?

– Hej! – Nie znał tego głosu. – Wróciłeś do nas na czas.

Cery zacisnął powieki, po czym otworzył je ponownie. Twarz była teraz nieco wyraźniejsza. Długie ciemne włosy okalały egzotycznie piękne rysy. Skóra tej kobiety była ciemna, ale nie aż tak jak skóra Farena. Typowo kyraliański prosty nos dodawał elegancji rysom tej podłużnej twarzy. Trochę jakby Sonea i Faren zlali się w jedną osobę.

To tylko sen, pomyślał.

– Nie, to nie sen – odpowiedziała kobieta. Spojrzała w górę, ku czemuś nad jego głową. – Musiał nieźle oberwać. Chcesz z nim teraz porozmawiać?

– Mogę spróbować. – Ten głos brzmiał znajomo. Kiedy w zasięgu jego wzroku pojawił się Faren, Cery spróbował usiąść i pamięć nagle wróciła. Ciemność zachybotała się, a ból w głowie zapulsował tępo. Cery poczuł dłonie na ramionach i niechętnie pozwolił im położyć się z powrotem na plecach.

– Hej, Cery. To jest Kaira.

– Wygląda jak ty, tylko ładniej – wymamrotał Cery.

Faren roześmiał się.

– Dzięki. Kaira to moja siostra.

Kobieta uśmiechnęła się i odsunęła na bok. Cery usłyszał gdzieś po prawej zamykające się drzwi. Spojrzał na Farena.

– Gdzie jest Sonea?

Złodziej spoważniał.

– U magów. Zabrali ją do Gildii.

Te słowa odbiły się wielokrotnym echem w głowie Cery'ego. Poczuł, że coś okropnego szarpie jego wnętrznościami. *Zabrali ją!* Jak mógł się łudzić, że zdoła ją ochronić? Ale nie. To *Faren* miał jej strzec. Poczuł, że wzbiera w nim gniew. Wziął oddech, żeby coś powiedzieć...

Nie. Muszę ją znaleźć. Muszę ją odzyskać. Mogę potrzebować pomocy Farena.

Cały gniew wyparował i Cery spojrzał w zamyśleniu na Złodzieja.

– Co się stało?

Faren westchnął.

– Nieuniknione. Znaleźli ją. – Potrząsnął głową. – Nie wiem, co mogłem zrobić, żeby ich powstrzymać. Próbowałem wszystkiego.

Cery przytaknął.

– Co teraz?

Usta Złodzieja wykrzywił półuśmiech, w którym nie było cienia rozbawienia.

– Nie zdołałem dotrzymać mojej części układu. Sonea ze swej strony nigdy nie zdołała wspomóc mnie swoją magią.

Oboje staraliśmy się i obojgu nam się nie udało. A co do ciebie… – Uśmiech znikł z twarzy Farena. – Chciałbym, żebyś pozostał u mnie.

Cery gapił się na Złodzieja. Jak mógł tak łatwo porzucić Soneę?

– Ale jeśli nie chcesz, jesteś wolny – dodał Faren.

– A co z Soneą?

Faren skrzywił się.

– Jest w Gildii.

– Nietrudno się tam dostać. Już to robiłem.

Złodziej zmarszczył mocniej brwi.

– To byłoby szaleństwem. Będą jej pilnować.

– Można ich odciągnąć.

– Nie będziemy robić nic takiego. – Oczy Farena zabłysły. Odsunął się na kilka kroków, po czym podszedł z powrotem do łóżka Cery'ego. – Złodzieje nigdy nie wchodzili w drogę Gildii i nigdy nie wejdą. Nie jesteśmy tak głupi, żeby nie wiedzieć, kto by wygrał.

– Oni wcale nie są tacy sprytni. Uwierz mi, ja…

– NIE! – Faren mu przerwał. Wciągnął głęboko powietrze, po czym wypuścił je powoli. – To nie takie proste, jak ci się wydaje, Cery. Odpocznij. Wydobrzej. Przemyśl to, co proponujesz. Niedługo porozmawiamy.

Zniknął z jego pola widzenia. Cery słyszał otwierające się i zatrzaskujące drzwi. Usiłował się podnieść, ale pociemniało mu w oczach z bólu. Westchnął i położył się na plecach z zamkniętymi oczami, oddychając głęboko.

Może próbować dalej przekonywać Farena do odbicia Sonei, ale wiedział, że to nic nie da. Nie. Jeśli ktoś ma ją ocalić, musi to zrobić on sam.

ROZDZIAŁ 17

POSTANOWIENIE SONEI

Sonea rozejrzała się ponownie po pokoju. Mimo że niezbyt duży, był urządzony luksusowo. Mogła znajdować się w którymś z domów w Wewnętrznym Mieście, ale wątpiła w to.

Podeszła do okna, odsunęła zasłaniające je pięknie zdobione okienniki, głęboko odetchnęła i cofnęła się.

Przed nią rozpościerały się ogrody Gildii. Po prawej wznosił się budynek Uniwersytetu, a po lewej, schowany pomiędzy drzewami, stał dom Wielkiego Mistrza. Ona zaś znajdowała się na drugim piętrze budynku, który Cery nazwał „siedzibą magów".

W Gildii roiło się od magów. Gdziekolwiek spojrzała, widziała postacie w szatach: w ogrodzie, w oknach, na pokrytej śniegiem ścieżce pod oknem. Wzdrygnęła się z zimna, więc zamknęła z powrotem okiennik i odeszła od okna.

Poczuła wzbierającą rozpacz. *Jestem w pułapce. Nigdy się stąd nie wydostanę. Nigdy już nie zobaczę Jonny i Ranela – ani Cery'ego.*

Zamrugała, żeby odgonić wzbierające łzy. Kątem oka dostrzegła jakiś ruch, więc odwróciła się, by ujrzeć swoje odbicie w lśniącym owalnym zwierciadle. Przyjrzała się już zaczerwienionym spojówkom. Twarz spoglądającej na nią dziewczyny wykrzywił pogardliwy grymas.

Tak łatwo mam się poddać? – spytała swojego odbicia. – *Mam płakać jak małe dziecko?*

Nie! Gildia może i roi się od magów za dnia, ale Sonea przecież była tu nocą i wiedziała, jak łatwo można uniknąć wykrycia. Jeśli zaczeka do nocy i zdoła się wymknąć, nic nie powstrzyma jej przed powrotem do slumsów.

Najtrudniejszym zadaniem będzie oczywiście wydostanie się na zewnątrz. Magowie pewnie będą trzymać ją pod kluczem. Niemniej sam Rothen przyznał, że i magom zdarza się popełniać błędy. Będzie zatem czekać i obserwować. A kiedy nadarzy się okazja, nie omieszka z niej skorzystać.

Twarz w lustrze miała już suche oczy i malowała się na niej determinacja. Sonea poczuła się nieco lepiej. Podeszła do stoliczka. Podniosła z niego grzebień i pogładziła z zachwytem srebrną rączkę. Gdyby oddała coś takiego w zastaw, mogłaby sobie kupić nowe ubranie i jedzenie na kilka tygodni.

Czy Rothen liczył się z tym, że mogłaby ukraść te przedmioty? Oczywiście nie przejmowałby się możliwością kradzieży, gdyby miał pewność, że Sonea nie zdoła uciec. Zabieranie wartościowych przedmiotów na nic się nie zda, dopóki tkwi w Gildii.

Rozglądając się znów dookoła, uświadomiła sobie po raz pierwszy, że znajduje się w bardzo nietypowym więzieniu. Spodziewałaby się raczej wilgotnej celi, a nie wygód, czy wręcz luksusów.

Może naprawdę chcą jej zaproponować wstąpienie do Gildii?

Spojrzała w lustro i spróbowała wyobrazić sobie samą siebie w szatach. Poczuła dreszcz.

Nie, pomyślała, *nigdy nie zostanę jedną z nich. To tak jak-*
bym zdradziła wszystkich moich przyjaciół, ludzi ze slum-
sów, nie mówiąc już o sobie samej...

Musi jednak nauczyć się kontrolować swoją moc. Niebezpieczeństwo jest realne, a Rothen chyba rzeczywiście
chce ją czegoś nauczyć – nawet jeśli chodzi mu tylko o to,
żeby przestała zagrażać miastu. Nie spodziewała się jednak, by chciał ją uczyć czegokolwiek więcej. Wzdrygnęła
się na wspomnienie frustracji i koszmaru ostatnich sześciu tygodni. Jej moc narobiła już wystarczająco dużo kłopotów. Nie zmartwiłaby się wcale, gdyby już nigdy nie miała
się nią posłużyć.

Co w takim wypadku by się z nią stało? Czy Gildia po-
zwoliłaby jej wrócić do slumsów? Mało prawdopodobne.
Rothen wspomniał, że chcieliby, by do nich dołączyła. Ona?
Dziewczyna ze slumsów? Również mało prawdopodobne.

Ale dlaczego mieliby jej to proponować? Może jest jakiś inny powód. Przekupstwo? Mogliby zaproponować nauczenie jej magii w zamian za... za co? Czego Gildia mogłaby od niej chcieć?

Zamarła, kiedy odpowiedź sama się jej nasunęła.

Złodzieje.

Czy jeśli ucieknie, Faren nadal będzie chciał ją ukrywać?
Zapewne tak – zwłaszcza jeśli jej moc przestanie stwarzać
zagrożenie. A jeśli uda jej się ponownie wkraść w jego ła-
ski, działanie przeciw niemu nie będzie stanowiło problemu.
Mogłaby wykorzystywać te mentalne sztuczki do wysyłania
Gildii informacji o przestępczych grupach w mieście.

Prychnęła. Nawet gdyby zgodziła się współpracować
z Gildią, Złodzieje szybko by to wywęszyli. A żaden bylec
nie jest tak głupi, żeby zadzierać ze Złodziejami. Nawet jeśli
potrafiłaby się bronić magią, nie zdołałaby powstrzymać

ich przed zrobieniem krzywdy jej przyjaciołom czy rodzinie. Złodzieje są bezlitośni dla tych, którzy wchodzą im w paradę.

Ale czy będzie miała wybór? Co się stanie, jeśli Gildia zagrozi jej śmiercią, gdyby się nie zgodziła? Co jeśli *oni* zagrożą jej przyjaciołom i rodzinie? Poczuła strach na myśl, że Gildia może wiedzieć o Jonnie i Ranelu.

Odsunęła od siebie tę myśl – nie wyzbyła się jeszcze obawy przed silnymi emocjami, które mogłyby pozbawić ją kontroli nad magią. Potrząsając głową, odeszła od lustra. Na małej szafce obok łóżka leżała książka. Sonea przeszła przez pokój i wzięła ją do ręki.

Przerzucając strony, przekonała się, że zapisane są równymi linijkami tekstu. Przyjrzała się im bliżej, zdumiona, że umie odczytać większość słów. Skorzystała z lekcji Serina więcej, niżby się spodziewała.

Tekst traktował najwyraźniej o łodziach. Przeczytawszy kilka linijek, Sonea zauważyła, że ostatnie słowo w każdej ich parze kończy się tym samym dźwiękiem – zupełnie jak słowa piosenek ulicznych śpiewaków występujących na jarmarkach i w spylunkach.

Zamarła na dźwięk cichego pukania do drzwi. Zanim się otwarły, zdążyła odłożyć książkę na miejsce. Podniosła wzrok i zobaczyła Rothena stojącego na progu i trzymającego w rękach jakieś zawiniątko.

– Umiesz czytać?

Zastanowiła się przez chwilę nad właściwą odpowiedzią. Czy powinna z jakiegoś powodu ukryć tę umiejętność? Nic takiego nie przychodziło jej do głowy, a poza tym całkiem miło byłoby pokazać mu, że nie wszyscy bylcy to analfabeci.

– Trochę – przyznała się.

Zamknął drzwi i wskazał na książkę.

– Pokaż mi – poprosił. – Przeczytaj coś.

Poczuła, że ogarniają ją wątpliwości, ale postanowiła się nimi zanadto nie przejmować. Podniosła znów książkę, otworzyła ją i zaczęła czytać.

Pożałowała tego natychmiast. Czuła na sobie wzrok maga, co przeszkadzało jej się skupić. Strona, na której otworła, okazała się znacznie trudniejsza od poprzedniej i Sonea czuła, jak rumieniec wypływa na jej policzki, kiedy potykała się na kolejnych nieznanych słowach.

– Przystań, nie przestań.

Zezłościła ją ta uwaga, zatrzasnęła więc książkę i rzuciła się na łóżko. Rothen uśmiechnął się przepraszająco i położył tobołek koło niej.

– Gdzie nauczyłaś się czytać? – spytał.

– Ciotka mnie uczyła.

– Ostatnio też ćwiczyłaś.

Odwróciła wzrok.

– Zawsze jest coś do czytania. Szyldy, tabliczki, ogłoszenia o nagrodzie...

Uśmiechnął się.

– W jednym z pokoi, gdzie przebywałaś, znaleźliśmy księgę magiczną. Zrozumiałaś z niej cokolwiek?

Poczuła dreszcz ostrzeżenia przebiegający po jej kręgosłupie. Nie uwierzy jej, jeśli zaprzeczy, że w ogóle czytała tę książkę, ale jeśli się do tego przyzna, to on może zacząć zadawać dalsze pytania, a wtedy ona może przez przypadek wygadać się, jakie jeszcze książki czytała. Jeśli zaś on wie o zniknięciu ksiąg ukradzionych przez Cery'ego, domyśli się, że udało jej się przekraść do Gildii w nocy i będzie jeszcze bardziej jej pilnował.

Zamiast odpowiedzieć, wskazała leżące na łóżku zawiniątko.

– Co to jest?

Przyglądał się jej przez chwilę, po czym wzruszył ramionami.

– Ubranie.

Sonea przyjrzała się zawiniątku z powątpiewaniem.

– Dam ci czas na przebranie się, a potem przyślę tu służących z obiadem. – Odwrócił się do drzwi.

Kiedy wyszedł, Sonea rozpakowała tobołek i stwierdziła z ulgą, że nie zawierał szat. W środku znajdowały się zwyczajne spodnie, tunika i koszula z wysoką stójką – wszystko bardzo podobne do tego, co nosiła w slumsach, ale wykonane z drogich miękkich materiałów.

Zrzuciwszy z siebie szlafrok i koszulę nocną, włożyła nowe ubrania. Mimo że teraz czuła się porządnie okryta, coś nie dawało jej spokoju. Spojrzała na swoje dłonie i zorientowała się, że paznokcie są porządnie obcięte i wyszorowane. Obwąchała je – pachniały mydłem.

Poczuła złość i urazę. Ktoś umył ją, gdy spała. Zagapiła się w stronę drzwi. Czyżby Rothen?

Nie, uznała po chwili, takie zadania na pewno zleca się służbie. Przeczesała palcami włosy, by przekonać się, że one również były czyste.

Minęło jeszcze kilka minut, po czym usłyszała cichutkie pukanie do drzwi. Pamiętając, że mag obiecał przysłać jej służącego, czekała, aż nieznajomy wejdzie. Usłyszała jednak ponownie pukanie.

– Pani? – odezwała się zza drzwi jakaś kobieta. – Czy mogę wejść?

Sonea usiadła na łóżku z rozbawienia. Nikt nigdy nie nazwał jej panią.

– Jeśli chcesz – odpowiedziała.

Do pokoju weszła kobieta w wieku mniej więcej trzydziestu lat. Miała na sobie prosty szary fartuszek i spodnie w tym samym kolorze, w rękach trzymała przykrytą tacę.

– Witaj – powiedziała, uśmiechając się niepewnie. Rzuciła Sonei spojrzenie, po czym szybko odwróciła wzrok.

Sonea przyglądała się, jak służąca podchodzi do stolika i kładzie na nim tacę. Gdy sięgała po pokrywkę, jej ręka nieznacznie zadrżała. Sonea zachmurzyła się. Czego boi się ta służąca? Chyba nie zwykłej dziewczyny ze slumsów?

Kobieta poprawiła ustawienie naczyń na tacy, po czym odwróciła się i ukłoniwszy się Sonei głęboko, szybko wycofała się z pokoju.

Sonea przez kilka minut gapiła się na drzwi. Ta kobieta właśnie się jej ukłoniła. To było… dziwne. Niepokojące. Nie potrafiła zrozumieć, o co w tym chodzi.

Potem jednak zapach chleba i czegoś bardzo pikantnego przyciągnął jej uwagę ku tacy, z której nęciła ją spora miska zupy i talerz małych ciasteczek. Poczuła pustkę w żołądku.

Uśmiechnęła się. Magowie przekonają się w końcu, że nie da się jej przekupić, by zdradziła Farena, ale nie muszą się tego dowiadywać tak od razu. Jeśli pociągnie trochę tę grę, może zapewnić sobie takie traktowanie na dłuższy czas.

Nie czuła żadnych wyrzutów sumienia na myśl, że ich wykorzysta.

Sonea wsunęła się do pokoju gościnnego z napiętą uwagą dzikiego zwierzęcia, które wypuszczono z klatki. Jej wzrok przeskakiwał z przedmiotu na przedmiot, najdłużej zatrzymując się na drzwiach, aż w końcu utkwiła go w Rothenie.

– Tam jest niewielka łazienka – powiedział mag, wskazując drzwi. – Tam moja sypialnia, a tamte drzwi wychodzą na główny korytarz Domu Magów.

Przyjrzała się uważnie głównym drzwiom, po czym rzuciła Rothenowi jeszcze jedno spojrzenie, zanim podeszła do półek. Mag uśmiechnął się na widok jej ciekawości wobec ksiąg.

– Jeśli coś cię zainteresuje, bierz – zachęcił. – Pomogę ci czytać i wytłumaczę, jeśli czegoś nie zrozumiesz.

Spojrzała znów na niego, unosząc lekko brwi, i nachyliła się bliżej ku książkom. Dotknęła palcem grzbietu jednej z nich, po czym zamarła na dźwięk uniwersyteckiego gongu.

– To znak dla nowicjuszy, że czas wracać na lekcje – wyjaśnił Rothen. Podszedł do jednego z okien i gestem zachęcił ją, żeby wyjrzała.

Przystanęła przy drugim oknie i spojrzała w dół. Na jej twarzy natychmiast zarysowało się napięcie. Niespokojnymi oczami obserwowała magów i nowicjuszy zmierzających ku Uniwersytetowi.

– Co oznaczają kolory?

Rothen spojrzał na nią pytająco.

– Kolory?

– Szaty są w różnych kolorach.

– Ach, to. – Oparł się o parapet z uśmiechem. – Najpierw będę ci musiał opowiedzieć o dyscyplinach. Istnieją trzy główne dziedziny, w których wykorzystuje się magię: uzdrawianie, alchemia i sztuka wojenna. – Wskazał parę magów zmierzających powolnym krokiem ku ogrodom. – Uzdrowiciele noszą zieleń. Uzdrawianie wymaga nie tylko nauki magicznych metod leczenia ran i chorób, ale także wszelkiej wiedzy medycznej, co sprawia, że jest to dyscyplina, której trzeba oddać się całkowicie.

Rzucił ukradkowe spojrzenie na Soneę i zauważył cień zainteresowania w jej oczach.

– Wojownicy chodzą w czerwieni – ciągnął – i uczą się strategii, a także wszelkiej magii, która może być przydatna w bitwie. Niektórzy ćwiczą również tradycyjne sztuki walki i szermierkę.

Na koniec wskazał na własne szaty.

– Fiolet to kolor alchemii, która obejmuje wszystkie inne zastosowania magii, włącznie z chemią, matematyką, architekturą i wieloma innymi dziedzinami.

Sonea skinęła powoli głową.

– A brązowe szaty?

– To nowicjusze. – Wskazał jej dwóch młodzieńców. – Widzisz, że ich szaty sięgają jedynie ud? – Sonea potaknęła. – Nie noszą pełnych szat, dopóki nie zostaną promowani, a do tego czasu muszą wybrać dyscyplinę, której się poświęcą.

– A jeśli chcą uczyć się więcej niż jednej?

Rothen zaśmiał się.

– Zazwyczaj nie ma na to czasu.

– Jak długo muszą się uczyć?

– To zależy, ile czasu zajmuje im opanowanie niezbędnych umiejętności. Zazwyczaj pięć lat.

– A ten? – Sonea wyciągnęła palec. – On ma pas w innym kolorze.

Rothen spojrzał we wskazanym kierunku i dostrzegł przechodzącego pod oknem Mistrza Balkana. Jego poorana twarz zdradzała zaaferowanie, jakby dręczył go jakiś trudny problem.

– Ach, jesteś bardzo spostrzegawcza. – Rothen uśmiechnął się z zachętą. – Jego pas jest czarny, co znaczy, że człowiek, na którego właśnie patrzysz, jest arcymistrzem swojej dyscypliny.

– Arcymistrzem Wojowników. – Sonea spojrzała na szaty Rothena i zmrużyła oczy. – A jaką alchemią ty się zajmujesz?

– Chemią. Również jej uczę.

– A co to jest?

Zawahał się przez moment, niepewny, jak najlepiej to wytłumaczyć tak, żeby zrozumiała.

– Zajmujemy się różnymi substancjami: stałymi, płynnymi i lotnymi. Mieszamy je, podgrzewamy, poddajemy różnym wpływom i patrzymy, co się stanie.

Sonea zmarszczyła brwi.

– Po co?

Rothen uśmiechnął się krzywo.

– Żeby zobaczyć, czy uda nam się odkryć coś pożytecznego.

Uniosła brwi.

– No i jakie to pożyteczne rzeczy odkryłeś?

– Ja czy chemicy Gildii?

– Ty.

Roześmiał się.

– Niewiele! Myślę, że możesz mnie uznać za Alchemika–nieudacznika. Chociaż w sumie przy okazji dowiedziałem się jednej bardzo ważnej rzeczy.

Uniosła znów brwi.

– Czego?

– Że jestem bardzo dobrym nauczycielem. – Odsunął się od okna i podszedł do szafki z książkami. – Jeśli tylko

zechcesz, pomogę ci nauczyć się lepiej czytać. Może chciałabyś popracować nad tym dziś po południu?

Wpatrywała się w niego przez dłuższą chwilę; w jej
wzroku nieufność mieszała się z zamyśleniem. W końcu
skinęła lekko głową.

– Czego twoim zdaniem powinnam spróbować?

Rothen przebiegł wzrokiem po grzbietach książek. Potrzebował czegoś, co będzie łatwe do czytania, a zarazem
zaciekawi ją. Zdjął z półki jeden z tomów i przekartko-
wał go.

Dziewczyna okazała się bardziej chętna do współpracy,
niż się tego spodziewał. Było w niej dużo ciekawości, a umiejętność czytania i zainteresowanie książkami stanowiły niespodziewane zalety. Wszystko to dawało nadzieję, że wdroży
się do nauki.

Pokiwał głową. Teraz pozostawało tylko przekonać ją, że
Gildia nie jest taka zła, jak się jej wydaje.

Dannyl uśmiechnął się do przyjaciela. Odkąd Rothen zjawił
się u Yaldina i jego żony na kolacji, nie przestawał mówić.
Dannyl nigdy nie widział w nim tyle entuzjazmu na myśl
o potencjalnym nowicjuszu – aczkolwiek miał nadzieję, że
podobne uczucia towarzyszyły mistrzowi, kiedy przyjmo-
wał na naukę *jego*.

– Wielki z ciebie optymista, Rothen. Ledwie ją poznałeś,
a już mówisz tak, jakby miała zostać dumą Uniwersytetu.

Uśmiechnął się, gdy jego przyjaciel przyjął postawę
obronną.

– Czyżby? – odparował Rothen. – Gdyby nie mój opty-
mizm, nie miałbym chyba tylu sukcesów w pracy z nowicjuszami, prawda? Jeśli się w nich nie wierzy, odbiera się
im motywację.

Dannyl przytaknął. On sam nie był najłatwiejszym nowicjuszem i długo opierał się usiłowaniom Rothena, który starał się odciągnąć go od sprzeczek z Fergunem i jego paczką. I mimo że Dannyl wielokrotnie próbował wykazać, że Rothen się myli, jego mistrz nigdy się nie poddawał.

– Powiedziałeś jej, że nie zamierzamy jej skrzywdzić? – spytała Ezrille.

– Opowiedziałem jej o okolicznościach śmierci tego chłopaka i o tym, że chcemy ją nauczyć kontrolować moc. Ale czy ona uwierzyła... – Wzruszył ramionami.

– Powiedziałeś jej, że może wstąpić do Gildii?

Rothen skrzywił się.

– Nie naciskałem. Ona niezbyt nas lubi. Nie tyle obwinia nas o sytuację nędzarzy, ile uważa, że powinniśmy coś z tym zrobić. – Zasępił się. – Mówi, że nigdy nie widziała, byśmy robili cokolwiek dobrego, i zapewne jest to prawda. Większość tego, co robimy dla miasta, nie dotyczy osobiście ani jej, ani większości bylców. No i na dodatek te Czystki.

– Nic w tym zatem dziwnego, że nie znosi Gildii – powiedziała Ezrille. Nachyliła się ku Rothenowi. – A *jaka* ona jest?

Rothen zastanawiał się przez chwilę.

– Spokojna, ale arogancka. Ewidentnie przestraszona, ale nie sądzę, żebyśmy mieli oglądać łzy. Jestem pewny, że ona zdaje sobie sprawę, że musi nauczyć się kontroli, więc nie podejrzewam, żeby zamierzała uciekać w najbliższym czasie.

– A kiedy już nauczy się kontroli? – spytał Yaldin.

– Mam nadzieję, że do tego czasu zdołamy ją przekonać do Gildii.

– A jeśli odmówi?

Rothen westchnął, wciągając głęboko powietrze.

– Nie jestem pewny, co wtedy. Nie możemy nikogo zmuszać do wstąpienia do Gildii, ale też prawo zabrania nam tolerowania magów poza nią. Jeśli więc ona odmówi – skrzywił się – nie będziemy mieli wielkiego wyboru: trzeba będzie zablokować jej moc.

Ezrille popatrzyła na niego z przestrachem.

– Zablokować? To coś bardzo przykrego?

– Nie. To... Cóż, dla większości magów byłoby to nieprzyjemne, ponieważ nawykli do posiadania mocy, którą mogą się posłużyć. W przypadku Sonei mamy do czynienia z kimś, kto nie przyzwyczaił się do magii, a w każdym razie nie w pożytecznej formie. – Wzruszył ramionami. – Więc pewnie nie będzie jej tego brakowało.

– Jak długo zajmie ci nauka kontroli? – spytał Yaldin. – Czuję się trochę nieswojo na myśl o tym, że kilka kroków stąd mieszka dzika magiczka.

– Będę potrzebował trochę czasu, żeby zyskać jej zaufanie – odrzekł Rothen. – Pewnie w sumie zejdzie kilka tygodni.

– Ejże! – wykrzyknął Yaldin. – Nauka kontroli nigdy nie zajmuje więcej niż dwa tygodnie, nawet w przypadku najsłabszych nowicjuszy.

– Ale ona nie jest zepsutym czy znerwicowanym dzieckiem z któregoś z Domów.

– Może masz rację – Yaldin pokiwał głową z westchnieniem. – Czyli do końca tygodnia musimy drżeć z przerażenia.

Usadowiona na łóżku, Sonea zabawiała się cienką szpilką do włosów i wyglądała przez wąską szparę w okienniku na ogród. Za oknem była noc, właśnie wzeszedł księżyc.

Okalający ścieżki śnieg połyskiwał lekko w jego bladym świetle.

Godzinę wcześniej słyszała ponowne uderzenie gongu. Kiedy magowie i nowicjusze udawali się pospiesznie do swoich mieszkań, ona patrzyła i czekała. Teraz było całkiem cicho, jeśli nie liczyć spieszących gdzieś od czasu do czasu służących, których oddechy unosiły się mgiełką w mroźnym nocnym powietrzu.

Wstała i podkradłszy się do drzwi, przyłożyła do nich ucho. Mimo że kark rozbolał ją od długiego nasłuchiwania, nie doszedł do niej żaden dźwięk z tamtego pomieszczenia.

Przeniosła wzrok na klamkę: była z gładkiego, polerowanego drewna, w które wprawiono kawałki ciemniejszej barwy, tak by stworzyły symbol Gildii. Sonea przesunęła palcami po tym wzorze, podziwiając wysiłek włożony w wykonanie zwyczajnej klamki.

Powoli, cichutko, spróbowała ją nacisnąć. Klamka poruszyła się lekko, ale wkrótce napotkała opór. Sonea pociągnęła drzwi do siebie, ale zamek nie puścił.

Niezrażona spróbowała jeszcze raz, pod nieco innym kątem. I tym razem coś szybko zablokowało ruch klamki. Szarpnęła drzwi, ale na nic się to nie zdało.

Pochyliła się i wysunęła dłoń, by włożyć szpilkę w dziurkę od klucza, po czym cofnęła rękę. Dziurki od klucza nie było.

Sonea westchnęła i przysiadła na piętach. Kiedy Rothen wychodził z pokoju, nigdy nie słyszała obracającego się w drzwiach klucza, a będąc w pokoju gościnnym, zauważyła, że po drugiej stronie nie ma żadnych rygli. Drzwi były zamknięte na magię.

Nie żeby *zamierzała* uciekać… Musi zostać i nauczyć się kontrolowania swojej magii.

Trzeba jednak również zbadać granice swobody. Jeśli nie będzie szukać drogi ucieczki, to nigdy jej nie znajdzie.

Wstała i podeszła do stolika przy łóżku. Książka z piosenkami wciąż tam leżała. Podniósłszy ją, otwarła na pierwszej stronie. Coś było tam napisane. Sięgnęła do stołu i zapaliła zostawioną przez Rothena świecę.

„Kochanemu Rothenowi na pamiątkę dnia narodzin naszego syna, Yilara".

Sonea zacisnęła usta. A zatem on miał żonę i przynajmniej jedno dziecko. Zastanawiała się, gdzie jest jego rodzina. Zważywszy na wiek Rothena, jego syn jest już pewnie dorosły.

On sam sprawiał wrażenie porządnego człowieka. Zawsze uważała, że dobrze ocenia ludzi – nauczyła się tego od ciotki. Instynkt podpowiadał jej, że Rothen to miły i dobry człowiek. Ale to nie znaczy, że może mu zaufać, przypomniała sobie. Jest przecież magiem i musi robić wszystko, co każe mu Gildia.

Zza okna dobiegł ją cichy, piskliwy śmiech, więc spojrzała znów w tamtą stronę. Odsunęła okienniki i dostrzegła przechadzającą się po ogrodzie parę; zielone szaty pod ich płaszczami połyskiwały w świetle unoszącej się w powietrzu kuli. Przed tą dwójką biegała dwójka dzieci, obrzucając się śnieżkami.

Patrzyła za nimi, szczególnie przyglądając się kobiecie. Nigdy podczas Czystki nie widziała magiczek. Zastanawiała się, czy wolą tam nie chodzić, czy też zakazuje im tego jakieś prawo?

Zacisnęła znów usta. Jonna opowiadała jej, że córki bogaczy przebywają pod czujnym okiem rodziny, dopóki ojcowie nie znajdą im odpowiednich mężów. Kobiety nie miały wiele do powiedzenia w Domach.

W slumsach nikt nie zajmował się swataniem. Mimo że kobiety *starały się* znajdować mężczyzn, którzy potrafiliby utrzymać rodzinę, najczęściej wychodziły za mąż z miłości. Jonna uważała, że tak właśnie powinno być; Sonea jednak była bardziej cyniczna. Zauważyła, że kobiety często przymykały oko na wiele rzeczy, póki były zakochane – ale miłość często wyparowywała. Lepiej wyjść za mężczyznę, którego się lubi i któremu się ufa.

Czy kobiety są spychane na drugi plan? Zachęcane do pozostawiania spraw Gildii wyłącznie mężczyznom? To musi być okropne: mieć moc magiczną, a mimo to całkowicie zależeć od innych.

Kiedy rodzina magów znikła z jej pola widzenia, Sonea odsunęła się od okna, ale zanim się odwróciła, kątem oka dostrzegła jakieś poruszenie w jednym z okien Uniwersytetu. Spojrzała w tamtą stronę i zobaczyła blady owal twarzy.

Zarys ubioru tego nieznajomego wskazywał, że jest to mag. Mimo że nie mogła mieć co do tego pewności, miała dziwaczne uczucie, że ten człowiek na nią patrzy. Poczuła dreszcz i szybko zasunęła okiennicy.

Zaniepokojona przeszła przez pokój i zgasiła świecę, po czym położyła się na łóżku i zwinęła pod kocem. Czuła się wyczerpana, zmęczona myśleniem, zmęczona strachem. Zmęczona zmęczeniem…

Ale kiedy leżała, wpatrując się w sufit, wiedziała, że nie zaśnie szybko.

ROZDZIAŁ 18

Z DALA OD CIEKAWSKICH OCZU

Delikatne, blade światło zalewało drzewa i budynki Gildii. Cery zmarszczył brwi. Kiedy ostatnio na to spoglądał, wszystko było skryte w ciemności. Musiał na chwilę przysnąć, choć nie pamiętał, żeby zamykał powieki. Przecierając oczy, rozejrzał się, jakby zastanawiał się nad minioną właśnie nocą.

Zaczęło się od Farena. Kiedy odzyskał siły i najadł się, Cery zapytał ponownie Złodzieja, czy pomoże mu odzyskać Soneę. Odmowa była równie stanowcza jak poprzednio.

– Gdyby magowie po prostu ją schwytali, gdyby nawet została uwięziona w Pałacu, wyrwałbym im ją dla czystej przyjemności pokazania, że potrafię to zrobić – powiedział z półuśmiechem, ale moment później jego twarz spoważniała. – Ale to Gildia, Cery. To, czego byś chciał, jest poza moim zasięgiem.

– Nieprawda – upierał się Cery. – Tam nie ma straży ani magicznych barier. Oni...

– Nie, Cery – oczy Farena błysnęły. – To nie jest kwestia straży czy murów. Gildia nigdy nie dostała powodu, żeby zrobić zdecydowany krok i rozprawić się z nami. Jeśli wykradniemy ją z ich własnego terenu, mogą zechcieć uderzyć.

Uwierz mi, Cery, nikt nie chce się przekonywać, czy potrafimy się im wymknąć, czy nie.

– Złodzieje boją się magów?

– Tak. – Mówiąc to, Faren miał wyjątkowo poważny wyraz twarzy. – Owszem, boimy się. I mamy ku temu powody.

– A jeśli urządzimy to tak, żeby pomyśleli, że to ktoś inny ją odbił...

– Gildia i tak może uznać, że my to zrobiliśmy. Posłuchaj, Cery. Znam cię na tyle dobrze, żeby się domyślić, że spróbujesz na własną rękę. Lepiej więc się zastanów nad tym: inni zabiją cię, jeśli uznają, że stwarzasz zagrożenie. Jesteśmy dokładnie obserwowani.

Cery nie miał na to odpowiedzi.

– Chcesz dalej dla mnie pracować?

Cery przytaknął.

– Świetnie. Mam dla ciebie nowe zadanie, jeśli tylko zechcesz.

Zadanie Farena zaprowadziło Cery'ego do Przystani. Dalej od Gildii już się nie dało. Później jednak Cery przeszedł przez całe miasto, wspiął się na mur otaczający Gildię i zaszył się w lesie, by obserwować.

Kiedy ruch ustał i zapadła noc, dostrzegł jakieś poruszenie w jednym z okien Uniwersytetu. Pojawiła się w nim twarz. Wpatrujące się uważnie w siedzibę magów męskie oblicze.

Obserwator pozostawał na swoim miejscu przez pół godziny. W końcu w oknie Domu Magów pojawiła się blada twarz i serce Cery'ego podskoczyło. Rozpoznał ją mimo dzielącej ich odległości.

Sonea przez kilka minut spoglądała na ogród, po czym podniosła wzrok na mężczyznę w oknie Uniwersytetu. Na jego widok szybko odeszła od okna.

Obserwator niedługo potem także znikł. Mimo że Cery czatował w swojej kryjówce przez całą noc, nie dostrzegł już żadnego innego człowieka: ani maga, ani Sonei. Teraz, kiedy zbliżał się ranek, powinien wrócić do Farena. Złodziejowi nie spodoba się to szpiegowanie, ale Cery wszystko sobie przemyślał. Jeśli przyzna, że Sonea istotnie jest dobrze pilnowana, to powinno uśpić czujność. Faren zabronił mu prób uwolnienia jej, ale nie zbierania informacji, a chyba nie spodziewał się, żeby Cery zaniecha upewniania się, czy ona żyje.

Podniósł się i wyprostował. Nie powie Farenowi, czego dowiedział się podczas nocnych przeszpiegów. Jeśli nie liczyć tajemniczego obserwatora, magowie nie wystawili żadnych straży na zewnątrz budynku. Jeśli Sonea przebywa sama w tym pokoju, jest jeszcze nadzieja.

Uśmiechając się po raz pierwszy od wielu dni, Cery ruszył przez las ku slumsom.

Sonea zerwała się na równe nogi, kiedy budząc się, ujrzała nad sobą twarz służącej Rothena.

– Przepraszam cię, pani – powiedziała szybko kobieta. – Ale zobaczyłam, że łóżko jest puste i pomyślałam… Czemu śpisz na podłodze?

Sonea wstała i wyplątała się z koców.

– To łóżko – powiedziała – strasznie się zapada. Miałam wrażenie, że z niego spadnę.

– Zapada się? – Kobieta zamrugała oczami ze zdziwienia. – Chodzi ci o to, że jest bardzo miękkie? – Uśmiechnęła się szeroko. – Pewnie nigdy wcześniej nie spałaś, pani, na materacu z wełny reberów. Patrz.

Ściągnęła z łóżka prześcieradło i pokazała Sonei kilka

warstw grubych, gąbczastych mat. Chwyciła połowę z nich i odłożyła na bok.

– Tak będzie wygodniej, pani? – spytała, naciskając pozostałe maty.

Sonea zawahała się, po czym usiadła na materacu. Łóżko było nadal miękkie, ale przynajmniej wyczuwała drewnianą ramę. Przytaknęła.

– Wspaniale – rozpromieniła się służąca. – Przyniosłam wodę do mycia i... och! Spałaś w ubraniu! Nie szkodzi. Przyniosłam świeże. Kiedy się ubierzesz, przejdź do pokoju gościnnego. Mam dla ciebie ciastka i sumi na rozpoczęcie dnia.

Sonea patrzyła z rozbawieniem, jak kobieta zbiera materace i wypada z pokoju. Kiedy drzwi zamknęły się za służącą, usiadła z westchnieniem na krawędzi łóżka.

Ciągle tu jestem.

Przebiegła w myślach wydarzenia ostatniego dnia: rozmowy z Rothenem, postanowienie ucieczki, zaobserwowane przez okno sceny. Westchnęła ponownie, po czym wstała i obejrzała przyniesioną przez służącą miednicę z wodą, mydło i ręcznik.

Wzdrygnąwszy się, zrzuciła ubranie, umyła się, ubrała w świeże rzeczy – i ruszyła ku drzwiom. Zawahała się z ręką na klamce. Rothen na pewno będzie na nią czekał w pokoju obok. Poczuła lekki niepokój, ale nie lęk.

Rothen był magiem. Powinno ją to napawać przerażeniem, ale on obiecał, że nie zrobi jej krzywdy, a ona postanowiła mu zaufać – przynajmniej na razie.

Wpuszczenie go do własnego umysłu nie będzie jednak takie proste. Nie miała pojęcia, czy może ją w ten sposób skrzywdzić. Co jeśli zdoła wpłynąć na jej myśli, sprawić, by pokochała Gildię?

Czy mam jakiś wybór? Musi założyć, że on nie będzie zdolny – albo nie będzie miał zamiaru – namieszać jej w myślach. Jest to ryzyko, którego nie uniknie, a zamartwianie się nic nie pomoże.

Wyprostowała się i otwarła drzwi. Rothen najwyraźniej spędzał większość czasu w znajdującym się za nimi pomieszczeniu. Wokół niskiego stolika na środku stały krzesła, ściany zastawione były półkami na książki, a pod ścianami stały wyższe stoliki i biurka. Mag siedział w jednym z wyściełanych foteli, przebiegając błękitnymi oczami stronice książki.

Podniósł wzrok i uśmiechnął się.

– Dzień dobry, Soneo.

Służąca stała przy jednym ze stolików pod ścianą. Sonea usiadła w fotelu naprzeciwko Rothena. Dziewczyna postawiła przed nimi tacę i podała jedną filiżankę magowi, a drugą Sonei.

Rothen odłożył książkę.

– To jest Tania – powiedział, patrząc na usługującą im dziewczynę. – Moja pokojówka.

Sonea skinęła głową.

– Hej, Tania.

– Jestem zaszczycona, pani – odpowiedziała dziewczyna, kłaniając się nisko.

Sonea czuła, że rumieni się z zakłopotania, więc odwróciła wzrok, ale na szczęście Tania odeszła do stolika z jedzeniem.

Patrząc, jak dziewczyna układa ciasteczka na tacy, Sonea zastanawiała się, czy powinna czuć zadowolenie z tego nadskakiwania. Może magowie mają nadzieję, że spodoba się jej to, podobnie jak luksusy, i że chętniej zgodzi się tu pozostać?

Najwyraźniej czując na sobie spojrzenie Sonei, Tania podniosła wzrok i uśmiechnęła się niepewnie.

– Dobrze spałaś, Soneo? – spytał Rothen.

Wzruszyła ramionami, patrząc mu prosto w oczy.

– Nie najgorzej.

– Chciałabyś kontynuować dziś naukę czytania?

Spojrzała na książkę, którą czytał, gdy weszła, i zmarszczyła brwi na widok znajomej okładki.

Rothen pochwycił jej spojrzenie.

– Ach, *Uwagi Fiena o pożytkach z magii płynących*. Uznałem, że warto zapoznać się z tym, co czytałaś. To jest stara księga historyczna, nie podręcznik, a zawarte w niej informacje mogą być już przestarzałe. Być może…

Przerwało mu pukanie. Rothen podniósł się i podszedł do głównych drzwi, uchylając je lekko. Sonea wiedziała, że bez trudu udaremniłby jej ucieczkę, zauważyła natomiast, że najwyraźniej starał się, by nie zdołała dostrzec twarzy gościa – albo też, żeby gość nie mógł zobaczyć jej?

– Tak, Mistrzu Fergunie? Czym mogę ci służyć?

– Chcę zobaczyć dziewczynę.

Głos przybysza był gładki i modulowany. Sonea podskoczyła, gdy Tania położyła jej na kolanach serwetkę. Służąca spochmurniała, patrząc na plecy Rothena, zanim odeszła.

– Jest na to za wcześnie – odrzekł Rothen. – Ona… – zawahał się, po czym wyszedł za próg i zamknął za sobą drzwi. Do uszu Sonei dobiegał jedynie szmer rozmowy.

Spojrzała na Tanię, która właśnie podeszła z powrotem, tym razem z paterą pełną ciastek. Sonea wybrała jedno z nich i pociągnęła na próbę łyk ze stojącej przed nią filiżanki.

Skrzywiła się, gdy poczuła w ustach gorzki smak. Tania uniosła brwi i wskazała na napój w filiżance.

– Z twojej miny wnioskuję, pani, że nie smakuje ci sumi – powiedziała. – Czego zatem chciałabyś się napić?

– Raki – odpowiedziała Sonea.

Służąca wyglądała na bardzo nieszczęśliwą.

– Niestety nie mamy tu raki, bardzo mi przykro. Może chciałabyś soku pachi?

– Nie, dziękuję.

– A zatem wody?

Sonea spojrzała na nią z niedowierzaniem.

Tania uśmiechnęła się.

– Wodę mamy tu czystą. Zresztą sama skosztuj. – Wróciła do stoliczka w głębi pokoju, napełniła szklankę wodą z dzbana i podała Sonei.

– Dziękuję – powiedziała Sonea. Unosząc szklankę, przekonała się z zachwytem, że wypełniający ją płyn jest przejrzysty, nie pływa w nim nawet najmniejsza drobinka. Pociągnąwszy łyk, poczuła w ustach jedynie świeżość.

– Widzisz? – uśmiechnęła się do niej Tania. – Muszę teraz posprzątać w twoim pokoju. Wyjdę na chwilę, ale jeślibyś czegoś potrzebowała, możesz mnie zawołać.

Sonea przytaknęła, wsłuchana w oddalające się kroki pokojówki. Uśmiechnęła się, słysząc zatrzaskujące się drzwi do sypialni. Podniosła szklankę i wypiła wodę jednym haustem, po czym wytarła środek naczynia serwetką. Podeszła na palcach do drzwi, przyłożyła do nich szklankę i przytknęła ucho do jej denka.

– ...trzymać jej tutaj. To niebezpieczne.

Ten głos należał do nieznajomego.

– Najpierw musi odzyskać siły – odpowiedział Rothen. – Kiedy tak się stanie, pokażę jej, jak zużywać bezpiecznie moc, tak jak to zrobiłem wczoraj. Nie ma zagrożenia dla budynku.

Nastąpiła chwila milczenia.

– Tak czy siak, nie widzę powodów, by trzymać ją w odosobnieniu.

– Jak już ci powiedziałem, nietrudno ją przestraszyć, a poza tym jest całkiem skołowana. Nie potrzebuje tłumu magów, wyjaśniających jej to samo na wszystkie możliwe sposoby.

– Nie chodzi o tłum, ale o mnie… a ja tylko chcę ją poznać. Nauczanie pozostawię tobie. To spotkanie chyba jej nie zaszkodzi?

– Rozumiem, ale i na to przyjdzie czas później, kiedy ona poczuje się pewniej.

– Nie istnieje żadne prawo Gildii mówiące, że wolno ci trzymać ją z dala ode mnie, Rothenie – oznajmił nieznajomy, a w jego tonie zabrzmiała nuta ostrzeżenia.

– Nie, ale myślę, że większość magów uzna moje racje w tym względzie.

Nieznajomy westchnął.

– Jej los obchodzi mnie w równym stopniu co ciebie, Rothenie, a poza tym równie długo i cierpliwie jej poszukiwałem. Uważam, że wielu zgodzi się, że mam pewne prawo głosu w tej sprawie.

– Będziesz miał okazję ją poznać, Fergunie.

– Kiedy?

– Kiedy będzie na to gotowa.

– I to ty masz o tym zadecydować?

– Na razie tak.

– Jeszcze zobaczymy.

Znów zapanowało milczenie, a chwilę później klamka się poruszyła. Sonea skoczyła z powrotem na swój fotel i rozłożyła serwetkę na kolanach. Kiedy Rothen wszedł do pokoju, wyraz zniecierpliwienia na jego twarzy przerodził się w minę sygnalizującą dobry humor.

– Kto to był? – spytała Sonea.

Wzruszył ramionami.

– Ktoś, kto chciał się dowiedzieć, jak się miewasz.

Sonea skinęła głową, po czym sięgnęła po kolejne ciasteczko.

– Czemu Tania kłania mi się i nazywa mnie panią?

– Och – Rothen zapadł się w fotel i wziął filiżankę z gorzkim napojem, którą zostawiła dla niego Tania. – Służba zawsze zwraca się tak do magów.

– Ja nie jestem magiczką – zauważyła Sonea.

– Cóż, Tania tylko uprzedza fakty – zaśmiał się Rothen.

– Myślę… – Sonea zachmurzyła się. – Myślę, że ona się mnie boi.

Rothen rzucił jej spojrzenie sponad filiżanki.

– Być może czuje się troszkę niepewnie w twoim towarzystwie. Nienauczony kontroli mag bywa niebezpieczny. – Uśmiechnął się krzywo. – Wygląda na to, że nie ją jedną to niepokoi. Sama wiesz najlepiej, jakie to niebezpieczne, więc nie powinnaś się dziwić, że niektórzy magowie obawiają się twojej obecności w ich domu. Nie tylko ty ledwie spałaś ostatniej nocy.

Sonea wzdrygnęła się na samo wspomnienie tego, jak została schwytana – na myśl o rozwalonych murach i ruinach, które dostrzegła kątem oka, zanim straciła przytomność.

– Ile czasu zajmie mi nauka kontroli?

Rothen natychmiast spoważniał.

– Nie mam pojęcia – przyznał. – Ale nie przejmuj się tym. Jeśli twoja moc znowu się przebudzi, możemy ją zogniskować, tak jak poprzednio.

Przytaknęła, ale na widok trzymanego w ręku ciastka poczuła, że coś ściska ją w żołądku. Nagle w ustach zrobiło jej się zbyt sucho, by mogła przełknąć coś tak słodkiego. Zagryzła wargi i odłożyła ciastko.

Poranek był ciemny i ponury, a wczesnym popołudniem nad miastem zawisły ciężkie burzowe chmury. Wszystko skryło się pod całunem ciemności, jakby niecierpliwa noc nie mogła doczekać się końca dnia. W takie dni jak dziś słaba poświata emanująca z wewnętrznych ścian Uniwersytetu była lepiej widoczna.

Rothen westchnął, albowiem Dannyl przyspieszył, gdy tylko znaleźli się wewnątrz murów uczelni. Przez chwilę usiłował dotrzymać mu kroku, ale wkrótce dał sobie z tym spokój.

– Zadziwiające – odezwał się do pleców przyjaciela. – Chyba przestałeś kuleć.

Dannyl odwrócił się i zamrugał z zaskoczenia, widząc, jak daleko w tyle został starszy mag. Kiedy nieco zwolnił, w jego chodzie pojawił się na powrót ślad niepewności.

– O, *wróciło*. – Rothen pokiwał głową. – Dokąd ci tak spieszno, Dannylu?

– Po prostu chcę mieć to z głowy.

– Mamy tylko oddać raporty – powiedział Rothen. – Całe tłumaczenie zapewne przypadnie mnie.

– To *mnie* Wielki Mistrz wysłał na poszukiwanie Złodziei – mruknął Dannyl. – To *ja* będę odpowiadał na wszystkie jego pytania.

– On jest zaledwie kilka lat od ciebie starszy, Dannylu. Podobnie zresztą jak Lorlen, a *on* nie wzbudza w tobie przerażenia.

Dannyl zamierzał już zaprotestować, ale zamknął usta i pokręcił tylko głową. Doszli do końca korytarza.

Podchodząc do biura Administratora, Rothen uśmiechnął się, słysząc głębokie westchnienie Dannyla. Zapukał i drzwi otwarły się przed nim, ukazując obszerny, ale skromnie umeblowany pokój. Nad znajdującym się w głębi biurkiem kołysała się świetlna kula, rzucając blask na ciemnoniebieskie szaty Administratora.

Lorlen oderwał wzrok od biurka i skinął na nich ręką, w której trzymał pióro.

– Proszę, Mistrzu Rothenie, Mistrzu Dannylu, zasiądźcie.

Rothen rozejrzał się po pokoju, ale w głębi żadnego z foteli, ani też w żadnym ciemnym kącie nie dostrzegł przyczajonej postaci w czerni. Dannyl odetchnął z nieskrywaną ulgą.

Lorlen uśmiechnął się, gdy obaj zajęli miejsca naprzeciwko jego biurka. Nachylił się do przodu, by odebrać od Rothena kartki z raportami.

– Nie mogłem się ich doczekać. Jestem przekonany, że raport Mistrza Dannyla będzie fascynującą lekturą.

Dannyl skrzywił się, ale nic nie odpowiedział.

– Wielki Mistrz przesyła gratulacje. – Oczy Lorlena błądziły od jednego maga do drugiego. – A ja się oczywiście do nich dołączam.

– W takim razie możemy jedynie podziękować – odpowiedział Rothen.

Lorlen potaknął, po czym uśmiechnął się krzywo.

– Akkarina cieszy szczególnie to, że może się wreszcie wyspać, niebudzony w środku nocy przez nieudolne próby magiczne.

Na widok szeroko otwartych oczu Dannyla Rothen uśmiechnął się.

– Rozumiem, że tak czułe zmysły mają również swoje wady.

Usiłował wyobrazić sobie Wielkiego Mistrza, jak przemierza nocą swoje komnaty, przeklinając wymykającą się poszukiwaczom dziewczynę. Ten obraz nie pasował jakoś do wizji poważnego przywódcy Gildii. Zasępił się. Jak bardzo Sonea zdoła zainteresować Akkarina teraz, gdy już ją znaleźli?

– Jak sądzisz, Administratorze, czy Wielki Mistrz będzie chciał spotkać się z Soneą?

Lorlen potrząsnął głową.

– Nie. Obawiał się przede wszystkim tego, że nie zdołamy jej znaleźć, zanim jej moc stanie się zagrożeniem, a Król zacznie wyrażać wątpliwość, czy damy sobie radę ze swoimi sprawami. – Uśmiechnął się do Rothena. – Ale myślę, że wiem, czemu pytasz. Akkarin potrafi budzić lęk, zwłaszcza w młodszych nowicjuszach, a Soneę zapewne nietrudno wystraszyć.

– To prowadzi nas do kolejnej sprawy – powiedział Rothen, wychylając się nieco na krześle. – Owszem, ją *łatwo* wystraszyć, a poza tym jest wobec nas bardzo podejrzliwa. Będę potrzebował czasu, żeby pokonać jej lęk. Chciałbym trzymać ją w odosobnieniu, dopóki nie nabierze nieco pewności siebie, a potem powoli przedstawiać innym.

– Brzmi rozsądnie.

– Fergun chciał się dziś rano z nią spotkać.

– Ach – Lorlen zabębnił palcami w blat. – Hmm, jestem nawet w stanie przewidzieć, jakich argumentów użyje, żeby dopiąć swego. Mogę wydać zarządzenie, że nikt nie ma się z nią spotykać, dopóki nie będzie gotowa. Jednak nie sądzę, żeby go to usatysfakcjonowało, jeśli nie sprecyzuję, co znaczy „gotowa", i nie wyznaczę jakiejś daty.

Wstał i zaczął przechadzać się za biurkiem.

– Na dodatek sprawę komplikują dwa zgłoszenia dotyczące opieki nad nią. Wszyscy bez trudu zaakceptowali fakt, że ponieważ masz spore doświadczenie w uczeniu kontroli, zajmiesz się tym. Niemniej, jeśli wyłączymy Ferguna z wczesnej nauki Sonei, ludzie mogą poprzeć jego kandydaturę na mentora w geście solidarności... – urwał. – Czy możesz jej przedstawić Ferguna jako jednego z pierwszych?

Rothen pokręcił głową.

– Ona jest bystra i dobrze odbiera emocje. Fergun za mną nie przepada. Jeśli mam ją przekonać, że jesteśmy przyjaznymi ludźmi, którzy dobrze jej życzą, to nie mogę pozwolić, żeby wyczuła konflikt między nami dwoma. Poza tym ona może mylnie uznać jego chęć spotkania się z nią za przejaw wrogości.

Lorlen wpatrywał się w niego przez chwilę, po czym skrzyżował ramiona.

– Wszyscy chcemy, żeby Sonea jak najszybciej nauczyła się kontroli – powiedział. – Nie sądzę, żeby ktokolwiek protestował, gdy ogłosimy, że nic nie może jej od tego odciągać. Jak sądzisz, ile to potrwa?

– Nie wiem – wyznał Rothen. – Zdarzało mi się uczyć nowicjuszy niezdradzających zainteresowania i łatwo się dekoncentrujących, ale nigdy jeszcze nie miałem do czynienia z kimś, kto nie ufa magom tak bardzo jak ona. Może mi to zająć nawet kilka tygodni.

Lorlen usiadł z powrotem za biurkiem.

– Nie mogę ci dać tyle czasu. Daję ci dwa tygodnie, a ty zdecydujesz, z kim na początek będzie mogła się spotkać.

Po upływie tego czasu będę cię regularnie odwiedzał, żeby ocenić jej postępy w osiąganiu przyzwoitego poziomu kontroli. – Przerwał i postukał paznokciem w blat. – Jeśli to możliwe, postaraj się przedstawić jej do tego czasu przynajmniej jednego maga. Powiem Fergunowi, że będzie mógł się z nią spotkać, gdy dziewczyna opanuje kontrolę, ale pamiętaj: im dłużej to potrwa, tym więcej sympatyków może zyskać Fergun.

– Rozumiem – przytaknął Rothen.

– Ludzie będą się spodziewać Przesłuchania w tej sprawie podczas pierwszego Posiedzenia po tym, jak ona opanuje kontrolę.

– Jeśli zdołam ją przekonać do pozostania z nami – wtrącił Rothen.

Lorlen spojrzał na niego pytająco.

– Myślisz, że ona może odmówić wstąpienia do Gildii?

– Jest jeszcze za wcześnie, żeby o tym wyrokować – odparł Rothen. – Ale nie możemy jej zmusić do złożenia przysięgi.

Lorlen odsunął się z krzesłem i spojrzał na Rothena, marszcząc brwi w pełnym niepokoju zamyśleniu.

– Czy ona jest świadoma alternatywy?

– Jeszcze nie. Ponieważ staram się zyskać jej zaufanie, postanowiłem zachować tę wiadomość na później.

– Rozumiem. Może jeśli uda ci się wybrać dobry moment, przekona ją to do pozostania. – Administrator uśmiechnął się cierpko. – Jeśli odejdzie, Fergun będzie przekonany, że namówiłeś ją do tego tylko po to, żeby zrobić mu na złość. Cokolwiek się stanie, czekają cię trudne starcia, Rothenie.

Dannyl zmarszczył brwi.

– Fergun ma mocne argumenty?

– Trudno powiedzieć. Wiele będzie zależeć od tego, jakie wam obu uda się zdobyć poparcie. Ale nie powinienem o tym rozmawiać przed Przesłuchaniem. – Lorlen wyprostował się i przebiegł wzrokiem od Rothena do Dannyla. – Nie mam więcej pytań. Czy któryś z was chciałby o czymś jeszcze porozmawiać?

– Nie. – Rothen skinął mu głową, wstając. – Dziękuję, Administratorze.

Kiedy znaleźli się już na korytarzu, Rothen obrzucił przyjaciela wzrokiem.

– Nie było tak źle, prawda?

Dannyl wzruszył ramionami.

– Nie było go.

– Nie.

W korytarzu pojawił się inny mag i Dannyl natychmiast zaczął lekko utykać. Rothen pokręcił głową.

– Ty *udajesz*, że kulejesz!

Dannyl rzucił mu urażone spojrzenie.

– To była głęboka rana, Rothenie.

– Nie *aż tak* głęboka.

– Mistrzyni Vinara powiedziała, że noga będzie sztywna przez kilka dni.

– Doprawdy?

Dannyl wzniósł oczy do nieba.

– Nie zaszkodzi, żeby ludzie wiedzieli, na co się narażaliśmy, ścigając tę dziewczynę.

Rothen odchrząknął.

– Jestem ci szalenie wdzięczny za ofiarę, jaką czynisz ze swej godności.

Dannyl mruknął coś niewyraźnie.

– Skoro Fergun mógł się obnosić przez tydzień z bandażem na tym ledwie widocznym siniaku na skroni, to ja mogę sobie trochę pokuleć.

– Ach, tak – Rothen pokiwał powoli głową. – W takim razie rozumiem.

Zatrzymali się przy tylnych drzwiach Uniwersytetu. Na zewnątrz padał gęsty śnieg. Wymienili skonsternowane spojrzenia i wyszli w zadymkę, pospiesznie się oddalając.

ROZDZIAŁ 19

POCZĄTEK NAUKI

Tydzień złej pogody pokrył zabudowania Gildii grubą warstwą śniegu. Trawniki, klomby i dachy znikły pod lśniąco białą pierzyną. Kryjąc się za własną barierą magiczną, Dannyl mógł do woli napawać się pięknem scenerii, nie narażając się przy tym na niewygody.

Nowicjusze tłoczyli się wokół bramy Uniwersytetu. Dannyl wszedł do środka, a trójka młodzieńców przemknęła obok niego, szczelnie otulając się płaszczami. Najwyraźniej to ci z zimowego naboru, uznał. Pierwszorocznym nowicjuszom zajmowało zazwyczaj kilka tygodni nauczenie się, jak chronić się przed zimnem.

Idąc po schodach, Dannyl ujrzał niewielką grupkę studentów przed drzwiami sali, w której Rothen prowadził wykłady z alchemii. Gestem zaprosił ich do środka i skierował się również ku wejściu.

– Mistrzu Dannylu…

Na dźwięk tego głosu Dannyl musiał powstrzymać zgrzytnięcie zębami. Odwrócił się i zobaczył zbliżających się do niego Ferguna z Mistrzem Kerrinem.

Fergun zatrzymał się kilka kroków przed Dannylem i zerknął przez drzwi do sali.

– Czyżbyś przyszedł na wykład Rothena?

– Owszem – odrzekł Dannyl.

– Będziesz ich uczył?

– Tak.

– Rozumiem. – Fergun odwrócił się, a Kerrin pospieszył za nim. I cicho, ale tak, żeby Dannyl usłyszał, dodał: - Dziwi mnie, że się na *to* godzą.

– Co masz na myśli? – spytał Kerrin. Ich głosy cichły w oddali.

– Pamiętasz, w co on się wplatał jako nowicjusz?

– Ach, *to*! – Śmiech Kerrina rozniósł się echem po korytarzu. – Rzeczywiście, może mieć na nich fatalny wpływ.

Dannyl zacisnął zęby, odwrócił się i zobaczył stojącego w drzwiach Rothena.

– Rothen! – zawołał. – Co ty tu robisz?

– Wstąpiłem do biblioteki – nie odrywał wzroku od pleców Ferguna. – Nie mogę uwierzyć, że wy dwaj potraficie aż tak długo to ciągnąć. Czy kiedykolwiek pozostawicie to za sobą?

– Nie czuję do niego urazy – odwarknął Dannyl. – Ale ta rozrywka spodobała mu się za bardzo, by potrafił przerwać.

Rothen uniósł brwi.

– Jeśli nadal będzie się zachowywał jak złośliwy nowicjusz, ludzie zaczną go tak właśnie traktować. – Uśmiechnął się na widok trzech chłopaków, którzy pędem wpadli do sali wykładowej. – Jak tam moi studenci?

Dannyl skrzywił się.

– Nie wiem, jak ty sobie z nimi dajesz radę, Rothenie. Nie zamierzasz dręczyć mnie nimi bardzo długo, prawda?

– Nie wiem. Parę tygodni. Może miesięcy.

Dannyl jęknął.

– Myślisz, że Sonea może już zacząć naukę kontroli?

Rothen pokręcił przecząco głową.

– Nie.

– Minął już prawie tydzień.

– *Tylko* tydzień. – Rothen westchnął. – Wątpię, czy ona by nam zaufała, mając nawet sześć miesięcy na aklimatyzację. – Zachmurzył się. – Nie chodzi o to, że nie lubi konkretnych osób, ona po prostu nie może uwierzyć w dobrą wolę Gildii… i nie uwierzy, dopóki nie zobaczy na własne oczy. A na to nie mamy czasu. Kiedy Lorlen się u niej zjawi, będzie się spodziewał, że lekcje już się zaczęły.

Dannyl chwycił przyjaciela za rękę.

– Na razie musisz tylko nauczyć ją kontroli, a do tego wystarczy, by zaufała tylko *tobie*. A ty jesteś sympatyczny. No i naprawdę zależy ci na niej. – Zawahał się. – Jeśli nie potrafisz jej tego *wytłumaczyć*, to jej *pokaż*.

Rothen zmarszczył brwi, po czym otarł szeroko oczy, kiedy dotarło do niego, co przyjaciel ma na myśli.

– Pozwolić jej zajrzeć do mojego umysłu?

– Tak. Będzie *wiedziała*, że mówisz prawdę.

– To… to nie jest konieczne przy nauce kontroli, ale mamy wyjątkowe okoliczności – Rothen zamyślił się. – O pewnych rzeczach nie powinna się jednak dowiedzieć…

– Ukryj je – uśmiechnął się Dannyl. – Ech, twoi studenci nie mogą się już doczekać, kiedy będą mogli wypróbować na mnie najnowsze psikusy i sposoby dręczenia nauczycieli. Lorlen to nic w porównaniu z nimi. Mam nadzieję, że wieczorem powiesz mi, że zrobiliście *znaczące* postępy.

Rothen odchrząknął.

– Postępuj z nimi rozsądnie, a odpowiedzą ci tym samym, Dannylu.

Kiedy przyjaciel odwrócił się i odszedł, Dannyl zaśmiał się niewesoło. Gdzieś ponad nim rozległ się uniwersytecki gong. Mag przeciągnął się z westchnieniem i wszedł do sali.

Sonea siedziała na parapecie, obserwując, jak ostatni magowie i nowicjusze znikają z jej pola widzenia. Nie wszyscy jednak odpowiedzieli na gong w gmachu Uniwersytetu. Po drugiej stronie ogrodu stały wciąż dwie postacie.

Jedną była kobieta w zielonej szacie z czarnym pasem – Arcymistrzyni Uzdrowicieli. *A więc zdarzają się wpływowe kobiety w Gildii*, zauważyła.

Obok niej stał mężczyzna w niebieskiej szacie. Sonea przywołała w myśli wyjaśnienia Rothena dotyczące kolorów szat, ale nie pamiętała, żeby w ogóle wspominał o błękicie. Kolor był nietypowy, a zatem ten człowiek pewnie też był kimś ważnym.

Rothen opowiedział jej, że magów na najwyższe stanowiska wybiera się w głosowaniu, w którym biorą udział wszyscy członkowie Gildii. Taki sposób wybierania przywódców, poprzez zgodę większości, był dla niej zaskakujący. Podejrzewała raczej, że wśród magów rządzą najsilniejsi.

Zdaniem Rothena pozostali magowie zajmowali się nauczaniem, doświadczeniami albo pomocą przy pracach publicznych. To ostatnie obejmowało zadania od imponujących po śmieszne. Zdumiał ją fakt, że to magowie zbudowali Przystań, ale rozśmieszyło z kolei to, że jeden z nich spędził większość życia, wynajdując coraz to mocniejsze kleje.

Bębniąc palcami w parapet, rozejrzała się ponownie po pokoju. W ciągu minionego tygodnia udało jej się pomyszkować wszędzie, nawet w sypialni Rothena. Dokładne przeszukanie wszystkich szaf, komód i szuflad ukazało jej ubrania i przedmioty codziennego użytku. Kilka zamków, na które się natknęła, poddało się łatwo jej umiejętnościom włamywacza, ale okazało się, że skrywały jedynie stare dokumenty.

Jakieś poruszenie na granicy pola widzenia przyciągnęło ją z powrotem do okna. Dwoje magów rozeszło się już i mężczyzna w niebieskich szatach zmierzał teraz przez ogród ku dwupiętrowej rezydencji Wielkiego Mistrza.

Wzdrygnęła się na wspomnienie tej nocy, kiedy zajrzała do jego domu. Rothen nie wspominał nic o magach-zabójcach, ale nie dziwiło jej to. Próbował przecież przekonać ją, że Gildia jest przyjazna i pożyteczna. A jeśli ten ubrany na czarno mag nie był zabójcą, to kim innym mógł być?

Przed oczami mignęło jej wspomnienie mężczyzny w zakrwawionym ubraniu.

„Zrobione – powiedział wtedy ten człowiek. – Przyniosłeś moje szaty?".

Poderwała się, słysząc otwierające się za nią główne drzwi. Obróciła się i wypuściła z ulgą powietrze na widok Rothena wchodzącego z szumem fioletowych szat.

– Przepraszam, że trwało to tak długo.

Był magiem, a mimo to ją przepraszał. Rozbawiona, wzruszyła ramionami w odpowiedzi.

– Przyniosłem z biblioteki kilka książek. – Wyprostował się i spojrzał na nią życzliwie. – Ale pomyślałem, że czas zacząć ćwiczenia umysłowe. Co o tym sądzisz?

– Ćwiczenia umysłowe? – Zmarszczyła brwi i poczuła dreszcz na myśl o tym, o co może mu chodzić. Może myśli, że przez tydzień zdobył jej zaufanie?

A zdobył?

Przyglądał się jej uważnie.

– Zapewne nie zaczniemy jeszcze nauki kontroli – powiedział. – Ale dobrze będzie, jeśli wcześniej zaznajomisz się z komunikacją umysłową.

Myślała o zeszłym tygodniu, o tym, czego zdążyła się dowiedzieć o Rothenie.

Większość czasu zajmowało mu uczenie jej czytania. Z początku była nieufna i spodziewała się znaleźć w podsuwanych jej książkach coś, co będzie zachętą albo próbą przekupstwa. Zaskoczyło ją więc, że dawał jej do czytania zwykłe opowieści przygodowe, w których nie było wiele mowy o magii.

W przeciwieństwie do Serina, który bał się ją rozgniewać, Rothen poprawiał ją za każdym razem, kiedy się pomyliła. Potrafił być stanowczy, ale ku swojemu zdziwieniu stwierdziła, że wcale nie był przerażający. Złapała się nawet na tym, że ma ochotę z nim żartować, albo i rozśmieszać go, jeśli był zbyt poważny.

Kiedy nie zajmował się jej nauką, próbował rozmawiać. Zdawała sobie sprawę, że nie ułatwia mu tego, ponieważ odmawia rozmowy na wiele tematów. Mimo że zawsze chętnie odpowiadał na jej pytania, nie usiłował w zamian zmuszać jej do ujawnienia czegokolwiek na swój temat.

Czy komunikacja mentalna też będzie tak wyglądać? Czy ona będzie umiała ukryć coś o sobie?

Nie przekonam się, jeśli nie spróbuję – powiedziała sobie w myśli. Przełknęła ślinę i skinęła pospiesznie głową.

– Od czego zaczniemy?

Spojrzał na nią badawczo.

– Jeśli nie chcesz, możemy jeszcze kilka dni zaczekać.

– Nie. – Potrząsnęła zdecydowanie głową. – Teraz jest dobrze.

Potaknął, po czym wskazał na fotele.

– Usiądź tak, żeby było ci naprawdę wygodnie.

Usadowiła się w fotelu i patrzyła, jak on odsuwa niski stoliczek i przysuwa drugi fotel, by usiąść dokładnie naprzeciwko niej. I to blisko, zauważyła z niepokojem.

– Poproszę cię o zamknięcie oczu – powiedział. – A potem wezmę cię za ręce. Żeby rozmawiać, nie potrzebujemy kontaktu fizycznego, ale to pomaga skupić myśli. Jesteś gotowa?

Potaknęła.

– Zamknij oczy – poinstruował ją – i odpręż się. Oddychaj głęboko i powoli. Wsłuchaj się we własny oddech.

Zrobiła, jak kazał. Przez dłuższą chwilę zachowywał milczenie. Po jakimś czasie zorientowała się, że oboje oddychają w zgodnym rytmie i zastanawiała się, czy to on dostosował się do niej.

– Wyobraź sobie, że z każdym oddechem rozluźniasz jakiś mięsień. Najpierw palce u nóg, potem stopy, potem kostki. Łydki, kolana, uda. Rozluźnij palce u rąk, dłonie, nadgarstki, ręce, plecy. Pozwól ramionom opaść. Pochyl nieco głowę.

Mimo że te polecenia wydawały się jej dziwaczne, posłuchała. Czując, jak napięcie opuszcza jej członki, zdała sobie sprawę z wewnętrznego niepokoju.

– Teraz wezmę cię za ręce – powiedział.

Dłonie, które zacisnęły się na jej palcach, wydawały się ogromne. Ledwie powstrzymała się przed otwarciem oczu, żeby to sprawdzić.

– A teraz nasłuchuj. I myśl o tym, co słyszysz.

Sonea nagle uświadomiła sobie, że otacza ją mnóstwo drobnych dźwięków. Każdy z nich domagał się od niej rozpoznania: stukot kroków gdzieś na zewnątrz, odległe głosy magów i służących, dobiegające zarówno z wnętrza, jak i spoza budynku…

– A teraz odsuń od siebie dźwięki spoza pokoju i skup się tylko na tych, które pochodzą z jego wnętrza.

W środku pokoju było znacznie ciszej. Słyszała jedynie ich oddechy, teraz w odmiennym rytmie.

– Tym też pozwól się oddalić. Wsłuchaj się w to, co słyszysz we własnym ciele. Powolne tętno serca…

Zmarszczyła brwi. Nie słyszała żadnych dźwięków w swoim ciele poza oddechem.

– …szum krwi krążącej po ciele.

Skupiała się bardzo mocno, ale nic nie słyszała…

– …odgłosy żołądka…

– …a może jednak? *Coś* tam było…

– …drgania wewnątrz uszu…

I uświadomiła sobie, że nie tyle słyszy, ile *wyczuwa* te dźwięki.

– …a teraz wsłuchaj się w swoje myśli.

Przez chwilę czuła się zaskoczona tym poleceniem, a potem gdzieś na skraju myśli pojawiła się jakby czyjaś obecność.

~ *Witaj, Soneo.*

~ *Rothen?*

~ *Tak, to ja.*

Obecność w myślach stawała się coraz bardziej namacalna. Osobowość, którą w tej obecności wyczuwała, była zaskakująco znajoma. Było to tak, jakby rozpoznawała głos – tak niepowtarzalny, że nie dałoby się go pomylić z żadnym innym.

~ *A więc tak wygląda komunikacja mentalna* – pomyślała sobie.

~ *Tak. Za jej pomocą można porozumiewać się na wielką odległość.*

Uświadomiła sobie, że nie słyszy *słów* Rothena, ale wyczuwa znaczenie myśli, które on do niej wysyła. Wpadały do jej umysłu i rozumiała je natychmiast i tak dokładnie, że nie miała żadnych wątpliwości, co on ma jej do przekazania.

~ *To dużo szybsze niż rozmowa!*

~ *Tak. A poza tym trudniej o nieporozumienia.*

~ *Mogłabym tak porozmawiać z moją ciotką? Mogłabym jej powiedzieć, że żyję.*

~ *Tak i nie. Tylko magowie potrafią rozmawiać w myślach bez fizycznego kontaktu. Mogłabyś mówić do ciotki, ale musiałabyś jej dotykać. Nie widzę natomiast powodu, dla którego nie miałabyś wysłać jej zwykłego listu...*

Wydając przy tym miejsce pobytu Jonny, uzmysłowiła sobie i poczuła, że jej entuzjazm co do komunikacji mentalnej nieco słabnie. Musi zachowywać ostrożność.

~ *A więc... magowie rozmawiają tak przez cały czas?*

~ *Nie, raczej rzadko.*

~ *Dlaczego?*

~ *Ta forma komunikacji ma swoje ograniczenia. Oprócz czyichś myśli wyczuwasz również emocje, które im towarzyszą. Możesz na przykład łatwo ocenić, że rozmówca kłamie.*

~ *To źle?*

~ *Zasadniczo nie, ale wyobraź sobie, że zauważyłaś początki łysiny u swojego przyjaciela. On wyczuje w tle twoich myśli rozbawienie, a nie wiedząc dokładnie, czego ono dotyczy, będzie czuł, że wyśmiewasz się z niego. A teraz wyobraź sobie, że to nie jest twój dobry przyjaciel, ale ktoś, kogo poważasz i na kim chcesz zrobić wrażenie.*

~ *Chyba wiem, co masz na myśli.*

~ *To dobrze. A teraz kolejna lekcja. Chciałbym, żebyś wyobraziła sobie swój umysł jako pokój – przestrzeń ograniczoną ścianami, podłogą, sufitem.*

Bez trudu wyobraziła sobie, że stoi na środku pomieszczenia. Było w nim coś znajomego, aczkolwiek nie przypominała sobie, żeby w nim kiedykolwiek była. Było puste, nie miało okien ani drzwi, a ściany były zrobione z gołego drewna.

~ *Co widzisz?*

~ *Ściany są z drewna i jest tu całkiem pusto.*

~ *Ach, widzę. Ten pokój to świadoma część twojego umysłu.*

~ *A więc… widzisz moje myśli?*

~ *Nie, posłałaś do mnie tylko ogólny obraz. Patrz, pokażę ci, co widzę.*

W umyśle mignął jej obraz pokoju. Był niewyraźny i zamglony, pozbawiony jakichkolwiek szczegółów.

~ *Jest… jakiś inny i dziwnie zamglony.*

~ *To dlatego, że minęła już chwilka i obraz zatarł się w mojej pamięci. Wyczuwasz różnicę, ponieważ usiłuję uzupełniać szczegóły, takie jak kolor czy faktura ścian, z pamięci. Teraz będziesz potrzebowała drzwi do tego pokoju.*

Natychmiast przed jej oczami pojawiły się drzwi.

~ *Podejdź do tych drzwi. Pamiętasz, jak wyglądała twoja moc?*

~ *Tak jak lśniąca kula światła.*

~ *To najpowszechniejszy rodzaj wizualizacji. Chcę, żebyś teraz pomyślała, jak ona wyglądała zarówno wtedy, kiedy była wielka i niebezpieczna, jak i wtedy, gdy już przygasła. Pamiętasz to?*

~ *Tak…*

~ *To otwórz drzwi.*

Kiedy drzwi się otwarły, stanęła na progu ciemności. Przed nią kołysała się, świecąc jasno, biała kula. Sonea nie potrafiła ocenić, jak daleko od niej się znajdowała. W jednej chwili miała wrażenie, że kula jest na wyciągnięcie ręki, a chwilę później była przekonana, że jest ogromna, ale niewyobrażalnie daleka.

~ *Jaka jest duża w porównaniu z tym, co pamiętasz?*

~ *Nie tak duża jak wtedy, kiedy była niebezpieczna* ~ wysłała mu obraz.

~ *Dobrze. Rośnie szybciej, niż się spodziewałem, ale mamy nieco czasu, zanim twoja magia zacznie znów dawać o sobie znać nieproszona. Zamknij drzwi i wróć do pokoju.*

Drzwi zamknęły się i znikły, a Sonea stała znów na środku pomieszczenia.

~ *Chciałbym, żebyś wyobraziła sobie teraz inne drzwi. Tym razem będą one prowadziły na zewnątrz, więc zrób je duże.*

W jej pokoju pojawiły się podwójne drzwi, które rozpoznała jako wejście do gościńca, w którym mieszkała przed Czystką.

~ *Kiedy otworzysz te drzwi, zobaczysz dom. Powinien wyglądać mniej więcej tak.*

W umyśle dostrzegła obraz białego domu, przypominającego nieco siedziby kupców w Zachodniej Dzielnicy. Otworzywszy podwójne drzwi w swoim umyśle, znalazła się przed takim właśnie budynkiem. Między jej pokojem a tym domem biegła wąska uliczka.

~ *Przejdź do budynku.*

Dom miał pojedyncze czerwone drzwi. Obraz zachwiał się lekko i już stała pod nimi. Ledwie dotknęła klamki, drzwi otwarły się do środka i Sonea ujrzała duży biały pokój.

Na ścianach wisiały obrazy, w kątach stały wyściełane krzesła, wszędzie panował porządek. Pomieszczenie przypominało nieco salon Rothena, ale było większe i wystawniejsze. Osobowość maga była silna niczym mocne perfumy albo ciepło słońca.

~ *Witaj, Soneo. Znajdujesz się w tym, co mogłabyś określić jako przedsionek mojego umysłu. Mogę ci tu pokazywać obrazy. Spójrz na ściany.*

Podeszła do najbliższego malowidła. Zobaczyła na nim siebie ubraną w szaty maga, rozmawiającą z zaangażowaniem z innymi. Nie spodobało jej się to, więc zrobiła krok w tył.

~ *Zaczekaj, Soneo. Spójrz na następny obraz.*

Niechętnie podeszła dalej. Na następnym obrazie zobaczyła znów siebie, tym razem w zielonej szacie, leczącą mężczyznę ze złamaną nogą. Szybko odwróciła od tego wzrok.

~ *Czemu taka przyszłość jest dla ciebie odpychająca?*

~ Bo to nie ja.

~ *Ale możesz to być ty, Soneo. Czy widzisz teraz, że mówiłem ci prawdę?*

Spoglądając ponownie na obrazy, zrozumiała nagle, że on rzeczywiście *mówił* prawdę. Tutaj nie byłby w stanie skłamać. Pokazywał jej *prawdziwe* możliwości. Gildia naprawdę chce, by do nich dołączyła…

W tej chwili zauważyła czarne drzwi, których wcześniej nie dostrzegała. Kiedy się w nie wpatrywała, wiedziała, że są zamknięte, i poczuła, że jej wątpliwości wracają. Może nie da się tu kłamać, ale można ukrywać część prawdy.

~ *Coś przede mną ukrywasz!* – tej myśli towarzyszyło uczucie oskarżenia.

~ *Owszem. Wszyscy potrafimy ukrywać tę część naszej osobowości, która ma pozostać prywatna. Inaczej nikt nigdy nie wpuściłby drugiej osoby do swojego umysłu. Nauczę cię, jak to robić, albowiem będziesz bardziej niż inni potrzebowała prywatności. Patrz uważnie, pozwolę ci spojrzeć na moment przez te drzwi.*

Drzwi uchyliły się lekko. Za nimi Sonea dostrzegła leżącą na łóżku kobietę o śmiertelnie bladej twarzy. Poczuła też wszechogarniający smutek. Drzwi zatrzasnęły się bez ostrzeżenia.

~ *Moja żona.*

~ *Umarła...?*

~ *Tak. Rozumiesz teraz, dlaczego ukrywam tę część siebie?*

~ *Tak. I... przepraszam.*

~ *To było dawno, ale musiałaś to zobaczyć, żeby uwierzyć, że mówię prawdę.*

Sonea odwróciła się od czarnych drzwiczek. Pokój wypełnił powiew pachnącego powietrza: mieszanina kwiatów i ostrej świeżości. Obrazy, na których widniała ona w szatach, rozrosły się tak, że zajmowały całe ściany, ale ich kolory przybłakły.

~ *Osiągnęliśmy już całkiem sporo. Wrócimy do twojego umysłu?*

Pokój zaczął wymykać się spod jej stóp, zmuszając ją do wycofania się pod czerwone drzwi. Przed nią wznosiła się fasada jej własnego domu. Był to zwykły drewniany budynek, nieco zniszczony, ale nieźle się trzymający – typowy dla lepszych części slumsów. Przeszła dróżkę i wkroczyła do przedsionka swojego umysłu. Drzwi zamknęły się za nią.

~ *A teraz obróć się i wyjrzyj na zewnątrz.*

340

Otwarłszy na powrót drzwi, ku swojemu zaskoczeniu zobaczyła na progu Rothena. Wyglądał na nieco młodszego i był chyba trochę niższy.

– Zaprosisz mnie do środka? – zapytał z uśmiechem.

Zrobiła krok do tyłu i wskazała mu gestem, żeby wszedł. Kiedy przekroczył próg, poczuła, że jego obecność wypełnia pomieszczenie. Rozejrzał się, a Sonea nagle uświadomiła sobie, że pokój nie jest już pusty.

Zakłuło ją poczucie winy, gdy zobaczyła na pobliskim stoliku skrzyneczkę. Jedną z tych, do których się włamała. Wieczko było odchylone, a leżące w środku dokumenty doskonale widoczne.

Następnie zobaczyła, że na środku pokoju przykucnął Cery, trzymając w rękach aż nazbyt znane trzy księgi.

W jednym z kątów stali Jonna i Ranel.

– Soneo...

Odwróciwszy się, zobaczyła, że Rothen zakrył oczy dłońmi.

– Wyrzuć za drzwi wszystko to, czego nie chcesz mi pokazać.

Rozejrzała się po pokoju i skupiła na wypychaniu wszystkiego na zewnątrz. Obrazy wtapiały się w ściany i znikały.

~ *Soneo...*

Obróciła się i zauważyła, że Rothen również znikł.

~ *Ciebie też wypchnęłam?*

~ *Tak. Spróbujmy jeszcze raz.*

Ponownie otwarła drzwi i cofnęła się, żeby wpuścić go do środka. Dojrzała kątem oka jakiś ruch, ale cokolwiek to było, zdążyło wsiąknąć w ścianę. Gdy się obróciła, dostrzegła, że za drzwiami powstał nowy pokój. Po jego drugiej stronie znajdowały się otwarte drzwi, a na ich progu stał Rothen.

Przeszedł przez próg i wszystko się zmieniło. Teraz dzieliły ich dwa pokoje, chwilę później trzy.

~ *Dosyć!*

Poczuła, jak puścił jej ręce. Niespodziewanie wróciła do niej świadomość fizycznego świata i otwarła oczy. Rothen półleżał w swoim fotelu, pocierając skronie. Twarz miał wykrzywioną.

– Wszystko w porządku? – spytała z niepokojem. – Co się stało?

– Wszystko w porządku. – Opuścił ręce i uśmiechnął się cierpko. – Po prostu wypchnęłaś mnie ze swojego umysłu. To naturalna reakcja, nauczysz się ją kontrolować. Nie przejmuj się, jestem do tego przyzwyczajony. Uczyłem już wielu nowicjuszy.

Skinęła głową i potarła dłonie.

– Chcesz spróbować jeszcze raz?

Pokręcił głową przecząco.

– Nie teraz. Odpoczniemy i popracujemy nad czytaniem. Może dziś po południu spróbujemy jeszcze raz.

ROZDZIAŁ 20

WIĘZIEŃ GILDII

Cery ziewnął. Odkąd zabrano Soneę, sen stał się grymaśny. Nie przychodził, kiedy Cery go potrzebował, zjawiał się za to w najmniej pożądanych momentach. A teraz Cery musiał być czujny bardziej niż kiedykolwiek w życiu.

Mroźny wiatr szarpał drzewami i krzakami, zawodząc przy tym i od czasu do czasu rzucając gałązkami i liśćmi. Chłód wkradł się w ciało Cery'ego, który czuł, jak sztywnieją mu wszystkie mięśnie. Przenosząc ostrożnie ciężar, rozprostował najpierw jedną, a potem drugą nogę.

Spojrzał znów w okno i stwierdził, że jeśli pomyśli: „wyjrzyj na zewnątrz" choćby odrobinę mocniej, jego głowa eksploduje. Najwyraźniej zdolności Sonei do wyczuwania umysłów nie obejmowały niespodziewanych gości pod oknami.

Przyjrzał się przygotowanym kulom śniegowym i poczuł przypływ wątpliwości. Jeśli rzuci którąś z nich w jej okno, musi to zrobić dostatecznie głośno, żeby ją obudzić, ale jednocześnie tak cicho, żeby nie zwrócić uwagi nikogo innego. Nie miał też pojęcia, czy ona nadal jest w tym pokoju ani czy jest sama.

Kiedy tu przyszedł, w pomieszczeniu paliło się światło, ale wkrótce zgasło. W oknach po lewej panowała ciemność, po prawej zaś wciąż było jasno. Spojrzał nerwowo na wznoszący się po lewej gmach Uniwersytetu. Jego okna były ciemne. Od tej pierwszej nocy, kiedy dostrzegł Soneę, Cery nie widywał już jej tajemniczego obserwatora.

Gdzieś kątem oka dostrzegł gasnące światło. Spojrzał na okna Domu Magów. Okna obok pokoju Sonei były ciemne. Cery uśmiechnął się ponuro i rozmasował ścierpnięte nogi. Jeszcze tylko chwilka...

Kiedy w oknie pojawiła się blada twarz, przez głowę przemknęła mu myśl, że znowu *musiał* zasnąć i że śni. Przyglądał się z bijącym mocno sercem, jak Sonea spogląda w dół na ogród, po czym podnosi wzrok na Uniwersytet.

A następnie znikła w głębi pokoju.

Uczucie zmęczenia wyparowało. Cery zacisnął palce na śniegowej kuli. Nogi nie chciały go słuchać, gdy wypełzł spod żywopłotu. Wycelował w okno i zanurkował z powrotem pod krzaki, gdy tylko śnieżka opuściła jego dłoń.

Do jego uszu dotarł cichy stuk uderzającej w szybę kuli. Serce podskoczyło mu z radości, gdy twarz Sonei ponownie ukazała się w oknie. Dziewczyna przyjrzała się rozbitemu na szybie śniegowi i wyjrzała znów w stronę ogrodu.

Cery przebiegł wzrokiem pozostałe okna, ale nikogo w nich nie dostrzegł. Wysunął się nieco z krzaków i zobaczył, że Sonea otwiera szeroko oczy na jego widok. Zdziwienie natychmiast zastąpił szeroki uśmiech.

Pomachał jej i pokazał znak pytania. Odpowiedziała znakiem „tak". Czyli nic złego jej się nie stało. Cery odetchnął z ulgą.

Złodziejski system znaków obejmował proste komunikaty: „gotowy?", „już", „zaczekaj", „wynoś się", no i oczywiście „tak" i „nie". Nie istniał gest oznaczający: „przyszedłem cię wyzwolić, czy okno jest otwarte?". Cery wskazał więc na samego siebie, następnie pokazał wspinaczkę, otwieranie okna, wskazał na Sonę, potem znów na siebie i zakończył gestem oznaczającym „znikać stąd".

Odpowiedziała mu „czekaj", wskazała na siebie, pokazała „znikać stąd" i pokręciła przecząco głową.

Zmarszczył brwi. Mimo że wiedziała sporo więcej od przeciętnego bylca o znakach złodziejskich, nie była w nich nigdy tak dobra jak on. Mogła mu mówić, że nie pozwolą jej odejść albo że nie chce jeszcze odchodzić, albo że powinien wrócić później tej nocy. Podrapał się po głowie, po czym pokazał „znikać stąd" i „już".

W odpowiedzi pokręciła znów głową, po czym coś po lewej stronie najwyraźniej zwróciło jej uwagę, bo zobaczył, jak wytrzeszcza oczy. Odsunąwszy się nieco od okna, zaczęła powtarzać w kółko „znikać stąd". Cery skulił się i wycofał między krzaki, mając nadzieję, że wiatr zagłuszy szelest liści.

– Wyjdź stamtąd – odezwał się modulowany głos, niepokojąco blisko Cery'ego. – Wiem, że tam jesteś.

Wyglądając spomiędzy gałęzi, Cery miał miękkie fałdy szaty na wyciągnięcie ręki. Wśród liści pojawiła się dłoń. Umknął przed nią, wysuwając się z krzaków i przytulając do ściany budynku. Jego serce waliło jak oszalałe. Mag niemal natychmiast się wyprostował. Wiedząc, że jest całkiem na widoku, Cery puścił się pędem wzdłuż muru w kierunku lasu.

Coś uderzyło go w plecy i runął twarzą w śnieg. Jakiś ciężar przytrzymał go w miejscu, przyciskając tak mocno do ziemi, że ledwie oddychał, a zimny śnieg wbijał mu się w twarz. Usłyszał zbliżające się kroki i poczuł, jak wzbiera w nim paniczny strach.

Spokojnie. Zachowaj spokój – powtarzał sobie. – *Nigdy nie słyszałeś, żeby mieli zwyczaj zabijać intruzów... Ale też nigdy nie słyszałeś o tym, żeby znaleźli intruza...*

Nacisk na jego plecy zmalał. Podnosząc się na czworaki, Cery poczuł dłoń na swoim ramieniu. Ta dłoń uniosła go i wyciągnęła ponad żywopłotem na ścieżkę.

Spojrzał w górę i poczuł, że serce w nim zamiera: rozpoznał tego maga.

Mag zmrużył oczy.

– Wyglądasz znajomo... Ach, pamiętam. Jesteś tym obdartusem, który usiłował mnie uderzyć. – Spojrzał w okno Sonei i jego twarz wykrzywił szyderczy uśmiech. – Ach, więc Sonea ma wielbiciela. Jak uroczo.

Przyjrzał się Cery'emu uważnie i w jego oczach pojawił się nagły błysk.

– Co ja mam z tobą zrobić, hę? Intruzi są zazwyczaj przesłuchiwani, a następnie wypraszani z terenu Gildii. Może więc zaczniemy.

Cery bronił się dzielnie, kiedy mag ciągnął go ścieżką ku Uniwersytetowi. Szczupła ręka maga okazała się jednak zaskakująco silna.

– Puść mnie! – zażądał Cery.

Mag westchnął.

– Jeśli będziesz nadal wykręcał tak moją rękę, będę zmuszony użyć mniej fizycznych środków przymusu. Przestań się opierać. Zapewne podobnie jak ty, chciałbym mieć to jak najszybciej z głowy.

– Dokąd mnie prowadzisz?

– Przede wszystkim z dala od tej wichury. – Doszli do końca siedziby magów i skierowali się ku Uniwersytetowi.

– Mistrzu Fergunie.

Mag zatrzymał się i spojrzał przez ramię. Zbliżały się do nich dwie postacie w szatach. Cery wyczuł nagłe napięcie w uchwycie swego prześladowcy, nie wiedział jednak, czy powinien się martwić, czy cieszyć z pojawienia się innych magów. Fergunowi najwyraźniej nie było to na rękę.

– Administratorze – odpowiedział Fergun. – Cóż za szczęście. Właśnie zamierzałem cię zbudzić. Odkryłem intruza. Wygląda na to, że chciał się dostać do dziewczyny ze slumsów.

– Tak właśnie słyszałem – wyższy z dwóch przybyszów spojrzał na swego kompana.

– Przesłuchasz go? – W głosie Ferguna pobrzmiewała nadzieja, ale uchwyt na ramieniu Cery'ego zacieśnił się.

– Owszem – odpowiedział wyższy z dwóch magów. Wykonał leniwy ruch ręką i nad nimi pojawiła się kula światła. Cery poczuł bijące od niej ciepło; wiatr ucichł. Gdy rozejrzał się dookoła, zauważył, że drzewa wciąż się uginają pod naporem wiatru, ale szaty trzech magów pozostają nieruchome.

W mocnym świetle szaty magów rozbłysły kolorami. Ten wysoki miał na sobie błękit, a jego towarzysz, starszy już mężczyzna, fiolet. Ten, który schwytał Cery'ego, nosił czerwień. Wysoki mag spojrzał na Cery'ego i na jego twarzy pojawił się cień uśmiechu.

– Chciałbyś porozmawiać z Soneą, Cery?

Cery zamrugał oczami ze zdumienia. Skąd ten mag znał jego imię?

Sonea musiała mu powiedzieć. Gdyby chciała go ostrzec, podałaby im inne imię... chyba że wydobyli to z niej jakąś sztuczką, wyczytali z jej myśli albo...

Jakie to zresztą miało znaczenie? Został złapany. Jeśli chcą mu zrobić krzywdę, jest już skazany. Równie dobrze może zobaczyć się z Soneą.

Przytaknął więc. Wysoki mag spojrzał na Ferguna.

– Puść go.

Uścisk Ferguna wzmocnił się na moment, zanim jego palce puściły rękę Cery'ego. Odziany na niebiesko mag skinął na chłopaka i ruszył z powrotem ku siedzibie magów.

Drzwi otwarły się przed nimi. Świadom, że dwaj pozostali magowie idą za nim jak strażnicy, Cery posłusznie ruszył za wysokim przewodnikiem w górę schodów, na piętro. Następnie przeszli długim korytarzem, mijając wiele zwyczajnie wyglądających drzwi. Starszy mag wysunął się do przodu i dotknął klamki – drzwi uchyliły się przed nimi.

Za nimi znajdował się luksusowy pokój z wyściełanymi krzesłami i pięknymi meblami. Na jednym z foteli siedziała Sonea. Uśmiechnęła się na widok Cery'ego.

– Nie bój się – powiedział mag w błękicie.

Cery wyszedł na środek pokoju, choć serce wciąż biło mu jak oszalałe. Słysząc zatrzaskujące się drzwi, spojrzał za siebie i zastanowił się przez moment, czy nie wpakował się właśnie w pułapkę.

– Cery – szepnęła Sonea. – Dobrze cię widzieć.

Przyjrzał się jej dokładnie. Uśmiechnęła się ponownie, ale uśmiech szybko znikł z jej twarzy.

– Usiądź, Cery. Poprosiłam Rothena, żeby pozwolił mi z tobą porozmawiać. Powiedziałam mu, że za wszelką cenę będziesz próbował mnie ocalić, jeśli nie wytłumaczę ci, dlaczego nie mogę odejść. – Wskazała mu jeden z foteli.

Usiadł niepewnie.

– Czemu nie możesz odejść?

Westchnęła.

– Nie wiem, czy potrafię ci to sensownie wytłumaczyć. – Oparła się w fotelu. – Magię trzeba umieć kontrolować, a tylko inni magowie mogą mnie tego nauczyć, ponieważ trzeba to przekazywać z umysłu do umysłu. Jeśli nie nauczę się tej kontroli, magia będzie działać przy wszystkich mocniejszych emocjach. Taka magia przybiera proste, ale niebezpieczne formy, coraz potężniejsze w miarę, jak wzrasta moc maga. W końcu... – skrzywiła się. – Ja... ja o mało co nie umarłam tego dnia, kiedy mnie znaleźli, Cery. Oni mnie ocalili.

Cery wzdrygnął się.

– Widziałem to, Sonea. Te domy... są całkiem zniszczone.

– Gdyby mnie nie znaleźli, byłoby jeszcze gorzej. Zginęliby ludzie. Mnóstwo ludzi.

Wlepił wzrok w swoje dłonie.

– A więc nie możesz wrócić do domu.

Roześmiała się – i był to tak niespodziewany dźwięk, że Cery uniósł zdziwiony wzrok.

– Wszystko będzie dobrze – zapewniła go. – Kiedy nauczę się kontroli, nie będę już stwarzać zagrożenia. Zaczynam się zapoznawać z tym, jak tu się rzeczy mają. – Mrugnęła do niego. – A ty co teraz porabiasz?

Uśmiechnął się krzywo.

– To co zawsze. Siedzę w najlepszej spylunce w całych slumsach.

Potaknęła.

– A twój... przyjaciel? Wciąż daje ci pracę?

– Tak – Cery pokiwał głową. – Ale to może się skończyć, kiedy się dowie, co robiłem dziś w nocy.

Gdy się nad tym zastanawiała, na jej czole pojawiły się znajome zmarszczki znamionujące zmartwienie. Cery poczuł, że coś ściska go bardzo boleśnie za serce. Zacisnął pięści i odwrócił wzrok. Chciał dać upust całemu poczuciu winy i strachu, które dopadło go po tym, jak została schwytana, ale myśl, że inni mogliby to usłyszeć, sprawiła, że słowa uwięzły mu w gardle.

Rozglądając się po eleganckim pokoju, pocieszał się przynajmniej tym, że traktują ją tu dobrze. Ziewnęła. Cery przypomniał sobie, że jest środek nocy.

– Chyba powinienem już iść. – Wstał, po czym zatrzymał się w miejscu: nie miał ochoty od niej odchodzić.

Uśmiechnęła się, ale tym razem w jej oczach był smutek.

– Powiedz innym, że u mnie wszystko dobrze.

– Oczywiście.

Nie mógł zrobić kroku. Jej uśmiech zbladł nieco na widok jego oczu wciąż w nią wlepionych, po czym machnęła ręką w stronę drzwi.

– Wszystko będzie dobrze, Cery. Uwierz mi. Idź już.

Jakoś udało mu zmusić się do podejścia do drzwi i zapukania. Drzwi otwarły się do środka. Trzej magowie przyjrzeli mu się dokładnie, kiedy wyszedł na korytarz.

– Czy mam odprowadzić naszego gościa do bramy? – zaoferował Fergun.

– Tak, dziękuję – odpowiedział mag w błękitnych szatach.

Nad głową Ferguna pojawiła się kula światła. Rzucił Cery'emu niecierpliwe spojrzenie. Cery zawahał się, patrząc na tego w niebieskich szatach.

– Dziękuję.

Mistrz skinął mu w odpowiedzi głową. Cery odwrócił się i ruszył w kierunku schodów; jasnowłosy mag podążył za nim.

Schodząc po schodach, zastanawiał się nad słowami Sonei. Teraz jej znaki nabrały sensu. Musi zaczekać, aż nauczy się kontrolować tę swoją magię, ale kiedy to nastąpi, spróbuje uciec. W tej chwili nie mógł jej wiele pomóc – co najwyżej postarać się, żeby miała gdzie bezpiecznie wrócić.

– Jesteś mężem Sonei?

Cery spojrzał ze zdziwieniem na maga.

– Nie.

– W takim razie jej… kochankiem?

Cery czuł, że się rumieni. Odwrócił wzrok.

– Nie. Tylko przyjacielem.

– Rozumiem. Przyjście tutaj wymagało sporej odwagi.

Cery uznał, że nie musi na to odpowiadać. Wyszedł z Domu Magów w mroźny wiatr i skierował się ku ogrodom. Fergun zatrzymał się.

– Czekaj. Poprowadzę cię przez Uniwersytet, będzie cieplej.

Serce Cery'ego podskoczyło. Uniwersytet.

Zawsze pragnął zobaczyć ten gmach od środka. A taka okazja nie nadarzy się więcej, kiedy Sonea ucieknie. Wzruszył ramionami, jakby było mu to obojętne, i skierował się ku tylnemu wejściu do ogromnego budynku.

Wchodząc na schody, poczuł, że serce mu przyspiesza. Weszli do pomieszczenia, z którego rozchodziły się wymyślnie zdobione schody. Świetlna kula maga znikła; przechodzili przez boczne drzwi do szerokiego korytarza, który zdawał się ciągnąć w nieskończoność.

Po obu stronach otaczały go drzwi i mniejsze, boczne korytarze. Mimo że Cery wysilał wzrok, nie mógł dostrzec źródła światła. Tak jakby ściany same wydzielały poświatę.

– Sonea stanowiła dla nas spore zaskoczenie – odezwał się nagle Fergun, a jego głos rozległ się echem w korytarzu. – Nigdy dotąd nie trafiliśmy na talent wśród niższych klas. Zazwyczaj pojawia się on w Domach.

Fergun spojrzał na Cery'ego z oczekiwaniem, najwyraźniej spodziewając się jakiejś odpowiedzi.

– Ją też to zaskoczyło – odparł Cery.

– Tędy – mag wskazał mu jeden z bocznych korytarzy. – Słyszałeś kiedykolwiek o innych bylcach z talentem magicznym?

– Nie.

Wyszli za róg, minęli drzwi wiodące do mniejszego pomieszczenia, a następnie przez następne drzwi przeszli do nieco szerszego korytarza. Różnił się od wcześniejszych przejść – ściany tutaj były wykładane drewnem i zawieszone obrazami.

– Niezły labirynt – powiedział Fergun z westchnieniem. – Chodź, pokażę ci drogę na skróty.

Zatrzymał się przed jednym z obrazów i sięgnął za ramę. Kawałek ściany odsunął się w bok, ukazując prostokąt ciemności wielkości wąskich drzwi. Cery spojrzał pytająco na maga.

– Zawsze kochałem sekrety – powiedział Fergun z błyskiem w oczach. – Czyżby dziwiło cię to, że my też mamy podziemne przejścia? To przejście prowadzi daleko do Wewnętrznego Kręgu, jest to sucha i bezwietrzna droga. Idziemy?

Cery zerknął na przejście, a następnie na maga. Przejścia pod Gildią? Dziwne. Zrobił krok w tył i potrząsnął głową.

– Widziałem w życiu wiele tajnych przejść – powiedział. –

A zimno mi nie przeszkadza. Bardziej interesują mnie piękne miejsca w tym budynku.

Mag zamknął oczy i przytaknął.

– Rozumiem. – Wyprostował się z uśmiechem. – Miło słyszeć, że zimno ci nie przeszkadza.

Coś uderzyło Cery'ego w plecy, wpychając go w prostokąt. Krzyknął i chwycił się krawędzi dziury, ale nacisk był zbyt silny, a jego palce ześlizgnęły się z gładkiego drewna. Runął do przodu i zdążył na czas unieść ręce, żeby osłonić twarz przed uderzeniem w ścianę.

Siła trzymała go mocno przy murze. Nie mógł poruszyć nawet palcem. Z bijącym wściekle sercem przeklinał swoje zaufanie wobec magów. Za sobą usłyszał cichy trzask. Sekretne drzwi zamknęły się.

– Teraz możesz wrzeszczeć do woli – zaśmiał się Fergun niskim, złowrogim głosem. – Nikt tu nie zagląda, więc nikomu nie będziesz przeszkadzał.

Poczuł, jak dłonie maga wiążą mu tkaninę na oczach, a następnie krępują ręce. Kiedy nacisk na jego plecy zmalał, dłoń chwyciła go za kołnierz i popchnęła do przodu.

Cery, potykając się, ruszył w głąb korytarza. Po kilku krokach dotarli do stromych schodów. Wyczuł, że schodzą w dół, a następnie ręce maga pokierowały nim na krętej drodze. Temperatura powietrza spadła gwałtownie. Po kilkuset krokach Fergun zatrzymał się. Cery poczuł ukłucie w żołądku na dźwięk przekręcającego się klucza.

Opaska z oczu opadła. Cery stał w drzwiach wielkiego pustego pokoju. Fergun rozwiązał szmatę krępującą jego ręce.

– Wchodź.

Cery spojrzał na Ferguna. Ręce świerzbiły go, by posłużyć się sztyletami, wiedział jednak, że je straci, jeśli zaatakuje maga. A jeśli z własnej woli nie wejdzie do tego pomieszczenia, to Fergun go tam wepchnie.

Powoli, otępiały, wszedł do celi. Drzwi zamknęły się za nim, pozostawiając go w ciemności. Usłyszał przekręcony w zamku klucz i oddalający się stłumiony odgłos stóp.

Westchnął i opadł na kolana. Faren będzie *wściekły*.

ROZDZIAŁ 21

OBIETNICA WOLNOŚCI

Pędząc korytarzem Domu Magów, Rothen raz po raz chwytał zdziwione spojrzenia mijanych magów. Niektórym kiwał tylko głową, do najlepiej znanych uśmiechał się, ale nie zwolnił kroku. Dotarł wreszcie do drzwi swojego apartamentu, chwycił za klamkę i rozkazał zamkowi, żeby się otworzył.

Usłyszał dwa głosy dobiegające z salonu.

– …mój ojciec był służącym Mistrza Margena, nauczyciela Mistrza Rothena. Mój dziadek też tu pracował.

– Masz tu pewnie sporo rodziny.

– Trochę – przyznała Tania. – Ale wielu moich krewniaków odeszło do pracy w Domach.

Dwie kobiety siedziały koło siebie na krzesłach. Na widok maga Tania poderwała się, czerwona jak burak.

– Nie przeszkadzajcie sobie – powiedział Rothen, machając ręką.

Tania skłoniła głowę.

– Jeszcze nie skończyłam pracy, panie – powiedziała. Z zarumienioną wciąż twarzą pobiegła do jego sypialni. Sonea przyglądała się tej scenie z wyraźnym rozbawieniem.

~ *Tania chyba już się mnie nie boi* ~ wysłała.

Rothen przyjrzał się swojej służącej, która przechodziła właśnie do salonu, ściskając w ramionach zawiniątko z ubrań i pościeli.

~ *Nie. Całkiem dobrze się dogadujecie* ~ odpowiedział.

Tania zatrzymała się na chwilę i spojrzała hardo na Rothena, po czym przeniosła niepewne spojrzenie na Soneę.

~ *Czy ona może domyślić się, że rozmawiamy w taki sposób?*

~ *Widzi, że zmienia się nam wyraz twarzy. Nie trzeba przebywać długo wśród magów, żeby domyślić się, że jest to niechybny znak milczącej rozmowy.*

– Wybacz nam, Taniu – powiedział głośno Rothen. Tania uniosła brwi, wzruszyła lekko ramionami i wrzuciła górę prania do kosza.

– To wszystko, Mistrzu Rothenie?

– Tak, dziękuję, Taniu.

Rothen zaczekał, aż zamknęły się za nią drzwi, po czym usiadł obok Sonei.

– Nadszedł chyba czas, by ci powiedzieć, że komunikacja mentalna w obecności innych jest uważana za niezbyt grzeczną. Zwłaszcza jeśli ci inni nie potrafią się dołączyć. To tak jak szeptanie za czyimiś plecami.

Sonea zachmurzyła się.

– Czy obraziłam Tanię?

– Nie. – Rothen uśmiechnął się na widok wyraźnej ulgi, z jaką przyjęła to zapewnienie. – Muszę cię jednak ostrzec, że komunikacja mentalna nie jest aż tak prywatna, jak by ci się mogło wydawać. Inni magowie mogą ją podsłuchać, zwłaszcza jeżeli wiedzą, że warto.

– Czyli teraz ktoś może nas podsłuchiwać?

Skinął głową.

– To możliwe, ale wątpię. Podsłuchiwanie jest niekulturalne i świadczy o braku szacunku, a poza tym wymaga skupienia i wysiłku. Gdyby tak nie było, otaczałby nas zgiełk rozmów innych ludzi i doprowadzał do szaleństwa.

Sonea zamyśliła się.

– Jeśli nie słyszysz, dopóki się na to nie nastawisz, to skąd wiesz, że ktoś chce z tobą porozmawiać?

– Im bliżej jesteś innego maga, tym łatwiej możesz go usłyszeć – odpowiedział. – Przebywając w tym samym pomieszczeniu, zazwyczaj możesz wychwycić kierowane do ciebie myśli. Kiedy natomiast jesteś daleko, rozmówca musi najpierw przyciągnąć twoją uwagę.

Położył rękę na piersi.

– Jeśli na przykład chciałabyś ze mną porozmawiać, kiedy będę na Uniwersytecie, musiałabyś najpierw wywołać głośno moje imię. Inni magowie to usłyszą, ale nie będą odpowiadać, ani też otwierać swoich umysłów na naszą rozmowę. Kiedy ja w odpowiedzi wywołam twoje imię, będziesz wiedziała, że cię usłyszałem i że możemy rozmawiać. Jeśli jest się w tym biegłym i zna się dobrze mentalny głos rozmówcy, można utrudnić innym podsłuchiwanie poprzez skupianie wysyłanych myśli, ale nie da się tego robić na dużą odległość.

– Czy zdarzyło się, żeby ktoś nie podporządkował się tym zasadom?

– Zapewne – Rothen wzruszył ramionami. – Dlatego właśnie musisz pamiętać, że rozmowy mentalne nie są prywatne. Mamy takie powiedzenie, że o sekretach lepiej rozmawiać głośno niż cicho.

Sonea parsknęła.

– To nie ma sensu.

– Nie, jeśli traktuje się to dosłownie – zaśmiał się. – Ale takie słowa jak „mówić" czy „słyszeć" mają w Gildii inne znaczenia. Mimo istnienia ogólnych zasad dobrego wychowania, ludzie zdumiewająco często odkrywają, że doskonale skrywana tajemnica stała się przedmiotem plotek. Zapominamy często, że magowie nie są jedynymi, którzy mogą nas podsłuchać.

Jej oczy rozbłysły zaciekawieniem.

– Nie są?

– Nie wszystkie dzieci, u których odkrywa się magiczny potencjał, wstępują do Gildii – odpowiedział. – Jeśli na przykład takie dziecko jest najstarszym synem rodziny, może mieć dla niej większą wartość jako dziedzic. W większości krain prawo zakazuje magom mieszania się do polityki. Mag nie może na przykład zostać Królem. Z tego powodu nie jest dobrze, żeby mag był głową rodziny.

Komunikacja mentalna jest zdolnością związaną z talentem magicznym. Czasami, aczkolwiek jest to bardzo rzadkie, ktoś, kto nie został magiem, rozwija w sposób naturalny umiejętność komunikacji mentalnej. Takich ludzi można nauczyć wykrywania kłamstw, co jest bardzo przydatną umiejętnością.

– Wykrywania kłamstw?

Rothen przytaknął.

– Oczywiście jest to możliwe pod warunkiem, że badana osoba wyraża zgodę, więc przydaje się wyłącznie wtedy, kiedy ktoś chce opowiedzieć o tym, co widział lub słyszał. W Gildii istnieje prawo dotyczące oskarżeń. Jeśli ktoś oskarży maga o kłamstwo lub przestępstwo, musi poddać się badaniu na wykrywanie kłamstw lub wycofać oskarżenie.

– To niezbyt uczciwe – powiedziała Sonea. – To przecież mag popełnił występek.

– Owszem, ale zapobiega to fałszywym oskarżeniom. Oskarżony, mag czy nie mag, może bez kłopotu zapobiec badaniu. – Zawahał się. – Jest jeden wyjątek.

Sonea zmarszczyła brwi.

– Ach, tak?

Rothen odchylił się na krześle i złączył palce.

– Kilka lat temu pewien człowiek, oskarżony o popełnienie wyjątkowo ohydnych zbrodni, został przyprowadzony do Gildii. Wielki Mistrz – nasz przywódca – zajrzał do jego umysłu i stwierdził winę. Potrzeba wybitnych umiejętności, żeby przedrzeć się przez blokady opierającego się umysłu. Akkarin jest jedynym z nas, któremu się to udało, mimo że znane są podobne przekazy o magach z przeszłości. Wielki Mistrz to niezwykły człowiek.

Sonea zastanawiała się nad tym, co usłyszała.

– A czy morderca nie mógłby po prostu ukryć swych sekretów za drzwiami, tak jak mi pokazałeś?

Rothen wzruszył ramionami.

– Nikt nie wie, jak Akkarin tego dokonał, ale kiedy już dostał się do umysłu tego mężczyzny, myśli musiały w końcu zdradzić zbrodniarza. – Urwał, po czym spojrzał na nią badawczo. – Wiesz dobrze, że ukrywanie tajemnic za drzwiami wymaga pewnej praktyki. Im bardziej martwisz się o to, że coś się wyda, tym trudniej ci to ukryć.

Źrenice Sonei rozszerzyły się ze zdziwienia, po czym odwróciła wzrok, a w jej oczach pojawiła się nagła rezerwa.

Patrząc na nią, Rothen domyślał się, o co chodzi. Za każdym razem, kiedy wchodził do jej umysłu, ukazywały mu się przedmioty i ludzie, których chciała uchronić przed rozpoznaniem. Zawsze wtedy panikowała i wyrzucała go z myśli.

Wszyscy nowicjusze reagowali podobnie. Rothen nie rozmawiał z nimi o podejrzanych sekretach. Ukryte problemy młodych ludzi, których nauczał, obracały się wokół drobnych przywar i dziwactw – czasem wokół pomniejszych skandali politycznych – i wtedy łatwo było nie zwracać na nie uwagi. Nie rozmawiając o tym, umacniał nowicjuszy w przekonaniu, że ich prywatność nie jest naruszana.

Ale milczenie nie dawało tej pewności Sonei, a on miał mało czasu. Lorlen przyjdzie z pierwszą wizytą pod koniec tego tygodnia i będzie się spodziewał, że zaczęli już naukę kontroli. A jeśli dziewczyna ma kiedykolwiek opanować kontrolę, musi uporać się z tymi lękami.

– Soneo.

Niechętnie popatrzyła na niego.

– Słucham.

– Powinniśmy porozmawiać o twoich lekcjach.

Przytaknęła.

Nachylił się ku niej i wsparł łokcie na kolanach.

– Zazwyczaj nie rozmawiam o tym, co zobaczyłem w umyśle nowicjusza czy nowicjuszki. To pomaga im zaufać mi, ale w naszym przypadku ta zasada nie zadziałała. Wiesz dobrze, że widziałem rzeczy, które wolałabyś trzymać w ukryciu; udawanie, że jest inaczej, nam nie pomoże.

Sonea utkwiła wzrok w blacie stołu; jej knykcie pobielały od kurczowego ściskania poręczy krzesła.

– Zacznijmy od tego – ciągnął Rothen – że spodziewałem się, że przeszukasz moje pokoje. Ja na twoim miejscu tak właśnie bym zrobił. Nie przeszkadza mi to. Nie przejmuj się tym.

Zarumieniła się lekko, lecz zachowała milczenie.

– Po drugie, twojej rodzinie i przyjaciołom nic z naszej strony nie grozi. – Podniosła na niego wzrok. – Martwisz się, że możemy ich skrzywdzić, jeśli nie zgodzisz się z nami współpracować. – Wytrzymał jej spojrzenie. – Nie skrzywdzimy ich. Gdybyśmy tak uczynili, złamalibyśmy królewskie prawo.

Odwróciła znów wzrok, a na jej twarzy zagościł ponownie wyraz wrogości.

– Ale ty i tak się martwisz... Nie wierzysz, że przestrzegamy królewskiego prawa – zauważył. – Nie daliśmy ci zbyt wielu powodów do zaufania. A to prowadzi mnie do trzeciego ze źródeł twojego lęku: że dowiem się o planach ucieczki.

Krew powoli odpłynęła jej z twarzy.

– Nie musisz snuć takich planów – mówił Rothen. – Jeśli nie będziesz miała na to ochoty, nie zmusimy cię do pozostania tu. Kiedy opanujesz kontrolę, będziesz mogła zdecydować, czy zostajesz, czy odchodzisz. Z byciem magiem łączy się bowiem przysięga, którą wszyscy musimy złożyć – przysięga, która wiąże nas na całe życie. Ale trzeba ją złożyć z własnej woli.

Wpatrywała się w niego z półotwartymi ustami.

– Pozwolisz mi odejść?

Potaknął, a dalsze słowa dobierał bardzo ostrożnie. Za wcześnie, by jej powiedzieć, że Gildia pozwoli jej odejść, zablokowawszy najpierw jej moc. Trzeba jednak dać jej do zrozumienia, że utraci wtedy magiczne zdolności.

– Tak, ale muszę cię przed czymś ostrzec: bez nauki nie będziesz mogła posługiwać się swoją mocą. Nie dasz rady robić tego, co dotychczas ci się udawało. Nie będziesz w ogóle mogła posługiwać się magią. – Urwał. – Nie będziesz już przydatna dla Złodziei.

Zdumiał się, widząc wyraz ulgi na jej twarzy. Na jej ustach zadrżał cień uśmiechu.

– To nie będzie żadnym problemem.

Rothen spojrzał na nią pytająco.

– Jesteś pewna, że chcesz wracać do slumsów? Nie będziesz miała jak się bronić.

Wzruszyła ramionami.

– Dla mnie nic się nie zmieni. Dotychczas nieźle dawałam sobie radę.

Rothen zmarszczył brwi; jej pewność siebie zrobiła na nim wrażenie, ale niepokoił się na samą myśl, że miałby ją odesłać z powrotem w nędzę.

– Wiem, że tęsknisz za rodziną. Wstąpienie do Gildii nie oznacza, że musisz ich opuścić, Soneo. Mogą przychodzić tu do ciebie w odwiedziny, ty też możesz ich odwiedzać.

Potrząsnęła głową.

– Nie.

Zacisnął usta.

– Lękasz się, że oni będą się ciebie bali? Że zostając jedną z tych, których nienawidzą, zostaniesz uznana za zdrajczynię bylców?

Szybkie, przenikliwe spojrzenie, jakie mu rzuciła, uświadomiło mu, że najwyraźniej zbliżył się do sedna znacznie bardziej, niż się spodziewał.

– Czego potrzebowałabyś, by cię nie odrzucili?

Parsknęła.

– Jasne. Gildia albo Król będą się przejmować tym, co zadowoli bylców!

– Nie zamierzam cię łudzić, że będzie łatwo – odpowiedział Rothen. – Ale powinnaś to rozważyć jako pewną możliwość. Magia nie jest powszechnym darem. Wielu ludzi oddałoby całe swoje bogactwo, byle ją posiąść. Pomyśl o tym, czego mogłabyś się tu nauczyć. Pomyśl o tym, że mogłabyś pomóc innym.

Na chwilę odwróciła wzrok, po czym spoważniała na nowo.

– Jestem tu tylko po to, żeby nauczyć się kontroli.

Skinął powoli głową.

– Jeśli chcesz tylko tego, to damy ci tylko to. Wszyscy się bardzo zdziwią, kiedy dowiedzą się, że postanowiłaś powrócić do slumsów. Wielu nigdy nie zrozumie, dlaczego ktoś, kto żył w nędzy przez całe życie, odrzuca taką propozycję. Ja chyba poznałem cię dostatecznie, by zrozumieć, że nie przywiązujesz wielkiej wagi do bogactwa i luksusów. – Wzruszył ramionami z uśmiechem. – I nie byłbym jedynym, który by podziwiał twoją decyzję. Musisz jednak wiedzieć, że będę starał się przekonać cię do przystąpienia do nas.

Po raz pierwszy, odkąd się poznali, na jej twarzy zagościł uśmiech.

– Dzięki za ostrzeżenie.

Rothen zatarł dłonie, zadowolony z siebie.

– A zatem wszystko ustalone. Zaczynamy lekcje?

Zawahała się, po czym odwróciła fotel, by siąść naprzeciwko niego. Zaskoczony tą gotowością, ujął ją za wyciągnięte ręce.

Zamknąwszy oczy, Rothen wyrównał oddech i odszukał obecność, która miała go zaprowadzić do jej umysłu. Sonea miała już niezłe doświadczenie w wizualizacji, toteż natychmiast znalazł się przed otwartymi drzwiami. Przeszedł przez nie i znalazł się w dobrze znanym pokoju, na którego środku stała dziewczyna.

W powietrzu dała się wyczuć aura determinacji. Rothen czekał na pojawiające się zazwyczaj zakłócenia, ale nic niechcianego nie pojawiło się w pokoju. Zaskoczony, ale i zadowolony, skinął ku wyobrażeniu Sonei.

~ *Pokaż mi drzwi do twojej mocy.*

Odwróciła wzrok. Patrząc we wskazanym kierunku, znalazł się przed białymi drzwiami.

~ Otwórz je i słuchaj uważnie. Pokażę ci, jak ją kontrolować.

Cery opadł na kolana z jękiem rozpaczy.

Obejrzał dokładnie swoje więzienie, a serce podchodziło mu do gardła za każdym razem, kiedy spod jego palców umykały ośmionogie fareny. Zdołał ustalić, że ściany wykonane są z wielkich kamiennych bloków, podłoga jest zwykłym klepiskiem, drzwi zaś to gruby kawał drewna zaopatrzony w mocne żelazne rygle.

Kiedy tylko kroki maga umilkły w oddali, Cery wyciągnął z kieszeni wytrych i zabrał się do otwierania drzwi. Znalazł dziurkę od klucza i grzebał w zamku tak długo, aż zdołał poruszyć mechanizm, ale drzwi ani drgnęły.

Przypomniał sobie, że mag nie ryglował drzwi i wybuchnął śmiechem. Właśnie zamknął swoje więzienie za pomocą wytrychu.

Kiedy jednak zdołał przekręcić mechanizm z powrotem, przekonał się, że drzwi nadal nie puszczają. Wydawało mu się, że pamięta dźwięk przekręcającego się w zamku klucza, więc doszedł do wniosku, że musi być jeszcze inny zamek. Rozpoczął poszukiwania.

Nic nie znalazł, uznał zatem, że zamek musi mieć dziurkę od klucza tylko na zewnątrz. Wyciągnął ponownie wytrych i wsunął go w szczelinę między drzwiami a futryną. Coś chwyciło.

Zadowolony, że udało mu się znaleźć zamek za pierwszym podejściem, pociągnął wytrych, żeby go wyciągnąć – i przekonał się, że narzędzie zablokowało się.

Drut wygiął się, kiedy Cery kręcił nim i pociągał, usiłując go uwolnić. Nie chcąc uszkodzić wytrychu, chłopak pozostawił go w szparze i sięgnął po następny, który wsunął nieco wyżej od poprzedniego.

Zanim jednak zdołał wyczuć, co trzyma pierwsze z jego narzędzi, drugi wytrych również się zablokował. Cery zaklął i pociągnął z całej siły, ale zdołał jedynie wygiąć metal.

Wyjął z kieszeni trzeci wytrych i wsunął go w szparę nad podłogą, gdzie drut natychmiast się zablokował. I choć Cery ciągnął za niego ze wszystkich sił, wytrych tkwił w miejscu. Podobnie jak dwa pozostałe.

Przez kilka następnych godzin spędzonych w ciemności Cery usiłował odzyskać swoje narzędzia. Nie przychodziło mu do głowy żadne urządzenie, które mogłoby tak szybko i skutecznie blokować wytrychy. Oczywiście jeśli nie liczyć magii.

Nogi zdrętwiały mu z zimna, toteż wstał i podparł się ręką o ścianę, ponieważ zakręciło mu się w głowie. Poczuł skurcz w żołądku, informujący go, że od bardzo dawna nic nie jadł, ale gorsze było pragnienie. Marzył o kuflu spylu albo kubku soku pachi, a nawet o łyku wody.

Po raz kolejny przyszło mu do głowy, że może umrzeć w tej celi. Jednak gdyby Gildia pragnęła jego śmierci, zabiliby go, *zanim* ukryliby gdzieś ciało. To napawało go niewielką nadzieją. Mogło oznaczać, że ich plany zakładały, że ma pozostać żywy – przynajmniej na razie. Jeśli natomiast tak nie jest, jego głód może stać się nie do wytrzymania.

Cery przypomniał sobie drugiego maga – tego w błękicie – i nie był w stanie odnaleźć w nim żadnych oznak wrogości czy oszustwa. Albo ten człowiek umiał doskonale udawać osobę godną zaufania, albo też nic nie wiedział o planach uwięzienia Cery'ego. Jeśli to drugie okazałoby się prawdą, wszystko było grą Ferguna.

Niezależnie od tego, czy jasnowłosy mag działał

w pojedynkę, czy nie, Cery'emu przychodziły do głowy jedynie dwa powody tego potraktowania: Złodzieje i Sonea.

Jeśli magowie zamierzali posłużyć się nim jako narzędziem przeciwko Złodziejom, czeka ich rozczarowanie. Farenowi nie zależy na Cerym *aż* tak bardzo.

Mogą uciec się do tortur, aby wydobyć z niego informacje. Jakkolwiek chłopak chciał wierzyć, że zdoła wytrzymać takie sposoby perswazji, nie zamierzał się oszukiwać. Nie będzie mieć pojęcia, czy porafi zachować milczenie, dopóki nie zmierzy się z takim przesłuchaniem.

A poza tym magowie potrafią zapewne czytać w myślach. Jeśli to prawda, to szybko przekonają się, że Cery nie posiada zbyt wielu przydatnych informacji. A kiedy to wyjdzie na jaw, zapewne pozostawią go na zawsze w tej ciemności.

Wątpił jednak, żeby chodziło o Złodziei: zostałby już zapewne przesłuchany.

Nie, jedyne pytania, jakie mu zadali, dotyczyły Sonei. W drodze do gmachu Uniwersytetu Fergun wypytywał Cery'ego o ich znajomość. Skoro magowie chcą wiedzieć, czy on jest dla niej ważny, zamierzają się nim zapewne posłużyć, żeby zmusić ją do zrobienia czegoś, na co Sonea nie ma ochoty.

Myśl o tym, że mógł przyczynić się do pogorszenia jej sytuacji, dręczyła go momentami bardziej niż strach przed śmiercią. Gdyby tylko nie zachciało mu się oglądać Uniwersytetu… Im dłużej o tym myślał, tym bardziej przeklinał swoje wścibstwo.

W pewnym momencie wydało mu się, że słyszy odgłos kroków. Gdy się przybliżyły, jego gniew opadł, a serce zaczęło walić jak młotem.

Kroki zatrzymały się przed drzwiami. Rozległ się

stłumiony zgrzyt, a następnie cichy brzęk spadających wytrychów. W szparze pojawił się promień światła.

Przez półotwarte drzwi wszedł Fergun, a za nim wpłynęła kula światła. Cery zamrugał, oślepiony blaskiem, ale dostrzegł, że mag przygląda mu się spod przymrużonych powiek, po czym przenosi wzrok na podłogę.

– No no – mruknął Fergun. Obrócił się nieznacznie i puścił niesiony w rękach talerz i bukłak, które nie upadły, ale spłynęły powoli na ziemię. Mag rozczapierzył palce i wytrychy uniosły się posłusznie ku jego dłoniom.

Przyglądał się im z uniesionymi brwiami, po czym przeniósł wzrok na Cery'ego, uśmiechając się przy tym.

– Nie sądziłeś chyba, że to wystarczy, co? Założyłem, że masz doświadczenie w tej dziedzinie, więc dołożyłem pewne środki ostrożności. – Zerknął na płaszcz Cery'ego. – Masz w zanadrzu więcej takich przyborów?

Cery powstrzymał cisnące mu się na usta zaprzeczenie. Fergun na pewno by nie uwierzył. Mag uśmiechnął się i wyciągnął rękę.

– Oddaj.

Cery zawahał się. Jeśli odda nieco z pochowanych pod ubraniem narzędzi, może zdoła zatrzymać kilka z tych najcenniejszych.

Fergun zrobił krok do przodu.

– No, przecież i tak nie masz z nich tu pożytku – poruszył palcami. – Oddaj mi je.

Cery powolnym ruchem sięgnął pod poły płaszcza i wyciągnął sporo tych mniej przydatnych narzędzi. Wpatrując się w maga wściekłym wzrokiem, położył mu je na dłoni.

Fergun przyjrzał się uważnie wytrychom, po czym znów przeniósł wzrok na Cery'ego. Jego usta wygięły się w złośliwy grymas.

– Naprawdę myślisz, że uwierzę, że to wszystko?

Zgiął palce. Cery poczuł, jak popycha go jakaś niewidzialna siła. Cofał się, potykając, aż plecami uderzył w ścianę. Niewidzialna siła otoczyła go, przyciskając do kamienia.

Fergun podszedł i przeszukał płaszcz Cery'ego. Jednym szybkim ruchem oderwał podszewkę, ukazując ukryte kieszenie. Wypatroszył je i zajął się pozostałymi częściami ubioru chłopaka.

Wyciągnąwszy z butów noże, odchrząknął z zadowolenia, po czym wydał okrzyk zachwytu na widok sztyletów. Wyprostował się i wyciągnął jeden z nich z pochwy. Przyjrzał się dokładnie najszerszej części ostrza, gdzie widniała wyryta podobizna niewielkiego gryzonia, imiennika Cery'ego.

– Ceryni – powiedział mag, podnosząc wzrok na chłopaka.

Cery wytrzymał jego spojrzenie. Fergun zaśmiał się cicho i zrobił krok do tyłu. Wyjął spory kawałek płótna i owinął weń narzędzia, po czym skierował się ku drzwiom.

Serce podskoczyło Cery'emu do gardła, kiedy uświadomił sobie, że mag zamierza go opuścić bez wyjaśnienia.

– Zaczekaj! Czego ode mnie chcesz? Czemu mnie tu trzymasz?

Fergun nie odpowiedział. Kiedy drzwi zamknęły się za nim, magiczna siła trzymająca Cery'ego znikła i chłopak padł na kolana. Dysząc z wściekłości przeszukał swój płaszcz i zaklął: brakowało większości narzędzi! Najbardziej żal mu było sztyletów, ale ciężko byłoby ukryć tak dużą broń.

Przykucnął i westchnął przeciągle. Kilka szpejów jeszcze mu pozostało. Mogą okazać się przydatne. Musi tylko wymyślić jakiś plan.

ROZDZIAŁ 22

NIEOCZEKIWANA PROPOZYCJA

– Czy muszę?

– Tak. – Dannyl chwycił Rothena za ramię, obrócił go i wypchnął z jego mieszkania. – Jeśli będziesz pozostawał w ukryciu, potwierdzisz tylko pogłoski rozsiewane przez zwolenników Ferguna.

Rothen westchnął i podążył korytarzem za Dannylem.

– Oczywiście masz rację. Przez ostatnie dwa tygodnie prawie z nikim nie rozmawiałem – no i powinienem był poprosić Lorlena o przesunięcie wizytacji o kilka dni. Zaczekaj… – Rothen uniósł wzrok, marszcząc przy tym czoło. – Co takiego mówią poplecznicy Ferguna?

Dannyl uśmiechnął się ponuro.

– Że ona bardzo szybko nauczyła się kontroli, a ty trzymasz ją w ukryciu tylko po to żeby, go do niej nie dopuścić.

Rothen zazgrzytał zębami.

– Co za bzdury! Chętnie oddam im wszystkie te bóle głowy, które musiałem znieść w zeszłym tygodniu. – Skrzywił się. – Ale to oznacza, że nie powinienem namawiać Lorlena na zwłokę.

– Nie – zgodził się z nim Dannyl.

Dotarli do bramy Domu Magów i wyszli na zewnątrz.

Mimo że nowicjusze rano i wieczorem topili śnieg na ścieżkach i chodnikach, dziedziniec był już pokryty cienką warstwą białego puchu. Śnieg zgrzytał pod ich stopami, gdy zmierzali ku Siedmiołukowi.

Ledwie wstąpili w ciepło sali wieczornej, od razu kilka twarzy zwróciło się ku nim z zainteresowaniem. Dannyl usłyszał stłumiony jęk swojego towarzysza, gdy paru magów skierowało kroki w ich stronę. Pierwszy podszedł do nich Sarrin, Arcymistrz Alchemików.

– Dobry wieczór, Mistrzu Rothenie i Mistrzu Dannylu. Jak się macie?

– Doskonale, Mistrzu Sarrinie.

– Jak postępy z dziewczyną ze slumsów?

Rothen wstrzymał się z odpowiedzią, czekając, aż pozostali zainteresowani podejdą bliżej.

– Sonea świetnie sobie radzi – powiedział. – Najwięcej czasu zajęło przekonanie jej, żeby nie wyrzucała mnie ze swojego umysłu. Była wobec nas, co nie powinno dziwić, dość nieufna.

– Świetnie sobie radzi? – mruknął jeden z przysłuchujących się magów. – Mało któremu z nowicjuszy potrzeba na to aż dwóch tygodni.

Dannyl skrzywił się na widok ponurej miny Rothena.

Jego przyjaciel zwrócił się do maga, który wypowiedział tę uwagę.

– Musisz pamiętać, że ona nie jest opornym nowicjuszem, przysłanym tutaj przez nadopiekuńczych rodziców. Zaledwie dwa tygodnie temu ta dziewczyna była przekonana, że chcemy ją zabić. Potrzebowałem nieco czasu, żeby zdobyć jej zaufanie.

– Kiedy zacząłeś ćwiczenia z kontroli? – spytał ktoś inny.

Rothen zawahał się przez moment.

– Przedwczoraj.

Magowie zaczęli szemrać, marszczyć brwi i potrząsać głowami.

– W takim razie śmiem twierdzić, że odniosłeś ogromny sukces, Mistrzu Rothenie – odezwał się nowy głos.

Dannyl odwrócił się i dostrzegł przeciskającą się przez tłum Mistrzynię Vinarę. Pozostali magowie rozstąpili się z szacunkiem na widok Arcymistrzyni Uzdrowicieli.

– Co możesz powiedzieć o jej mocy?

Rothen uśmiechnął się.

– Nie chciałem wierzyć, kiedy po raz pierwszy zobaczyłem, co kryje się w tej dziewczynie. Jej potęga jest niewiarygodna!

Szmer wśród zgromadzonych wzrósł. Dannyl pokiwał głową. *Dobrze*, pomyślał. *Jeśli jest potężna, ludzie poprą Rothena jako jej mentora.*

Stojący na przodzie starszawy mag wzruszył ramionami.

– Ależ to było oczywiste, że jest potężna. Inaczej jej moc nie zdołałaby się sama rozwinąć.

Vinara odpowiedziała mu uśmiechem.

– Oczywiście, ale też nie moc jest najważniejsza u nowicjusza. Czy ona wykazuje jakieś szczególne talenty?

Rothen zacisnął usta.

– Jest niezła w wizualizacji, a to powinno jej pomóc w opanowaniu większości dyscyplin. Ma również dobrą pamięć. Poza tym jest inteligentna i pilna.

– Czy usiłowała jakoś używać swojej mocy? – spytał ubrany na czerwono mag.

– Odkąd tu przybyła, nie. Ona doskonale rozumie niebezpieczeństwo.

Posypały się dalsze pytania. Dannyl rozglądał się po tłumie i dostrzegł kształtną jasnowłosą głowę w zbliżającej się grupce magów. Przesunął się bliżej Rothena, czekając na właściwy moment, by wyszeptać ostrzeżenie.

~ *Mistrzu Dannylu.*

Kilku magów zamrugało i spojrzało na Dannyla. Rozpoznawszy, do kogo należy mentalny głos, Dannyl rozejrzał się i odnalazł Administratora Lorlena usadowionego w swoim ulubionym fotelu. Ubrany w błękit mag wskazał na Rothena i skinął ręką.

Dannyl posłał mu uśmiech i nachylił się do ucha Rothena.

– Administrator chyba chce przyjść ci z odsieczą.

Kiedy Rothen zerknął w stronę Administratora, Dannyl dostrzegł, że Fergun właśnie zbliżył się do otaczającej ich grupki. Do powszechnego gwaru dołączył dobrze znany głos, a kilka głów zwróciło się ku Wojownikowi.

– Muszę was przeprosić – powiedział Rothen. – Administrator Lorlen chce ze mną rozmawiać. – Uprzejmie skinął zebranym głową i pociągnął Dannyla ku Lorlenowi.

Dannyl rzucił spojrzenie za siebie i na moment spotkał się wzrokiem z Fergunem. Usta Wojownika wykrzywiał pełen zadowolenia uśmiech.

Kiedy dotarli do fotela Administratora, Lorlen wskazał im miejsca tuż koło siebie.

– Dobry wieczór, Mistrzowie. Usiądźcie i opowiedzcie mi o postępach Sonei.

Rothen nie usiadł.

– Chciałbym zamienić z tobą parę słów na ten temat, ale na osobności, Administratorze.

Lorlen uniósł brwi.

– Doskonale. Może zatem porozmawiamy w sali bankietowej?

– Bardzo chętnie.

Administrator wstał i poprowadził ich ku wejściu do sąsiedniego pomieszczenia. Kiedy weszli do środka, nad ich głowami rozbłysła wielka kula światła, ukazując zajmujący większą część pokoju ogromny stół.

Lorlen wysunął jedno ze stojących przy nim krzeseł i usiadł.

– Jak twoja noga, Mistrzu Dannylu?

Dannyl spojrzał na niego z zaskoczeniem.

– Lepiej.

– Dziś rano chyba znów kulałeś – zauważył Lorlen.

– To przez zimno – odparł Dannyl.

– Ach, rozumiem. – Lorlen pokiwał głową, po czym zwrócił się do Rothena. – Cóż takiego chciałbyś ze mną omówić?

– Przedwczoraj rozpocząłem ćwiczenia z kontroli – zaczął Rothen. Lorlen zmarszczył czoło, ale milczał, pozwalając Rothenowi kontynuować. – Chciałeś sprawdzić jej postępy po dwóch tygodniach, prosiłeś również, żebym wcześniej przedstawił jej innych magów. Ponieważ dotychczas nie robiła postępów, nie chciałem dodatkowo rozpraszać jej obecnością gości, ale wydaje mi się, że niebawem będzie na to gotowa. Czy mógłbyś przełożyć swoją wizytację o kilka dni?

Lorlen rzucił Rothenowi przeciągłe spojrzenie, po czym potaknął.

– Ale tylko o kilka dni.

– Dziękuję. Jest jednak coś jeszcze. Możliwość, z którą prędzej czy później przyjdzie nam się zmierzyć.

Lorlen uniósł brwi.

– Słucham?

– Sonea nie chce wstępować do Gildii. Musiałem… – Rothen westchnął głośno. – Aby zyskać jej zaufanie, powiedziałem, że jeśli takie będzie jej życzenie, pozwolimy jej wrócić do slumsów. Nie możemy, poza wszystkim innym, zmusić jej do złożenia przysięgi.

– Powiedziałeś jej, że w takim razie będziemy zmuszeni zablokować jej moc?

– Jeszcze nie. – Rothen zachmurzył się. – Na dodatek nie sądzę, żeby miała się tym przejąć. Ostrzegłem ją, że nie będzie mogła posługiwać się mocą, a ona najwyraźniej się z tego ucieszyła. Mam wrażenie, że chętnie pozbyłaby się talentu.

Lorlen pokiwał głową.

– Nie dziwi mnie to. Jej jedyne doświadczenia z magią kojarzą się z chaosem i destrukcją. – Zacisnął usta. – Może gdybyś nauczył ją kilku użytecznych sztuczek, miałaby szanse polubić swoją moc?

Rothen zasępił się.

– Nie powinna posługiwać się mocą, dopóki całkowicie jej nie ujarzmi, a kiedy tylko uzyska kontrolę, będzie chciała stąd odejść.

– Przecież ona nie wie, jaka jest różnica między nauką kontroli a lekcją magii – zauważył Dannyl. – Wystarczy, że sprawisz, by ćwiczenia przeszły gładko od kontrolowania magii do posługiwania się nią. W ten sposób zyskasz też nieco czasu na przekonanie jej do pozostania.

– Niewiele – sprostował Lorlen. – Fergun nie musi wiedzieć, kiedy dokładnie ona opanuje kontrolę, ale nie zdołasz go zwodzić w nieskończoność. Może uda ci się zyskać dodatkowy tydzień.

Rothen spojrzał na Administratora z nadzieją. Lorlen westchnął i przesunął ręką po czole.

– Doskonale. Postaraj się tylko, żeby się nie dowiedział, inaczej nie zaznam spokoju.

– Jeśli się dowie, powiemy, że testujemy jeszcze jej zdolność kontroli – odparł Dannyl. – Ona jest, poza wszystkim, niezwykle silna. Nie chcielibyśmy, żeby popełniła jakiś błąd.

Lorlen rzucił Dannylowi pełne uznania spojrzenie. Przez moment wydawało się, że chce jeszcze coś dodać, ale potrząsnął tylko głową i zwrócił się ku Rothenowi.

– Czy to wszystko, o czym chciałeś porozmawiać?

– Tak. Dziękuję, Administratorze – odpowiedział Rothen.

– A zatem wyznaczę moją wizytę za kilka dni. Czy zastanawiałeś się już, kogo przedstawisz jej jako pierwszego?

Dannyl zamrugał ze zdziwieniem, kiedy Rothen wskazał na niego.

– Mnie?

Rothen uśmiechnął się.

– Tak. Jutro po południu, jak sądzę.

Dannyl otworzył usta, żeby zaprotestować, ale szybko zamknął je z powrotem, widząc, że Lorlen przygląda mu się z uwagą.

– Niech będzie – powiedział ponuro. – Nie zapomnij tylko pochować sztućców.

Sonea nudziła się.

Za wcześnie na sen. Tania wyszła z brudnymi talerzami zaraz po kolacji, a Rothen znikł niedługo później. Sonea skończyła lekturę, którą przyniósł jej rano Rothen, i przemierzała teraz pokój, przyglądając się ornamentom i książkom na półkach.

Nie znalazła jednak nic ciekawego albo przynajmniej zrozumiałego, podeszła więc do okna i wyjrzała na zewnątrz. Nie było księżyca, ciemność spowijała ogród. Nic się nawet nie poruszało.

Westchnęła i postanowiła położyć się wcześniej niż zwykle. Zamknęła okienniki i ruszyła ku swojej sypialni – po czym zamarła, słysząc pukanie do drzwi.

Odwróciła się i wlepiła w nie wzrok. Rothen nigdy nie pukał, a Tania robiła to cicho i spokojnie – a to było natarczywe stukanie. Odkąd tu zamieszkała, kilku gości pukało do głównych drzwi, ale Rothen nie wpuścił nikogo do środka.

Kiedy pukanie rozległo się ponownie, poczuła na skórze dreszcz. Na palcach przeszła przez pokój ku wejściu.

– Kto tam?

– Przyjaciel – dotarła do niej stłumiona odpowiedź.

– Rothena nie ma.

– Nie przyszedłem do Rothena. Chcę porozmawiać z tobą, Soneo.

Wpatrywała się w drzwi, czując, jak serce zaczyna jej przyspieszać.

– Dlaczego?

Odpowiedź była bardzo cicha.

– Mam ci do powiedzenia coś ważnego. Coś, czego *on* ci nie powie.

Rothen coś przed nią ukrywa? Niepokój i podniecenie sprawiły, że jej tętno jeszcze podskoczyło. Kimkolwiek jest ten nieznajomy, chce dla niej narazić się magowi. Gdyby tylko potrafiła przejrzeć przez drzwi i zobaczyć jego twarz.

Czy to dobry pomysł dowiadywać się jakichś niepokojących rzeczy o Rothenie akurat teraz, kiedy musi mu zaufać?

– Wpuść mnie, Soneo. Korytarz jest teraz pusty, ale za chwilę będą tu ludzie. To może być nasza jedyna szansa na rozmowę.

– Nie mogę. Drzwi są zamknięte.

– Spróbuj jeszcze raz.

Przyjrzała się klamce. W pierwszych dniach pobytu w tym mieszkaniu wielokrotnie próbowała – drzwi zawsze pozostawały zamknięte. Wyciągnęła rękę i poruszyła klamką, po czym zaskoczona nabrała głęboko powietrza, ponieważ drzwi otwarły się szeroko.

Pojawił się w nich czerwony rękaw, a za nim pełne szaty. Cofnęła się i spojrzała na maga z niechęcią. Spodziewała się sługi albo wybawcy przebranego za sługę – chyba że ten człowiek odważył się założyć szaty maga po to, by do niej dotrzeć...

Mężczyzna cicho zamknął za sobą drzwi, po czym wyprostował się i spojrzał na nią.

– Witaj, Soneo. W końcu się spotykamy. Jestem Mistrz Fergun.

– Jesteś magiem?

– Tak, choć nie takim jak Mistrz Rothen. – Położył rękę na piersi.

Sonea zmarszczyła brwi.

– Jesteś Wojownikiem?

Fergun uśmiechnął się w odpowiedzi. Zauważyła, że jest znacznie młodszy od Rothena i bardzo przystojny. Miał jasne, elegancko zaczesane włosy, a jego rysy były zarazem delikatne i wyraziste. Wiedziała, że już kiedyś widziała tę twarz, ale nie mogła sobie przypomnieć, gdzie.

– Jak najbardziej – odpowiedział. – Ale nie o tej różnicy chciałbym z tobą rozmawiać. – Znów położył dłoń na sercu. – Jestem po twojej stronie.

– A Rothen nie jest?

– Nie, aczkolwiek ma dobre chęci – odparł. – Rothen należy do ludzi, którzy uważają, że wiedzą, co jest dobre dla innych, a zwłaszcza dla takiej młodej kobiety jak ty. Ja natomiast widzę w tobie dorosłą osobę, której powinno się pozwolić podejmować decyzje samodzielnie. – Uniósł jedną brew. – Wysłuchasz, co mam do powiedzenia, czy mam cię zostawić w spokoju?

Mimo że serce wciąż biło jej jak szalone, skinęła głową i wskazała mu krzesło.

– Zostań – odpowiedziała. – Wysłucham cię.

Skłonił się lekko i spoczął na wskazanym miejscu. Sonea usiadła naprzeciwko i spojrzała na niego pytająco.

– Przede wszystkim, czy Rothen powiedział ci, że możesz wstąpić do Gildii? – zapytał.

– Tak.

– A czy poinformował cię, co trzeba zrobić, żeby zostać magiem?

Wzruszyła ramionami.

– Trochę. Mówił o przysiędze i latach nauki.

– Wiesz, co to za przysięga?

Potrząsnęła głową przecząco.

– Nie, ale to nie ma znaczenia. Nie mam zamiaru wstępować do Gildii.

Zamrugał z niedowierzaniem.

– Nie masz zamiaru wstępować do Gildii? – powtórzył.

– Nie.

Pokiwał powoli głową i rozparł się w fotelu. Przez chwilę milczał w zamyśleniu, po czym podniósł na nią ponownie wzrok.

– Wolno spytać, dlaczego?

Sonea przyjrzała mu się dokładnie. Rothen wspominał, że wielu magów będzie zaskoczonych, jeśli odrzuci propozycję Gildii.

– Chcę wrócić do domu – odpowiedziała.

Pokiwał ponownie głową.

– Czy wiesz, że Gildia nie zezwala na istnienie magów pozostających poza jej wpływami?

– Tak – odrzekła. – Wszyscy o tym wiedzą.

– Wiesz zatem, że nie będziesz mogła po prostu stąd odejść.

– Nie będę w stanie posługiwać się mocą, więc przestanę stwarzać zagrożenie.

Uniósł znów brwi.

– Czyli Rothen powiedział ci, że Gildia zablokuje twoją moc?

Zmarszczyła brwi. *Zablokuje* jej moc?

Mag skinął powoli głową.

– Tak, tego się spodziewałem. On mówi ci tylko część prawdy. – Nachylił się ku niej. – Starsi Magowie zwiążą twoją moc, zamkną ją niczym w klatce, żebyś nie mogła po nią sięgnąć. To jest… niezbyt przyjemna procedura, naprawdę przykra, a ta klatka pozostanie w tobie na całe życie. Widzisz, nawet jeśli nikt nie uczyłby cię posługiwania się mocą, mogłoby się zdarzyć tak, że dojdziesz do tego sama, albo też natkniesz się na dzikiego maga, który zechce cię szkolić, choć to akurat bardzo mało prawdopodobne. Prawo nakazuje, żeby Gildia uniemożliwiła ci posługiwanie się magią, nawet gdybyś mogła uzyskać wszelką pomoc.

Jego słowa sprawiły, że Sonea poczuła wzbierający w niej chłód. Wpatrywała się w blat stolika, rozmyślając o tym, co mówił jej Rothen. Czy dobierał słowa tak, żeby prawda wydała się mniej przerażająca? Zapewne. Podejrzenia nabrały siły, gdy uprzytomniła sobie, że z ust Rothena słyszała *zapewnienie* o wypuszczeniu jej na wolność. Nie widziała tego w jego umyśle, a zatem nie mogła przekonać się, że to prawda...

Podniosła wzrok na maga w czerwonych szatach. Dlaczego miałaby wierzyć *jego* słowom? Nie potrafiła jednak wymyślić powodu, dla którego miałby kłamać, zwłaszcza że ona i tak pozna prawdę, gdy tylko nauczy się kontroli.

– Czemu mi to mówisz?

Uśmiechnął się do niej krzywo.

– Jak już wspomniałem, jestem po twojej stronie. Powinnaś znać prawdę, a poza tym... mogę ci coś zaoferować.

Wyprostowała się.

– Co takiego?

Zacisnął usta.

– To nie będzie łatwe. Czy Rothen wspominał ci o opiece?

Pokręciła głową.

Fergun przewrócił oczami.

– On nic ci nie mówi! Posłuchaj. – Nachylił się ku niej i wsparł łokcie na kolanach. – Opieka pozwala magowi kontrolować edukację nowicjusza. Rothen od czasu Czystki domaga się opieki nad tobą. Kiedy się o tym dowiedziałem, również poprosiłem o prawo do opieki. To zmusza Gildię do zwołania Przesłuchania, takiej specjalnej narady, na której zapadnie postanowienie, któremu z nas przypadnie opieka nad tobą. Jeśli pomożesz mi wygrać, to...

– Po co to Przesłuchanie, skoro ja nie zamierzam wstępować do Gildii? – przerwała mu Sonea.

Uniósł ręce w uspokajającym geście.

– Wysłuchaj mnie, Soneo. – Wziął głęboki wdech, po czym ciągnął: – Jeśli odmówisz wstąpienia do Gildii, twoja moc zostanie związana, a ty powrócisz do slumsów. Jeśli natomiast zgodzisz się zostać, a ja zdobędę opiekę nad tobą, mogę ci pomóc.

Zmarszczyła brwi.

– W jaki sposób?

Odpowiedział uśmiechem.

– Po prostu pewnego dnia znikniesz. Jeśli zechcesz, będziesz mogła wrócić do slumsów. Nauczę cię, jak sprawić, by nikt nie zdołał wykryć twojej magii, a twoja moc pozostanie niezwiązana. Z początku będą na ciebie polować, ale jesteś przecież sprytna, więc tym razem cię nie znajdą.

Wpatrywała się w niego z niedowierzaniem.

– Przecież w ten sposób złamiesz prawo Gildii.

Potaknął.

– Wiem. – Przez jego twarz przemknęły cienie różnych uczuć. Wstał i podszedł do okna. – Nie lubię, kiedy ludzi zmusza się do zostawania kimś, kim nie mają ochoty być – powiedział. – Spójrz. – Odwrócił się, przemierzył pokój i wyciągnął ku niej rękę. Wnętrze jego dłoni było pokryte odciskami i bliznami.

– Szermierka. Jestem Wojownikiem, jak raczyłaś błyskotliwie zauważyć. To najbliższe moich niegdysiejszych marzeń. Jako chłopiec pragnąłem zostać szermierzem. Potrafiłem ćwiczyć codziennie godzinami. Marzyłem o tym, żeby uczyć się u największych mistrzów.

Westchnął i potrząsnął głową.

– I wtedy odkryto we mnie talent magiczny. Niezbyt wielki, ale rodzice pragnęli mieć maga w rodzinie. Przyniosę chlubę Domowi, powiedzieli.

Zostałem zmuszony do wstąpienia do Gildii. Byłem zbyt młody, by odmówić, i zbyt niepewny siebie, żeby wiedzieć, że magia nie jest moim powołaniem. Moja moc nie jest wielka i mimo że nauczyłem się nią dobrze posługiwać, nie sprawia mi to przyjemności. Dbam natomiast o sprawność w szermierce, chociaż większość magów spogląda z pogardą na uczciwą walkę twarzą w twarz. W ten sposób zbliżam się nieco do życia, o jakim marzyłem.

Ich spojrzenia spotkały się. W oczach maga płonął ogień.

– Nie pozwolę, aby Rothen zrobił z tobą to samo. Jeśli nie chcesz wstępować do Gildii, pomogę ci w ucieczce. Ale musisz mi zaufać. Polityka i prawa Gildii są zawiłe i niejasne. – Podszedł z powrotem do fotela, ale nie usiadł. – Chcesz, żebym ci pomógł?

Sonea spuściła wzrok. Ta historia, a zwłaszcza pasja, z jaką ją opowiadał, zrobiła na niej wrażenie, ale coś nie dawało jej spokoju. Czemu zachowanie zdolności magicznych miałoby być warte ponownego narażenia się na poszukiwania?

Uświadomiła sobie, co powiedziałby Cery. Czemu klasy wyższe mają mieć monopol na magię? Jeśli Gildia nie przyjmuje nikogo z nizin społecznych, to czemu te sfery nie miałyby dorobić się własnych magów?

– Tak. – Spojrzała w górę i napotkała jego wzrok. – Ale muszę to przemyśleć. Nie znam cię. Muszę dowiedzieć się więcej o tej opiece, zanim zgodzę się na cokolwiek.

Przytaknął.

– Oczywiście. Pomyśl o tym, ale nie za długo. Rothenowi udało się przekonać Administratora Lorlena, żeby trzymał cię w odosobnieniu, niewątpliwie po to, żebyś nie dowiedziała się prawdy, dopóki nie nauczysz się kontroli. Wiele ryzykuję, łamiąc ten nakaz. Spróbuję wkrótce znów cię odwiedzić, ale musisz mieć dla mnie odpowiedź. Może nie być trzeciej okazji.

– Dobrze.

Fergun westchnął, spoglądając na drzwi.

– Lepiej już pójdę. Nie wyjdzie nam na dobre, jeśli Rothen mnie tutaj zastanie.

Podszedł do drzwi, uchylił je nieznacznie i wyjrzał na korytarz. Zatrzymał się, by posłać jej ostatni posępny uśmiech, po czym wymknął się na zewnątrz. Drzwi zamknęły się za nim z lekkim trzaskiem.

Znów sama, Sonea usiadła wpatrzona w stolik. W głowie krążyły jej słowa maga. Wciąż nie potrafiła wymyślić żadnego powodu, dla którego Fergun miałby kłamać, ale zamierzała sprawdzić wszystko, o czym mówił: wiązanie mocy, opiekę, opowieść o utraconych marzeniach. Jeśli będzie ostrożnie wypytywać Rothena, powinna uzyskać odpowiedzi na większość pytań nurtujących ją w związku z opowieścią Ferguna.

Ale nie dziś wieczór. Była zbyt roztrzęsiona tą wizytą, by udać spokój w obecności Rothena. Wstała, przeszła do swojej sypialni i zamknęła za sobą drzwi.

ROZDZIAŁ 23

PRZYJACIEL ROTHENA

– Dziś nie było lekcji.

Rothen podniósł wzrok znad czytanej właśnie książki. Sonea wychylała się przez okno; jej oddech tworzył niewielkie zamglone kółko na szybie.

– Nie – odpowiedział. – Dziś jest Dzień Wolny. W ostatni dzień tygodnia nie ma zajęć.

– I co się wtedy robi?

Wzruszył ramionami.

– To zależy od maga. Niektórzy chodzą na wyścigi albo zajmują się innymi sportami lub przyjemnościami. Inni odwiedzają rodziny.

– A nowicjusze?

– Tak samo, z tym że starsi z nich zazwyczaj poświęcają te dni na naukę.

– No i muszą posprzątać ścieżki.

Śledziła wzrokiem coś poniżej okna. Domyślając się, co to jest, Rothen zachichotał.

– Oczyszczanie ścieżek to jeden z wielu obowiązków pierwszorocznych nowicjuszy. Później wykonują takie zadania tylko w ramach kar.

Spojrzała na niego ze zdziwieniem.

– Kar?

– Za głupie dowcipy lub brak szacunku dla starszych – wyjaśnił. – Są już trochę za duzi na klapsy.

Kąciki jej ust zadrżały i odwróciła się znów ku oknu.

– Dlatego on ma taką ponurą minę.

Widząc, że Sonea bębni znów cicho palcami po parapecie, Rothen westchnął. Przez ostatnie dwa dni nauka szła jej bardzo szybko – chwytała zasady kontroli szybciej niż jakikolwiek nowicjusz, z którym miał do czynienia. Dziś jednak koncentracja zawiodła ją już kilkakrotnie. Mimo że nieźle się z tym kryła, co świadczyło jak najlepiej o jej dyscyplinie mentalnej, nie było wątpliwości, że coś leży jej na sercu.

Z początku Rothen winił samego siebie. Nie powiedział jej o wizycie Dannyla, uważając, że perspektywa spotkania z nieznajomym może odciągnąć ją od nauki. Zapewne wyczuła, że coś przed nią ukrywa, i stała się podejrzliwa.

Kiedy uświadomił sobie ten błąd, powiedział jej o zaplanowanej wizycie.

– Zastanawiałam się, kiedy spotkam innych z was – odpowiedziała.

– Jeśli nie masz dziś ochoty na gości, mogę mu powiedzieć, żeby przyszedł kiedy indziej – zaproponował.

Potrząsnęła przecząco głową.

– Nie. Chciałabym spotkać się z tym twoim przyjacielem.

Zaskoczony jej reakcją, ale i zadowolony, postanowił wrócić do lekcji. Ona jednak nadal miała kłopoty z koncentracją, a Rothen czuł wzbierającą w niej frustrację i niecierpliwość. Za każdym razem, kiedy robili przerwę, podchodziła do okna i wyglądała na zewnątrz.

Spojrzał na nią i zastanowił się nad tym, jak długo pozostawała w zamknięciu jego mieszkania. Łatwo było zapomnieć, że wygodny apartament dla niej stanowił więzienie. Przebywanie tak długo w jednym miejscu musiało ją zmęczyć i znudzić.

Co tym bardziej przemawiało na korzyść przedstawienia jej Dannylowi. Wysoki mag onieśmielał tych, którzy go nie znali, ale jego przyjacielski sposób bycia zazwyczaj szybko ich uspokajał. Rothen miał nadzieję, że Sonea zdoła przywyknąć do towarzystwa Dannyla, zanim zjawi się tu z wizytą Lorlen.

A potem? Przyglądał się jej niespokojnym palcom z uśmiechem. Potem weźmie ją na spacer i pokaże jej Gildię.

Te rozmyślania przerwało mu pukanie. Wstał i otwarł drzwi do mieszkania. Na korytarzu stał Dannyl, na jego twarzy malowało się napięcie.

– Przyszedłeś wcześniej – zauważył Rothen.

Oczy Dannyla rozbłysły.

– Mam wrócić później?

Rothen pokręcił głową.

– Nie. Wejdź.

Spojrzawszy za siebie, Rothen przyjrzał się uważnie twarzy Sonei, gdy Dannyl wszedł do pokoju. Obrzuciła wysokiego maga badawczym spojrzeniem.

– Dannyl… Sonea… – przedstawił ich Rothen.

– Miło mi cię poznać – powiedział Dannyl, skłaniając lekko głowę.

Sonea potaknęła.

– Mnie też. – Zmrużyła nieco oczy, a na jej twarzy pojawił się cień uśmiechu. – Chyba już się spotkaliśmy. – Spuściła wzrok. – Jak twoja noga?

Dannyl zamrugał, po czym uśmiechnął się krzywo.

– Lepiej, dziękuję.

Rothen zakrył usta dłonią i dość bezskutecznie usiłował stłumić chichot. Udając, że się zakrztusił, wskazał obojgu fotele.

– Usiądźcie, a ja przygotuję sumi.

Sonea odsunęła się od okna i usiadła naprzeciwko Dannyla. Przez chwilę wpatrywali się w siebie niepewnie. Rothen podszedł do stojącego pod ścianą stolika i ułożył na tacy przedmioty służące do zaparzania sumi.

– Jak tam lekcje? – spytał Dannyl.

– Chyba dobrze. A jak twoje?

– Moje?

– Uczysz studentów Rothena, prawda?

– Ach. Tak. To… wielkie wyzwanie. Nigdy wcześniej nikogo nie uczyłem, więc momentami czuję się tak, jakbym miał więcej do nauki niż moi studenci.

– Co robisz na co dzień?

– Doświadczenia. W większości drobne projekty. Czasami pomagam przy czymś większym.

Rothen postawił tacę na stole i usiadł.

– Opowiedz jej o prasie drukarskiej do zapisu myśli – zaproponował.

– Och, to taki mój konik. – Dannyl machnął lekceważąco ręką. – Nikogo to nie interesuje.

– A co to takiego? – spytała Sonea.

– Sposób na przelewanie myśli na papier.

Oczy Sonei rozbłysły zainteresowaniem.

– Coś takiego jest możliwe?

Dannyl wziął z rąk Rothena filiżankę sumi.

– Nie, jeszcze nie. Wielu magów czyniło próby przez stulecia, ale nie wynaleziono substancji, która byłaby zdolna utrwalić obraz. – Przerwał, aby pociągnąć łyk gorącego napoju. – Mnie udało się wynaleźć specjalny papier z liści anivopu, który może zachować obraz przez kilka dni, ale jego krawędzie ciemnieją, a kolory tracą intensywność po zaledwie dwu godzinach. Tymczasem obraz powinien być trwały.

– A po co w ogóle taki obraz?

Dannyl wzruszył ramionami.

– Chociażby do identyfikowania ludzi. Przydałby się na przykład wtedy, gdy szukaliśmy ciebie. Z nas wszystkich widział cię jedynie Rothen. Gdyby miał możliwość wydrukowania twojego portretu, moglibyśmy pokazywać go ludziom.

Sonea pokiwała głową.

– Jak wyglądają te obrazy, kiedy tracą kolory?

– Są blade. I zamazane. Ale czasem można zobaczyć, co przedstawiały.

– Czy… czy mogłabym coś takiego zobaczyć?

Dannyl uśmiechnął się.

– Oczywiście. Chętnie ci pokażę.

Sonea wpatrywała się w niego z pełnym zachwytu zaciekawieniem. Gdyby Dannyl przeprowadził swój eksperyment tu na miejscu, pomyślał Rothen, dziewczyna mogłaby zobaczyć to na własne oczy. Rozejrzał się po pokoju i wyobraził sobie bałagan związany z przenoszeniem wszystkich tych fiolek i pras z salonu Dannyla do jego…

– Jestem przekonany, że Dannyl nie będzie miał nic przeciwko temu, żebyśmy przeszli do jego mieszkania na ten pokaz – powiedział.

Dannyl otworzył szeroko oczy ze zdumienia.

– Teraz?

Rothen otworzył usta, żeby uspokoić przyjaciela, po czym zawahał się. Sonea patrzyła na nich pytająco. Przyjrzał się obojgu z uwagą.

Dannyl najwyraźniej wcale jej nie onieśmielał. Z nich dwojga to ona sprawiała wrażenie osoby mniej przejmującej się obecnością tego drugiego. Mieszkanie Dannyla znajdowało się na niższym piętrze Domu Magów, a więc nie będą musieli chodzić daleko.

– A czemu nie? – odparował.

~ *Jesteś pewny, że to dobry pomysł?* ~ dotarła do niego myśl Dannyla.

Sonea natychmiast zwróciła na niego wzrok. Rothen zignorował mentalne pytanie i spojrzał jej w oczy.

– Masz na to ochotę?

– Tak – odpowiedziała, patrząc na Dannyla. – Jeśli nie masz nic przeciwko.

– Bynajmniej. – Dannyl rzucił spojrzenie na Rothena. – Chodzi tylko o to, że… u mnie jest nieco bałaganu.

– Nieco? – Rothen uniósł do ust filiżankę, by dopić swoje sumi.

– Czyżbyś nie miał służącego? – spytała Sonea.

– Mam – odpowiedział Dannyl. – Ale zabroniłem mu dotykać rzeczy potrzebnych do moich eksperymentów.

Rothen uśmiechnął się.

– Może więc pójdziesz przodem i postarasz się, żebyśmy mieli na czym usiąść.

Dannyl podniósł się z westchnieniem.

– Niech będzie.

Odprowadzając przyjaciela do drzwi, Rothen wyszedł z nim za próg. Dannyl natychmiast odwrócił się twarzą do niego.

– Oszalałeś? Co będzie, jeśli ktoś was zobaczy? – szepnął Dannyl. – Jeśli ktoś dowie się, że wyprowadzasz ją poza swoje mieszkanie, Fergun zacznie krzyczeć, że nie masz prawa jej przed nim ukrywać.

– Wtedy zaproszę go z wizytą – Rothen wzruszył ramionami. – Trzymałem ją w odosobnieniu tylko dlatego, żeby uniknąć jego wizyt wtedy, kiedy każdy nieznajomy mag mógłby wytrącić ją z równowagi. Ale skoro ona jest tak spokojna i pewna siebie w twoim towarzystwie, nie sądzę, żeby przestraszyła się Ferguna.

– Dzięki – powiedział Dannyl sucho.

– Z wyglądu jesteś bardziej przerażający – wyjaśnił Rothen.

– Doprawdy?

– A on jest do tego czarujący – dodał Rothen ze zjadliwym uśmiechem, po czym wskazał ręką na schody. – Idź już. Zejdź na swoje piętro. Kiedy będziesz gotowy, a na korytarzu nikogo nie będzie, daj mi znać. Tylko nie zajmuj się tym sprzątaniem zbyt długo, bo *oboje* pomyślimy, że masz coś do ukrycia.

Kiedy jego przyjaciel pobiegł do swojego mieszkania, Rothen wrócił do pokoju. Sonea stała przy swoim krześle, lekko zarumieniona. Usiadła ponownie, gdy zbierał naczynia ze stołu.

– Nie wygląda na to, żeby on chciał u siebie gości – powiedziała niepewnie.

– Ależ chce – zapewnił ją Rothen. – Po prostu nie lubi niespodzianek.

Podniósł tacę i zaniósł ją na stolik pod ścianą, po czym wyjął z szuflady kartkę papieru i napisał na niej kilka słów do Tani, żeby wiedziała, gdzie są. Kiedy skończył, usłyszał, że Dannyl wywołuje jego imię.

~ *Zrobiłem tu nieco miejsca. Czekam.*

Sonea podniosła się i spojrzała wyczekująco na Rothena. Mag podszedł z uśmiechem do drzwi i otworzył je na oścież. Jej oczy błyszczały, gdy wychodziła na zewnątrz, omiatając wzrokiem korytarz i niezliczone drzwi.

– Ilu magów tu mieszka? – zapytała, gdy ruszyli w stronę schodów.

– Ponad osiemdziesięciu – odpowiedział – a także ich rodziny.

– Czyli oprócz magów są tu inni ludzie?

– Owszem, ale jedynie współmałżonkowie i dzieci. Innym krewnym nie wolno tu mieszkać.

– Dlaczego?

Odchrząknął.

– Gdyby mieszkali tu wszyscy krewni wszystkich magów, musielibyśmy włączyć do terenu Gildii cały Wewnętrzny Krąg.

– Jasne – odpowiedziała. – A co się dzieje z dziećmi, kiedy dorosną?

– Jeśli mają zdolności magiczne, zazwyczaj wstępują do Gildii. Jeśli nie, muszą odejść.

– Dokąd się udają?

– Do krewnych w mieście.

– W Wewnętrznym Kręgu.

– Owszem.

Zastanowiła się nad tym przez chwilę, po czym spojrzała znów na niego.

– Czy magowie mieszkają również w mieście?

– Niewielu. Nie jest to dobrze widziane.

– Dlaczego?

Uśmiechnął się do niej krzywo.

– Jak być może pamiętasz, powinniśmy mieć się wzajemnie na oku, żeby unikać zbytniego zaangażowania w politykę i zapobiegać spiskom przeciwko Królowi. To znacznie trudniejsze, gdy wielu z nas mieszka poza Gildią.

– Dlaczego więc niektórym wolno?

Doszli właśnie do końca korytarza i zaczęli schodzić spiralną klatką schodową, Rothen przodem, Sonea za nim.

– Z różnych powodów, wszystko zależy od konkretnego przypadku. Czasem jest to podeszły wiek, czasem choroba.

– A czy zdarzają się magowie, którzy nie wstępują do Gildii? Uczą się tylko kontroli, ale nie posługiwania się magią?

Przecząco pokręcił głową.

– Nie. Moc tych chłopców i dziewcząt, którzy do nas przychodzą, jeszcze nie została wyzwolona, a dopiero wtedy można się nauczyć kontroli. Pamiętaj, że jesteś wyjątkowa, jeśli chodzi o to, że twoja moc rozwinęła się samorzutnie.

Zamyśliła się.

– A czy ktoś kiedykolwiek odszedł z Gildii?

– Nie.

Rozważała tę odpowiedź w napięciu. Z dołu dobiegł ją głos Dannyla, a potem kogoś jeszcze. Rothen zwolnił kroku, dając jej czas na oswojenie się z myślą o obecności jeszcze jednego maga.

Sonea uskoczyła w bok, gdy tamten pojawił się szybując w górę schodów, z nogami zawieszonymi w powietrzu. Rozpoznając maga, Rothen uśmiechnął się.

– Dobry wieczór, Mistrzu Garrelu.

– Dobry wieczór – odpowiedział mag, unosząc nieznacznie brwi na widok Sonei.

Sonea gapiła się na niego szeroko otwartymi oczami. Kiedy stopy Garrela osiągnęły poziom wyższego piętra, mag opadł na posadzkę korytarza. Rzucił Sonei pobieżne, choć zaciekawione spojrzenie i poszedł w swoją stronę.

– Lewitacja – wyjaśnił Sonei Rothen. – Robi wrażenie, co? Nie potrzeba do tego wielkiego talentu. Prawie połowa z nas to umie.

– Ty też? – spytała.

– Kiedyś to lubiłem – przyznał Rothen – ale ostatnio wyszedłem z wprawy. Dannyl umie.

– Ach, ale ja nie zwykłem się tak popisywać jak Garrel.

U podnóża schodów czekał już na nich Dannyl.

– Wolę używać nóg – powiedział Sonei Rothen. – Mój mentor zwykł mawiać, że ćwiczenia fizyczne są równie ważne jak umysłowe. Jeśli zaniedbasz ciało...

– ...to zaniedbasz również umysł – dokończył Dannyl z szerokim uśmiechem. – Jego mentor był mądrym i prawym człowiekiem – oświadczył Sonei, gdy przystanęła obok niego. – Mistrz Margen nie uznawał nawet wina.

– I dlatego zapewne *ty* nigdy za Margenem nie przepadałeś – zauważył ze śmiechem Rothen.

– Mentor? – powtórzyła Sonea.

– To taki zwyczaj – wyjaśnił. – Mistrz Margen postanowił zająć się moją edukacją, gdy byłem nowicjuszem, a ja potem przyjąłem pod opiekę Dannyla.

Zrównała z nim krok, kiedy ruszył w kierunku mieszkania Dannyla.

– Na czym polegała ta twoja opieka?

Rothen wzruszył ramionami.

– Na różnych rzeczach. Przede wszystkim starałem się uzupełniać braki w jego wiedzy. Część z nich powstała na skutek zaniedbań innych nauczycieli, a niektóre były wynikiem jego lenistwa i braku entuzjazmu.

Sonea rzuciła spojrzenie na Dannyla, który potakiwał z uśmiechem.

– Pomagając mi w pracy, Dannyl nauczył się więcej z doświadczenia, niż zdołałby nauczyć się na lekcjach. Zasada opieki ma na celu pomoc nowicjuszowi w tym, żeby się wyróżnił.

– Wszyscy nowicjusze mają mentorów?

Rothen pokręcił głową.

– Nie. To nie jest powszechne. Nie wszyscy magowie mają czas lub ochotę brać odpowiedzialność za naukę nowicjusza. Tylko ci, którzy już się wyróżniają, otrzymują opiekę mentora.

Uniosła brwi.

– Dlaczego więc… – zmarszczyła czoło i potrząsnęła głową.

Dannyl doszedł do drzwi i dotknął ich lekko. Uchyliły się do wnętrza, z którego uniósł się na korytarz lekki zapach chemikaliów.

– Witajcie – powiedział Dannyl, wprowadzając ich do środka.

Salon był tej samej wielkości, co w mieszkaniu Rothena, w połowie jednak zapełniały go stoły. Na ich blatach stały najrozmaitsze dziwaczne urządzenia, a pod nimi upchnięto pudła. Praca Dannyla była jednak porządnie poukładana i zorganizowana.

Sonea rozglądała się po pokoju, najwyraźniej zainteresowana. Mimo że Rothen bywał często w mieszkaniu Dannyla, obecność alchemicznych eksperymentów w mieszkaniu zawsze wydawała mu się dziwaczna. Wiedział jednak, że przestrzeń w budynku Uniwersytetu jest ograniczona, toteż wielu magów, którzy podobnie jak Dannyl zajmowali się własnymi doświadczeniami, przenosiło się z tym do prywatnych kwater.

Rothen westchnął.

– Chyba rozumiem, dlaczego Ezrille tak rozpaczliwie szuka ci żony, Dannylu.

Jego przyjaciel jak zwykle skrzywił się na te słowa.

– Jestem za młody na ożenek.

– Bzdura – odparował Rothen. – Po prostu nie masz miejsca na żonę.

Dannyl uśmiechnął się i skinął na Soneę. Podeszła bliżej do stołów i słuchała wyjaśnień dotyczących eksperymentów. Następnie Dannyl podał jej kilka wyblakłych obrazków, a ona przyjrzała się im dokładnie.

– To się da zrobić – zakończył młody mag. – Chodzi tylko o to, żeby obraz przestał tak szybko znikać.

– A nie mógłbyś dać tego do skopiowania jakiemuś malarzowi, zanim zblaknie? – spytała.

– Mógłbym – zastanowił się Dannyl. – To byłoby jakieś obejście problemu, jak sądzę. Musiałby to jednak być dobry malarz. I szybki.

Oddała mu próbki i przeszła ku oprawionej mapie wiszącej na ścianie.

– Nie masz obrazów – powiedziała, rozglądając się po pokoju. – Same mapy.

– Aha – powiedział Dannyl. – Zbieram stare mapy i plany miast.

Podeszła do następnej.

– To jest Gildia.

Rothen zbliżył się do niej. Plan był dokładnie opisany czytelnym pismem najsłynniejszego architekta Gildii, Mistrza Corena.

– My jesteśmy tutaj – wskazał Dannyl. – W Domu Magów. – Jego palec prześlizgnął się po mapie ku podobnemu prostokątowi. – A to jest Dom Nowicjuszy. Mieszkają w nim wszyscy studenci, którzy pobierają nauki w Gildii, nawet jeśli mają domy w mieście.

– Dlaczego?

– Żebyśmy mogli uprzykrzać im życie – odparł Dannyl.

Sonea rzuciła mu badawcze spojrzenie, po czym prychnęła cicho.

– Przybywając tutaj, nowicjusze uwalniają się od wpływów swoich rodzin – Rothen pospieszył z wyjaśnieniem. – Musimy odciągnąć ich od drobnych intryg, w które zamieszane są Domy.

– Mnóstwo nowicjuszy nigdy wcześniej nie musiało wstawać z łóżek przed południem – dodał Dannyl. – Są więc kompletnie zbici z tropu, kiedy dowiadują się, jak wcześnie zaczynają się lekcje. Gdyby mieszkali w swoich domach, nigdy nie dotarliby tu na czas.

Wskazał okrągłą budowlę zaznaczoną na planie.

– To Dom Uzdrowicieli. Niektórzy z nich tam mieszkają, ale większość budynku przeznaczona jest na sale szpitalne i wykładowe. – Teraz jego palec powędrował ku mniejszemu kółku pośrodku ogrodów. – A to jest Arena Gildii. Tu Wojownicy ćwiczą się w sztukach walki. Otacza ją tarcza podtrzymywana na masztach, pochłaniająca magię używaną w środku i chroniąca wszystko, co znajduje się na zewnątrz. Wszyscy od czasu do czasu dodajemy naszej mocy do tej tarczy, żeby zapewnić jej ciągłe funkcjonowanie.

Sonea wpatrywała się w plan, wodząc oczami za palcem Dannyla, który zmierzał właśnie ku budynkowi wijącemu się w pobliżu Domu Magów.

– Tu są Łaźnie. Zbudowano je w miejscu, gdzie niegdyś biegł strumyk wypływający ze źródła w lesie. Wodę skierowano rurami do budynku, żeby można było napełniać

nią wanny i podgrzewać. A ta budowla obok to Siedmiołuk. Znajdują się tam sale służące rozrywkom.

– A co to są Rezydencje? – spytała Sonea, pstrykając
palcem w napis towarzyszący strzałce wskazującej poza
mapę.

– Kilka niewielkich domków, w których mieszkają naj-
starsi magowie – odpowiedział Dannyl. – Popatrz tutaj, są
na tej starszej mapie.

Przeszli przez pokój ku pożółkłemu planowi miasta, na
którym Dannyl wskazał rządek małych kwadracików.

– Tu, obok starego cmentarza.

– Na tej mapie na terenie Gildii jest znacznie mniej zabudowań – zauważyła Sonea.

Dannyl roześmiał się.

– Ta mapa ma ponad trzysta lat. Nie mam pojęcia, ile
wiesz o historii Kyralii. Słyszałaś o wojnie sachakańskiej?

Sonea przytaknęła.

– Gdy wojna się skończyła, z Imardinu pozostało niewiele. A kiedy odbudowywano miasto, wielkie Domy po-
stanowiły wyznaczyć mu nowy plan. Jak widzisz, zbudowano je na planie koncentrycznych kół. – Dannyl wskazał
sam środek mapy. – Na początek zbudowano mur wokół
tego, co pozostało z Pałacu Królewskiego, a następnie drugi,
który miał otoczyć miasto. Mur Zewnętrzny został wznie-
siony kilkadziesiąt lat później i wtedy właśnie stare miasto
nazwano Wewnętrznym Kręgiem, a nowy obszar podzie-
lono na cztery dzielnice.

Teraz Dannyl obwiódł palcem zarys terenów Gildii.

– Całą Dzielnicę Wschodnią oddano w posiadanie magom w dowód wdzięczności za odparcie sachakańskich
najeźdźców. To nie była przypadkowa decyzja – dodał. –
Zarówno Pałac, jak i Krąg Wewnętrzny czerpały wówczas

wodę właśnie stąd, a zatem budowa Gildii wokół źródła zmniejszała niebezpieczeństwo zatrucia wody, co zdarzało się podczas wojny.

Palec Dannyla powędrował ku niewielkiemu prostokątowi na terenie Gildii.

– Pierwszą budowlą, która tu powstała, była obecna Rada Gildii – ciągnął młody mag. – Wzniesiono ją z miejscowego szarego kamienia. Mieściły się w niej zarówno kwatery magów, jak i ich uczniów, a także sale wykładowe i sala posiedzeń. Wedle ksiąg historycznych wśród naszych poprzedników panował duch jedności. Dzieląc się wiedzą, odkrywali nowe sposoby kształtowania i zastosowania magii. Nie trzeba było wiele czasu, by Gildia stała się największą i najpotężniejszą szkołą magów w znanym świecie.

Uśmiechnął się.

– I rozrastała się dalej. Kiedy Lonmar, Elyne, Vin, Lan i Kyralia zawiązały Przymierze, wpisano w nie postanowienie, że to tu będą się szkolić magowie ze wszystkich Ziem Sprzymierzonych. I nagle okazało się, że stara siedziba nie jest wystarczająco obszerna, trzeba więc było ją rozbudować.

Sonea zmarszczyła brwi.

– Co dzieje się z magami z innych krain, kiedy zakończą naukę?

– Zazwyczaj wracają w rodzinne strony – odpowiedział Rothen. – Niektórzy jednak pozostają.

– To w jaki sposób macie ich na oku?

– Mamy we wszystkich krajach swoich ambasadorów, którzy śledzą działalność zagranicznych magów – wyjaśnił Dannyl. – Tak jak my składamy przysięgę na wierność Królowi i Kyralii, oni przysięgają swoim władcom.

Wzrok dziewczyny powędrował ku wiszącej tuż obok mapie obejmującej większy obszar.

– To chyba niezbyt roztropne uczyć magów z innych krajów. Co będzie, jeśli napadną na Kyralię?

Rothen uśmiechnął się.

– Gdybyśmy nie przyjmowali ich do Gildii, założyliby własne szkoły, jak bywało w przeszłości. Czy będziemy ich uczyć, czy nie, nie zapobiegniemy inwazji, ale w ten sposób przynajmniej mamy kontrolę nad tym, czego ich uczymy. Ponieważ dajemy im takie samo wykształcenie jak naszym ludziom, widzą, że nie są gorzej traktowani.

– A poza tym nie odważyliby się na nas najechać – wtrącił się Dannyl. – Magia jest mocna w Kyralii. Rodzi się u nas więcej magów niż wśród innych nacji, no i są oni zazwyczaj potężniejsi.

– Najsłabsi są Vinowie i Lanowie – dodał Rothen – dlatego rzadko się ich tu spotyka. Mamy więcej nowicjuszy z Lonmaru i Elyne, ale nieczęsto ich moc jest duża.

– Sachakanie bywali potężnymi magami. – Dannyl wpatrywał się w mapę. – Ale wojna położyła temu kres.

– A to czyni z nas najpotężniejszą nację w tym regionie – zakończył Rothen.

Sonea zmrużyła oczy.

– Dlaczego więc Król nie najedzie innych krajów?

– Właśnie dlatego zostało ustanowione Przymierze, aby zapobiegać podobnym wypadkom – odparł Rothen. – Jak słusznie mi przypomniałaś podczas naszej pierwszej rozmowy, Król Palen odmówił z początku jego podpisania. Ale Gildia ostrzegła go, że magowie mogą przestać trzymać się z dala od polityki, jeśli Król tego nie uczyni.

Na jej ustach pojawił się cień uśmiechu.

– A co powstrzymuje pozostałe kraje od wojny?

Rothen westchnął.

– Głównie dyplomacja, która jednak nie zawsze jest skuteczna. Odkąd zawiązano Przymierze, zdarzały się pomniejsze utarczki. Taka sytuacja jest zawsze niezręczna dla Gildii. Konflikty najczęściej dotyczą granic, więc...

Przerwał, słysząc nieśmiałe pukanie. Rzucił Dannylowi pytające spojrzenie, a z wyrazu twarzy przyjaciela poznał, że obaj myśleli o tym samym. Czy wiadomość o tym, że Sonea opuściła mieszkanie Rothena, dotarła już do Ferguna?

– Spodziewasz się kogoś?

Dannyl pokręcił głową i podszedł do drzwi. Gdy je uchylił, Rothen odetchnął z ulgą na dźwięk głosu Tani.

– Przyniosłam posiłek – powiedziała pokojówka, wchodząc do pokoju. Za nią zjawiło się dwóch innych służących, którzy wnieśli tace. Postawili je na stole, ukłonili się i wyszli.

Zapach jedzenia wypełnił pokój, wywołując zachwyt Dannyla.

– Nie sądziłem, że minęło tyle czasu – powiedział.

Rothen spojrzał na Soneę.

– Głodna?

Potaknęła, wpatrując się w jedzenie.

Uśmiechnął się na ten widok.

– W takim razie wystarczy lekcji historii na dziś. Lepiej coś zjedzmy.

ROZDZIAŁ 24

PYTANIA BEZ ODPOWIEDZI

Danyl dotarł do końca korytarza Uniwersytetu i przystanął, widząc otwierające się drzwi gabinetu Administratora. Wyszła z nich odziana na niebiesko postać i ruszyła w stronę głównego holu.

– Administratorze! – zawołał Dannyl.

Lorlen zatrzymał się i obrócił w kierunku głosu. Na widok zbliżającego się Dannyla na jego twarz wypłynął uśmiech.

– Dzień dobry, Mistrzu Dannylu.

– Właśnie szedłem do ciebie. Masz może chwilkę?

– Oczywiście, ale niezbyt długą.

– Dziękuję. – Dannyl pocierał powoli dłonie. – Zeszłej nocy otrzymałem list od pewnego Złodzieja, który pyta mnie, czy wiem coś o miejscu pobytu młodzieńca, który towarzyszył Sonei, gdy się przed nami ukrywała. Pomyślałem, że to mógł być ten chłopak, który usiłował ją uwolnić.

Lorlen potaknął.

– Wielki Mistrz otrzymał podobny list.

Dannyl zamrugał ze zdziwienia.

– Złodziej skontaktował się z nim osobiście?

– Tak. Akkarin zapewnił tego Gorina, że da mu znać, jak tylko znajdziemy chłopaka.

– W takim razie ja wyślę taką samą odpowiedź.

Lorlen zmrużył nieznacznie oczy.

– Czy to jest pierwszy przypadek kontaktu Złodziei z tobą, odkąd schwytaliśmy Soneę?

– Tak – Dannyl skrzywił się żałośnie. – Zakładałem, że już nigdy nie będę miał z nimi do czynienia. Ten list był dość zaskakujący.

Lorlen uniósł brwi.

– Wszystkich nas zdziwiła wiadomość, że w ogóle z nimi rozmawiałeś.

Dannyl poczuł, że się czerwieni.

– Nie wszystkich. Wielki Mistrz wiedział, choć nie mam pojęcia, skąd.

Lorlen odpowiedział uśmiechem.

– Akurat *to* mnie nie dziwi. Akkarin często zdaje się niezainteresowany, ale nie znaczy to, że nie zwraca uwagi na to, co się wokół dzieje. Wie więcej niż ktokolwiek inny o wszystkim tu i w mieście.

– Ale ty musisz mieć większą wiedzę w sprawach Gildii.

Lorlen pokręcił głową.

– On wie znacznie więcej ode mnie… – urwał. – Właśnie idę na spotkanie z nim. Czy chciałbyś, żebym go o coś zapytał w twoim imieniu?

– Nie – odpowiedział pospiesznie Dannyl. – Muszę już iść. Dziękuję za poświęcony mi czas, Administratorze.

Lorlen skinął mu głową, odwrócił się i odszedł. Dannyl ruszył korytarzem w przeciwną stronę i wkrótce znalazł się w tłumie magów i nowicjuszy. Za chwilę miały się rozpocząć poranne wykłady, budynek kipiał więc ruchem.

Dannyl zastanowił się ponownie nad listem Złodzieja. Wyczuł w nim ukryte oskarżenie, jakby Gorin podejrzewał, że Gildia stoi za zniknięciem chłopaka. Dannyl nie sądził, aby Złodziej upatrywał w Gildii źródła wszystkich swoich nieszczęść jak przeciętny bylec, ani też aby zwracał się bez powodu do Wielkiego Mistrza. A zatem Gorin musi uważać, że Gildia ma możliwość odnalezienia jego człowieka. Dannyl roześmiał się, gdy dotarła do niego ironia sytuacji. Złodzieje pomagali Gildii znaleźć Soneę, a teraz żądają takiej samej przysługi. Zastanawiał się, czy zaoferują równie wysoką nagrodę.

Dlaczego jednak Gorin sądzi, że Gildia może wiedzieć, gdzie jest chłopak? Dannyl przystanął, kiedy objawiła mu się odpowiedź.

Sonea.

Jeśli jednak Gorin wierzy, że Sonea wie, gdzie znajduje się jej przyjaciel, to czemu nie stara się skontaktować z nią osobiście? Może obawia się, że nie będzie chciała z nim rozmawiać. W końcu, jakkolwiek by na to patrzeć, Złodzieje *wydali* ją Gildii.

A jej towarzysz mógł mieć powody do zniknięcia.

Dannyl potarł czoło. Mógłby zapytać Soneę, czy coś o tym wie, ale jeśli ona nie ma pojęcia, że jej przyjaciel zaginął, może ją zmartwić. Może zacząć podejrzewać Gildię o udział w jego zniknięciu. A to zniszczyłoby wszystko, co Rothen zdołał osiągnąć.

Wśród nowicjuszy mignęła znajoma twarz i Dannyl poczuł lekkie ukłucie strachu, ale Fergun go nie zauważył. Kątem oka Dannyl zarejestrował, że Wojownik szybkim krokiem skierował się w boczny korytarz.

To zaskoczyło go tak bardzo, że przystanął. Co tak zajmowało Ferguna, że nawet nie dostrzegł starego wroga? Wrócił się parę kroków, zajrzał w odnogę korytarza i pochwycił odblask czerwonych szat, zanim Wojownik znikł za następnym rogiem.

Fergun niósł coś w rękach. Dannyl zatrzymał się w przejściu, czując pokusę udania się za nim. Jako nowicjusz nie tracił żadnej okazji, by poznać drobne tajemnice Ferguna.

Ale nie był już nowicjuszem, a Fergun wygrał tę wojnę lata temu. Dannyl wzruszył ramionami i ruszył korytarzem ku sali wykładowej Rothena. Lekcje miały się rozpocząć za niecałe pięć minut, nie było więc czasu na szpiegowanie.

Po tygodniu spędzonym w ciemności zmysły Cery'ego wyostrzyły się. Uszy słyszały odgłosy owadzich nóg, a palce wyczuwały drobne nierówności w miejscach, gdzie rdza wżerała się w szpikulec, który wyciągnął ze szwu swojego płaszcza.

Naciskając kciukiem na ostrze, Cery czuł wzbierający w nim gniew. Mag, który go tu uwięził, powracał jeszcze dwa razy z jedzeniem i wodą. Za każdym razem Cery usiłował dowiedzieć się, jakie są powody jego aresztowania.

Jednak wszelkie wysiłki mające na celu wciągnięcie Ferguna do rozmowy spełzły na niczym. Cery prosił, żądał, a nawet błagał o wyjaśnienia, ale mag jakby w ogóle go nie słyszał. *To nie w porządku*, pomyślał Cery. Czy to przez pomyłkę, czy to w przechwałkach, czarny charakter powinien wyjawić swoje plany.

Do jego uszu dotarł cichutki stukot. Uniósł głowę i skoczył na równe nogi, kiedy dźwięk okazał się odgłosem kroków. Dzierżąc mocno swój szpikulec, skrył się za drzwiami i czekał.

Kroki zatrzymały się przed wejściem. Cery usłyszał brzęk zasuwy, a następnie drzwi zaczęły uchylać się do wnętrza. Ukazała się kula światła, oświetlając pusty talerz, który pozostawił na progu. Mag nachylił się, żeby podnieść naczynie, po czym zatrzymał się i obrócił ku spodniom i płaszczowi, które wystawały spod koca w kącie pomieszczenia.

Cery skoczył i wbił ostrze w plecy Ferguna, celując w serce.

Szpikulec trafił na coś twardego i wysunął mu się z ręki. Mag obrócił się szybko, a niewidzialna siła uderzyła Cery'ego w pierś i odrzuciła do tyłu. Usłyszał głuchy stuk, gdy uderzył o ścianę, a następnie poczuł przeszywający ból w ramieniu. Skulił się na ziemi, ochraniając rękę i jęcząc.

Za sobą usłyszał przeciągłe, udręczone westchnienie.

– To było głupie. Zobacz, do czego mnie zmusiłeś.

Fergun stał nad nim ze skrzyżowanymi rękami. Zaciskając zęby, Cery rzucił magowi wyzywające spojrzenie.

– Tak mi dziękujesz po tym, jak zadałem sobie trud przyniesienia ci koca? – Fergun pokręcił głową, po czym przykucnął.

Próba cofnięcia się wywołała jedynie kolejną falę bólu. Cery stłumił krzyk, kiedy Fergun chwycił go za nadgarstek zranionej ręki. Usiłował się wyrwać, ale każdy ruch oznaczał niewyobrażalny ból.

– Złamana – mruknął mag. Jego wzrok jakby skupił się na czymś daleko poza zakurzoną podłogą. Ból nagle osłabł, a po ręce Cery'ego rozlało się ciepło.

Zdając sobie sprawę z tego, że jest to leczenie, Cery zmusił się do pozostania bez ruchu. Wpatrywał się uważnie w Ferguna, zauważając ostre rysy i wąskie usta. Jasne włosy, zazwyczaj zaczesane do góry, opadały teraz na twarz mężczyzny.

Cery wiedział, że zapamięta tę twarz na całe życie. *Kiedyś zemszczę się na tobie*, pomyślał. *A jeśli zrobiłeś krzywdę Sonei, twoja śmierć będzie powolna i bolesna.*

Mag zamrugał i puścił rękę Cery'ego. Wstał, skrzywił się i przetarł czoło ręką.

– Nie jest całkiem wyleczona. Nie zamierzam tracić dla ciebie całej mojej mocy. Uważaj na nią, bo inaczej kość znowu pęknie. – Fergun zmrużył oczy. – Jeśli znów spróbujesz podobnych sztuczek, będę musiał cię związać… żebyś przestał robić *sobie* krzywdę, oczywiście.

Spojrzał w dół. Talerz, który przyniósł, leżał rozbity na podłodze, a jedzenie rozsypało się dookoła. Bukłak upadł nieopodal, a przez szparę koło korka wyciekała powoli woda.

– Na twoim miejscu nie pozwoliłbym się temu zmarnować – powiedział. Pochylił się, podniósł szpikulec Cery'ego i wymaszerował z pokoju.

Kiedy drzwi się za nim zamknęły, Cery położył się z jękiem na plecach. Czy naprawdę liczył na to, że uda mu się zabić maga zwykłym ostrzem? Delikatnie przejechał palcami po złamanej ręce. Tylko lekko mrowiła.

Zapach świeżego chleba był bardzo kuszący w ciemności; Cery poczuł, że burczy mu w brzuchu. Westchnął na myśl o rozsypanym jedzeniu. Jedyną miarą mijającego czasu stał się głód i Cery szacował, że mag odwiedzał go co jakieś dwa dni, lub nawet rzadziej. Jeśli nie będzie jadł, osłabnie. A jeszcze gorsza była myśl o pełzających stworzeniach, które zapach jedzenia może przyciągnąć z kąta, w którym załatwiał swoje potrzeby.

Cery podniósł się na kolana, podczołgał do przodu i zaczął obmacywać rękami podłogę.

Sonea wstrzymała oddech na widok wchodzącego do pokoju maga ubranego na niebiesko. Wysoki, szczupły, z włosami związanymi w węzeł na karku, mógł być tym zabójcą, którego widziała w podziemiach domu Wielkiego Mistrza. W tym momencie niebieski mag odwrócił się i dostrzegła, że jego rysy nie są tak ostre jak tamtego.

– To jest Administrator Lorlen – przedstawił przybysza Rothen.

Skinęła magowi głową.

– Jestem zaszczycona.

– To zaszczyt dla mnie poznać ciebie, Soneo – odpowiedział mag.

– Usiądźcie, proszę. – Rothen wskazał im fotele.

Kiedy zasiedli, Tania podała ten gorzki napar, który najwyraźniej był ulubionym napojem magów. Sonea wzięła zamiast tego szklankę wody i obserwowała, jak Administrator sączy sumi ze swojej filiżanki. Uśmiechnął się z zadowoleniem, ale gdy przeniósł na nią wzrok, na powrót spoważniał.

– Rothen obawiał się, że mogłabyś się przestraszyć, gdybym cię odwiedził zaraz po twoim tutaj przybyciu – zwrócił się do niej. – Musisz mi zatem wybaczyć, że nie powitałem cię wcześniej. Jako Administrator Gildii chcę cię oficjalnie przeprosić za kłopoty i strach, jakiego ci przysporzyliśmy. Czy rozumiesz teraz, dlaczego musieliśmy cię znaleźć?

Sonea poczuła, że się rumieni.

– Tak.

– To dla mnie wielka ulga – powiedział, uśmiechając się do niej. – Chciałbym ci zadać kilka pytań, a jeśli ty też pragniesz czegoś dowiedzieć, nie wahaj się. Jak idą twoje lekcje kontroli?

Sonea zerknęła w stronę Rothena, który skinął zachęcająco głową.

– Myślę, że idzie mi nieźle – odpowiedziała. – Testy są coraz łatwiejsze.

Administrator zamyślił się przez chwilę nad tą odpowiedzią, kiwając powoli głową.

– To trochę jak nauka chodzenia – powiedział. – Z początku musisz o tym myśleć, ale kiedy już nieco poćwiczysz, myślenie staje się niepotrzebne.

– Tyle że nie chodzi się we śnie – zauważyła.

– Zazwyczaj nie – roześmiał się Administrator, po czym znów zrobił poważną minę. – Rothen mówił mi, że nie chcesz z nami zostać. Czy to prawda?

Sonea potaknęła.

– Wolno zapytać o powód takiej decyzji?

– Chcę wrócić do domu – odrzekła.

Pochylił się ku niej.

– Nie zabronimy ci widywać się z rodziną i przyjaciółmi. Mogłabyś odwiedzać ich w Dni Wolne.

Pokręciła głową.

– Wiem. Ale i tak nie chcę tu zostawać.

Skinął głową i rozparł się wygodnie w fotelu.

– Będziemy bardzo żałować utraty kogoś o takich możliwościach – powiedział. – Jesteś pewna, że chcesz zrezygnować ze swojej mocy?

Serce podskoczyło jej do gardła na wspomnienie słów Ferguna.

– *Zrezygnować ze swojej mocy?* – powtórzyła powoli, zerkając na Rothena. – Rothen inaczej o tym mówił.

Administrator uniósł brwi.

– A co takiego ci powiedział?

– Że nie będę zdolna jej użyć, bo nie będę wiedziała, jak.

– Myślisz, że potrafiłabyś sama się tego nauczyć?

Zawahała się.

– A potrafiłabym?

– Nie – Administrator uśmiechnął się. – To, co powiedział ci Rothen, jest prawdą – dodał. – Ale wiedząc, że powodzenie twoich lekcji zależy od wzajemnego zaufania między wami, postanowił pozostawić mnie wyjaśnienie zasad, wedle których wolno zwolnić maga z Gildii.

Serce zabiło jej mocniej, kiedy uświadomiła sobie, że oto ten człowiek zamierza potwierdzić słowa Ferguna.

– Prawo stanowi, że każdy mężczyzna i każda kobieta posiadający czynną moc magiczną muszą albo wstąpić do Gildii, albo pozwolić związać tę moc – ciągnął. – Blokady nie da się ustanowić przed osiągnięciem pełnej kontroli, kiedy jednak zostanie już założona, całkowicie uniemożliwia posługiwanie się magią w jakikolwiek sposób.

W ciszy, jaka zaległa po tych słowach, dwóch magów wpatrywało się w nią w napięciu. Odwróciła wzrok, unikając ich spojrzeń.

A zatem Rothen istotnie *ukrywał* coś przed nią.

Rozumiała jednak powody, dla których tak uczynił. Wiedza, że magowie będą musieli zamieszać jej w umyśle, nie pozwoliłaby jej zaufać mu.

Tym niemniej Fergun miał rację...

– Czy masz jakieś pytania, Soneo? – spytał Lorlen.

Zawahała się, przypomniawszy sobie, co jeszcze mówił jej Fergun.

– To związanie... to boli?

Pokręcił głową.

– Nic nie poczujesz. Gdybyś potem chciała użyć magii, możesz mieć wrażenie oporu, ale ono nie jest bolesne. A ponieważ nie nawykłaś do posługiwania się mocą, wątpię, czy w ogóle zauważysz blokadę.

Sonea przytaknęła z namysłem. Administrator przyglądał się jej w milczeniu, po czym uśmiechnął się.

– Będę próbował przekonać cię do pozostania – powiedział. – Na razie pragnę cię jedynie zapewnić, że jeśli tylko zechcesz, jest tu dla ciebie miejsce. Czy masz jeszcze jakieś pytania?

Sonea potrząsnęła głową przecząco.

– Nie. Dziękuję, Administratorze.

Wstał z szelestem szat.

– Muszę już wracać do moich obowiązków. Przyjdę jeszcze do ciebie, Soneo. Może uda nam się dłużej porozmawiać.

Skinęła mu głową na pożegnanie i patrzyła, jak Rothen odprowadza go do drzwi. Kiedy się zamknęły, Rothen odwrócił się do niej.

– Co sądzisz o Lorlenie?

Zastanowiła się przez chwilę nad odpowiedzią.

– Wygląda sympatycznie, ale jest strasznie sztywny.

Rothen stłumił chichot.

– Owszem, zdarza mu się to.

Przeszedł do swojej sypialni i wrócił ubrany w płaszcz. Sonea przypatrywała mu się zaskoczona. Przez ramię miał przewieszone drugie okrycie.

– Wstań – powiedział. – Chcę zobaczyć, czy będzie na ciebie pasował.

Podniosła się i pozwoliła mu otulić się płaszczem. Opadł niemal do podłogi.

– Nieco za długi. Każę go skrócić. Na razie musisz uważać, żeby się nie potknąć.

– To dla mnie?

– Tak. Zamiast tego starego – uśmiechnął się. – Będzie ci potrzebny, na dworze jest całkiem zimno.

Rzuciła mu zdumione spojrzenie.

– Na dworze?

– Tak – odparł. – Pomyślałem, że warto by się przejść. Masz ochotę na spacer?

Potaknęła i odwróciła wzrok; nie chciała, żeby widział jej twarz. Myśl o wyjściu na zewnątrz napełniła ją niezmierzoną tęsknotą. Przebywała w jego mieszkaniu zaledwie od trzech tygodni, ale miała wrażenie, że minęły miesiące.

– Spotkamy się na dole z Dannylem – powiedział, ruszając w stronę drzwi.

– Idziemy teraz?

Potaknął i skinął ręką. Odetchnęła głęboko i podeszła do drzwi.

Inaczej niż poprzednio, korytarz nie był teraz pusty. Kilka kroków na prawo od nich stała para magów, a po lewej stronie Sonea zobaczyła kobietę w zwykłej sukni w towarzystwie dwójki małych dzieci. Wszyscy wpatrywali się w Soneę z zaskoczeniem i ciekawością.

Rothen ukłonił się obserwatorom i skierował się ku klatce schodowej. Sonea ruszyła za nim, opierając się pokusie spojrzenia za siebie. Na schodach nie pojawili się tym razem lewitujący magowie, na dole natomiast czekał na nich znajomy wysoki mężczyzna.

– Dobry wieczór, Soneo – powitał ją Dannyl z uśmiechem.

– Dobry wieczór – odpowiedziała.

Dannyl obrócił się i wskazał szerokim gestem ogromne drzwi u końca korytarza. Powoli otwarły się do środka, wpuszczając podmuch zimnego powietrza.

Za nimi rozpościerał się dziedziniec, który pamiętała z nocnej wycieczki do siedziby Gildii z Cerym. Wtedy była noc, teraz dopiero zapadał zmrok i wszystko wydawało się stłumione i nierealne.

Wychodząc za Rothenem na dwór, poczuła uderzenie mroźnego powietrza. Mimo że zadrżała z zimna, powitała to uczucie z radością. *Jestem na dworze…*

Nagle otoczyło ją ciepło, a powietrze wokół niej lekko zadrżało. Zdumiona rozejrzała się dookoła, ale nie dostrzegła niczego, co mogło spowodować tę zmianę. Rothen przyjrzał się jej uważnie.

– To prosta sztuczka – powiedział. – Magiczna tarcza, która utrzymuje w swoim obrębie ciepło. Możesz wyjść na zewnątrz i wejść z powrotem. Spróbuj.

Cofnęła się o kilka kroków ku drzwiom i poczuła na twarzy zimno. Oddech skroplił się w mgiełkę. Wyciągnęła rękę i sięgnęła z powrotem ku ciepłu.

Rothen posłał jej uśmiech zachęty i pomachał ręką. Wzdrygnęła się i podeszła do niego.

Po lewej stronie wznosiła się tylna ściana Uniwersytetu. Rozglądając się wokół, zdołała zidentyfikować większość budynków, które widziała na mapie w pokoju Dannyla. Jej uwagę przyciągnęła dziwaczna konstrukcja, po drugiej stronie dziedzińca.

– A to co jest?

Rothen spojrzał we wskazanym kierunku.

– To jest Kopuła – odpowiedział. – Wieleset lat temu, zanim zbudowaliśmy arenę, tu odbywało się szkolenie Wojowników. Niestety, jedynymi ludźmi, którzy mogli obserwować to, co się tam działo, byli ci w środku, a zatem nauczyciele musieli być bardzo potężni, aby bronić się przed zbłąkaną magią swoich uczniów. Dlatego zaprzestano ćwiczeń tutaj.

Sonea przyglądała się budowli.

– Wygląda jak wielka kula, która zapadła się w ziemię.

– Tak właśnie było.

– A jak się tam wchodzi?

– Przez przejście podziemne. Są tam drzwi, wyglądające jak wielki okrągły korek, które otwierają się tylko do środka. Ściany są grube na trzy kroki.

Otwarły się drzwi Domu Nowicjuszy. Wypadło z nich trzech opatulonych w płaszcze chłopców. Przebiegli przez dziedziniec, stukając w latarnie ustawione wzdłuż chodnika. Po ich uderzeniach lampy zaczęły się zapalać.

Kiedy już wszystkie latarnie na dziedzińcu płonęły jasnym światłem, chłopcy rozdzielili się i rozbiegli w różnych kierunkach. Jeden wrócił pod frontowe drzwi Domu Nowicjuszy, inny zniknął w ogrodach po drugiej stronie Uniwersytetu, trzeci zaś skoczył między Łaźnie a Dom Magów, skąd prowadziła długa ścieżka ku lasowi.

Dannyl spojrzał pytająco na Rothena. Choć obydwaj magowie żartowali jak starzy przyjaciele, Sonea zauważyła, że Dannyl traktuje swojego byłego mentora z wielkim szacunkiem.

– Dokąd teraz?

Rothen wskazał głową w stronę lasu.

– Tędy.

Sonea trzymała się blisko Rothena, gdy mag przeszedł przez chodnik i skierował się na ścieżkę. Nowicjusz, skończywszy zapalanie latarni, pospieszył z powrotem do domu.

Kiedy przechodzili wzdłuż tylnej ściany Domu Magów, jej uwagę przyciągnął jakiś ruch w jednym z okien. Spojrzała w górę i dostrzegła jasnowłosego maga. Niemal się zatrzymała, kiedy rozpoznała jego twarz. Mężczyzna szybko wycofał się w ciemność. Zamyślona, skierowała uwagę z powrotem na ścieżkę. Nie miała pojęcia, kiedy Fergun wybierał się do niej ponownie z wizytą, ale kiedy to nastąpi, ma mu powiedzieć, czy przyjmuje jego propozycję? Będzie zatem musiała wkrótce podjąć decyzję.

Do czasu spotkania z Lorlenem nie potrafiła ocenić, czy informacje Ferguna są prawdziwe. Chwytała się każdej okazji, by skierować rozmowę z Rothenem na tematy związane z przysięgami i opieką, nie mówiąc już o samym Fergunie, lecz te nie zdarzały się często. Czy mogłaby zapytać wprost, nie budząc jego podejrzeń?

Rothen wyjaśnił jej, na czym polega rola mentora, nie wspomniał jednak, że chciałby się podjąć opieki nad nią. Nie zdziwiłaby się, gdyby uznał, że nie jest jej potrzebna ta wiedza, jeśli nie zdecyduje się zostać.

Kiedy już nauczy się kontroli, będzie miała dwie możliwości: powrócić do slumsów ze związaną mocą albo pomóc Fergunowi w zdobyciu nad nią opieki, żeby powrócić tam z aktywnym talentem magicznym.

Kiedy dotarli do lasu, Sonea wbiła wzrok w labirynt pni. Plan Ferguna budził w niej jakiś niepokój. Niósł ze sobą spory ładunek oszustwa i ryzyka. Będzie musiała udawać, że chce zostać, może nawet skłamać, by zapewnić sobie opiekę Ferguna, złożyć przysięgę z zamiarem jej złamania, a następnie złamać ją – a przy tym prawo królewskie – opuszczając Gildię.

Czyżby tak polubiła Rothena, że sama myśl o tym oszukaniu go, budziła jej sprzeciw? *On jest magiem*, napomniała samą siebie, *jest lojalny wobec Gildii i Króla*. Zapewne nie miałby na przykład ochoty zamknąć jej w więzieniu, ale przecież zrobi to, jeśli dostanie taki rozkaz.

A może to myśl o złamaniu przysięgi nie dawała jej spokoju? Harrin i jego banda oszukiwali i kradli przez cały czas, ale złamanie przyrzeczenia uważali za niewybaczalną

414

zbrodnię i żeby nie przysparzać sobie kłopotów, starali się unikać obietnic.

Oczywiście jeśli nie dało się tego uniknąć, można było wyplątać się z niezręcznej sytuacji, nie wymawiając poprawnie słów przysięgi…

– Jesteś dziś dziwnie milcząca – odezwał się nagle Rothen. – Nie masz żadnych pytań?

Sonea spojrzała na niego i zauważyła, że przygląda się jej z czułością. Na widok jego uśmiechu uznała, że nadszedł czas na poruszenie kilku niewygodnych tematów.

– Zastanawiałam się nad tą przysięgą składaną przez magów.

Ku jej wielkiej uldze na jego twarzy nie odmalowała się podejrzliwość, ale zaskoczenie.

– Są właściwie dwie przysięgi: nowicjuszy i magów. Pierwszą składa się, wstępując do Gildii, drugą w dniu promocji.

– Czego one dotyczą?

– Czterech rzeczy. – Rothen uniósł lewą rękę. – Nowicjusze przyrzekają nigdy rozmyślnie nie skrzywdzić żadnego człowieka, chyba że w obronie Ziem Sprzymierzonych – mówiąc to, wyprostował jeden palec, a następnie kolejne, wymieniając dalsze punkty. – Ponadto przysięgają przestrzegać regulaminu Gildii i praw Króla oraz wykonywać rozkazy magów, chyba że wymagałoby to złamania prawa, a także nie używać magii bez polecenia maga.

Sonea zmarszczyła brwi.

– Dlaczego nowicjuszom nie wolno posługiwać się magią bez zezwolenia maga?

Rothen odchrząknął.

– Zbyt wielu studentów zrobiło sobie krzywdę, eksperymentując bez opieki. Magowie jednak muszą być ostrożni.

Wszyscy nauczyciele wiedzą, że jeśli powie się nowicju-szowi: „Idź, poćwicz", nie precyzując, *co* konkretnie nowic-jusz ma ćwiczyć, ten potraktuje to polecenie jako: „Idź, zrób cokolwiek, na co masz ochotę". Pamiętam przypadek użycia takiego argumentu na usprawiedliwienie dnia spę-dzonego na rybach.

– To jeszcze nic – parsknął Dannyl.

Podczas gdy młody mag rozpoczął opowieść o swoich studenckich wyczynach, Sonea rozważała przysięgę nowic-juszy. Nie zawierała ona nic, czego nie mogłaby się spo-dziewać. Nie wiedziała jednak, jakie są prawa Gildii, i być może nadszedł czas, by o to zapytać. Dwa ostatnie punkty dodano najwyraźniej po to, żeby trzymać nowicjuszy w ry-zach.

Odchodząc z Gildii z niezwiązaną mocą, z pewnością złamałaby drugą część przysięgi. Dziwne, ale nie czuła się niezręcznie na myśl, że mogłaby złamać prawo, chyba że chodziło o niedotrzymanie przysięgi.

Kiedy Dannyl skończył z anegdotkami, Rothen powró-cił do wyjaśnień.

– Dwie pierwsze części przysięgi magów brzmią tak samo – powiedział – ale w trzeciej przyrzeka się służyć władcy swojego kraju, w czwartej natomiast nie posługi-wać się nigdy złymi rodzajami magii.

Sonea przytaknęła. Pozwalając jej uciec, Fergun złamie zarówno prawo, *jak i* przysięgę magów.

– Jaka jest kara za złamanie tej przysięgi?

Rothen wzdrygnął się.

– To zależy od tego, która jej część została złamana, w ja-kim kraju mieszka mag, no i od wyroku władcy.

– A co dzieje się w Kyralii?

– Najcięższą karą jest śmierć, zastrzeżona dla morderców. W pozostałych przypadkach grozi w najgorszym razie wygnanie.

– Czyli... blokujecie moc takiego maga i odsyłacie go z Gildii?

– Tak. Ale ktoś taki nie zostanie przyjęty w żadnym z krajów Przymierza. To także część traktatu.

Znów potaknęła. Nie śmiała zapytać, co groziłoby Fergunowi, gdyby Gildia dowiedziała się, że dopomógł jej w ucieczce, nie pozbawiając jej mocy. Takie pytanie z pewnością wzbudziłoby podejrzenia Rothena.

Jeśli przystanie na plan Ferguna, będzie musiała dobrze się kryć, żeby uniknąć podobnej kary. Gildia nie da jej drugiej szansy przystąpienia do nich. Nie będzie miała wyboru: pozostanie jej poszukać wsparcia Złodzieja, żeby się ukryć... a Faren pewnie z chęcią zaoferuje jej opiekę, jeśli jej moc pozostanie niezwiązana, ale pod kontrolą.

Czego od niej zażąda w zamian za opiekę? Skrzywiła się na myśl o spędzeniu reszty życia w ukryciu, wykonując polecenia Złodzieja. Jedynym, czego naprawdę chciała, był powrót do rodziny.

Spoglądając na śnieg pokrywający ziemię po obu stronach ścieżki, poczuła nagły przypływ troski na myśl o ciotce i wuju marznących w jakiejś małej klitce, nie wiadomo gdzie. Musi im być teraz ciężko. Dziecko Jonny rośnie, a noga Ranela pewnie zesztywniała jeszcze bardziej, więc kto biega dla nich na posyłki? Powinna wrócić i im pomóc, zamiast służyć magią Złodziejowi.

Gdyby jednak wróciła z magią, Faren z pewnością zatroszczyłyby się o dobrobyt jej wujostwa, a ona mogłaby leczyć...

A gdyby zgodziła się na ofertę Rothena, mogłaby zobaczyć się z ciotką i wujem już za kilka tygodni. Tymczasem plan Ferguna może potrzebować na realizację miesięcy...

Niełatwo się zdecydować.

Zrozpaczona pożałowała, jak już wiele razy wcześniej, że w ogóle odkryła w sobie moc. Zrujnowało jej to życie. O mało co nie zginęła. A teraz musi być wdzięczna znienawidzonym magom za uratowanie jej życia. Najbardziej chciałaby po prostu móc przestać o nich myśleć.

Rothen zwolnił kroku. Sonea spojrzała pod nogi i rozejrzała się dookoła: doszli do szerokiej, brukowanej drogi, wzdłuż której stały niewielkie, schludne domki.

– To Rezydencje – powiedział Rothen.

Między budynkami widniały poczerniałe szkielety innych domów, ale Rothen nie pospieszył z wyjaśnieniem. Szedł dalej, aż do miejsca, gdzie droga kończyła się szerokim zakolem, w którym można było zawrócić powóz. Wypatrzył zwalony pień drzewa koło drogi i usiadł na nim.

Dannyl przysiadł obok, podkurczając długie nogi, Sonea zaś rozglądała się po lesie. Między drzewami dostrzegła szereg ciemnych kształtów wystających spod śniegu – zbyt regularnych, by były dziełem natury.

– A to co?

Rothen podążył za jej spojrzeniem.

– To jest stary cmentarz. Chcesz zobaczyć?

Dannyl zwrócił się nagłym ruchem w stronę starszego maga.

– Teraz?

– Skoro już zaszliśmy tak daleko – powiedział Rothen, wstając – nie zaszkodzi przejść się jeszcze kawałek.

– Nie możemy zaczekać z tym do rana? – Dannyl spojrzał niespokojnie w kierunku ciemnych kształtów.

Rothen uniósł rękę i nad jego dłonią pojawiła się nagle iskierka. Szybko rozrosła się w kulę światła, po czym zawisła nad ich głowami.

– Najwyraźniej nie – westchnął Dannyl.

Śnieg trzaskał pod ich stopami, kiedy ruszyli w kierunku cmentarza. Cień Sonei położył się po jednej stronie, po czym dołączył do niego drugi, kiedy nad głową Dannyla pojawiła się kolejna kula światła.

– Lękasz się ciemności, Dannylu? – rzucił Rothen przez ramię.

Wysoki mag nie odpowiedział. Rothen roześmiał się cicho i przekraczając złamany pień, wszedł na polanę. Z ciemności wyłoniło się kilka rzędów kamieni.

Podchodząc bliżej, Rothen wysłał swoją kulę światła, by zawisła nad jednym z nich. Śnieg stopniał niemal natychmiast, odkrywając znaki na powierzchni nagrobka. Kiedy światło wzniosło się znów wyżej, Rothen skinął na Soneę, by podeszła.

Wokół kamiennej płyty wyryto ozdobny wzór, a w jego środku dostrzegła znaki, które mogły niegdyś być słowami.

– Potrafisz to odczytać? – spytał Rothen.

Sonea przebiegła palcami po rytych w kamieniu literach.

– Mistrz Garom – powiedziała – i rok… – Zmarszczyła brwi. – Nie, musiałam się pomylić.

– O ile pamiętam, jest tu napisane: dwudziesty piąty panowania Urdona.

– Siedem wieków temu?

– Niewątpliwie. Wszystkie te groby mają co najmniej pięćset lat. Są wielką zagadką.

Sonea ogarnęła wzrokiem rzędy kamiennych płyt.

– Dlaczego są zagadką?

– Od tamtych czasów nie grzebano tu żadnych magów – poza Gildią zresztą też.

– A gdzie się ich grzebie?

– Nigdzie.

Sonea zwróciła się ku niemu z niedowierzaniem. Coś zaszeptało cicho wśród drzew i Dannyl odwrócił się gwałtownie z szeroko otwartymi oczami. Poczuła, że włosy stają jej na głowie.

– Czemu?

Rothen zrobił krok do przodu, wpatrując się w nagrobek.

– Pewien mag czterysta lat temu opisał magię jako swojego nieodłącznego towarzysza. Może to być pożyteczny przyjaciel, napisał, albo też śmiertelny przeciwnik. – Zwrócił wzrok z powrotem na Soneę, ale jego oczy ukryte były w cieniu brwi. – Pomyśl o wszystkim, czego dotychczas nauczyłaś się o magii i kontroli. Twoja moc rozwinęła się w sposób naturalny, ale większość z nas potrzebuje, aby uruchomił ją inny mag. Kiedy to się stanie, jesteśmy związani z naszą mocą na resztę życia. Musimy nauczyć się ją kontrolować i utrzymywać tę kontrolę. Jeśli nie jesteśmy w stanie tego zrobić, nasza własna magia w końcu nas zniszczy. – Zawiesił głos. – Dla nas wszystkich w momencie śmierci kończy się możliwość panowania nad mocą, a magia, która po nas pozostaje, wyzwala się. I zostajemy dosłownie przez nią pochłonięci.

Sonea spojrzała na nagrobek. Mimo tarczy cieplnej Rothena poczuła, że przenika ją chłód.

Myślała, że gdy opanuje kontrolę, pozbędzie się magii, teraz jednak przekonała się, że nigdy się od niej nie uwolni. Cokolwiek by zrobiła, to moc zawsze w niej będzie. Aż pewnego dnia w jakimś domu w slumsach po prostu wybuchnie i przestanie istnieć…

– Jeśli umieramy naturalną śmiercią, nie stanowi to zazwyczaj problemu – ciągnął Rothen. – Nasza moc najczęściej zmniejsza się z wiekiem. Jeśli jednak śmierć nie jest naturalna… Istnieje takie powiedzenie: tylko głupiec, męczennik i geniusz są zdolni zabić maga.

Sonea zerknęła na Dannyla, rozumiejąc wreszcie źródło jego niepokoju. To nie obecność zmarłych tak go przerażała, tylko myśl o tym, co się z nim stanie w chwili śmierci. Ale on wybrał to życie, przypomniała sobie. A ona nie.

Fergun też nie. Zmuszony przez rodziców do zostania magiem, również będzie musiał zmierzyć się z takim końcem. Zastanowiło ją, ilu magów wstępuje do Gildii wbrew woli, niechętnie. Zaskoczona tym nagłym przejawem współczucia, spuściła znów wzrok ku kamiennym płytom.

– Skąd więc wzięły się te groby?

Rothen wzdrygnął się.

– Nie mamy pojęcia. Nie powinno ich tu być. Wielu naszych historyków jest zdania, że ci magowie, czując zbliżającą się śmierć, zdołali wyczerpać swoją moc, po czym zabijali się sztyletem lub trucizną, pewni, że nie ma w nich już magii. Wiemy, że wybierali innych magów, aby towarzyszyli im w chwili śmierci. Być może zadaniem takiego asystenta było upewnienie się, że umrą w odpowiednim momencie. Nawet maleńka cząstka mocy wystarczy, by zniszczyć ciało, a zatem odpowiednie zgranie w czasie było niezbędne, zwłaszcza że magowie w tamtych czasach byli niezwykle potężni.

– Nie wiemy, czy to prawda – dodał Dannyl. – Legendy o ich potędze mogą być przesadzone. Bohaterowie mają to do siebie, że ich moc wzrasta w miarę powtarzania opowieści.

– Niemniej jednak mamy księgi pochodzące z ich czasów – przypomniał mu Rothen. – A nawet dzienniki prowadzone przez samych magów. Czemuż mieliby wyolbrzymiać własne zdolności?

– Zaiste, czemuż? – odparł Dannyl cierpko.

Rothen odwrócił się i poprowadził ich z powrotem przez śnieg, który podeptali, przychodząc tutaj.

– Osobiście wierzę, że ci pierwsi magowie *byli* potężniejsi – oznajmił. – A my stajemy się coraz słabsi.

Dannyl potrząsnął głową i nachylił się ku Sonei.

– A ty co o tym uważasz?

Zamrugała ze zdziwienia.

– Nie mam pojęcia. Może potrafili w jakiś sposób zwiększać swoją moc?

Dannyl pokręcił głową.

– Nie da się zwiększyć mocy maga. Jesteśmy skazani na to, z czym się rodzimy.

Dotarli do drogi i ruszyli nią dalej. Zapadła noc; w oknach domków zapłonęły światła. Kiedy mijali spaloną ruinę, Sonea poczuła dreszcz. Czy ten dom spłonął w chwili śmierci jego mieszkańca?

Magowie milczeli. Gdy wrócili na ścieżkę, Rothen posłał przodem swoją kulę światła, by wskazywała im drogę. W panującej wkoło ciszy wydawało się, że słychać brzęczenie owadów w lesie.

Kiedy przed nimi ukazał się Dom Magów, Sonea pomyślała o jego mieszkańcach, trzymających swą moc pod kontrolą, nawet podczas snu. Być może ci dawni budowniczy miasta mieli inne powody, dla których oddali magom całą dzielnicę?

– Chyba wystarczy mi wysiłku fizycznego na ten wieczór – odezwał się nagle Rothen. – A poza tym najwyższy czas na kolację. Dołączysz do nas, Dannylu?

– Oczywiście – odrzekł wysoki mag. – Z przyjemnością.

ROZDZIAŁ 25

ZMIANA PLANÓW

Słońce wisiało nad odległymi wieżami Pałacu niczym ogromna magiczna kula, spowijając ogród smugami złocistego światła.

Sonea szła ścieżką w milczeniu. Była zła. Rothen wiedział, że domyśliła się powodu wycieczek, na które ją zabierał, i że robiła wszystko, by nie zdołał przekonać jej do pozostania w Gildii.

Uśmiechnął się pod nosem. Mimo że postanowiła nie zainteresować się niczym, on zamierzał pokazać jej co się tylko da na terenach Gildii. Musi wiedzieć, co odrzuca.

Zaskoczony jej uporem w postanowieniu odejścia, Rothen chcąc nie chcąc zaczął zastanawiać się nad własnym życiem. Jak każde dziecko z Domów, został poddany testowi na talent magiczny, gdy miał mniej więcej dziesięć lat. Pamiętał podniecenie swoich rodziców, kiedy okazało się, że wykazuje zdolności. Powiedzieli mu, że jest szczęściarzem i wybrańcem. Od tego dnia nie mógł się doczekać, kiedy wreszcie wstąpi do Gildii.

Sonea nigdy nie rozważała możliwości zostania magiem. Nauczono ją postrzegać Gildię jako wroga, którego można oskarżać o wszelkie zło i którego należy nienawidzić. Wiedząc o takim wychowaniu, nietrudno było zrozumieć, dlaczego uważała wstąpienie do Gildii za zdradę ludzi, wśród których się urodziła.

Ale nie musi tak być. Jeśli uda mu się przekonać ją, że magii można używać do pomocy ludziom, może dziewczyna postanowi zostać.

Dochodząc do końca gmachu Uniwersytetu, skręcił w prawo. Kiedy mijali ogrody po drugiej stronie budynku, rozległ się gong, oznajmiający koniec zajęć. Wiedząc, że zazwyczaj oznacza to tłum studentów biegnących z Uniwersytetu do swoich pokoi, Rothen wybrał dłuższą, ale spokojniejszą drogę do Domu Uzdrowicieli.

Wiele sobie obiecywał po tej wyprawie. Leczenie było najszlachetniejszą z umiejętności magicznych i jedyną, dla której Sonea żywiła cień szacunku. Wiedząc, że sztuki wojenne raczej nie zrobią na niej wrażenia, najpierw pokazał jej arenę. To, co tam zobaczyła, zaniepokoiło ją znacznie bardziej, niż się spodziewał. Mimo że nauczyciele wyjaśnili jej zasady i opowiedzieli o środkach ostrożności, kuliła się w sobie za każdym razem, kiedy uczniowie zaczynali trening.

Eksperymenty Dannyla z drukiem mentalnym pokazały jej jedno z zastosowań alchemii, lecz tak naprawdę była to działalność rozrywkowa. Jeśli Rothen chciał zrobić na niej wrażenie, powinien pokazać jej coś bardziej przydatnego dla miasta – a jeszcze nie zdecydował, co to będzie.

Kiedy zbliżyli się do okrągłej siedziby Uzdrowicieli, Rothen rzucił jej ukradkowe spojrzenie. Udawała obojętność, ale oczy błyszczały jej z zaciekawienia. Zatrzymał się przed wejściem.

– To jest drugi Dom Uzdrowicieli, jaki zbudowano – powiedział. – Pierwszy był niezwykle luksusowy. Niestety nasi poprzednicy mieli problemy z kilkoma zamożnymi pacjentami, którzy uznali, że mogą sobie tam wykupić stałe miejsca. Kiedy więc planowano budowę Uniwersytetu i pozostałych zabudowań na terenie Gildii, stary szpital został zburzony i zastąpiony tym.

Mimo pięknej fasady siedziba Uzdrowicieli nie robiła takiego wrażenia jak Uniwersytet. Otwarte drzwi zaprowadziły ich do niewielkiego, niczym nieozdobionego holu. W powietrzu unosił się ostry, świeży zapach lekarstw.

Dwoje Uzdrowicieli, mężczyzna w średnim wieku i młoda kobieta, podniosło na nich wzrok. Mężczyzna rzucił Sonei podejrzliwe spojrzenie i odwrócił się, za to kobieta podeszła do nich z uśmiechem.

– Witaj, Mistrzu Rothenie.

– Witaj, Mistrzyni Indrio – odpowiedział. – To jest Sonca.

Sonea ukłoniła się.

– Jestem zaszczycona.

Indria skinęła lekko głową.

– Miło mi cię poznać, Soneo.

– Indria oprowadzi nas po Domu Uzdrowicieli – wyjaśnił Rothen.

Uzdrowicielka uśmiechnęła się do dziewczyny.

– Mam nadzieję, że zdołam cię zainteresować. – Spojrzała na Rothena. – Możemy zaczynać?

Potaknął.

– A zatem tędy, proszę.

Indria poprowadziła ich do podwójnych drzwi, otworzyła je magicznie i wprowadziła swoich gości na szeroki, kręty korytarz. Mijali wiele otwartych drzwi, toteż Sonea miała sporo okazji, żeby zaglądać do środka.

– Na parterze budynku zajmujemy się leczeniem i opieką nad chorymi – powiedziała Indria. – Nie możemy oczekiwać od nich, że będą chodzić po schodach, prawda? – Uśmiechnęła się do Sonei, która odpowiedziała jej niemrawym wzruszeniem ramion.

– Na wyższych piętrach znajdują się sale wykładowe i pokoje Uzdrowicieli, którzy mieszkają tu na miejscu. Większość z nas wybiera kwatery tutaj, a nie w Domu Magów. W nagłych przypadkach pozwala nam to szybciej reagować. – Wskazała ręką na lewo. – Pokoje pacjentów mają piękny widok na ogród i las – następnie na prawo – a wewnętrzne pomieszczenia to sale zabiegowe. Chodźcie, pokażę wam jedną z nich.

Weszli do jednej z bocznych sal. Rothen przyglądał się Sonei uważnie, gdy zwiedzała pomieszczenie. Było niewielkie: mieściło się w nim zaledwie łóżko, szafka i kilka drewnianych krzeseł.

– Tutaj zajmujemy się leczeniem pomniejszych schorzeń i prostymi zabiegami – zwróciła się Indria do Sonei. Otwarła szafkę, ukazując rzędy buteleczek i pudełek. – Wszystkie lekarstwa, które możemy przyrządzić szybko lub też zostały przyrządzone nieco wcześniej, mamy tu pod ręką. Na górze są pomieszczenia, w których przygotowuje się bardziej skomplikowane receptury.

Po wyjściu z tego pokoju Indria poprowadziła ich korytarzykiem biegnącym tuż obok sali zabiegowej i wskazała na widoczne w jego głębi drzwi.

– W samym środku budynku znajdują się sale uzdrowień – powiedziała. – Zaraz sprawdzę, czy ta jest pusta.

Pobiegła korytarzykiem i zajrzała do środka przez szybę w drzwiach, po czym odwróciła się do nich i pomachała.

– Jest wolna – zawołała. – Chodźcie.

Rothen podszedł do drzwi i uśmiechnął się do trzymającej je Indrii. Pokój, do którego teraz weszli, był znacznie większy od pierwszego, który odwiedzili. Na samym środku stało wąskie łóżko, a wzdłuż ścian ciągnęły się rzędy szafek.

– Tutaj wykonuje się bardziej skomplikowane leczenie i operacje chirurgiczne – powiedziała Indria. – Podczas zabiegów nie wolno przebywać tu nikomu oprócz Uzdrowicieli… no i oczywiście pacjenta.

Sonea pożerała pokój wzrokiem. Podeszła do wnęki w ścianie po drugiej stronie sali, a Indria pospieszyła za nią.

– Tuż nad nami znajdują się pokoje, w których przyrządza się lekarstwa – wskazując wnękę, wyjaśniła Uzdrowicielka. Sonea nachyliła się i spojrzała do góry. – Niektórzy z nas specjalizują się w ich przygotowywaniu. Kiedy potrzebujemy tu medykamentów, spuszczają tym szybem świeże mikstury.

Najwyraźniej zaspokojona w swojej ciekawości, Sonea wróciła do Rothena, Indria zaś podeszła do jednej z szafek i wyjęła z niej niewielką buteleczkę.

– Tu w Gildii zgromadziliśmy największy na świecie zasób wiedzy medycznej – powiedziała, nie kryjąc dumy. – Nie ograniczamy się do leczenia ludzi naszą mocą; gdyby tak było, nie nadążalibyśmy za zapotrzebowaniem na nasze usługi. – Wzruszyła ramionami. – I tak nie nadążamy, bo nie ma wystarczająco dużo Uzdrowicieli.

Otwarła szufladę i wyciągnęła z niej niewielką białą szmatkę. Odwróciła się do Sonei i zawahała, spoglądając pytająco na Rothena, który domyślił się, co kobieta chce zrobić, i pokręcił przecząco głową. Indria przygryzła wargę, rzucając spojrzenie najpierw na Soneę, a następnie na trzymane w rękach przedmioty.

– Może jednak pominiemy tę część wycieczki.

Sonea patrzyła na butelkę oczami, które wręcz wyskakującymi z orbit z ciekawości.

– Jaką część?

Indria obróciła butelkę tak, by Sonea mogła przeczytać naklejkę.

– To maść znieczulająca – wyjaśniła. – Aby pokazać, jak wielka jest moc naszej sztuki leczniczej, rozcieram zazwyczaj odrobinę tej mikstury na dłoniach gości.

Sonea zmarszczyła czoło.

– Znieczulająca?

– Sprawia, że nie czuje się niczego. Efekt mija po godzinie.

Sonea uniosła brwi, po czym wzruszyła ramionami i wyciągnęła rękę.

– Spróbuję.

Rothen wstrzymał oddech, patrząc na nią ze zdumieniem. Zadziwiające. Gdzie podziała się jej nieufność wobec magów? Z zadowoleniem patrzył, jak Indria odkorkowuje butelkę i nakłada nieco maści na szmatkę.

Uzdrowicielka spojrzała uważnie na Soneę.

– Z początku nie zauważysz różnicy. Po jakiejś minucie wyda ci się, że twoja skóra jest bardzo gruba. Naprawdę chcesz spróbować?

Sonea potaknęła. Indria z uśmiechem rozsmarowała jej maść na dłoni.

– Teraz musisz uważać, żeby nie zbliżyć ręki do oczu. Nie oślepniesz od tego, ale uwierz mi, zdrętwiałe powieki to *bardzo* dziwaczne uczucie.

Sonea odpowiedziała uśmiechem i dotknęła swojej dłoni. Indria odstawiła butelkę na miejsce i wyrzuciła szmatkę do kubełka stojącego w jednej z szafek, po czym zatarła ręce.

– A teraz chodźmy na górę obejrzeć sale wykładowe.

Wyprowadziła ich z powrotem na główny korytarz. Minęli kilku Uzdrowicieli i nowicjuszy; niektórzy przyglądali się Sonei z nieskrywaną ciekawością. Inni, co złościło Rothena, krzywili się z niesmakiem.

– Indria!

Uzdrowicielka przystanęła z szumem szat.

– Darlen?

– Tutaj.

Głos dochodził z jednej z pobliskich sal zabiegowych. Indria podeszła do drzwi.

– Słucham.

– Mogłabyś mi pomóc?

Indria odwróciła się do Rothena, uśmiechając się krzywo.

– Zapytam, czy pacjent zgodzi się na obserwatorów – powiedziała cicho.

Weszła do pokoju, skąd po chwili dobiegł Rothena szmer rozmowy kilku osób. Sonea popatrzyła na niego, ale z wyrazu jej twarzy niewiele dało się odczytać, po czym odwróciła wzrok.

Indria stanęła w progu, dając im znak, żeby weszli. Rothen skinął głową.

– Daj mi chwilkę.

Uzdrowicielka wycofała się do sali, a Rothen nachylił się do Sonei.

– Nie wiem, co tam zobaczysz, ale wątpię, żeby Indria zapraszała nas do środka, gdyby miało to być coś bardzo nieprzyjemnego. Jeśli jednak obrzydza cię na przykład widok krwi, nie musisz wchodzić.

Wyglądała na rozbawioną.

– Poradzę sobie.

Rothen wzruszył ramionami i gestem wskazał jej wejście. Pokój, w którym się znaleźli, wyglądał podobnie do poprzednich. Na łóżku leżał ośmioletni chłopiec. Miał bladą twarz i zapuchnięte od płaczu oczy. Głos, który usłyszeli z korytarza, należał do młodzieńca w zielonych szatach, Mistrza Darlena, który w tej chwili ostrożnie odwijał zakrwawiony bandaż z ręki dziecka. Na drewnianych krzesłach siedziała para młodych ludzi, przypatrując się temu z niepokojem.

– Stańcie tutaj – zwróciła się do nich Indria, której głos brzmiał teraz poważnie i stanowczo. Rothen wycofał się do kąta, a Sonea stanęła obok niego. Darlen rzucił im pobieżne spojrzenie, zanim skupił całą swą uwagę z powrotem na chłopcu.

– Boli jeszcze?

Chłopiec pokręcił głową.

Rothen spojrzał na rodziców. Chociaż widać było, że wychodzili z domu w pośpiechu, ich ubrania zdradzały bogactwo. Mężczyzna miał na sobie modny długi płaszcz z guzikami ze szlachetnych kamieni, kobieta zaś prostą czarną pelerynę z kapturem lamowanym futrem.

Stojąca obok niego Sonea jęknęła cichutko. Rothen zerknął z powrotem na łóżko i zobaczył, że ostatnie bandaże spadły z ręki chłopca. Na jego dłoni widniały dwie głębokie rany, z których spływała krew.

Darlen podciągnął rękaw koszuli chłopca i złapał go mocno za rękę. Krew przestała płynąć. Uzdrowiciel podniósł wzrok na rodziców.

– Jak to się stało?

Mężczyzna zaczerwienił się i wbił wzrok w podłogę.

– Bawił się moim rapierem. Zabroniłem mu, ale… – Potrząsnął głową z ponurym wyrazem twarzy.

– Hmm – Darlen odwrócił dłoń chłopca. – Powinno się goić bez problemu, aczkolwiek blizny zostaną mu na całe życie.

Kobieta jęknęła cicho i wybuchnęła płaczem. Mąż objął ją ramieniem i spojrzał wyczekująco na Uzdrowiciela.

Darlen zwrócił się do Indrii. Potaknęła i podeszła do półek. Wyjęła z szuflady kilka białych szmatek, miskę i sporą butlę wody. Podeszła do łóżka i obmyła delikatnie rękę chłopca. Kiedy rany były już czyste, Uzdrowiciel położył ostrożnie swoją dłoń na dłoni pacjenta i zamknął oczy.

Zapadła cisza. Mimo że matka łkała cicho, wszystkie dźwięki sprawiały wrażenie przytłumionych. Chłopiec zaczął się wiercić, ale Indria nachyliła się i położyła mu dłoń na ramieniu.

– Nie ruszaj się, przerwiesz jego koncentrację.

– Ale to swędzi – zaprotestował malec.

– Zaraz przestanie.

Jakiś ruch przyciągnął uwagę Rothena: tuż koło niego Sonea pocierała swoją dłoń. Darlen wziął głęboki oddech i otworzył oczy. Spojrzał na rękę pacjenta i przebiegł po niej palcami. Zamiast głębokich ran, widniały teraz na niej cienkie czerwone kreski. Uzdrowiciel uśmiechnął się do chłopca.

– Twoja ręka jest wyleczona. Masz ją teraz codziennie bandażować. I przez co najmniej dwa tygodnie nie forsuj jej. Nie chciałbyś zepsuć mojej roboty, prawda?

Chłopiec pokręcił głową. Uniósł rękę i przesunął palcem po bliznach. Darlen poklepał go po ramieniu.

– Po dwóch tygodniach zacznij nią ostrożnie poruszać. – Podniósł wzrok na rodziców. – Uraz nie będzie trwały. Ręka odzyska pełną sprawność, będzie nawet zdolna utrzymać ojcowski rapier. – Pochylił się i pstryknął chłopca w pierś. – Ale dopiero jak dorośniesz.

Chłopak uśmiechnął się szeroko. Darlen pomógł mu zeskoczyć z łóżka i z uśmiechem patrzył, jak dzieciak podbiega do rodziców, którzy mocno go przytulili.

Ojciec spojrzał na Darlena błyszczącymi oczami i już otworzył usta, żeby coś powiedzieć, ale Uzdrowiciel powstrzymał go, wskazując na Indrię.

Indria skinęła na Rothena i Soneę i wyprowadziła ich na korytarz. Kiedy ruszyli dalej, do uszu Rothena dobiegły podziękowania ojca dziecka.

– Wygląda łatwo, nie? – Indria mrugnęła do Sonei. – A w rzeczywistości jest bardzo trudne.

– Uzdrawianie jest najtrudniejszą z dyscyplin – wyjaśnił Rothen. – Wymaga bardzo precyzyjnej kontroli i lat praktyki.

– Dlatego właśnie dla wielu nie jest atrakcyjne – prychnęła Indria. – Są za leniwi.

– Mam wielu nowicjuszy, którzy wcale nie są leniwi – odparł kwaśno Rothen.

Twarz Indrii rozpromieniła się szerokim uśmiechem.

– Bo ty jesteś wspaniałym nauczycielem, Rothenie. Nic dziwnego, że ściągasz najpilniejszych studentów z całego Uniwersytetu.

Rothen roześmiał się.

– Powinienem częściej odwiedzać Uzdrowicieli. Wiecie, jak wpłynąć kojąco na człowieka.

– Ech – westchnęła. – Nie widujemy cię tu zbyt często. Zazwyczaj wtedy, gdy uskarżasz się na niestrawność lub poparzenia od tych twoich głupich eksperymentów.

– Nie mów tak – Rothen położył sobie palec na

ustach. – W najbliższym czasie zabieram Soneę na wycieczkę po Wydziale Alchemii.

Indria obdarzyła dziewczynę współczującym spojrzeniem.

– Powodzenia. Mam nadzieję, że nie zaśniesz.

Rothen wyprostował się i wskazał na schody.

– Kontynuujmy wycieczkę, niewdzięczna panno – rozkazał. – Ledwie rok od promocji, a już ci się zdaje, że możesz stawiać się starszym.

– Tak jest, panie. – Szczerząc zęby z rozbawienia, wykonała teatralny ukłon i poprowadziła ich w głąb korytarza.

Odsuwając jeden z okienników w mieszkaniu Rothena, Sonea spoglądała przez szybę na wirujący śnieg i bezwiednie pocierała dłoń. Mimo że czucie powróciło już kilka godzin wcześniej, pamięć znieczulenia była wciąż bardzo mocna.

Spodziewała się, że Rothen pokaże jej Uzdrowicieli przy pracy, a może nawet będzie musiała opierać się pragnieniu nauczenia się tej sztuki. Mimo zdecydowanego postanowienia pozostania obojętną, widok dziecka uleczonego na jej oczach obudził w niej niepożądane uczucia. Chociaż już wcześniej wiedziała, że wykazuje zdolność do robienia takich rzeczy, dopiero teraz zrozumiała, co naprawdę mogłaby osiągnąć.

Oczywiście, było to zamiarem Rothena. Westchnęła i zabębniła palcami po parapecie. Zgodnie z przewidywaniem mag usiłował skusić ją do pozostania, pokazując jej wszelkie cuda, jakie mogłaby czynić, korzystając ze swej magii.

Chyba jednak nie spodziewał się, że porzedniego dnia zrobi na niej wrażenie popisami Wojowników.

Obserwowanie nowicjuszy ciskających w siebie magią na pewno nie zachęciłoby jej do wstąpienia w szeregi Gildii. Być może chciał jej jedynie pokazać, że takie walki są nieszkodliwe. Obowiązują w nich surowe reguły, toteż są to raczej gry niż bitwy.

Kiedy się nad tym zastanowiła, bez trudu zrozumiała, dlaczego zareagowali tak, a nie inaczej, gdy „zaatakowała" ich na placu Północnym. Byli przyzwyczajeni do „wewnętrznych tarcz" i parowania „ciosów". Widok tego, co magia potrafi zrobić z bezbronnym człowiekiem, musiał być dla nich szokiem.

Westchnęła ponownie. Następna będzie wycieczka po Wydziale Alchemii. Wbrew własnej woli poczuła ukłucie ciekawości. Ze wszystkich dyscyplin alchemię rozumiała najsłabiej.

Zmarszczyła brwi na dźwięk pukania do głównych drzwi. Tania powiedziała im dobranoc kilka godzin temu, a Rothen dopiero co wyszedł. Poczuła nagłe przyspieszenie tętna, kiedy przez myśl przebiegło jej jedno imię.

Fergun.

Będzie żądał odpowiedzi, a ona jeszcze się nie zdecydowała. Niechętnie przeszła przez pokój, w nadziei, że to jakiś inny gość.

– Kto tam?

– Fergun. Wpuść mnie, Soneo.

Wzięła głęboki oddech i nacisnęła klamkę. Drzwi natychmiast uchyliły się do środka, a ubrany na czerwono mag wsunął się wdzięcznym ruchem do pokoju i zamknął je za sobą.

– Jak ty je otwierasz? – spytała, wpatrując się w klamkę. – Myślałam, że są magicznie zaryglowane.

Fergun uśmiechnął się.

– Są, ale otwierają się, gdy w tym samym czasie klamkę naciska ktoś w środku i na zewnątrz.

– Tak ma być?

Potaknął.

– Środek ostrożności. Na wypadek, gdyby trzeba było otworzyć drzwi, a Rothena nie było w pobliżu. Żeby każdy mógł to zrobić, na przykład gdybyś zaprószyła ogień.

Skrzywiła się.

– Mam nadzieję, że *to* nie będzie już nigdy problemem. – Wskazała mu fotel. – Usiądź, Fergunie.

Gibkim ruchem przesunął się we wskazanym kierunku i usiadł. Kiedy zajęła miejsce naprzeciwko, nachylił się ku niej.

– I jak tam lekcje kontroli?

– Nieźle... chyba.

– Ha! Opowiedz mi, co dziś robiłaś?

Uśmiechnęła się żałośnie.

– Musiałam podnieść skrzynię z podłogi. Nie było to łatwe.

Fergun wciągnął gwałtownie powietrze, wpatrując się w nią szeroko otwartymi oczami, a Sonea poczuła, że serce w niej zamiera na ten widok.

– To nie są ćwiczenia kontroli, on ci pokazuje, jak używać magii! A skoro to robi, to musiałaś już opanować kontrolę.

Sonea poczuła dreszcz podniecenia i nadziei.

– Powiedział, że *wypróbowuje* moją kontrolę.

Fergun pokręcił głową.

– Wszelka magia jest próbą kontroli. Nie uczyłby cię podnoszenia przedmiotów, gdybyś nie posiadła jej w wystarczającym stopniu. Jesteś gotowa, Soneo.

Sonea rozparła się w fotelu i poczuła, jak na jej usta wypełza uśmiech. *Nareszcie!* – pomyślała. *Będę mogła wrócić do domu!*

Tej myśli towarzyszyło niespodziewane ukłucie żalu. Jeśli odejdzie, nigdy już nie zobaczy Rothena...

– Czy potwierdziła się prawdziwość moich słów... że Rothen ukrywał przed tobą pewne rzeczy?

Spojrzała mu w oczy i przytaknęła.

– Większość. Administrator Lorlen wyjaśnił mi, jak się sprawy mają z blokowaniem mocy.

Fergun wyglądał na zaskoczonego.

– Lorlen we własnej osobie. Dobrze.

– Powiedział, że to nie jest nieprzyjemne, a potem nawet nie poczuję różnicy.

– Jeśli zadziała jak należy. Magowie z Gildii nie musieli tego robić od wielu, wielu lat. – Skrzywił się. – Ostatnim razem, kiedy to przeprowadzali, coś im się pomieszało... ale nie musisz się tym martwić. Jeżeli przyjmiesz moją pomoc, ryzyko nie będzie potrzebne. – Uśmiechnął się. – To jak? Będziemy współpracować?

Zawahała się. W jej głowie kłębiło się od wątpliwości.

Widząc jej wyraz twarzy, zapytał:

– Czyżbyś zatem postanowiła zostać?

– Nie.

– Jesteś wciąż niezdecydowana?

– Nie jestem przekonana do twojego planu – przyznała. – A w każdym razie do niektórych jego części.

– Których konkretnie?

Wzięła głęboki oddech.

– Jeśli zostanę nowicjuszką, będę musiała złożyć przysięgę... z zamiarem jej złamania.

Zmarszczył brwi.

– I co z tego?

– To że... nie czuję się z tym dobrze.

Zmrużył lekko oczy.

– Przejmujesz się złamaniem przysięgi? – Potrząsnął głową. – Ja zamierzam dla ciebie złamać prawo królewskie, Soneo. Jakkolwiek jestem pewny, że uda nam się to zorganizować tak, by wyglądało na twoją ucieczkę, istnieje możliwość, że mój udział zostanie wykryty. A jednak chcę podjąć dla ciebie to ryzyko. – Nachylił się ku niej. – Musisz zdecydować, czy Król ma prawo odebrać ci twoją moc? Jeśli nie ma, to co jest warta taka przysięga?

Sonea skinęła powoli głową. Miał rację. Faren by się z nim zgodził, nie mówiąc już o Cerym. Domy od zbyt dawna trzymały moc tylko dla siebie – aby następnie używać jej przeciwko biedakom podczas Czystek. Bylcy nie potępią jej za złamanie przysięgi nowicjuszy. A to ich zdanie się liczy, nie zdanie Króla czy magów.

Jeśli powróci do slumsów z nienaruszoną mocą i sama nauczy się używać magii, będzie mogła uczyć też innych. Założy własną, tajną Gildię.

Będzie to jednak oznaczało ponowne uzależnienie się od Farena, by ukrywać się przed magami. Czyli że nie będzie mogła wrócić do rodziny. Ale również, że w końcu zdoła użyć swej mocy, by leczyć ludzi – a to jest warte ryzyka.

Spojrzała na siedzącego naprzeciwko maga. Czy Fergun równie chętnie by ją wypuścił, gdyby znał jej myśli? Zastanowiła się. Jeśli zostanie jego podopieczną, on może potrzebować wejść do jej umysłu, aby ją uczyć. Może wtedy odkryć jej plan, a jeśli konsekwencje udzielonej jej pomocy nie spodobają mu się, może zmienić decyzję.

Cała ta jego propozycja uzależniała ją od niego. A ona go nie znała, nie widziała nawet jego umysłu.

Gdyby tylko mogła odejść – uciec – bez jego pomocy.

Poczuła nagły dreszcz podniecenia. Przecież może. Właśnie opanowała kontrolę. Rothen nie wie, że się o tym dowiedziała. Będzie musiał jej to w końcu wyjawić, a kiedy to zrobi, będzie się obawiał jej ucieczki. Ale jeszcze nie teraz. Teraz jest najlepszy moment.

A co jeśli okazja się nie nadarzy albo plan się nie powiedzie?

Wtedy może przyjąć ofertę Ferguna. Na razie jednak musi go zwodzić.

Popatrzyła na maga, westchnęła i pokręciła głową.

– Nie wiem. Nawet jeśli twój plan się sprawdzi, będę miała na głowie Gildię.

– Nie zdołają cię znaleźć – zapewnił ją. – Nie będą potrafili cię zlokalizować i w końcu dadzą ci spokój. Nie tylko ty byłaś zmęczona tym polowaniem, Soneo. Nie będą szukać w nieskończoność.

– Są pewne rzeczy, o których nie wiesz – odpowiedziała. – Jeśli powrócę do slumsów z magią, Złodzieje zażądają, żebym dla nich pracowała. Nie chcę być ich narzędziem.

Uśmiechnął się.

– Będziesz miała magię, Soneo. Nie zmuszą cię do robienia niczego, na co nie miałabyś ochoty.

Odwróciła wzrok i potrząsnęła głową.

– Ja mam rodzinę, Fergunie. Złodzieje być może nie będą mogli skrzywdzić mnie, ale mogą zrobić krzywdę innym. Ja… – Chwyciła twarz w dłonie, po czym spojrzała na niego przepraszająco. – Potrzebuję jeszcze trochę czasu do namysłu.

Uśmiech zniknął z jego twarzy.

– Ile?

Wzruszyła ramionami.

– Nie wiem. Kilka tygodni?

– Nie mam tyle czasu – odpowiedział, pochmurniejąc. – *Ty* nie masz tyle czasu.

Zmarszczyła brwi.

– Dlaczego?

Podniósł się gwałtownie, wyciągnął z fałdów szaty jakiś przedmiot i rzucił go na stół przed nią.

Stłumiła okrzyk, gdyż rozpoznała sztylet. Ile razy widziała to ostrze, czyszczone i pielęgnowane z pełną miłości troską? Pamiętała, choć jak przez mgłę, ten dzień przed wielu laty, kiedy został wyryty na nim koślawy wizerunek dobrze znanego gryzonia.

– Widzę, że znasz tę broń. – Fergun stał teraz nad nią z błyszczącymi oczami. – Trzymam jej właściciela pod kluczem w małej ciemnej klitce, o której istnieniu nikt nie wie. – Jego usta wykrzywiły się w paskudnym uśmiechu. – I dobrze, że nie wiedzą, bo chyba by się zaniepokoili, gdyby się dowiedzieli, jak te gryzonie potrafią urosnąć. – Przykucnął i położył dłonie na oparciach fotela Sonei, która przerażona cofnęła się pod jego złowrogim spojrzeniem.

– Zrobisz, co ci każę, a uwolnię twojego przyjaciela. Sprawisz mi najmniejszy kłopot, to pozostawię go tam na wieki. – Zmrużył oczy. – Rozumiesz?

Oszołomiona, niezdolna do wydania jakiegokolwiek dźwięku, Sonea przytaknęła.

– Posłuchaj dokładnie – powiedział. – Powiem ci, co masz robić. Przede wszystkim powiesz Rothenowi, że zdecydowałaś się pozostać. Kiedy to zrobisz, on ogłosi, że opanowałaś kontrolę, żeby przyjąć cię do Gildii, zanim zmienisz zdanie. Za tydzień odbędzie się Posiedzenie, a po nim nastąpi Przesłuchanie w sprawie opieki nad tobą.

Na tym Przesłuchaniu oznajmisz, że podczas Czystki dostrzegłem cię jako pierwszy, przed Rothenem. Powiesz im, że patrzyłem na ciebie po tym, jak kamień przebił się przez barierę, a zanim uderzył.

Kiedy im to powiesz, starsi magowie nie będą mieli wyboru – opieka nad tobą będzie należała do mnie. Wstąpisz do Gildii, ale zapewniam cię, że nie na długo. Kiedy wykonasz dla mnie pewne zadanie, odeślę cię tam, gdzie twoje miejsce. Dostaniesz to, czego pragniesz, i ja też. Nie masz nic do stracenia, pomagając mi, ale… – podniósł sztylet i przesunął palcem po ostrzu – możesz stracić przyjaciela, jeśli odmówisz.

Nie spuszczając z niej wzroku, wsunął sztylet z powrotem w fałdy szaty.

– Nie pozwól, żeby Rothen się o tym dowiedział. Nikt oprócz mnie nie wie, gdzie schował się mały ceryni, a jeśli ja nie zaniosę mu jedzenia, on może bardzo, ale to bardzo zgłodnieć.

Wstał, z gracją przepłynął ku drzwiom i uchylił je, po czym spojrzał za siebie z szyderstwem w oczach. Serce Sonei zamarło, kiedy uprzytomniła sobie, gdzie wcześniej widziała tę twarz: to był ten mag, którego uderzyła podczas Czystki!

– Zakładam, że jutro Rothen odtrąbi swój sukces. Do zobaczenia wkrótce. – Przecisnął się przez półuchylone drzwi i zamknął je za sobą.

Sonea wsłuchiwała się w gasnące echo jego kroków, po czym ukryła twarz w dłoniach. *Magowie.* Wysyczała przekleństwo. *Nigdy, przenigdy już im nie zaufam.*

A następnie przypomniał się jej Rothen i jej gniew nieco opadł. Mimo że zwodził ją, jakoby nie opanowała jeszcze kontroli, była przekonana, że robił to w dobrych intencjach.

Zapewne opóźniał decyzję, by dać jej trochę więcej czasu do namysłu nad tym, czy naprawdę chce odejść. Jeśli tak właśnie było, nie zrobił nic, czego ona by nie zrobiła na jego miejscu – i miała pewność, że pomógłby jej, gdyby tylko poprosiła.

Ale nie mogła go poprosić. Poczuła, że ogarnia ją rozpaczliwa bezsilność. Jeśli nie postąpi tak, jak nakazał jej Fergun, Cery umrze.

Zwinęła się w kłębek w fotelu i objęła ramionami. *Och, Cery*, pomyślała, *gdzie jesteś? Przecież prosiłam cię, żebyś nie dał się złapać.*

Westchnęła. Dlaczego Fergun to robi? Wzdrygnęła się, gdy przypomniał jej się pierwszy raz, kiedy zobaczyła jego szyderczą minę.

Zemsta. Prosta, prostacka zemsta za upokorzenie, jakiego doznał, kiedy zbuntowany bylec pozbawił go przytomności. Musiał się wściec, gdy dowiedział się, że zamiast ją ukarać, zaproponowano jej wstąpienie do Gildii. Ale czemu się tym przejmuje, skoro ona nie chce tu zostać?

Zastanowiła się nad jego słowami. *Kiedy wykonasz dla mnie pewne zadanie, odeślę cię tam, gdzie twoje miejsce.* Zostać przyjętą do Gildii, a następnie odesłaną… On się *postara*, żeby spotkała ją kara za uderzenie go.

Postara się o to, żeby nigdy nie mogła zmienić zdania i powrócić do Gildii.

ROZDZIAŁ 26

POCZĄTEK OSZUSTWA

W przestrzeni między dwiema dłońmi – jedną dużą i starą, drugą drobną i spracowaną – dwie iskierki światła tańczyły niczym maleńkie owady. Światełka okrążały się wzajemnie, umykały i wnosiły się w skomplikowanym tańcu. Niebieska iskra skoczyła nagle ku żółtej, żółta zaś w odpowiedzi przemieniła się w świetlny pierścień. Kiedy niebieski płomyk przeskoczył przez środek żółtego okręgu, Rothen wybuchnął śmiechem.

– Dosyć! – zawołał.

Iskierki zamigotały i zgasły, kończąc taniec otaczających ich cieni. Rozglądając się po spowitym mrokiem pokoju, Rothen ze zdziwieniem zauważył, jak jest już późno. Użył swojej woli, by stworzyć kulę świetlną i zamknąć okienniki

– Szybko się uczysz – zwrócił się do Sonei. – Coraz lepiej radzisz sobie z kontrolowaniem mocy.

– Opanowałam kontrolę kilka dni temu – odparła. – Nie powiedziałeś mi o tym.

Zaskoczony Rothen odwrócił się do niej. Odpowiedziała niewzruszonym spojrzeniem. W jej głosie nie było cienia wątpliwości. W jakiś sposób udało jej się samej do tego dojść.

Rozparł się w fotelu, by rozważyć sytuację. Jeśli zaprzeczy, ona tylko bardziej się na niego rozzłości, kiedy dowie się prawdy. Lepiej będzie wyjaśnić powody tego przeciągania nauki.

Co oznacza, że jego czas się skurczył. Nie ma powodu, żeby ją tu dłużej trzymać. Jutro albo pojutrze Sonea odejdzie. Rothen mógłby poprosić Lorlena o opóźnienie związania, ale wiedział już, że nie zdoła zmienić jej decyzji w ciągu kilku krótkich dni.

Przytaknął.

– Kilka dni temu zauważyłem, że osiągnęłaś poziom, na którym uznałbym kontrolę nowicjusza za wystarczającą. Uważałem jednak, że w twoim przypadku szczególnie istotne jest przetestowanie jej, jako że nie będziesz mogła spodziewać się pomocy, gdyby cokolwiek poszło nie tak, jak należy.

Zamiast ulgi dostrzegł w jej wzroku przerażenie.

– Nie sądzę, żeby cokolwiek miało pójść nie jak należy – uspokoił ją. – Twoja kontrola jest…

– Ja zostaję – przerwała mu.

Wpatrywał się w nią bez słów, które z zaskoczenia uwięzły mu w gardle.

– *Zostajesz?* – zawołał. – Zmieniłaś zdanie?

Przytaknęła.

Skoczył na równe nogi.

– To *wspaniale*!

Sonea patrzyła na niego szeroko otwartymi oczami. Miał ochotę poderwać ją z fotela i mocno uścisnąć, ale bał się, że tylko ją wystraszy. Podszedł więc zamiast tego do szafki znajdującej się w głębi pokoju.

– Musimy to uczcić! – oznajmił. Wyciągnął butelkę wina pachi i kieliszki i przyniósł to wszystko do stolika.

Przyglądała się w milczeniu, bez ruchu, jak odkorkowywał butelkę i nalewał złocisty napój do kieliszków.

Drżącą ręką wzięła od niego kieliszek. Rothena nieco to otrzeźwiło – uświadomił sobie, że ona zapewne czuje się tym wszystkim przytłoczona, a może i przerażona.

– Co sprawiło, że zmieniłaś zdanie? – spytał, gdy już usiadł z powrotem.

Zagryzła lekko wargę, po czym odwróciła wzrok.

– Chcę uratować komuś życie.

– Ach! – Uśmiechnął się. – A zatem to Uzdrowiciele zrobili na tobie największe wrażenie.

– Tak – odrzekła. Pociągnęła łyk napoju i jej twarz rozpromieniła się z zachwytu. – Wino pachi!

– Piłaś je już kiedyś?

Uśmiechnęła się.

– Pewien Złodziej dał mi kiedyś butelkę…

– Nigdy nie opowiadałaś mi o Złodziejach. Nie chciałem pytać, żebyś nie pomyślała, że usiłuję wyciągnąć z ciebie informacje.

– Ja sama niewiele o nich wiem – odparła, wzruszając ramionami. – Większość czasu spędzałam samotnie.

– O ile się zorientowałem, w zamian za opiekę żądali od ciebie magii?

Potaknęła.

– Ale nigdy nie dostali tego, czego pragnęli. – Na jej czole pojawiła się zmarszczka. – Zastanawiam się… czy on uzna, że łamię naszą umowę, zostając tutaj?

– On nie zdołał ci pomóc – zauważył Rothen. – Dlaczego więc ty miałabyś dotrzymywać swojej strony zobowiązania?

– Ukrywanie mnie kosztowało go mnóstwo wysiłku i przysług.

Rothen pokręcił głową.

– Nie przejmuj się. Zwłaszcza Złodziejami. To od nich dowiedzieliśmy się, gdzie cię znaleźć.

Sonea wytrzeszczyła na niego oczy.

– *Zdradzili* mnie? – szepnęła.

Rothen zasępił się, zaniepokojony jej gniewem.

– Na to wygląda. Nie sądzę zresztą, żeby było to ich zamiarem, po prostu zorientowali się, że twoja moc staje się niebezpieczna.

Utkwiła wzrok w kieliszku i przez chwilę rozpamiętywała to wszystko w ponurym milczeniu.

– Co teraz będzie? – spytała nagle.

Rothen zawahał się z odpowiedzią, zdając sobie sprawę, że będzie musiał wyjaśnić jej kwestię żądań dotyczących opieki. Myśl o tym, że mogłaby znaleźć się w rękach maga, którego nie znała i któremu nie ufała, może wystarczyć, by ponownie zmieniła decyzję, ale on musi ostrzec ją przed taką ewentualnością.

– Zanim zostaniesz zaprzysiężona jako nowicjuszka, trzeba rozstrzygnąć kilka kwestii – zaczął. – Musisz umieć dobrze czytać i pisać, a także nauczyć się podstaw rachunków. Będziesz też musiała poznać przepisy i obyczaje Gildii. Ale przede wszystkim trzeba załatwić sprawę opieki nad tobą.

– Opieki? – Skuliła się w fotelu. – Mówiłeś, że tylko najbardziej utalentowani nowicjusze mają mentorów.

Rothen potaknął.

– Od samego początku wiedziałem, że ty akurat będziesz potrzebowała wsparcia mentora. Będziesz jedyną nowicjuszką spoza Domów, w związku z tym pewne rzeczy mogą nie być dla ciebie oczywiste. Opieka mentora może tu być bardzo pomocna, toteż zgłosiłem chęć zostania nim.

Nie jestem jednak jedynym magiem, który pragnie tego zaszczytu. Jest jeszcze jeden, znacznie ode mnie młodszy, imieniem Fergun. Kiedy dwaj magowie domagają się przyznania im opieki nad nowicjuszem, Gildia musi zwołać Przesłuchanie, by zdecydować, komu powierzyć te obowiązki. Przepisy mówią, że jeśli więcej niż jeden mag chce zostać mentorem nowicjusza, funkcja ta przypada temu, który jako pierwszy rozpoznał magiczne zdolności studenta, a zatem zazwyczaj decyzja jest prosta. – Skrzywił się. – Jednak nie w tym przypadku.

Nie odkryliśmy twojego talentu za pomocą zwyczajnych testów. Część magów uważa, że ponieważ to ja pierwszy cię zauważyłem, również ja pierwszy rozpoznałem twój talent. Inni jednak są zdania, że to Fergun, którego uderzył twój kamień, był pierwszy, bo jako pierwszy doznał działania twojej mocy. – Rothen zaśmiał się ponuro. – Spór w tej sprawie toczy się od miesięcy.

Przerwał, by wypić kolejny łyk wina.

– Przesłuchanie odbędzie się po najbliższym Posiedzeniu Gildii, czyli za tydzień. Potem będziesz kontynuować lekcje albo ze mną, albo z Fergunem.

Sonea zamyśliła się.

– Nowicjusz nie ma nic do powiedzenia w kwestii wyboru mentora?

Pokręcił głową.

– Nie.

– W takim razie może powinnam spotkać się z tym Fergunem – powiedziała powoli. – Chciałabym go poznać.

Rothen rzucił jej uważne spojrzenie, zaskoczony spokojem, z jakim przyjęła te wiadomości. *Powinienem się cieszyć*, powtarzał sobie, ale nie był w stanie otrząsnąć się z rozczarowania. Dużo lepiej czułby się, gdyby protestowała na samą myśl, że mogłaby zostać pozbawiona jego opieki i towarzystwa.

– Umówię cię z nim, jeśli tego sobie życzysz – powiedział. – On bardzo chce się z tobą spotkać. Podobnie jak wielu innych magów. Ale zanim to nastąpi, nauczę cię niektórych praw i obyczajów.

Podniosła wzrok; w jej oczach dostrzegł błysk ciekawości. Czując ulgę na ten widok, Rothen westchnął.

– Zacznijmy od tego, że należy się kłaniać.

Na jej twarzy pojawił się niesmak. Rothen odchrząknął współczująco.

– Tak, kłaniać. Wszyscy nie-magowie, nie licząc oczywiście rodziny królewskiej, powinni kłaniać się magom.

Sonea skrzywiła się.

– Dlaczego?

– To wyraz szacunku. – Wzruszył ramionami. – Może się to wydawać głupie, ale są wśród nas tacy, którzy czują się urażeni, jeśli się im nie kłania.

Zerknęła na niego spod przymrużonych powiek.

– Ty też do nich należysz?

– Zasadniczo nie – odpowiedział. – Ale zdarzają się takie sytuacje, w których zapomnienie o ukłonie jest celowym afrontem.

Spojrzała na niego podejrzliwie.

– Oczekujesz, że od teraz będę ci się kłaniać?

– I tak, i nie. Nie wymagam tego w sytuacjach prywatnych, ale poza tym mieszkaniem powinnaś zacząć to robić, chociażby po to, żeby się przyzwyczaić. Powinnaś również nauczyć się używać tytułów. Do magów należy się zwracać Mistrzu lub Mistrzyni, z wyjątkiem Rektora, Administratora i Wielkiego Mistrza, którzy noszą oddzielne tytuły.

Rothen uśmiechnął się, widząc minę Sonei.

– Spodziewałem się, że ci się to nie spodoba. Może i wychowałaś się w najniższej warstwie społecznej, ale jesteś dumna jak królowa. – Nachylił się do niej. – Pewnego dnia wszyscy będą się kłaniać tobie, Soneo. Z tym zapewne będzie ci jeszcze trudniej się pogodzić.

Zmarszczyła czoło, sięgnęła po kieliszek i wychyliła go duszkiem.

– Dobrze – ciągnął Rothen – musimy jeszcze zająć się regulaminem Gildii. Masz. – Nalał jej kolejny kieliszek wina. – Zobaczymy, może okaże się strawniejszy.

Rothen wyszedł zaraz po kolacji, zapewne po to, żeby podzielić się z innymi nowiną. Kiedy Tania zabrała się do sprzątania ze stołu, Sonea podeszła do okna. Przez chwilę wpatrywała się w okienniki i po raz pierwszy uświadomiła sobie, że ozdabiający go skomplikowany wzór tworzą maleńkie symbole Gildii.

Ciotka miała stare, trochę podarte papierowe okienniki w spróchniałej ramie. Nie pasowały do okna ich pokoju w gościńcu, ale Jonna i tak opierała je o szyby. Kiedy słońce przeświecało przez papier, nietrudno było przestać zauważać ich wady.

To wspomnienie zamiast zwykłej fali tęsknoty za domem wywołało w niej nagły skurcz żalu. Rozejrzała się z westchnieniem po otaczających ją eleganckich meblach, książkach i obrazach.

Będzie tęsknić za tymi wygodami i za jedzeniem, ale z tym zdążyła już się pogodzić. Najtrudniejsze będzie rozstanie z Rothenem. Polubiła jego towarzystwo: rozmowy, lekcje i mentalne konwersacje.

I tak zamierzałam odejść, przypomniała sobie po raz

setny. *Nie przychodziło mi tylko do głowy, ile zyskałam dzięki pobytowi tutaj.*

Pewność, że zostanie wygnana z Gildii, uświadomiła jej, co straci. Udawanie, że chce zostać, stało się nagle dziecinnie proste.

Dobrze, że Fergun o tym nie wie, pomyślała. *Uczyniłoby to jego zemstę zbyt słodką.*

Fergun sporo ryzykuje, żeby odpłacić jej za doznane upokorzenie. Musi być wściekły – albo całkowicie pewny, że ujdzie mu to na sucho. Tak czy siak, włożył sporo wysiłku w zamknięcie jej dostępu do Gildii.

– Pani?

Sonea odwróciła się na dźwięk głosu Tani. Służąca uśmiechała się do niej.

– Chciałam ci tylko powiedzieć, że bardzo się cieszę, że tu zostaniesz – rzekła. –Byłoby szkoda, gdybyś odeszła.

Sonea poczuła, że się rumieni.

– Dziękuję, Taniu.

Dziewczyna założyła ręce na piersi.

– Wyglądasz tak, jakbyś była pełna wątpliwości. A przecież postępujesz słusznie. Gildia nigdy nie przyjmuje ludzi z nizin. Niech zobaczą, że potrafisz zrobić wszystko to, co oni, i równie dobrze jak oni.

Sonea poczuła zimny dreszcz. Tu nie chodzi tylko o zemstę!

Gildia wcale nie *musiała* jej zapraszać. Mogli zablokować jej moc i odesłać do slumsów, ale tego nie zrobili. Po raz pierwszy od stuleci magowie postanowili uczyć kogoś spoza Domów.

Usłyszała w myślach echo słów Ferguna. „Kiedy wykonasz dla mnie pewne zadanie, odeślę cię tam, gdzie twoje miejsce". Tam gdzie *jej miejsce?*

Wyczuwała w jego głosie pogardę, ale nie rozumiała jej znaczenia. Fergunowi nie chodziło tylko o to, żeby *ona* nie dostała się do Gildii. Chciał zyskać pewność, że żaden bylec nigdy więcej nie dostanie takiej szansy. Jakiekolwiek było to zaplanowane dla niej „zadanie", miało pokazać, że bylcom nie można ufać. Tak żeby Gildii nigdy więcej nie przyszło do głowy zapraszać ich w swoje szeregi.

Chwyciła się mocniej parapetu, czując, jak serce przyspiesza jej ze złości. *Oni otwierają podwoje przede mną, przed bylcem, a ja mam odejść, jakby to nic nie znaczyło!*

Ogarnęło ją dobrze znane uczucie bezsilności. Nie może zostać. Od jej odejścia zależy życie Cery'ego.

– Pani?

Sonea zamrugała, patrząc na Tanię. Służąca dotknęła lekko dłonią jej ramienia.

– Dasz sobie radę, pani – powiedziała pocieszająco. – Rothen twierdzi, że jesteś silna i uczysz się szybko.

– Tak mówi?

– Oczywiście. – Tania odwróciła się i podniosła swój koszyk pełen naczyń. – Do zobaczenia rano. Nie martw się, pani. Wszystko będzie dobrze.

Sonea uśmiechnęła się niemrawo.

– Dziękuję, Taniu.

Służąca odpowiedziała uśmiechem.

– Dobranoc.

– Dobranoc.

Pokojówka wymknęła się przez drzwi, pozostawiając ją samą. Sonea westchnęła i wyjrzała przez okno. Na dworze znów padał śnieg, białe płatki tańczyły w ciemności.

Gdzie jesteś, Cery?

Zamyśliła się na wspomnienie sztyletu, który pokazał jej

Fergun. Być może po prostu go znalazł... może wcale nie trzymał Cery'ego w celi...?

Odeszła od okna i opadła na fotel. Miała na głowie tyle rzeczy: Cery'ego, Ferguna, Przesłuchanie, opiekę. Pomimo zapewnień Tani czuła, że nie będzie dobrze spać przez kilka następnych tygodni.

W każdy trzydzień Dannyl jadał kolację u Yaldina i jego żony. Ezrille wprowadziła ten zwyczaj kilka lat temu, zaniepokojona, że skoro Dannyl nie znalazł sobie jeszcze żony, będzie czuł się samotnie bez towarzystwa na wieczór.

Oddając pusty talerz służącej Yaldina, Dannyl westchnął z ukontentowaniem. Powątpiewał wprawdzie w przewidywane przez Ezrille zagrożenie melancholią, ale cenił sobie towarzystwo przy kolacji.

– Słyszałem o tobie plotki, Dannylu – oznajmił Yaldin.

Dannyl zachmurzył się: całe jego zadowolenie wyparowało. Chyba tym razem nie chodzi o Ferguna.

– A jakie to plotki?

– Administrator jest ponoć tak zadowolony z twoich negocjacji ze Złodziejami, że rozważa przyznanie ci funkcji ambasadora.

Dannyl wyprostował się i spojrzał na starszego maga.

– Naprawdę?

Yaldin potaknął.

– Co o tym myślisz? Ciągnie cię do podróżowania?

– No... – Dannyl pokręcił głową. – Nigdy się nad tym nie zastanawiałem. Ja? Ambasadorem?

– Owszem. – Yaldin zaśmiał się. – Nie jesteś już tak młody i beztroski jak dawniej.

– Dzięki – odparł kwaśno Dannyl.

– Zrobiłoby ci to dobrze – wtrąciła się Ezrille, z uśmiechem wytykając go palcem. – Może nawet wróciłbyś z żoną.

Dannyl posłał jej miażdżące spojrzenie.

– Nie zaczynajmy tej dyskusji na nowo, Ezrille.

Wzruszyła ramionami.

– No cóż, skoro w Kyralii najwyraźniej nie ma kobiety, która byłaby dostatecznie dobra dla...

– Ezrille – przerwał jej stanowczo Dannyl. – Ostatnia młoda dama, z którą miałem przyjemność, dźgnęła mnie nożem. Wiesz dobrze, że jestem przeklęty, jeśli chodzi o kobiety.

– To niepoważne. Usiłowałeś przecież ją złapać, a nie poderwać. A skoro już o niej mowa: jak miewa się Sonea?

– Rothen twierdzi, że radzi sobie świetnie z lekcjami, ale nadal chce odejść. No i zaprzyjaźniła się z Tanią.

– Obawiam się, że ona będzie lepiej się dogadywać ze służbą niż z nami – zatroskał się Yaldin. – W przeciwieństwie do nas, oni nie są wiele wyżej od niej urodzeni.

Dannyl skrzywił się. Kiedyś nie widziałby nic niestosownego w tej uwadze – nawet by się z nią zgodził – ale po rozmowach z Soneą wydała się mu nie na miejscu, wręcz obraźliwa.

– Rothenowi nie spodobałyby się twoje słowa.

– Nie – przyznał Yaldin. – Ale on jest raczej odosobniony w swoich poglądach. Reszta Gildii uważa, że pochodzenie i pozycja są bardzo ważne.

– Co się teraz mówi?

Yaldin wzruszył ramionami.

– Dysputy wyszły poza niewinne zakłady w kwestii opieki. Wielu ludzi podważa decyzję o zaproszeniu do Gildii kogoś o tak nieciekawym pochodzeniu.

– Znowu? A jakie tym razem podają powody?

– Czy ona będzie w stanie uszanować przysięgę? – odparł Yaldin. – Czy nie wywrze złego wpływu na nowicjuszy. – Nachylił się do Dannyla. – Ty ją poznałeś. Co o niej sądzisz?

Dannyl wzruszył ramionami i wytarł palce w serwetkę.

– Jestem ostatnią osobą, którą powinieneś o to pytać. Ona dźgnęła mnie nożem, zapomniałeś?

– Nigdy nie dasz nam o tym zapomnieć – odparowała Ezrille. – Daj spokój, na pewno wiesz coś więcej.

– Ma okropną wymowę, ale nie aż tak złą, jak się tego spodziewałem. Kompletnie brakuje jej manier, do których przywykliśmy. Żadnych ukłonów, żadnych tytułów…

– Rothen nauczy ją tego we właściwym czasie – powiedziała Ezrille.

Yaldin parsknął cicho.

– Dobrze by było, gdyby zdążył przed Przesłuchaniem.

– Oboje zapominacie, że ona nie chce zostać. Po co więc zawracać sobie głowę nauką etykiety?

– Może dla nas wszystkich będzie lepiej, jeśli ona odejdzie.

Ezrille rzuciła mężowi pełne nagany spojrzenie.

– Yaldin – powiedziała ostro – naprawdę odesłałbyś tę dziewczynę do slumsów po tym, jak napatrzyła się tu na bogactwo? To byłoby okrucieństwo.

Starszy mag wzruszył ramionami.

– Oczywiście, że nie, ale ona chce odejść i tak będzie lepiej dla wszystkich. Zacznijmy od tego, że obejdzie się bez Przesłuchań, no i skończy się cała ta awantura o przyjmowanie ludzi spoza Domów.

– To i tak jest czcza gadanina – wtrącił się Dannyl. – Wszyscy wiemy, że Król chciałby, żeby ona pozostała pod naszą kontrolą.

– W takim razie nie będzie szczęśliwy, gdy się dowie, że ona uparła się odejść.

– Nie – zgodził się Dannyl. – Ale nawet on nie może jej zmusić do złożenia przysięgi.

Yaldin zachmurzył się, po czym spojrzał ku drzwiom, do których właśnie ktoś zapukał. Następnie machnął leniwie ręką i drzwi się otwarły.

Do salonu wszedł rozpromieniony Rothen.

– Sonea zostaje!

– To rozwiązuje sprawę – powiedziała Ezrille.

Yaldin przytaknął.

– Nie do końca, Ezrille. Przed nami jeszcze Przesłuchanie.

– Przesłuchanie? – Rothen machnął lekceważąco ręką. – Zostawmy to na później. Na razie chcę to uczcić.

ROZDZIAŁ 27

W LOCHACH UNIWERSYTETU

Sonea zwinęła się w fotelu i rozmyślała nad minionym dniem.

Rankiem Administrator Lorlen odwiedził ją, by zapytać oficjalnie o jej decyzję i wytłumaczyć raz jeszcze kwestie związane z opieką i Przesłuchaniem. Poczuła ukłucie winy na widok jego autentycznej radości na wieść o decyzji, którą podjęła – i to uczucie wzrastało wraz z upływem godzin.

Zjawili się też inni goście: najpierw Dannyl, po nim poważna i onieśmielająca Arcymistrzyni Uzdrowicieli, a także dwoje starszych przyjaciół Rothena. Za każdym razem, kiedy słyszała pukanie do drzwi, w napięciu spodziewała się Ferguna, ale Wojownik nie przychodził.

Zakładając, że nie przyjdzie, dopóki ona nie zostanie sama, poczuła niemal ulgę, gdy Rothen wyszedł po kolacji, mówiąc, że wróci późno, więc Sonea może iść spać, nie czekając na niego.

– Mogę zostać i z tobą porozmawiać – zaproponowała Tania.

Sonea uśmiechnęła się z wdzięcznością.

– Dziękuję, Taniu, ale chyba chciałabym pobyć dziś wieczorem trochę sama.

Służąca skinęła głową.

– Rozumiem. – Odwróciła się z powrotem do stołu i zatrzymała w pół ruchu na dźwięk stukania do drzwi. – Czy mam otworzyć, pani?

Sonea potaknęła. Wzięła głęboki oddech i patrzyła, jak pokojówka uchyla drzwi.

– Czy zastałem panią Soneę?

Na dźwięk tego głosu Sonea poczuła, że żołądek podchodzi jej do gardła.

– Tak, Mistrzu Fergunie – odrzekła Tania, rzucając Sonei zaniepokojone spojrzenie. – Zapytam, czy zechce się z tobą spotkać.

– Wpuść go, Taniu. – Mimo tłukącego się szaleńczo w jej piersi serca, Sonea zdołała zachować spokój.

Służąca odsunęła się od drzwi, wpuszczając do środka ubranego na czerwono maga, który kłaniając się nieznacznie Sonei, położył dłoń na piersi.

– Jestem Fergun. Mam nadzieję, że Mistrz Rothen opowiedział ci o mnie.

Fergun rzucił okiem na Tanię, po czym skierował wzrok z powrotem ku Sonei. Sonea przytaknęła.

– Owszem – odpowiedziała. – Wspominał. Usiądź, proszę.

– Dziękuję. – Pełnym gracji ruchem opadł na fotel.

~ *Odeślij sługę.*

Sonea przełknęła ślinę i podniosła wzrok na pokojówkę.

– Czy masz coś jeszcze do zrobienia, Taniu?

Dziewczyna spojrzała na stół i pokręciła głową.

– Nie, pani. Wrócę później pozbierać naczynia. – Ukłoniła się i wymknęła z pokoju.

Kiedy tylko zamknęły się za nią drzwi, z twarzy Ferguna opadła maska uprzejmości.

– Dopiero dziś rano zostałem poinformowany, że Rothen ogłosił koniec twojej nauki. Zajęło ci to trochę czasu.

– Musiałam powiedzieć mu we właściwej chwili – odparowała. – Inaczej mógłby nabrać podejrzeń.

Fergun wbił w nią wzrok, po czym machnął lekceważąco ręką.

– Najważniejsze, że już się stało. Powtórzmy zatem instrukcje, by upewnić się, że zrozumiałaś. No, już.

Kiwał głową, kiedy recytowała, co kazał jej zrobić.

– Doskonale. Masz jakieś pytania?

– Owszem – odpowiedziała. – Skąd mam mieć pewność, że naprawdę przetrzymujesz Cery'ego? Widziałam jedynie sztylet.

Uśmiechnął się złowrogo.

– Będziesz musiała mi zaufać.

– Zaufać *tobie*? – Parsknęła głośno i zmusiła się do wytrzymania jego spojrzenia. – Chcę się z nim zobaczyć. Jeśli się nie zgodzisz, mogę zapragnąć upewnić się u Administratora Lorlena, czy szantaż nie jest przypadkiem wykroczeniem przeciwko regulaminowi Gildii.

Usta Ferguna wykrzywił szyderczy grymas.

– Nie jesteś w najlepszej sytuacji do wysuwania takich gróźb.

– Doprawdy? – Wstała, podeszła do dużego stołu i nalała sobie szklankę wody. Ręce się jej trzęsły, była więc zadowolona, że stoi tyłem do niego. – Wiem wszystko o tego rodzaju szantażu. Czyżbyś zapomniał, że mieszkałam u Złodziei? Musisz mnie przekonać, że możesz spełnić groźbę. Widziałam jedynie sztylet. Skąd mam mieć pewność, że uwięziłeś jego właściciela?

Odwróciła się, żeby spojrzeć mu prosto w oczy, i z zadowoleniem stwierdziła, że stracił nieco ze swej buty. Zacisnął pięści, a następnie skinął powoli głową.

– Doskonale – powiedział, wstając. – Zabiorę cię do niego.

Poczuła dreszcz triumfu, który jednak minął dość szybko. Fergun nie zgodziłby się tak łatwo, gdyby rzeczywiście nie trzymał Cery'ego pod kluczem. Wiedziała również, że gdy stawką jest czyjeś życie, najtrudniej jest powstrzymać porywacza przed zabiciem jeńca, gdy tylko spełni się jego żądania.

Fergun podszedł do drzwi, otworzył je i przepuścił Soneę przodem. Kiedy znalazła się na korytarzu, dwaj magowie zatrzymali się zaniepokojeni, ale rozluźnili się na widok wyłaniającego się z mieszkania Ferguna.

– Czy Rothen opowiadał ci o zabudowaniach Gildii? – spytał lekkim tonem Fergun, gdy ruszyli w kierunku schodów.

– Owszem – odparła.

– Wzniesiono je około czterystu lat temu – zaczął, nie zwracając uwagi na jej odpowiedź. – Gildia rozrosła się tak bardzo…

Nareszcie koniec tygodnia! – pomyślał radośnie Dannyl, wychodząc z sali wykładowej. Możliwość, że Sonea wstąpi do Gildii, najwyraźniej nie przeszła przez myśl niektórym nowicjuszom. Przez cały dzień gadali tylko o tym, aż w końcu Dannyl był zmuszony zatrzymać dwóch z nich po godzinach w ramach kary za to, że zbyt rozpraszali pozostałych.

Z westchnieniem ulgi zebrał książki, papier i piórnik, po czym ruszył korytarzem Uniwersytetu. Kiedy znalazł się na szczycie schodów, zamarł, nie wierząc własnym oczom.

Przez główną bramę weszli właśnie Fergun i Sonea. Wojownik rozejrzał się ostrożnie po korytarzu, a następnie sprawdził schody po drugiej stronie holu. Dannyl cofnął się w cień i nasłuchiwał dochodzącego z dołu echa kroków, które ucichły, gdy tamci dwoje zagłębili się w korytarz na parterze.

Starając się nie robić najmniejszego hałasu, Dannyl powoli zszedł ze schodów. Przemierzył hol w kierunku wejścia do dolnego korytarza i wyjrzał za róg. Fergun i Sonea byli kilka kroków przed nim; szli szybko. Chwilę później skręcili w boczną odnogę.

Z bijącym mocno sercem Dannyl ruszył za nimi. Dochodząc do rogu, za którym zniknęli, zwolnił kroku i uświadomił sobie, że tu właśnie widział Ferguna kilka dni temu. Zaryzykował zerknięcie za róg.

Korytarzyk był pusty. Dannyl ruszył przed siebie, nasłuchując uważnie. Ledwie słyszalny głos Ferguna poprowadził go ku przejściu wiodącemu do podziemi Uniwersytetu. Dannyl przecisnął się przez uchylone drzwi i podążył za echem głosu przez kilka kolejnych odnóg – po czym zatrzymał się w ciszy.

Brak głosów sprawił, że przeszył go dreszcz. Czyżby Fergun zorientował się, że jest śledzony? Czy teraz czeka na swojego adwersarza?

Po dojściu do kolejnego zakrętu korytarza Dannyl wymamrotał przekleństwo. Nie mając głosu Ferguna za przewodnika, nie wiedział, czy zaraz na niego nie wpadnie. Wyjrzał więc jak najostrożniej za róg i odetchnął z ulgą. Korytarz przed nim był pusty.

Ruszył przed siebie, ale zwolnił po kilku krokach: znalazł się w ślepym zaułku. Technicznie rzecz biorąc, nie był to ślepy zaułek, ponieważ w gmachu Uniwersytetu nie było takich miejsc. Jedne z bocznych drzwi prowadziły do przejścia, którym doszłoby się w końcu do głównego korytarza. Niemniej gdyby Fergun wszedł w któreś drzwi, Dannyl musiałby to usłyszeć. Fergun nie dbał o zachowanie ciszy.

Mógł zacząć, jeśli podejrzewał, że jest śledzony.

Dannyl chwycił za klamkę drzwi wiodących do najbliższego bocznego przejścia i nacisnął ją. Zawiasy zgrzytnęły tak głośno, jakby drzwi chciały go upewnić, że musiałby usłyszeć, gdyby Fergun je wcześniej otwierał. Mag zajrzał do środka i przekonał się, że korytarzyk jest pusty.

Co więcej, główny korytarz również był pusty. Zdumiony Dannyl cofnął się i spróbował z innymi drzwiami, ale nigdzie nie dostrzegł Ferguna ani Sonei.

Kręcąc powątpiewająco głową, w której kłębiło się od pytań, wrócił do holu i opuścił gmach Uniwersytetu. Dlaczego Fergun wyprowadził Soneę z mieszkania Rothena? Dlaczego zaprowadził ją w opuszczone korytarze w samym sercu Uniwersytetu? No i jakim cudem oboje znikli?

~ *Rothen?*

~ *Dannyl.*

~ *Gdzie jesteś?*

~ *W sali wieczornej.*

Dannyl skrzywił się. A zatem Fergun poczekał ze swoją wizytą do momentu, aż Rothen wyszedł. Typowe.

~ *Zaczekaj tam. Zaraz do ciebie przyjdę.*

Otulony w koc Cery wsłuchiwał się we własne szczękanie zębami. Temperatura w jego więzieniu spadła w ciągu ostatnich kilku dni i teraz było tak zimno, że zamarzała wilgoć na ścianach. Gdzieś wysoko nad jego głową zima chwytała miasto coraz silniej w swoje objęcia.

Mag z każdym posiłkiem przynosił teraz również świecę, ale jej światła i ciepła starczało raptem na kilka godzin. Kiedy na powrót zapadała ciemność, Cery spał albo przechadzał się po lochu dla rozgrzewki, licząc przy tym kroki, by uniknąć wpadania na ściany. Do piersi przyciskał bukłak z wodą, chroniąc ją przed zamarznięciem.

Do jego uszu dobiegł cichy dźwięk, więc zatrzymał się, pewny, że słyszał inne kroki oprócz swoich. Ale wokół panowała absolutna cisza. Westchnął i ruszył dalej w kółko.

W myślach powtarzał niekończące się scenariusze rozmów ze swoim prześladowcą. Po nieudanej próbie zabicia maga Cery spędził niezliczone godziny, rozważając swoją sytuację. Ucieczka z celi była niemożliwa, dla Ferguna nie stanowił też żadnego zagrożenia, a zatem jego los był całkowicie w rękach maga.

Chociaż wcale mu się to nie podobało, wiedział, że pozyskanie przychylności Ferguna będzie jedyną szansą wydostania się stąd. To zadanie wydawało się niemożliwe: mag nie przejawiał żadnego zainteresowania rozmowami i najwyraźniej szczerze pogardzał Cerym. *Muszę spróbować*, pomyślał Cery, *dla Sonei*.

Sonea. Cery pokręcił głową z westchnieniem. Mogło być tak, że zmusili ją do powiedzenia mu, iż potrzebuje Gildii do opanowania swej mocy, ale wątpił w to. Nie była spięta ani przestraszona, wyglądała raczej na pogodzoną z losem. Cery był świadkiem tego, jak jej moc reagowała na emocje i jak groźna się stała. Nie było trudno uwierzyć, że jej magia mogłaby ją w końcu zabić.

Co oznaczało, że zaprowadzenie Sonei do Złodziei było najgorszą z jego decyzji. Przyczynił się do tego, że musiała codziennie usiłować posłużyć się magią, wzmagając w ten sposób swoją moc, być może zmierzając w przyspieszonym tempie do utraty kontroli.

W końcu tak czy siak doszłaby do tego momentu, niezależnie od tego, co on robił. Prędzej czy później Gildia by ją odnalazła – albo Sonea nie przeżyłaby.

Krzywiąc się w ciemności, Cery pomyślał o liście przysłanym przez magów, liście, w którym zapewniali, że jej nie skrzywdzą, i zapraszali w swoje szeregi. Sonea im nie uwierzyła. Faren też nie.

Ale Cery miał starego znajomego wśród służących z Gildii. Ten człowiek może byłby w stanie potwierdzić prawdziwość tych obietnic – tyle że Cery nie zapytał.

Nie chciałem wiedzieć. Chciałem być z nią. Sonea i ja, pracujący razem dla Złodziei... albo po prostu razem...

Ona nie pasuje ani do Złodziei, ani do niego. Ma talent magiczny. Czy jemu się to podoba, czy nie, jej miejsce jest wśród magów.

Na tę myśl poczuł ukłucie zazdrości, ale szybko je stłumił. Ciemność sprawiła, że zaczął kwestionować swoją nienawiść do Gildii. Nie mógł odpędzić upartej myśli, że skoro magowie nie szczędzili wysiłków, by uratować ją – a także wielu mieszkańców slumsów – przed jej mocą, nie mogą być tak nieczuli, jak to sobie wyobrażali bylcy.

No a poza tym, czy potrafiłby sobie wyobrazić lepszą przyszłość dla Sonei? Będzie miała bogactwo, wiedzę i władzę. Jakże on mógłby chcieć jej to zabrać?

Nie mógłby. Nie ma do niej żadnych praw. Gdy to sobie uświadomił, poczuł, jak coś ściska go w piersi. Mimo że jego serce podskoczyło, gdy pojawiła się znów w jego życiu, nigdy nie okazała mu nic więcej poza przyjaźnią.

Zastygł znów w bezruchu, słysząc ciche dźwięki. Z oddali dobiegał cichy, lecz coraz wyraźniejszy stukot butów o kamień. Kiedy kroki przybliżyły się, cofnął się od drzwi, żeby zrobić magowi miejsce. Sądząc po tempie kroków, Fergun szedł w pośpiechu.

Kroki nie zwolniły jednak przy drzwiach, ale minęły je bez zatrzymywania się.

Cery ruszył do przodu. Czy to jego prześladowca tylko przechodzący tędy, spiesząc w jakieś inne miejsce? *A może to ktoś inny?*

Podbiegł do drzwi i podniósł pięść, żeby w nie uderzyć, po czym zamarł, chwyciły go bowiem wątpliwości. Jeśli ma rację i Fergun zamierza go wykorzystać do szantażowania Sonei, to uciekając i niwecząc plany maga, może narazić ją na niebezpieczeństwo.

Jeżeli Fergun wyjawił Sonei zbyt wiele, może ją zabić, by ukryć swoją zbrodnię. Cery słyszał dużo opowieści o nieudanych porwaniach i wymuszeniach i zadrżał na myśl o zakończeniach niektórych z nich.

Kroki tymczasem umilkły w oddali. Cery oparł głowę o drzwi i zaklął. Za późno. Nieznajomy przeszedł.

Westchnął i powrócił do planów obłaskawienia Ferguna, nawet jeżeli miałoby to doprowadzić jedynie do poznania jego zamiarów. Kiedy usłyszał ponownie kroki, był pewny, że tym razem mu się zdaje.

Niemniej wsłuchując się w nie, nabierał przekonania, że są prawdziwe. Serce mu przyspieszyło, kiedy uświadomił sobie, że słyszy kroki dwóch osób. Zatrzymały się przed drzwiami, a do uszu Cery'ego dobiegł stłumiony głos Ferguna:

– Stój. Jesteśmy na miejscu.

Zamek brzęknął i drzwi otworzyły się. Unosząca się nad głową Ferguna kula świetlna oślepiła Cery'ego. Pomimo ciemności rozpoznał jednak sylwetkę drugiego z gości. Poczuł, że serce mu zamiera.

– *Sonea!*

– Cery?

Uniosła ręce i ściągnęła przepaskę z oczu. Zamrugała, a następnie uśmiechnęła się i weszła do lochu.

– Nic ci się nie stało? Dobrze się czujesz? – Przypatrywała mu się dokładnie, szukając śladów obrażeń.

Pokręcił głową.

– Nic mi nie jest. A tobie?

– Jestem cała i zdrowa. – Rzuciła spojrzenie Fergunowi, który przyglądał się im z zaciekawieniem. – Fergun nie zrobił ci krzywdy?

Cery uśmiechnął się cierpko.

– Tylko na moje własne życzenie.

Uniosła brwi. Obróciła się i spojrzała na maga spod przymrużonych powiek.

– Chcę pogadać z nim na osobności.

Fergun zawahał się, ale wzruszył ramionami.

– Proszę bardzo. Ale tylko kilka minut.

Wykonał szybki gest ręką i drzwi zamknęły się przed nim, pozostawiając Soneę i Cery'ego w kompletnej ciemności.

Cery westchnął.

– Teraz oboje jesteśmy w pułapce.

– On mnie tu nie zostawi. Jestem mu potrzebna.

– Do czego?

– To skomplikowane. On chce, żebym zgodziła się wstąpić do Gildii, by mógł sprowokować mnie do złamania prawa i wyrzucić. Chyba chce się w ten sposób zemścić za to, że trafiłam go tym kamieniem podczas Czystki… ale obawiam się, że chodzi też o ostateczne przekonanie Gildii, że

464

nie powinna przyjmować bylców. Ale nieważne. Jeśli zrobię, co każe, on cię wypuści. Myślisz, że to zrobi?

Cery potrząsnął głową, chociaż wiedział, że ona tego nie zobaczy.

– Nie mam pojęcia. Nie był dla mnie bardzo zły. Złodzieje byliby bardziej wredni. – Zastanowił się. – Myślę, że on nie wie, co robi. Opowiedz o tym komuś.

– Nie – odpowiedziała. – Jeśli komukolwiek powiem, Fergun nigdy nie wyjawi, gdzie jesteś. Umrzesz z głodu.

– Ktoś poza nim musi wiedzieć o tych przejściach.

– Ale może im zająć kilka dni, zanim cię znajdą, Cery. Szliśmy tu długo. Możesz być nawet poza terenem Gildii.

– Nie wydawało mi się dale…

– *Nieważne*, Cery. I tak nie zamierzałam zostać, więc nie ma sensu ryzykować twoim życiem.

– Nie zamierzałaś wstąpić do Gildii?

– Nie.

Jego serce przyspieszyło.

– Czemu?

– Z mnóstwa powodów. Przede wszystkim dlatego, że wszyscy nienawidzą magów. Czułabym się tak, jakbym zdradzała moich ludzi.

Uśmiechnął się. To tak bardzo do niej pasowało. Wziął głęboki oddech.

– Ty *powinnaś* tu zostać, Soneo. Musisz się nauczyć posługiwać magią.

– Ale wtedy wszyscy mnie znienawidzą.

– Nieprawda. Oni wszyscy, gdyby tylko mieli cień szansy, żeby zostać magami, daliby się za to pokroić. Jeśli odrzucisz ofertę magów, wszyscy pomyślą, że jesteś szalona lub głupia. Jeżeli zostaniesz, zrozumieją. Nie chcieliby, żebyś z tego wszystkiego zrezygnowała. – Przełknął ślinę i zmusił się do kłamstwa. – Ja nie chcę, żebyś z tego rezygnowała.

Zawahała się.

– Nie znienawidziłbyś mnie?

– Nie.

– A *ja* owszem.

– Ludzie, którzy cię znają, będą wiedzieć, że postąpiłaś słusznie – powiedział Cery.

– Ale… i tak będę się *czuła*, jakbym zmieniła stronę.

Cery westchnął.

– Nie bądź *głupia*, Soneo. Jeśli zostaniesz magiem, będziesz mogła pomagać ludziom. Może doprowadzisz do zaniechania Czystek. Ludzie będą cię *słuchać*.

– Ale… moje miejsce jest przy Jonnie i Ranelu. Oni mnie potrzebują.

– Wcale nie. Całkiem nieźle im się wiedzie. Pomyśl za to, jacy byliby dumni. Ich siostrzenica w Gildii.

Sonea tupnęła nogą.

– To wszystko nie ma znaczenia, Cery. *Nie mogę* zostać. Fergun powiedział, że cię zabije. Nie opuszczę przyjaciela po to, żeby nauczyć się kilku magicznych sztuczek.

Przyjaciela. Cery opuścił ramiona. Zamknął oczy i westchnął głęboko.

– Soneo, pamiętasz tę noc, kiedy zakradliśmy się na tereny Gildii?

– Oczywiście. – W jej głosie pojawiła się nuta uśmiechu.

– Powiedziałem ci wtedy, że znam kogoś, służącego w Gildii. Mogłem odszukać tego człowieka, poprosić go, żeby dowiedział się, czego naprawdę magowie chcą od ciebie, ale nie zrobiłem tego. Wiesz czemu?

– Nie. – Teraz była autentycznie zdumiona.

– Nie chciałem się przekonać, że Gildia naprawdę chce ci pomóc. Bo wtedy byś tu wróciła, a ja nie chciałem, żebyś odeszła. Nie chciałem znów cię stracić.

Nic nie odpowiedziała, a jej milczenie nic mu nie mówiło. Przełknął ślinę, czując całkowitą suchość w ustach.

– Miałem tu mnóstwo czasu na przemyślenia – powiedział w końcu. – I postanowiłem... no, powiedziałem sobie, że trzeba się z tym zmierzyć. Że skoro nie ma między nami nic poza przyjaźnią, to nie byłoby w porządku...

Westchnęła cichutko.

– Och, Cery – wyszeptała. – Nigdy mi nic nie mówiłeś!

Czuł, że płonie rumieńcem, i był wdzięczny losowi za otaczającą ich ciemność. Wstrzymał oddech, czekając na jej następne słowa, w nadziei, że może usłyszy coś, co powie mu, że ona też tak czuje... a może czekał nawet na jej dotyk...

Milczenie przeciągało się, aż w końcu nie mógł znieść go dłużej.

– No cóż, nieważne – powiedział. – Najważniejsze jest to, że twoje miejsce nie jest w slumsach. Już nie, odkąd odkryłaś swój talent magiczny. Być może tu naprawdę też nie pasujesz, ale przynajmniej powinnaś dać sobie szansę.

– Nie – odpowiedziała stanowczo. – Muszę cię stąd wydostać. Nie wiem, jak długo jeszcze Fergun zamierza się tobą posługiwać do szantażowania mnie, ale nie może cię trzymać w tym lochu w nieskończoność. Każę mu przynosić mi wieści od ciebie, żebym wiedziała, że żyjesz. Jeśli się nie zgodzi, odmówię współpracy. Pamiętasz opowieść o stolarzu Hurinie?

– Oczywiście.

– Zrobimy to co on. Nie mam pojęcia, jak długo Fergun zamierza cię tu trzymać, ale...

467

Urwała, gdy usłyszała otwierające się drzwi. Magiczne światło padło na jej twarz i Cery poczuł, że serce mu się ściska.

– Byłaś tu dostatecznie długo – warknął Fergun.

Sonea odwróciła się do Cery'ego, uściskała go szybko i wyszła. Zacisnął zęby. To krótkie spotkanie okazało się bardziej bolesne niż uprzednie milczenie.

– Trzymaj się ciepło – powiedziała na pożegnanie. Odwróciła się i poszła korytarzem za Fergunem. Zanim drzwi się zatrzasnęły, Cery zdążył jeszcze przycisnąć do nich ucho.

– Rób, co ci każę, albo nigdy go już nie zobaczysz – mówił Fergun. – W przeciwnym razie…

– Wiem, wiem – odrzekła Sonea. – Ale ty zapamiętaj sobie, co Złodzieje robią z krzywoprzysięzcami.

Lepiej mu powiedz, pomyślał Cery z ponurym uśmiechem.

W momencie, w którym Dannyl wszedł do sali wieczornej, dla Rothena stało się oczywiste, że coś go niepokoi. Uwolnił się od gromadki ciekawskich magów i przeszedł przez pokój, by przywitać przyjaciela.

– Co się stało?

– Tutaj nie mogę ci powiedzieć – odparł Dannyl, rozglądając się bacznie.

– Może więc wyjdziemy? – zaproponował Rothen.

Wyszli w padający śnieg. Wokół nich wirowały białe płatki, sycząc w zetknięciu z tarczą Rothena. Dannyl zatrzymał się przy fontannie.

– Zgadnij, kogo widziałem przed chwilą na Uniwersytecie?

– Kogo?

– Ferguna z Soneą.

– Z Soneą? – Rothen poczuł nagły niepokój, ale odepchnął od siebie to uczucie. – On teraz ma prawo z nią rozmawiać, Dannyl.

– Rozmawiać, proszę bardzo, ale zabierać z twojego mieszkania?

Rothen wzruszył ramionami.

– Żaden przepis mu tego nie zabrania.

– I nie przejmujesz się tym?

– Owszem, ale protesty na nic się nie zdadzą. Może to i lepiej, jeśli ludzie się przekonają, że Fergun przekracza pewne granice, na pewno lepiej, niż gdybym protestował, cokolwiek zrobi. Wątpię, czyby z nim poszła, gdyby nie miała na to ochoty.

Dannyl spochmurniał.

– A zatem nie chcesz wiedzieć, dokąd ją zabrał?

– Dokąd?

Przez twarz Dannyla przemknął wyraz rozdrażnienia.

– Prawdę mówiąc, nie jestem pewny. Poszedłem za nimi w głąb Uniwersytetu, Fergun zaprowadził ją w wewnętrzne przejścia. A potem ich zgubiłem. Po prostu znikli mi z oczu.

– Dosłownie znikli ci z oczu?

– Nie. Słyszałem, jak on mówił, a potem wszystko ucichło. Za bardzo ucichło. Powinienem był słyszeć kroki albo skrzypnięcie drzwi. Cokolwiek.

Rothen raz jeszcze musiał odepchnąć od siebie uczucie niepokoju.

– Hmmm, *wolałbym* wiedzieć, dokąd ją zabrał. Co on mógł chcieć jej pokazać na Uniwersytecie? Jutro ją zapytam.

– A jeśli ci nie powie?

Rothen wpatrywał się w zamyśleniu w pokryty śniegiem dziedziniec. Wewnętrzne korytarze Uniwersytetu prowadziły do małych prywatnych pokoików. Większość powinna być pusta lub zamknięta. Nic tam nie było… oprócz…

– Chyba nie pokazał jej podziemnych korytarzy – wymamrotał.

– Jasne! – Oczy Dannyla rozbłysły, a Rothen natychmiast pożałował swych słów. – To jest to!

– Mało prawdopodobne, Dannylu. Nikt nie wie, gdzie są wejścia, oprócz…

Dannyl nie słuchał.

– To wreszcie ma sens! Jak mogłem na to nie wpaść?! – Chwycił się za głowę.

– Cóż, osobiście nalegałbym, abyś trzymał się z dala od nich. Istnieją ważne powody, dla których zakazano posługiwania się nimi. Korytarze są stare i niebezpieczne.

Dannyl uniósł brwi.

– A co w takim razie z pogłoskami, że pewien członek Gildii używa ich regularnie?

Rothen skrzyżował ręce.

– On może robić, co mu się żywnie podoba. A poza tym jestem pewny, że zdołałby przeżyć zawalenie się korytarza. Jestem również przekonany, że nie podobałoby mu się twoje węszenie. Jak mu się wytłumaczysz, kiedy cię tam odkryje?

Entuzjazm Dannyla przygasł nieco po tych słowach.

– Będę musiał dobrze wybrać porę dnia. Być pewny, że on jest gdzie indziej.

– Nawet o tym nie myśl – ostrzegł go Rothen. – Zgubisz się.

Dannyl prychnął.

– Tam nie może być gorzej niż w slumsach, nie?

– Nigdzie *nie* idziesz, Dannylu!

Wiedział jednak, że jeśli coś rozbudziło ciekawość Dannyla, nic oprócz groźby wyrzucenia z Gildii go nie powstrzyma. A Gildia nie wyrzuci go za złamanie pomniejszego przepisu.

– Bądź ostrożny, Dannylu. Nie chcesz chyba zaprzepaścić szansy zostania ambasadorem?

Dannyl wzruszył ramionami.

– Skoro uszło mi na sucho negocjowanie ze Złodziejami, wątpię, by małe szpiegowanko pod Uniwersytetem miało narobić mi kłopotów.

Z braku dalszych argumentów Rothen odwrócił się i ruszył z powrotem ku sali wieczornej.

– Może i nie powinno, ale czasem istotne jest, *komu* się narazisz.

ROZDZIAŁ 28

PRZESŁUCHANIE

– Nie przejmuj się, Soneo – szepnęła do niej Tania, gdy dotarły do bramy Uniwersytetu. – Dasz sobie radę. Magowie to tylko zbieranina starych pryków, którzy woleliby sączyć wino w swoich pokojach, niż siedzieć w starych zimnych salach. Nie zdążysz się zorientować, że się zaczęło, a już będzie po wszystkim.

Sonea uśmiechnęła się bezwiednie, słysząc ten opis Gildii. Wzięła głęboki oddech i wspięła się za Tanią po schodach wielkiego gmachu. Kiedy przeszły przez olbrzymią bramę, stanęła jak wryta.

Weszły do sali, z której na wszystkie strony rozchodziły się schody, wykonane z polerowanego kamienia i topionego szkła i wyglądające na zbyt delikatne, by utrzymać ciężar człowieka. Stopnie wiły się wokół siebie niczym ozdobne bransolety.

– Po drugiej stronie Uniwersytetu nie ma czegoś takiego! – zawołała.

Tania pokręciła głową przecząco.

– Tylne wejście jest dla magów i nowicjuszy. Tędy wchodzą goście, a więc musi robić wrażenie.

Służąca ruszyła pewnym krokiem przez hol. Sonea dostrzegła w jego głębi zarys kolejnej wielkiej bramy. Kiedy doszły do końca korytarza, Sonea zatrzymała się i rozejrzała wokół siebie w zachwycie.

Stały na progu ogromnej sali. Białe ściany wznosiły się ku szklanemu sklepieniu, przez które przeświecały promienie popołudniowego słońca. Na poziomie trzeciego piętra salę przecinała sieć galeryjek – tak kruchych, że zdawały się unosić w powietrzu.

A przed nimi wznosił się budynek. Budynek *wewnątrz* budynku. Mury z szarego kamienia ostro kontrastowały z bielą holu. Wzdłuż nich ciągnął się szereg wąskich okien rozmieszczonych w równych odstępach niczym żołnierze w szyku.

– To Wielki Hol – powiedziała Tania, wskazując na salę. – A to – wskazała na wewnętrzny budynek – Rada Gildii. Ma ponad siedemset lat.

– To jest *Rada Gildii*? – Sonea pokręciła głową z niedowierzaniem. – Myślałam, że zbudowali nową.

– Nie. – Tania uśmiechnęła się. – To doskonała konstrukcja, a poza tym ma wartość historyczną, więc nie wypadało jej niszczyć. Wyburzono jedynie wewnętrzne ściany i przerobiono ją na jedną salę.

Sonea z zachwytem obeszła wraz z Tanią cały budynek. Z Wielkiego Holu odchodziło jeszcze kilka wyjść. Tania wskazała drzwi w bocznej ścianie Rady Gildii.

– Tędy wejdziesz. Na razie trwa Posiedzenie, a po nim będzie Przesłuchanie.

Sonea poczuła, że serce znów podchodzi jej do gardła. W środku siedzi setka magów czekających, by zdecydować o jej losie. A ona ma stanąć przed nimi wszystkimi… i oszukać ich.

Poczuła mdlący strach. Co będzie, jeśli pomimo jej wsparcia Fergun nie wygra? Czy wypuści Cery'ego?

Cery…

Spuściła głowę na wspomnienie jego nieśmiałego wyznania w ciemnym lochu.

„Nie chciałem się przekonać, że Gildia naprawdę chce ci pomóc. Bo wtedy byś tu wróciła, a ja nie chciałem, żebyś odeszła. Nie chciałem znów cię stracić".

On ją kocha. Zaskoczenie z początku pozbawiło ją słów, ale potem, kiedy wspominała chwile, gdy on ją obserwował, gdy rumienił się, rozmawiając z nią, gdy Farenowi zdarzało się zachowywać tak, jakby Cery był kimś więcej niż tylko zaufanym przyjacielem, wszystko nabierało sensu.

Czy ona czuła podobnie? Od ich spotkania zadawała sobie to pytanie w nieskończoność, ale nie potrafiła udzielić pewnej odpowiedzi. Nie czuła się zakochana, ale może ten porażający strach na myśl o grożącym mu niebezpieczeństwie świadczył o tym, że była. A może czułaby podobny niepokój o każdą osobę, na której jej zależało: przyjaciela czy więcej niż przyjaciela.

Jeśli go kocha, czy jej serce nie powinno podskoczyć z radości, gdy usłyszała to wyznanie? Czy nie powinna być wdzięczna za to, że usiłował ją oswobodzić, zamiast czuć się winna, że jego troska o nią zawiodła go do lochów?

A już z pewnością, gdyby była zakochana, nie powinna zadawać sobie takich pytań.

Odepchnęła od siebie te myśli i odetchnęła głęboko.

Tania poklepała ją po ramieniu.

– Mam nadzieję, że nie potrwa to długo, ale nigdy nie wiadomo…

Rozległ się dźwięk gongu, a następnie drzwi, które wskazała jej Tania, otwarły się. Z budynku wyszedł mag, za nim następny. Kiedy pojawiła się większa grupka, Sonea zaczęła się zastanawiać, czemu tak wielu opuszcza salę. Czyżby Przesłuchanie zostało odwołane?

– Dokąd oni idą?

– Zostaną tylko ci, których interesuje Przesłuchanie – odrzekła Tania.

Część magów opuściła Radę Gildii, pozostali zaś zaczęli zbierać się w niewielkie grupki. Niektórzy przyglądali się Sonei błyszczącymi z ciekawości oczami. Sonea unikała ich wzroku.

~ Sonea?

Podskoczyła, po czym spojrzała w stronę budynku Rady Gildii.

~ Rothen?

~ To było krótkie Posiedzenie… już się skończyło. Za chwilę zostaniesz wezwana.

Spoglądając w kierunku drzwi Rady, Sonea dostrzegła ciemną postać. Serce jej zamarło, gdy rozpoznała tego człowieka.

Zabójca!

Wpatrywała się w niego, pewna, że to ten człowiek, którego widziała tej nocy, kiedy szpiegowali na terenie Gildii. Miał ten sam posępny, zamyślony wyraz twarzy, który zapamiętała. Czarne szaty powiewały, gdy kroczył przez salę.

Kilku magów odwróciło się, by mu się ukłonić, okazując ten sam ostrożny szacunek, który widziała kiedyś na twarzy Farena, gdy rozmawiał z zabójcą pracującym dla Złodziei. Mężczyzna w czarnych szatach odpowiadał na ukłony skinieniem głowy, ale nie zatrzymywał się. Sonea wiedziała, że przyciągnie jego uwagę, jeśli nie oderwie od niego oczu, ale nie była w stanie tego zrobić. Jego wzrok spoczął na niej na chwilę, zatrzymał się, po czym powędrował dalej.

Podskoczyła, czując na ramieniu dotyk ręki.

– Oto Mistrz Osen. – Tania wskazywała ku drzwiom. – Asystent Administratora.

W drzwiach stał młody mag, wpatrując się w nią uważnie. Kiedy ich oczy się spotkały, skinął na nią ręką.

– Musisz iść – szepnęła Tania, klepiąc Soneę po ramieniu. – Wszystko będzie dobrze.

Sonea odetchnęła głęboko i zmusiła się do zrobienia tych kilku kroków, które dzieliły ją od wejścia na salę. Kiedy podeszła do młodego maga, ten skłonił uprzejmie głowę.

– Witaj, Soneo – powiedział. – Witaj w Radzie Gildii.

– Dziękuję, Mistrzu Osenie. – Wykonała niezbyt zgrabny ukłon. Uśmiechnął się i gestem wskazał, by za nim poszła.

Uderzył ją zapach drewna i politury. Sala była większa, niż wydawało się z zewnątrz: ściany wznosiły się ku ciemnemu sklepieniu wysoko nad jej głową. Pod belkowaniem unosiło się kilka świetlnych kul, napełniając pomieszczenie złocistą poświatą.

Po obu stronach sali ciągnęły się rzędy drewnianych krzeseł, ustawionych jedne nad drugimi. Sonea czuła, że zasycha jej w ustach na widok tych wszystkich odzianych w dostojne szaty mężczyzn i kobiet, wpatrujących się w nią. Przełknęła ślinę i odwróciła od nich wzrok.

Osen zatrzymał się i gestem pokazał jej, że ma pozostać tam, gdzie stoi, po czym wspiął się stromymi stopniami ku siedzeniom po prawej stronie. Te, jak już wiedziała, przeznaczone były dla starszyzny Gildii. Rothen narysował jej plan sali, żeby mogła zapamiętać imiona i tytuły.

Spojrzała w górę: najwyższy rząd krzeseł był pusty. Rothen zapewnił ją, że Król rzadko uczestniczy w Posiedzeniach Gildii. Tron w samym środku był większy od wszystkich pozostałych krzeseł, a na wyściełanym oparciu widniał haftowany inkal królewski.

476

Poniżej tronu stało pojedyncze krzesło. Sonea poczuła cień rozczarowania, gdy okazało się puste. Miała nadzieję, że przynajmniej zobaczy Wielkiego Mistrza.

W środkowym rzędzie dostrzegła Administratora Lorlena, a krzesła po obu jego stronach były puste. Lorlen rozmawiał z Osenem oraz siedzącym o rząd niżej mężczyzną o pociągłej twarzy, odzianym w czerwoną szatę przepasaną czarną szarfą. Sonea przywołała z pamięci jego imię: Balkan, Arcymistrz Wojowników.

Po jego lewej siedziała poważna Arcymistrzyni Uzdrowicieli, Vinara, która odwiedziła Rothena po tym, jak ogłosił, że Sonea zostaje; po prawej zaś starszy mężczyzna o kwadratowej szczęce i wydatnym nosie – Arcymistrz Sarrin, Alchemik. Oboje wpatrywali się z uwagą w Lorlena.

W najniższym rzędzie siedzieli dziekani – magowie, którzy zajmowali się organizacją nauki na Uniwersytecie. Tylko dwa miejsca były zajęte i Sonea z wysiłkiem starała się przypomnieć sobie dlaczego, po czym jej wzrok padł na Mistrza Balkana i przypomniała sobie, że ten Wojownik łączył funkcje arcymistrza i dziekana.

Osen wyprostował się i zszedł z powrotem na dół. Starsi magowie zwrócili wzrok ku środkowi sali. Administrator Lorlen uniósł podbródek i przebiegł wzrokiem po zgromadzonych.

– Rozpoczynam Przesłuchanie w sprawie opieki nad Soneą – oznajmił. – Proszę o wystąpienie Mistrza Rothena i Mistrza Ferguna, ubiegających się o funkcję mentora.

Słysząc stukot butów, Sonea spojrzała ku rzędom magów. Na schodach zobaczyła znajomą postać. Rothen zatrzymał się kilka kroków od Osena i posłał jej uśmiech.

Poczuła niespodziewany przypływ czułości i niemal odwzajemniła ten uśmiech, kiedy przypomniała sobie, co musi za chwilę zrobić, i wbiła wzrok w podłogę. On będzie tak zawiedziony...

W sali rozległy się kolejne kroki. Sonea podniosła wzrok i zobaczyła, że Fergun staje dwa kroki od Rothena. On również się do niej uśmiechnął. Sonea stłumiła dreszcz i spojrzała na Administratora.

– Zarówno Mistrz Rothen, jak i Mistrz Fergun żądają przyznania im opieki nad Soneą – oznajmił Lorlen. – Jeden i drugi jest przekonany, że jako pierwszy rozpoznał jej moc. Musimy teraz rozważyć, które z tych żądań jest prawomocne. Pozostawiam prowadzenie Przesłuchania mojemu asystentowi, Mistrzowi Osenowi.

Młody mag, który wprowadził ją do sali, wystąpił naprzód. Sonea zaczerpnęła głęboki oddech, starając się przygotować na to, co musi zrobić.

– Mistrzu Rothenie.

Rothen odwrócił się do Osena.

– Opowiedz nam, proszę, o wypadkach, które sprawiły, iż rozpoznałeś w Sonei potencjał magiczny.

Rothen skinął głową i odchrząknął.

– W dniu, w którym rozpoznałem moc Sonei, w dniu Czystki, pracowałem w parze z Mistrzem Fergunem. Przybyliśmy na plac Północny i uczestniczyliśmy w tworzeniu tarczy. Jak zwykle grupa wyrostków zaczęła w nas rzucać kamieniami.

Stałem naprzeciwko Mistrza Merguna, a tarcza znajdowała się po mojej lewej stronie, jakieś trzy kroki od nas. Kątem oka dojrzałem rozbłysk światła w okolicy tarczy i równocześnie poczułem, że nasza bariera ugina się. Zobaczyłem lecący kamień na moment przed tym, jak uderzył Mistrza Merguna w skroń, pozbawiając go przytomności.

Urwał, zerkając w stronę Ferguna.

– Podtrzymałem upadającego Mistrza Ferguna. Kiedy już leżał bezpiecznie na ziemi, rozejrzałem się w poszukiwaniu osoby, która rzuciła kamień. Wtedy właśnie dostrzegłem Soneę.

Osen zrobił krok w jego stronę.

– I wtedy właśnie po raz pierwszy ją zobaczyłeś?

– Tak.

Osen skrzyżował ręce.

– Czy widziałeś, jak posługuje się magią?

Rothen zawahał się.

– Nie, nie widziałem – przyznał niechętnie. Między magami po jego prawej rozległy się pomruki, ale pod karcącym spojrzeniem Osena szybko umilkły.

– Skąd wiedziałeś, że to ona rzuciła kamieniem, który przebił się przez tarczę?

– Wiedziałem, z której strony musiał nadlecieć ten kamień, i domyśliłem się, że musi to być jedno z dwojga dzieciaków, które tam zobaczyłem – wyjaśnił Rothen. – Chłopak, który stał bliżej, w ogóle nie zwrócił uwagi na ten wypadek, Sonea natomiast przyglądała się ze zdumieniem swoim dłoniom. Kiedy na nią patrzyłem, podniosła na mnie wzrok i jej wyraz twarzy zdradził mi, że to ona rzuciła kamieniem.

– Uważasz zatem, że Mistrz Fergun nie mógł jej wcześniej dostrzec?

– Nie, Mistrz Fergun nie miał szans zobaczyć owego dnia Sonei – powiedział cierpko Rothen – z powodu nieszczęśliwego wypadku, jakiemu uległ.

Przez salę przebiegł szmer. Mistrz Osen potaknął, po czym odsunął się od Rothena, podchodząc do Ferguna.

– Mistrzu Fergunie – powiedział. – Czy możesz przedstawić nam swoją wersję wypadków?

Fergun skinął łaskawie głową.

– Jak nadmienił Mistrz Rothen, asystowałem przy tworzeniu tarczy na placu Północnym, kiedy pojawiła się grupa wyrostków i zaczęła rzucać w nas kamieniami. Zauważyłem, że było ich około dziesięciu. Wśród nich była również dziewczyna – Fergun rzucił Sonei spojrzenie. – Jej zachowanie wydało mi się dziwne, więc obróciłem się tak, żeby móc obserwować ją kątem oka. Kiedy cisnęła kamień, rzecz jasna nie przejąłem się tym zbytnio, dopóki nie zobaczyłem rozbłysku światła, który uświadomił mi, że musiała zrobić coś, co naruszyło barierę. – Fergun uśmiechnął się. – Zdziwiło mnie to do tego stopnia, że zamiast odepchnąć kamień, spojrzałem w tamtym kierunku, żeby upewnić się, że to rzeczywiście ona.

– A zatem zdałeś sobie sprawę, że dziewczyna użyła magii *po tym*, jak kamień przebił się przez barierę, ale *zanim* cię uderzył?

– Tak – odpowiedział Fergun.

Sala rozbrzmiała dziesiątkami głosów. Rothen zagryzł zęby i powstrzymał się od rzucenia Fergunowi wściekłego spojrzenia. Opowieść Wojownika była kłamstwem. Fergun nawet nie spojrzał w stronę Sonei. Rothen posłał jej teraz badawcze spojrzenie; stała spokojnie w cieniu ze spuszczonymi ramionami. Miał nadzieję, że dziewczyna zdaje sobie sprawę, jak ważne będzie jej zdanie, by potwierdzić jego wersję wydarzeń.

– Mistrzu Fergunie.

Na dźwięk tego głosu w sali zapanowała natychmiastowa cisza. Rothen podniósł wzrok na Mistrzynię Vinarę. Uzdrowicielka wpatrywała się w Ferguna swoim słynnym kamiennym spojrzeniem.

– Skoro patrzyłeś w kierunku Sonei, to jakim cudem kamień uderzył cię w *prawą* skroń? Jak dla mnie znaczy to, że przez cały czas byłeś zwrócony do Mistrza Rothena.

Fergun przytaknął.

– To wszystko działo się bardzo szybko, Mistrzyni – odparł. – Zobaczyłem błysk i *zerknąłem* w kierunku Sonei. W zasadzie tylko rzuciłem okiem... pamiętam, że zamierzałem zapytać mojego towarzysza, czy widział, co ta dziewczyna zrobiła.

– Nawet nie spróbowałeś zrobić uniku? – spytał Mistrz Balkan z niedowierzaniem.

Fergun uśmiechnął się z żalem.

– Nie przywykłem do tego, żeby ktoś rzucał we mnie kamieniami. Obawiam się, że zaskoczenie okazało się silniejsze od instynktu.

Mistrz Balkan rozejrzał się po otaczających go magach, którzy wzruszyli nieznacznie ramionami. Osen przyglądał im się uważnie, a widząc, że nie mają dalszych pytań, zwrócił się na powrót do Rothena.

– Mistrzu Rothenie, czy widziałeś, jak Mistrz Fergun spogląda na Soneę w czasie, który minął od momentu, gdy kamień przebił tarczę, do chwili gdy uderzył go w głowę?

– Nie – odparł Rothen, z trudem hamując gniew. – Rozmawialiśmy. Gdy kamień uderzył, Mistrz Fergun był w połowie zdania.

Osen uniósł brwi i spojrzał na starszych, a następnie przebiegł wzrokiem po wszystkich zebranych.

– Czy ktoś może dodać jakiekolwiek szczegóły, które mogłyby rzucić światło na prawdziwość tego, co dotychczas usłyszeliśmy?

Odpowiedziało mu milczenie. Osen skinął powoli głową i zwrócił się ku Sonei.

– Wzywam na świadka Soneę.

Sonea wyszła z cienia i stanęła kilka kroków od Ferguna. Zerknęła w stronę starszych i skłoniła się krótko.

Rothen poczuł, jak wzbiera w nim współczucie. Kilka tygodni temu bała się go, a teraz oto stała przed salą pełną magów, którzy badawczo się jej przypatrują.

Osen uśmiechnął się do niej pokrzepiająco.

– Soneo – powiedział. – Przedstaw nam swoją wersję wydarzeń.

Odchrząknęła i wlepiła wzrok w podłogę.

– Byłam z innymi dzieciakami. Oni rzucali kamienie. Ja zazwyczaj tego nie robiłam, najczęściej trzymałam się blisko ciotki. – Podniosła na moment wzrok i zarumieniła się, po czym szybko kontynuowała: – To, co się działo, chyba mnie wciągnęło. Ale nie zaczęłam od razu rzucać kamieniami. Obserwowałam chłopaków i magów. Pamiętam, że byłam… byłam zła, więc kiedy rzuciłam ten kamień, to wpakowałam w niego całą moją złość. Później uświadomiłam sobie, że coś zrobiłam, ale najpierw wszystko było takie… zamieszane. – Urwała, jakby próbowała zebrać myśli. – Kiedy rzuciłam kamień, on przeszedł przez barierę. Mistrz Fergun spojrzał na mnie, a potem został uderzony kamieniem, a Ro… Mistrz Rothen go złapał. Pozostali magowie patrzyli gdzie indziej, a ja zobaczyłam, że Mistrz Rothen przygląda mi się. Wtedy uciekłam.

Rothen nie wierzył własnym uszom. Wpatrywał się w Soneę, ale ona utkwiła wzrok w podłodze. Spojrzał na Ferguna i zobaczył uśmieszek na twarzy młodszego mężczyzny. Kiedy Wojownik zorientował się, że jest obserwowany, uśmiech znikł.

Rothen mógł jedynie zacisnąć bezradnie pięści, słysząc, jak zebrani pokrzykują z zadowolenia.

Dannyl poczuł w myślach gniew, niedowierzanie i ból, a przed jego oczami zamigotał obraz Rady Gildii. Zatrzymał się, zaniepokojony.

~ *Co się stało, Rothen?*

~ *Skłamała! Potwierdziła kłamstwa Ferguna!*

~ *Ostrożnie* ~ ostrzegł przyjaciela Dannyl. ~ *Usłyszą cię.*

~ *Niech usłyszą! Wiem, że on kłamie!*

~ *Może ona to tak widziała.*

~ *Nie. Fergun nawet jej nie zauważył. Rozmawiałem z nim, pamiętasz?*

Dannyl westchnął i pokręcił głową. Rothen wreszcie zobaczył, do czego zdolny jest Fergun. Powinien się cieszyć, ale z czego tak naprawdę? Fergun znów wygrał.

A może nie?

~ *Znalazłeś coś?*

~ *Nie, ale szukam.*

~ *Potrzebujemy czasu. Skoro Sonea poparła Ferguna, decyzja zapewne zapadnie za kilka minut.*

~ *Postaraj się ją opóźnić.*

~ *Jak?*

Dannyl zabębnił palcami w ścianę.

~ *Powiedz, że chcesz z nią porozmawiać.*

Prezencja Rothena znikła, gdy mag zwrócił swą uwagę z powrotem na Przesłuchanie. Dannyl skrzywił się i rozejrzał po otaczających go ścianach. Każdy mag wiedział, że w obrębie Uniwersytetu istnieją podziemne przejścia. Domyślał się, że muszą być dobrze ukryte, inaczej nowicjusze bez przerwy łamaliby przepisy.

Nie zdziwił się, gdy zwykłe przeszukanie korytarzy nie przyniosło oczekiwanego efektu. Był wprawdzie pewny, że znalazłby coś, gdyby dokładne sprawdził wszystkie ściany, ale na to nie miał czasu.

Potrzebny mu był jakiś trop. Może ślady. Te podziemne korytarze powinny być zakurzone. Fergun musiał zostawić jakieś dowody. Dannyl ruszył znów korytarzem, tym razem skupiając się na podłodze.

Minął zakręt i wpadł na niską, tęgawą postać. Kobieta wydała cichy okrzyk zaskoczenia, po czym cofnęła się, kładąc rękę na piersi.

– Wybacz, panie! – Ukłoniła się, rozpryskując wodę z wiadra. – Szedłeś tak cicho, nie usłyszałam!

Dannyl utkwił wzrok w wiadrze, po czym powściągnął jęk. Wszelkie dowody obecności Ferguna zostały z pewnością zatarte przez służących. Kobieta przeszła obok niego i ruszyła dalej korytarzem. Dannyl patrzył za nią, po czym nagle uświadomił sobie, że ona może wiedzieć więcej niż jakikolwiek mag o wewnętrznych przejściach Uniwersytetu.

– Zaczekaj! – zawołał.

Zatrzymała się.

– Tak, panie?

Dannyl podszedł do niej.

– Czy zawsze sprzątasz w tej części Uniwersytetu?

Przytaknęła.

– Czy zdarzyło ci się spotkać coś niespodziewanego? Jak na przykład zabłocone ślady?

Służąca zacisnęła wargi.

– Ktoś upuścił jedzenie na podłogę. Nowicjuszom nie wolno przynosic tu jedzenia.

– Jedzenie, co? A gdzie to było?

Służąca popatrzyła na niego ze zdziwieniem, po czym zaprowadziła go przed wiszący dalej obraz.

– Było też na obrazie – powiedziała, wskazując palcem. – Jakby ktoś go uniósł.

– Rozumiem. – Dannyl zmrużył oczy, wpatrując się w malowidło. Przedstawiało nadmorski widok, a w jego ramę wprawione były małe muszelki. – Dziękuję – powiedział. – Możesz odejść.

Wzruszyła ramionami, skłoniła się szybko i pobiegła w swoją stronę. Dannyl obejrzał dokładnie obraz, a następnie zdjął go ze ściany. Pod spodem była boazeria taka sama jak wszędzie w wewnętrznych korytarzach. Przebiegł po niej ręką i sięgnął w głąb zmysłami – i wstrzymał oddech, gdy wyczuł metal. Przesuwając się po jego zarysie, znalazł fragment boazerii, który ustąpił pod naciskiem ręki.

Usłyszał cichy zgrzyt i część ściany odsunęła się na bok. Z ciemności uderzył podmuch zimnego powietrza. Z uczuciem triumfu i podniecenia Dannyl zawiesił z powrotem obraz, przywołał kulę światła i wszedł do tunelu.

Po jego lewej znajdowały się strome schody. Znalazł dźwignię po wewnętrznej stronie drzwi i zamknął je. Uśmiechając się pod nosem, ruszył w dół po stopniach.

Przejście było wąskie i musiał się schylać, żeby uniknąć uderzenia głową w sklepienie. W kątach gnieździło się trochę farenów. Kiedy doszedł do pierwszej odnogi, wyciągnął z kieszeni słoik. Odkręcił go i wtarł nieco zawartości w ścianę obok siebie. Farba w ciągu kilku godzin zmieni się z białej w przezroczystą, dzięki czemu jego znaki staną się niewidoczne. Niemniej nawet gdyby wędrówka po tym labiryncie miała mu zająć wiele godzin, wciąż będzie mógł odnaleźć gładkie miejsca na ścianie.

Spojrzał przed siebie i roześmiał się głośno.

W grubej warstwie kurzu widać było wyraźnie ślady. Dannyl przykucnął i rozpoznał odciski butów noszonych zwykle przez magów. Sądząc po ilości śladów, ktoś często przemierzał te korytarze.

Wstał i ruszył tym tropem. Po przejściu kilkuset kroków stwierdził z niezadowoleniem, że ślady prowadzą dalej zarówno głównym korytarzem, jak i nowym bocznym. Przykucnął ponownie i przyjrzał się im dokładnie. W bocznej odnodze dostrzegł tylko cztery ścieżki śladów: dwie pozostawione przez maga i dwie przez mniejsze buty. Te w głównym korytarzu były liczniejsze i nowsze.

W tej chwili jego uszu dobiegł cichy dźwięk – coś jakby bardzo ludzkie westchnienie. Dannyl zamarł, czując na kręgosłupie dreszcz. Ciemność poza zasięgiem jego kuli świetlnej wydawała się gęsta i pełna nieprzyjemnych możliwości, a Dannyl nagle nabrał pewności, że coś go obserwuje.

Jesteś śmieszny, pomyślał. *Tam nic nie ma.*

Wciągnął głęboko powietrze, wstał i zmusił się do patrzenia wyłącznie na ślady. Ruszył do przodu i przeszedł jakieś sto kroków, znajdując po obu stronach korytarza boczne przejścia pełne starszych śladów.

I znów poczuł palącą pewność, że coś za nim idzie. Oprócz własnych kroków słyszał jakieś ciche echo. Lekki powiew powietrza przyniósł zapach zgnilizny i czegoś żywego, ale brudnego…

Wyszedł za róg i wszystkie zjawy znikły. Przed nim, w odległości może dwudziestu kroków, ślady kończyły się pod drzwiami. Dannyl zrobił krok do przodu, po czym zamarł z przerażenia, kiedy z bocznego korytarza wyszła ku niemu jakaś postać.

– Wolno mi spytać, jakie powody przywiodły cię tutaj, Mistrzu Dannylu?

Gapiąc się na tego mężczyznę, Dannyl czuł, jak jego umysł rozszczepia się na dwoje. Jedna jego część mamrotała jakieś wyjaśnienia, druga zaś przypatrywała się bezradnie, jak ta pierwsza robi z siebie kompletnego głupca.

A gdzieś na obrzeżach świadomości znajoma obecność wysyłała do niego wyrazy współczucia przemieszane z rodzajem dumnej satysfakcji.

~ *Mówiłem ci, żebyś tam nie chodził* ~ powiedział w jego myślach Rothen.

W ciemności i ciszy Cery słyszał burczenie własnego żołądka. Nie przerywając przechadzki, potarł się po brzuchu.

Był pewny, że od ostatniego posiłku minął ponad dzień, a to znaczyło, że spotkał się z Soneą przeszło tydzień temu. Oparł się o drzwi i przeklinał Ferguna, zsyłając na niego wszelkie obrzydliwe choroby, jakie tylko przyszły mu do głowy. W pewnym momencie usłyszał kroki i zamarł.

Jego żołądek doznał nagłego skurczu z niecierpliwości. Kroki były powolne, wyważone. Podeszły bliżej i zatrzymały się. Cery usłyszał ciche głosy. Dwa głosy. Oba męskie.

– ... rozciągają się tunele. Nietrudno się tu zgubić. Zdarzało się, że magowie wychodzili stąd po wielu dniach zagłodzeni. Radziłbym ci zawrócić. – Ten głos był stanowczy i nieznany Cery'emu.

Odpowiedział mu ten drugi. Cery pochwycił zaledwie kilka słów, ale zrozumiał z nich, że drugi z magów za coś przeprasza. Ten głos również brzmiał obco, ale Cery mógł sobie wyobrazić, że głos Ferguna cichnie i nieco się podnosi, gdy mag tak bełkocze.

Wyniosłemu magowi najwyraźniej nie podobała się obecność Ferguna w lochach. Zapewne nie spodobałoby mu się też, że Fergun trzyma tu więźniów. Cery musi zatem jedynie zawołać albo uderzyć w drzwi, a klatka stanie otworem.

Uniósł pięść, po czym zawahał się, ponieważ głosy umilkły. Usłyszał oddalające się szybko kroki, po czym następne, które się przybliżały. Zagryzając wargę, Cery odsunął się od drzwi. Który to z dwóch magów? Fergun czy ten wyniosły nieznajomy?

Zamek otwarł się z trzaskiem. Cery odskoczył pod ścianę. Drzwi uchyliły się, wpuszczając do pomieszczenia oślepiające światło, więc zacisnął powieki.

– Kim jesteś? – rozległ się nieznajomy głos. – Co robisz tu na dole?

Cery otworzył oczy i jego ulga zmieniła się w zdumienie, kiedy rozpoznał mężczyznę stojącego w przejściu.

ROZDZIAŁ 29

ZAMIESZKAĆ WŚRÓD MAGÓW

– Powiedziała, że on to robi po to, żeby już nikt więcej nie pomyślał, że bylcy mogą być magami – zakończył Cery.

Mag zmrużył oczy.

– To w stylu Ferguna. – Ciemne oczy wbiły się znów w Cery'ego, a na czole mężczyzny pojawiła się niewielka zmarszczka. – Przesłuchanie ma miejsce w tej chwili. Mogę ujawnić knowania Ferguna, ale muszę mieć dowód, że właśnie o nim mówisz.

Cery westchnął i rozejrzał się po pomieszczeniu.

– Nie mam nic oprócz tego, co mi przyniósł, ale on ma moje narzędzia i sztylet. Czy jeśli je znajdziecie, to będzie wystarczającym dowodem?

Mężczyzna pokręcił powoli głową.

– Nie. Potrzebne mi są twoje wspomnienia. Pozwolisz mi odczytać twoje myśli?

Cery wytrzeszczył na maga oczy. *Odczytać jego myśli?*

Miał przecież sekrety. Rzeczy, o których mówił mu ojciec. Albo Faren. I rzeczy, które zaskoczyłyby nawet Farena. Co jeśli ten mag się o nich dowie?

Ale jeśli nie pozwolę im odczytać moich myśli, nie uratuję Sonei.

Nie mógł pozwolić, żeby jego kilka brudnych sekretów zaszkodziło jej – a poza tym miał nadzieję, że mag nie zauważy ich. Przełknął strach i podniósł wzrok na maga.

– Jasne. Czytaj.

Mag rzucił mu poważne spojrzenie.

– To nie zrobi ci krzywdy i nie będzie bolało. Zamknij oczy.

Cery wziął głęboki oddech i zrobił, jak mu kazano. Poczuł na skroniach dotyk palców, a w myślach obecność innej osoby, unoszącą się gdzieś na granicy jego świadomości. Następnie usłyszał głos dochodzący... nie wiadomo skąd.

~ *Pomyśl o tym dniu, kiedy znaleziono twoją przyjaciółkę.*

Przed jego oczami przemknęły wspomnienia. Ten drugi umysł tak jakby schwytał je i zatrzymał. Cery znajdował się w zaśnieżonym zaułku. Było to niczym wizja: wyraźne, ale pozbawione szczegółów. Widział uciekającą Soneę, czuł echo tamtego strachu i rozpaczy, kiedy nie zdołał się przebić przez niewidzialną barierę, która wyrosła między nimi. Obrócił się i zobaczył za sobą mężczyznę w długim płaszczu.

~ *To jest ten człowiek, który cię uwięził?*

~ *Tak.*

~ *Pokaż mi, jak to się stało.*

Raz jeszcze zalała go fala wspomnień, które tamten złapał i przeglądał. Teraz Cery stał przed Domem Magów, patrząc w okno Sonei. Pojawił się Fergun. Gonił go. Złapał. Nadeszli inni magowie: ten w niebieskich szatach i ten drugi, i zaprowadzili go do Sonei. Wspomnienia przyspieszyły. Wyszedł od Sonei i szedł przez Dom Magów. Fergun zaproponował skrót przez Uniwersytet. Weszli do gmachu i rozpoczęli wędrówkę korytarzami.

Następnie Fergun otworzył sekretne przejście i wepchnął go do środka. Poczuł znów na twarzy dotyk materiału, usłyszał własne kroki w podziemnym tunelu. Stanął przed lochem, wszedł do środka, usłyszał zamykające się drzwi…

~ *Kiedy go ponownie zobaczyłeś?*

Popłynęły wspomnienia wizyt maga. Cery przeżył raz jeszcze przeszukanie i pozbawienie go dobytku oraz nieudany atak i leczenie. Zobaczył, jak do lochu wchodzi Sonea i usłyszał echo ich rozmowy.

Gdy wspomnienie dobiegło końca, ten drugi umysł przemknął nad jego myślami i wycofał się. Cery poczuł, że palce maga puszczają jego skroń. Otworzył oczy.

Mag kiwał głową.

– To więcej niż trzeba – powiedział. – Chodź ze mną. Musimy się pospieszyć, jeśli mamy zdążyć na Przesłuchanie.

Odwrócił się i wyszedł z lochu. Cery ruszył za nim, czując ogromną ulgę, gdy opuścił wreszcie swoje więzienie. Rzucił tylko krótkie spojrzenie przez ramię i pospieszył za swoim wybawcą.

Mężczyzna szedł szybkimi krokami, zmuszając Cery'ego do podbiegania. Tunel połączył się z innym, a potem z jeszcze kolejnymi. Żaden z nich nie wyglądał znajomo.

Dotarli do krótkich schodów. Mag wspiął się na nie, po czym nachylił się, sprawdzając coś na ścianie. Widząc niewielki punkt światła na twarzy maga, Cery domyślił się, że jest tam otwór służący do podglądania.

– Dziękuję za ocalenie – odezwał się. – Obawiam się, że drobny złodziej niewiele może zaoferować w zamian, ale jestem do twoich usług, gdybyś czegoś potrzebował.

Mag wyprostował się i spojrzał na niego z powagą.

– Czy wiesz, kim jestem?

Cery poczuł, że się rumieni.

– Oczywiście. Tacy jak ty nigdy nie potrzebują nic od takich jak ja. Ale uznałem, że wypada zaproponować.

Na ustach maga pojawił się cień uśmiechu.

– Czy to była szczera propozycja?

Cery poczuł nagły niepokój i przestąpił z nogi na nogę.

– Oczywiście – powiedział niepewnie.

Uśmiech na twarzy tamtego mężczyzny rozszerzył się nieznacznie.

– Nie zmuszę cię do zawarcia ze mną umowy. Niezależnie od tego, co mówisz, muszę ujawnić i ukarać postępki Ferguna. A twoja przyjaciółka będzie mogła odejść, jeśli tego rzeczywiście pragnie. – Urwał, mrużąc lekko oczy. – Ale w przyszłości mogę się z tobą skontaktować. Nie będę żądał niczego, co przekraczałoby twoje możliwości albo skompromitowałoby cię w oczach Złodziei. Sam będziesz mógł decydować, czy przyjmiesz moje zlecenia. – Uniósł brwi. – Co o tym sądzisz?

Cery spuścił wzrok. Ta propozycja była bardzo rozsądna, toteż chwilę później przytaknął.

– Podoba mi się.

Mag wyciągnął do niego rękę. Jego uścisk był mocny. Cery spojrzał mu prosto w oczy i z zadowoleniem stwierdził, że i wzrok jest niewzruszony.

– Umowa – powiedział Cery.

– Umowa – powtórzył mag, po czym odwrócił się do ściany. Raz jeszcze sprawdził widok przez dziurkę, chwycił dźwignię i pociągnął. Fragment ściany odsunął się na bok. Mag przeszedł przez otwór, a kula światła wypłynęła za nim.

Cery pospieszył za magiem i znalazł się w dużym pomieszczeniu. W głębi stało biurko otoczone krzesłami.

– Gdzie jesteśmy?

– Na Uniwersytecie – odpowiedział tamten, przesuwając boazerię z powrotem na swoje miejsce. – Chodź za mną.

Przeszedł przez salę i otworzył drzwi, które wyprowadziły Cery'ego na szeroki korytarz. Dwaj magowie w zieleni zatrzymali się na jego widok, a następnie spojrzeli na jego przewodnika, zamrugali z zaskoczenia i z szacunkiem skłonili głowy.

Mag nie zwrócił na nich uwagi. Skierował się w głąb korytarza, a Cery ruszył szybko za nim. Kiedy przeszli przez kolejne drzwi, Cery jęknął z zachwytu. Znaleźli się w sali pełnej niewiarygodnych spiralnych schodów. Po jednej stronie mieli otwartą bramę Uniwersytetu, za którą rozciągały się pokryte śniegiem ogrody i widok na Wewnętrzny Krąg. Cery rozejrzał się dookoła, po czym zorientował się, że mag oddalił się już o kilka kroków.

– Harrin nigdy mi nie uwierzy – mruknął i pospieszył za swoim przewodnikiem.

– To nie było tak – powiedział jej Rothen.

Sonea odwróciła wzrok.

– Wiem, co widziałam – odpowiedziała. – Chcesz, żebym skłamała? – Te słowa pozostawiły jej okropne uczucie niesmaku. Przełknęła ślinę i usiłowała wyglądać na zaskoczoną jego pytaniem.

Rothen spojrzał na nią i potrząsnął głową.

– Nie, nie chcę. Gdyby odkryto, że skłamałaś podczas Przesłuchania, wiele osób zadałoby pytanie, czy powinnaś zostać przyjęta do Gildii.

– Dlatego musiałam to powiedzieć.

Rothen westchnął.

– A zatem naprawdę tak to pamiętasz?

– Tak powiedziałam, prawda? – Rzuciła mu błagalne spojrzenie. – Nie utrudniaj dodatkowo sprawy, Rothenie.

Jego spojrzenie złagodniało.

– W porządku. Może czegoś wtedy nie zauważyłem. Wstyd, ale nic na to nie poradzę. – Pokręcił głową. – Będzie mi brakowało naszych lekcji, Soneo. Jeśli jest…

– Mistrzu Rothenie.

Odwrócili się i zobaczyli podchodzącego do nich Osena. Rothen westchnął i wrócił na swoje miejsce. Kiedy Fergun ruszył w stronę Sonei, zdusił jęk.

Gdy tylko Rothen zażądał rozmowy z nią na osobności, Fergun natychmiast zgłosił takie samo żądanie. Co zamierzał jej powiedzieć? Sonea marzyła teraz jedynie o tym, żeby Przesłuchanie się skończyło.

Fergun uśmiechnął się nieprzyjemnie.

– Wszystko przebiega zgodnie z planem? – spytał.

– Tak.

– Doskonale – powiedział śpiewnie. – Bardzo dobrze. Twoja opowieść była przekonująca, mimo że niezbyt pięknie wyartykułowana. Ale biła z niej porywająca szczerość.

– Cieszę się, że ci się podobało – odparła cierpko.

Fergun spojrzał na starszych magów.

– Wątpię, czy zechcą debatować nad tym dłużej. Zaraz podejmą decyzję. Potem załatwię ci pokój w Domu Nowicjuszy. *Uśmiechaj się*, Soneo. Chcemy, żeby ludzie uwierzyli, że przepełnia cię radość na samą myśl o zostaniu moją nowicjuszką.

Westchnęła i zmusiła kąciki ust do uniesienia się, tak żeby z daleka można to było wziąć za uśmiech.

– Mam już tego dość – warknęła zza zaciśniętych zębów. – Skończmy z tym wreszcie.

Uniósł brwi.

– Och, nie. Chcę moich dziesięciu minut.

Sonea zacisnęła usta i powstrzymała się od dalszych komentarzy. Kiedy ponownie odezwał się do niej, nie zwracała na niego uwagi. Wywołanie uśmiechu okazało się znacznie łatwiejsze, gdy dostrzegła w jego oczach iskierki złości.

– Mistrzu Fergunie.

Osen dawał im znaki. Odetchnęła z ulgą i podeszła za Fergunem z powrotem na przód sali, która wciąż huczała gwarem głosów. Osen uniósł ręce.

– Proszę o ciszę!

Wszyscy zgromadzeni odwrócili się z powrotem do środka sali i ucichli. Zapanowała pełna oczekiwania cisza.

Kątem oka Sonea widziała wpatrzonego w nią Rothena. Znowu ukłuło ją poczucie winy.

– Przedstawione dziś wersje zdarzeń pokazują jasno, że to Mistrz Fergun jako pierwszy rozpoznał zdolności Sonei – oznajmił Mistrz Osen. – Czy ktoś wnosi sprzeciw wobec tej decyzji?

– Ja.

Głos był głęboki i dziwnie znajomy; dochodził gdzieś z tyłu. Salę wypełnił szelest szat i skrzypienie drewna, kiedy wszyscy obrócili się na krzesłach. Sonea też odwróciła się i zobaczyła, że jedne z wielkich drzwi są uchylone. Przez salę zmierzały ku niej dwie postacie.

Jedną z nich rozpoznała natychmiast i na jej widok wydała okrzyk radości.

– Cery!

Zrobiła krok do przodu, po czym zamarła, widząc towarzysza Cery'ego. Ze wszystkich stron dobiegały ją urywane fragmenty szeptanych pytań. Ubrany na czarno mag podszedł do niej i rzucił jej oceniające spojrzenie. Czując niepokój, przeniosła wzrok na Cery'ego.

Był blady i brudny, ale uśmiechał się radośnie.

– Znalazł mnie i wyprowadził – powiedział. – Wszystko będzie dobrze.

Sonea spojrzała pytająco na maga w czerni. Przez jego usta przebiegł cień uśmiechu, ale mężczyzna milczał. Minął ją, skłonił się krótko Osenowi, po czym wszedł na schody prowadzące do miejsc starszych magów. Nikt nie protestował, kiedy zajął miejsce nad Administratorem.

– Co sprawia, że podważasz tę decyzję, Wielki Mistrzu? – spytał Osen.

Sonea poczuła, że grunt się pod nią zapada. Wpatrywała się z niedowierzaniem w czarno ubranego maga. Ten człowiek nie jest zabójcą. To jest przywódca Gildii.

– Dowody oszustwa – odparł Wielki Mistrz. – Dziewczynę zmuszono do kłamstwa.

Sonea usłyszała zduszony jęk po swojej prawej stronie. Obróciła lekko głowę i dostrzegła pobladłą twarz Ferguna. Poczuła nagłą falę triumfu i gniewu. Zapominając o obecności maga w czerni, wytknęła Ferguna palcem.

– To on zmusił mnie do kłamstwa! – zawołała oskarżycielskim tonem. – Powiedział, że zabije Cery'ego, jeśli nie spełnię jego żądań.

Ze wszystkich stron rozległy się okrzyki zdumienia. Sonea poczuła, że Cery chwyta ją mocno za ramię. Odwróciła się do Rothena: wystarczyło jedno spojrzenie, żeby wszystko zrozumiał.

– Zostało wniesione oskarżenie – zauważyła Mistrzyni Vinara.

Sala ucichła. Rothen otworzył usta, jakby chciał coś powiedzieć, ale zamyślił się i potrząsnął głową.

– Czy znasz prawo dotyczące oskarżeń, Soneo – zapytał Mistrz Osen.

Sonea wciągnęła szybko powietrze, ponieważ przypomniała sobie.

– Tak – odpowiedziała drżącym głosem. – Wykrywanie kłamstw?

Osen potaknął i zwrócił się do starszych magów.

– Kto przeprowadzi wykrywanie kłamstw?

Zapadła cisza. Starsi wymieniali między sobą spojrzenia, po czym zwrócili się do Lorlena. Administrator skinął głową i wstał.

– Ja przeprowadzę badanie prawdy.

Kiedy schodził na dół, Cery chwycił Soneę za rękę.

– Co on będzie robił? – zapytał szeptem.

– Odczyta moje myśli – odparła.

– Ach – powiedział z ulgą. – Tylko tyle.

Spojrzała na niego z rozbawieniem.

– To nie takie proste, jak ci się wydaje, Cery.

Wzruszył ramionami.

– Mnie tam wydało się proste.

– Soneo.

Podniosła wzrok: Lorlen stał już koło niej.

– Widzisz tego mężczyznę tam, Cery? – Wskazała na Rothena. – To Rothen, jest dobrym człowiekiem. Idź do niego.

Cery przytaknął, po czym ścisnął ją jeszcze raz za rękę i odszedł. Kiedy stanął koło Rothena, Sonea odwróciła się do Lorlena. Twarz Administratora była bardzo poważna.

– Ucząc się kontroli, miałaś doświadczenie z kontaktem mentalnym – powiedział. – To będzie nieco inne. Będę chciał zobaczyć twoje wspomnienia. Będziesz musiała dobrze się postarać, żeby oddzielić to, co chcesz mi pokazać, od wszystkich innych myśli. Żeby ci pomóc, będę zadawał pytania. Jesteś gotowa?

Skinęła głową.

– Zamknij oczy.

Posłuchała i chwilę później poczuła na skroniach jego dłonie.

~ *Pokaż mi pokój, który jest twoim umysłem.*

Wzniosła szybko drewniane ściany i drzwi i wysłała Lorlenowi obraz pokoju. Poczuła lekkie rozbawienie.

~ *Cóż za skromna siedziba. Otwórz teraz drzwi.*

Odwróciła się do podwójnych drzwi i rozkazała im otworzyć się. Zamiast ulicy i domów na zewnątrz zobaczyła ciemność, w której stała ubrana na niebiesko postać.

~ *Witaj, Soneo.*

Obraz Lorlena uśmiechał się. Przeszedł parę kroków w ciemności i zatrzymał się przy drzwiach. Wyciągnął rękę i ukłonił się.

~ *Wprowadź mnie.*

Chwyciła go za rękę. Kiedy go dotknęła, podłoga jakby usunęła się jej spod stóp.

~ *Nie masz się czego bać* ~ powiedział. ~ *Obejrzę twoje wspomnienia i pójdę sobie.* ~ Podszedł do jednej ze ścian. ~ *Pokaż mi Ferguna.*

Skupiła wzrok na ścianie, by stworzyć obraz, na którym umieściła twarz Ferguna.

~ *Dobrze. Teraz pokaż mi, co on zrobił, żeby zmusić cię do kłamstwa.*

Nie potrzebowała dużo wysiłku, żeby ożywić obraz. Malowidło wypełniło całą ścianę, pojawił się na nim salon Rothena. Fergun zbliżył się i położył na stole przed nią sztylet Cery'ego.

„Trzymam właściciela tej broni pod kluczem w małej ciemnej klitce, o której istnieniu nikt nie wie..."

Obraz zamazał się i chwilę później powiększony Fergun kucał koło niej.

„Zrobisz, co ci każę, a uwolnię twojego przyjaciela. Sprawisz mi najmniejszy kłopot, to pozostawię go tam na wieki… Kiedy im to powiesz, starsi magowie nie będą mieli wyboru – opieka nad tobą będzie należała do mnie. Wstąpisz do Gildii, ale zapewniam cię, że nie na długo. Kiedy wykonasz dla mnie pewne zadanie, odeślę cię tam, gdzie twoje miejsce. Dostaniesz to, czego pragniesz, i ja też. Nie masz nic do stracenia, pomagając mi, ale… – podniósł sztylet i przesunął palcem po ostrzu – możesz stracić przyjaciela, jeśli odmówisz".

Poczuła, że w towarzyszącej jej osobie wzbiera gniew. Rozproszyło ją to; spojrzała na Lorlena, a obraz rozmył się na ścianie. Odwróciła się i wezwała go na powrót.

Sięgnęła do swoich wspomnień i pokazała na obrazie Cery'ego, brudnego i wychudzonego, oraz zimny loch, w którym był uwięziony. Obok z zadowoloną miną stał Fergun. Smród stęchłego jedzenia i ludzkich odchodów wypełnił pokój.

Na widok tej sceny Lorlen potrząsnął głową i zwrócił się do niej.

~ *To odrażające! Co za szczęście, że Wielki Mistrz znalazł twojego przyjaciela akurat dziś!*

Wzmianka o ubranym na czarno magu sprawiła, że obraz zaczął się zmieniać. Sonea wyczuła to i zwróciła oczy w tamtą stronę. Wzrok Lorlena powędrował za nią. Usłyszała krótki jęk.

~ *A to co?*

Na obrazie stał Wielki Mistrz ubrany w zakrwawione łachmany żebraka. Lorlen zwrócił się do Sonei:

~ *Kiedy to widziałaś?*

~ *Wiele tygodni temu.*

~ *Jak? Gdzie?*

Sonea zawahała się. Jeśli pozwoli mu zajrzeć do tych wspomnień, Lorlen dowie się, że wtargnęła na teren Gildii i szpiegowała. Nie wpuściła go do swojego umysłu po to, żeby mu to pokazać, więc założyła, że nie będzie mógł mieć do niej pretensji, jeśli go teraz wyrzuci.

Ale jakaś cząstka jej chciała, żeby to zobaczył. Teraz już nic jej nie grozi, nawet jeśli magowie dowiedzą się, że była tu nielegalnie, a ona tak bardzo pragnęła rozwiązać zagadkę ubranego w czerń maga.

~ *Dobrze. Zaczęło się od tego, że...*

Na obrazie Cery oprowadzał ją po Gildii. Wyczuła zaskoczenie Lorlena, a następnie rozbawienie, kiedy przeskakiwała od sceny do sceny. W jednej chwili zaglądała przez okna, moment później biegła przez las i oglądała książki ukradzione przez Cery'ego. Cały czas czuła rozbawienie Lorlena.

~ *Któż by się domyślił, że to tak znikły książki Jerrika! Ale co z Akkarinem?*

Sonea zawahała się; do tamtego wspomnienia sięgała niechętnie.

~ *Proszę, Soneo. On jest naszym przywódcą i moim przyjacielem. Muszę się dowiedzieć. Czy on był ranny?*

Sonea przywołała wspomnienie lasu i umieściła je na obrazie. Raz jeszcze przeszła między drzewami ku domkowi z szarego kamienia. Pojawił się służący, więc skryła się wśród krzaków przy ścianie. Dzwonek, który przyciągnął ją do kratki, rozległ się też w pokoju jej umysłu.

Na obrazie pojawił się znów Wielki Mistrz, tym razem w czarnym płaszczu. Służący wszedł w pole widzenia i poczuła, że Lorlen go rozpoznaje.

~ Takan.

„Zrobione" – powiedział Wielki Mistrz, po czym zdjął płaszcz, ukazując poplamione krwią łachmany. Popatrzył na siebie z obrzydzeniem. „Przyniosłeś moje szaty?"

Służący wymamrotał coś w odpowiedzi, a tymczasem Wielki Mistrz zdjął koszulę żebraka. Pod nią miał skórzany pas i pochwę ze sztyletem. Umył się i znikł na chwilę z pola widzenia, by następnie powrócić już w czarnych szatach.

Sięgnął po pochwę, wyciągnął błyszczący sztylet i zaczął go czyścić ręcznikiem. W tym momencie Sonea poczuła zaskoczenie i zdziwienie Lorlena. Wielki Mistrz spojrzał na służącego. „Walka osłabiła mnie" – powiedział. – „Potrzebuję twojej siły".

Sługa przyklęknął na jedno kolano i podał magowi rękę. Wielki Mistrz przeciągnął po niej ostrzem sztyletu, po czym położył dłoń na ranie. Sonea poczuła echo dziwnego niepokoju w swojej głowie.

~ Nie!

Zalała ją fala przerażenia. Zaskoczona siłą emocji Lorlena, przerwała koncentrację. Obraz pociemniał, a chwilę potem znikł całkowicie.

~ Niemożliwe! To nie Akkarin!

~ Co to jest? Nie rozumiem. Co on zrobił?

Lorlen ewidentnie usiłował pozbierać myśli. Jego obraz powoli rozpływał się, aż Sonea uświadomiła sobie, że opuścił jej umysł.

~ Nie ruszaj się i nie otwieraj oczu. Muszę to przemyśleć, zanim spojrzę mu ponownie w oczy.

Milczał przez kilka uderzeń serca, po czym jego obecność powróciła.

~ To, co widziałaś, jest zabronione ~ powiedział w końcu. *~ Nazywamy to czarną magią. Posługując się nią, mag może*

czerpać siłę z wszelkich żywych stworzeń, ludzi i zwierząt. Akkarin uciekający się do czarnej magii... to nie do pomyślenia. On jest potężny... najpotężniejszy z nas wszystkich... Och! To musi być źródłem jego niezwykłej mocy! Jeśli tak jest, to musiał praktykować te ohydne sztuki, zanim wrócił z podróży...

Lorlen urwał, zastanawiając się nad tym, co sam powiedział.

~ *On złamał przysięgę. Powinien zostać pozbawiony stanowiska i wygnany. Jeśli użył tej mocy, by zabijać, to karą jest śmierć... choć...*

Sonea wyczuła gniew bijący od maga. Nastąpiła kolejna długa chwila ciszy.

~ *Lorlen?*

Zebrał się ponownie w sobie.

~ *Ach, przepraszam, Soneo. Byliśmy przyjaciółmi od czasów nowicjatu. Tyle lat... i teraz TO!*

Kiedy odezwał się ponownie, w jego myślach dało się wyczuć zimną determinację.

~ *Trzeba go usunąć ze stanowiska, ale nie teraz. Jest zbyt potężny. Jeśli rzucimy mu wyzwanie, a on zdecyduje się na walkę, może bez trudu wygrać, a każda zadana śmierć uczyni go silniejszym. Jeżeli ujawnimy jego tajemnicę, nie będzie już musiał się kryć i zacznie zabijać na oślep. Całe miasto znajdzie się w niebezpieczeństwie.*

Sonea, słysząc te słowa, zadrżała.

~ *Nie bój się, Soneo* ~ zwrócił się do niej Lorlen. ~ *Nie pozwolę, żeby do tego doszło. Ale nie możemy go sprowokować, dopóki nie będziemy pewni, że go pokonamy. Do tego czasu nikt nie może się dowiedzieć. Musimy poczynić przygotowania w tajemnicy. To znaczy, że nie możesz nikomu o tym mówić. Rozumiesz?*

~ *Tak. Ale... czy on musi pozostać przywódcą Gildii?*

~ *Niestety tak. Kiedy będę pewny, że jesteśmy dostatecznie silni, zbiorę wszystkich magów. Będziemy musieli działać szybko i bez uprzedzenia. Do tego czasu możemy wiedzieć tylko my dwoje.*

~ *Rozumiem.*

~ *Wiem, że chciałabyś powrócić do slumsów, Soneo, i nie zdziwiłbym się, gdyby takie odkrycie wzmocniło tylko to pragnienie, ale muszę cię prosić, żebyś pozostała. Kiedy nadejdzie czas, będziemy potrzebowali wszelkiej pomocy. Obawiam się również, jakkolwiek nie chcę o tym myśleć, że ty możesz być dla niego atrakcyjną ofiarą. On wie, że masz wielką moc, a zatem jesteś potężnym źródłem magii. Z zablokowaną mocą, żyjąc z dala od ludzi, którzy mogliby rozpoznać śmierć zadaną przez czarną magię, stanowiłabyś idealną ofiarę. Proszę zatem, ze względu na nas i na ciebie, zostań z nami.*

~ *Chcesz, żebym zamieszkała tutaj, tak blisko niego?*

~ *Tak. Tu będziesz bezpieczniejsza.*

~ *Skoro nie byliście w stanie odnaleźć mnie bez pomocy Złodziei, to jak on miałby to uczynić?*

~ *Akkarin ma bardziej czułe zmysły niż ktokolwiek z nas. Jako pierwszy zorientował się, że zaczęłaś posługiwać się mocą. Obawiam się, że znalazłby cię bez trudu.*

Wyczuła, że naprawdę troszczył się o jej bezpieczeństwo. Jak mogła spierać się z Administratorem Gildii? Jeśli on uważał, że znalazłaby się w niebezpieczeństwie, to tak by zapewne było.

Nie ma wyboru. Musi zostać. Ku własnemu zaskoczeniu na myśl o tym nie czuła gniewu ani rozczarowania, ale raczej ulgę. Cery powiedział jej, że nie powinna uważać się za zdrajcę, jeśli zostanie magiem. Nauczy się posługiwać magią, pozna sztukę leczenia i może pewnego dnia zabierze tę swoją wiedzę do slumsów, by pomagać ludziom, których tam pozostawiła.

A poza tym całkiem przyjemnie będzie pokrzyżować szyki tym magom, którzy jak Fergun uważają, że bylcy nie powinni być przyjmowani do Gildii.

~ Dobrze ~ wysłała do niego myśl. ~ Zostanę.

~ Dziękuję, Soneo. A zatem jest jeszcze ktoś, kogo trzeba będzie wtajemniczyć w nasz sekret. Jako twój mentor, Rothen może potrzebować zajrzeć do twojego umysłu, zwłaszcza gdy zaczniesz się uczyć leczenia. A wtedy może przypadkiem zobaczyć to, co mi dziś pokazałaś. Musisz więc opowiedzieć Rothenowi o Akkarinie i o wszystkim, co ci powiedziałem. Wiem, że jemu można zaufać, jeśli chodzi o zachowanie tajemnicy.

~ Tak więc zrobię.

~ Doskonale. Zaraz potwierdzę oskarżenia wobec Ferguna. Postaraj się nie okazywać lęku przed Akkarinem. Najlepiej w ogóle na niego nie patrz i schowaj głęboko swoje myśli.

Poczuła, że Administrator zdejmuje jej dłonie ze skroni, i otworzyła oczy. Lorlen spojrzał na nią z poważną miną i błyszczącymi oczami, po czym wyraz jego twarzy złagodniał, gdy zwrócił się ku starszym magom.

– Sonea powiedziała prawdę – oznajmił.

Po tych słowach w sali zapanowało pełne zaskoczenia milczenie, ale chwilę potem zewsząd posypały się okrzyki i pytania. Lorlen uniósł rękę i zebrani ponownie umilkli.

– Mistrz Fergun uwięził tego młodego człowieka – Administrator wskazał ręką Cery'ego – zaraz po tym, jak powiedział mi, że odprowadzi go do bramy. Zamknął go w lochu pod Uniwersytetem, a następnie zagroził Sonei, że go zabije, jeśli ona nie skłamie na tym Przesłuchaniu, by poprzeć jego wersję zdarzeń. Uzyskawszy opiekę nad nią, zamierzał zmusić ją do złamania któregoś z naszych praw, tak by została publicznie wygnana z Gildii.

– *Ale po co to wszystko?* – syknęła Mistrzyni Vinara.

– Zdaniem Sonei po to – odrzekł Lorlen – by przekonać nas, że w Gildii nie ma miejsca dla ludzi z nizin.

– Ale przecież ona i tak chciała odejść.

Oczy wszystkich zwróciły się na Ferguna, który patrzył wyzywająco na starszych magów.

– Przyznam, że nieco mnie poniosło – oznajmił – ale chciałem jedynie bronić Gildię przed nią samą. Chcieliby-ście przyjmować w nasze szeregi złodziei i żebraków, nie pytając, czy my albo Domy, a może i sam Król, któremu służymy, tego pragnie? Przyjęcie małej żebraczki do Gildii może się nie wydawać niczym ważnym, ale dokąd to pro-wadzi? – Podniósł głos. – Może zaczniemy przyjmować też innych? Może zmienimy się w Gildię Złodziei?

Rozległ się szmer głosów. Sonea rozglądała się po ota-czających ją magach: niektórzy kiwali głowami ze zrozu-mieniem.

Fergun spojrzał na nią z uśmiechem.

– Ona chciała, żebyśmy związali jej moc i pozwolili wró-cić do domu. Zapytajcie Mistrza Rothena. Nie zaprzeczy. Zapytajcie Administratora Lorlena. Nie chciałem od niej niczego, czego ona sama by nie pragnęła.

Sonea zacisnęła pięści.

– Niczego, czego sama bym nie pragnęła? – parsknęła. – *Nie* chciałam składać Przysięgi Nowicjuszy po to, żeby ją następnie złamać. *Nie* chciałam kłamać. *Uwięziłeś* mojego przyjaciela. Zagroziłeś, że go *zabijesz*. Jesteś… – Urwała, zdając sobie nagle sprawę z tego, że jest obserwowana przez zgromadzony tłum magów. Wciągnęła głęboko powietrze i spojrzała na starszych. – Kiedy tu zamieszkałam, zajęło mi sporo czasu przekonanie się, że nie jesteście... – Znów urwała, gdyż nagle uzmysłowiła sobie, że stoi w sali Rady Gildii i wyzywa magów. Wskazała więc palcem na Ferguna. – Ale *on* uosabia wszystko, co składało się na moje wyobrażenie o magach.

Po tych słowach zaległo milczenie. Lorlen spoglądał na nią z powagą, po czym powoli skinął głową i zwrócił się do Ferguna.

– Popełniłeś wiele wykroczeń, Mistrzu Fergunie – powiedział. – Niektóre z nich bardzo poważne. Nie będę cię prosił o wyjaśnienia, ponieważ przed chwilą sam je złożyłeś. Za trzy dni odbędzie się Przesłuchanie, mające na celu ocenę twoich działań i wyznaczenie kary. Sugeruję, abyś współpracował ze śledztwem.

Podszedł do Osena i wspiął się na schody wśród krzeseł starszych magów. Wielki Mistrz obserwował go, a na jego ustach pojawił się półuśmieszek. Sonea wzdrygnęła się na myśl, jak Lorlen musi się czuć pod tym spojrzeniem, jakie sprzeczne emocje muszą nim targać.

– Spór, w sprawie którego się spotkaliśmy, uważam za nieważny – oznajmił Lorlen. – Niniejszym powierzam opiekę nad Soneą Mistrzowi Rothenowi i ogłaszam koniec tego Przesłuchania.

Magowie podnosili się z krzeseł i sala wypełniła się natychmiast gwarem głosów i stukotem butów. Sonea zamknęła oczy. *Już po wszystkim!*

I przypomniała sobie Akkarina. *Nie, bynajmniej*, pomyślała. *Ale na razie nie ja będę się tym martwić.*

– Powinnaś mi była powiedzieć, Soneo.

Otworzyła oczy i zobaczyła przed sobą Rothena z Cerym u boku. Spuściła wzrok.

– Przepraszam.

Ku jej zaskoczeniu Rothen uścisnął ją.

– Nie przepraszaj – powiedział. – Musiałaś ratować swojego przyjaciela. – Zwrócił się do Cery'ego. – W imieniu Gildii proszę o wybaczenie tego traktowania.

Cery uśmiechnął się i machnął lekceważąco ręką.

– Oddajcie mi tylko mój dobytek, a zapomnę o wszystkim.

Rothen zmarszczył brwi.

– A czego ci brakuje?

– Dwóch sztyletów, kilku noży, no i moich narzędzi.

– Narzędzi? – powtórzył Rothen.

– Wytrychów.

Rothen spojrzał pytająco na Soneę.

– On nie żartuje, prawda?

Pokręciła przecząco głową.

– Zobaczę, co się da zrobić. – Rothen westchnął i spojrzał ponad ramieniem Sonei. – Ach! Oto człowiek, który znacznie lepiej zna obyczaje Złodziei... Mistrz Dannyl.

Sonea poczuła czyjąś dłoń na ramieniu, a gdy się odwróciła, stanęła oko w oko z wysokim magiem, który uśmiechał się do niej od ucha do ucha.

– Świetna robota! – zawołał. – Oddałaś mnie i całej Gildii ogromną przysługę.

Rothen uśmiechnął się krzywo.

– Coś ty taki wesoły, Dannylu?

Dannyl spojrzał na przyjaciela z wyższością.

– Kto miał rację co do Ferguna, hę?

Rothen pokiwał głową z westchnieniem.

– Zgaduję, że ty.

– Czy *teraz* rozumiesz, dlaczego tak go nie znoszę? – Dannyl zauważył Cery'ego i zamyślił się. – Wydaje mi się, że to ciebie poszukują Złodzieje. Wysłali do mnie list z zapytaniem, czy wiem, gdzie się podział towarzysz Sonei. Wyglądali na zaniepokojonych.

Cery spojrzał badawczo na maga.

– Kto wysłał ten list?

– Człowiek imieniem Gorin.

Sonea zmarszczyła brwi.

– A zatem to Gorin powiedział Gildii, gdzie mnie znaleźć, nie Faren.

Cery rzucił jej zdumione spojrzenie.

– Oni cię *zdradzili*?

Wzruszyła ramionami.

– Nie mieli wyboru. W sumie dobrze zrobili.

– Nie o to chodzi. – W oczach Cery'ego zapłonęły iskierki. Sonea domyśliła się, o czym myśli, i uśmiechnęła się.

Ja go przecież kocham, pomyślała nagle. *Tyle że na razie jest to miłość do przyjaciela*. Może gdyby mieli czas dla siebie, bez tych wszystkich problemów ostatnich miesięcy, ta przyjaźń mogłaby się rozwinąć w coś poważniejszego. Ale to się nie stanie. Nie teraz, kiedy ona wstępuje do Gildii, a on zapewne wróci do Złodziei. Na myśl o tym Sonea poczuła ukłucie żalu, ale odsunęła je od siebie.

Rozejrzała się po sali i ze zdumieniem stwierdziła, że prawie wszyscy już wyszli. Fergun stał nadal w pobliżu, otoczony grupką magów. Pochwycił jej spojrzenie i jego twarz wykrzywił pogardliwy grymas.

– Spójrzcie na nich – powiedział. – Jeden zadaje się z żebrakami, drugi ze Złodziejami.

Jego kompani wybuchnęli śmiechem.

– Czy on nie powinien zostać zamknięty, czy coś? – spytała Sonea.

Rothen, Dannyl i Cery spojrzeli w kierunku grupki Ferguna.

– Nie – odpowiedział Rothen. – Będzie pod nadzorem, ale wie, że jeśli okaże skruchę, to może uniknąć wygnania. Zapewne otrzyma obowiązki, których nikt nie chce, może jakieś zadanie, które wymaga kilkuletniego pobytu w jakimś odległym miejscu.

Fergun stał jeszcze przez chwilę nachmurzony, po czym obrócił się i ruszył w kierunku drzwi. Jego towarzysze poszli za nim. Dannyl uśmiechnął się szeroko, ale Rothen pokiwał głową z widocznym smutkiem. Cery wzruszył ramionami i spojrzał na Soneę.

– A co z tobą? – zapytał.

– Sonea może odejść – odrzekł Rothen. – Będzie jednak musiała zostać jeszcze przez dzień lub dwa. Prawo nakazuje, że nie może wrócić do slumsów, zanim nie zwiążemy jej mocy.

Cery zasępił się i rzucił jej badawcze spojrzenie.

– „Zwiążemy"? Oni zablokują twoją moc?

Sonea pokręciła głową.

– Nie.

Rothen zmarszczył brwi i zerknął na nią pytająco.

– Nie?

– Oczywiście, że nie. Mielibyście wtedy nieco kłopotów z uczeniem mnie, prawda?

Zamrugał.

– Naprawdę chcesz zostać?

– Tak. – Uśmiechnęła się. – Chcę zostać.

EPILOG

W powietrzu nad stołem unosiła się iskierka. Powoli powiększała się, aż stała się kulą wielkości główki dziecka, a następnie uniosła się i zawisła pod sufitem.

– Doskonale – pochwalił ją Rothen. – Udało ci się stworzyć kulę świetlną.

Sonea uśmiechnęła się w odpowiedzi.

– Wreszcie czuję się jak prawdziwy mag.

Rothen spojrzał na jej buzię i poczuł ciepło w okolicy serca. Trudno było odegnać pokusę uczenia jej magii, skoro najwyraźniej sprawiało jej to tyle przyjemności.

– Jeśli nadal będziesz robić postępy w tym tempie, kiedy wreszcie zaczniesz naukę na Uniwersytecie, wyprzedzisz innych nowicjuszy o kilka tygodni – powiedział. – W każdym razie w magii. Ale… – Sięgnął do sterty książek leżących koło jego fotela i zaczął w nich grzebać. – Jesteś bardzo do tyłu w rachunkach – oznajmił stanowczo. – Czas zabrać się do jakiejś konkretnej roboty.

Sonea spojrzała na książki i westchnęła.

– Szkoda że nie wiedziałam, jakim torturom zostanę poddana, zanim zdecydowałam się zostać.

Rothen roześmiał się i popchnął ku niej po blacie jedną

z książek, po czym rzucił jej spojrzenie spod przymrużonych powiek.

– Wciąż nie odpowiedziałaś na moje pytanie.

– Jakie pytanie?

– Kiedy podjęłaś decyzję?

Ręka, która już sięgała po książkę, zamarła w pół ruchu. Sonea podniosła na niego wzrok. Uśmiechnęła się, ale jej oczy pozostały poważne.

– Kiedy uprzytomniłam sobie, że powinnam – powiedziała.

– Ej, Sonea. – Rothen pogroził jej palcem. – Przestań dawać mi wymijające odpowiedzi.

Rozparła się wygodnie w fotelu.

– Postanowienie zapadło podczas Przesłuchania – wyjaśniła. – Dzięki Fergunowi zrozumiałam, z czego rezygnuję, ale nie to było decydujące. Cery powiedział mi wcześniej, że byłabym głupia, gdybym wróciła do domu, to też pomogło.

Rothen roześmiał się.

– Lubię tego twojego przyjaciela. Wielu jego postępków nie pochwalam, ale lubię go.

Potaknęła i zacisnęła usta.

– Rothen, czy istnieje możliwość, że ktoś nas teraz podsłuchuje? – spytała. – Służący? Inni magowie?

Potrząsnął przecząco głową.

– Nie.

Nachyliła się do niego.

– Jesteś *absolutnie* pewny?

– Tak – odparł.

– Bo… – urwała. Zsunęła się z fotela i uklękła przy Rothenie, zniżając głos do szeptu. – Jest coś, o czym Lorlen kazał mi tobie opowiedzieć.

PRZEWODNIK PO ŻARGONIE SLUMSÓW

UŁOŻONY PRZEZ MISTRZA DANNYLA

Bylec – mieszkaniec slumsów

Czujka – obserwator stojący na posterunku

Eja – wykrzyknik oznaczający zdziwienie, pytanie lub mający zwrócić uwagę

Flis – paser

Gość – włamywacz

Klient – człowiek, który ma układ ze Złodziejami lub zobowiązania wobec nich

Krwawe pieniądze – zapłata za morderstwo

Majcher – zabójca

Mątwa – człowiek grający na dwa fronty, dwulicowy

Mątwić – grać na dwa fronty, oszukiwać

Ogon – szpieg

Praworządny – godny zaufania

Rodzina – najbliżsi i najbardziej zaufani współpracownicy Złodzieja

Złodziej – przywódca grupy przestępczej

Złota żyła – mężczyzna, który woli chłopców

SŁOWNICZEK

ZWIERZĘTA

Ceryni – niewielki gryzoń

Faren – ogólna nazwa pajęczaków

Gorin – duże zwierzę domowe, hodowane jako pociągowe i na mięso

Harrel – niewielkie zwierzę domowe hodowane na mięso

Mullook – dziki ptak nocny

Rassook – gatunek ptactwa domowego hodowany na mięso i pierze

Ravi – gryzoń większy od cerynia

Reber – zwierzę domowe hodowane na mięso i wełnę

ROŚLINY/JEDZENIE

Chebol, sos – gęsty sos do mięs sporządzany ze spylu

Curren – gruba kasza o mocnym smaku

Iker – narkotyk pobudzający, ponoć również afrodyzjak

Pachi – słodki, odświeżający owoc

Papea – przyprawa podobna do pieprzu

Raka – pobudzający trunek przyrządzany z pieczonych fasolek pochodzących z Sachaki

Spyl – mocny trunek sporządzany z tuguru; także: męty, szumowiny rzeczne

Sumi – gorzki napój

Tugor – korzeń podobny do pasternaku

SPIS TREŚCI

NOWICJUSZKA
Księga druga Trylogii Czarnego Maga

Imardin to miasto ponurych intryg i niebezpiecznej polityki, gdzie władzę sprawują ci, którzy obdarzeni są magią. W ten ustalony porządek wtargnęła bezdomna dziewczyna o niezwykłym talencie magicznym. Odkąd przygarnęła ją Gildia Magów, jej życie zmieniło się nieodwracalnie – na lepsze czy gorsze?

Sonea wiedziała, że nauka w Gildii Magów nie będzie łatwa, ale nie przewidziała niechęci, jakiej dozna ze strony innych nowicjuszy. Jej szkolnymi kolegami są synowie i córki najpotężniejszych rodów w królestwie, którzy zrobią wszystko, żeby poniosła klęskę – nie licząc się z kosztami. Niemniej przyjęcie opieki Wielkiego Mistrza Gildii może dla Sonei oznaczać jeszcze marniejszy los. Albowiem Wielki Mistrz Akkarin skrywa sekret znacznie czarniejszy niż jego szaty.

Skład: DESIGN PLUS
ul. Morsztynowska 4/7, 31-029 Kraków, tel. 012 432 08 52

Wyłączny dystrybutor:
PLATON Sp. z o.o.
ul. Kolejowa 19/21, 01-217 Warszawa, tel./fax. 022 631 08 15

Druk i oprawa:

www.opolgraf.com.pl